Réquiem pour une révolution

DU MÊME AUTEUR

Romans

Une belle saloperie, Éditions Baker Street, 2013.

Philby, portrait de l'espion en jeune homme, Éditions Baker Street, 2011. Points, 2012.

L'Hirondelle avant l'orage : le poète et le dictateur, Éditions Baker Street, 2009. Points, 2010.

Légendes, Flammarion, 2005. J'ai lu, 2007.

La Compagnie : le grand roman de la CIA, Buchet/Chastel, 2003. Points, 2004.

Le Fil rouge, Denoël, 1999. Folio, 2001.

Les Enfants d'Abraham, Denoël, 1998. Folio, 2000.

Le Sphinx de Sibérie, Denoël, 1994. Folio, 1996.

Ombres rouges, Denoël, 1992. Folio, 1999.

Un espion d'hier et de demain, Julliard, 1991. Points, 2011.

Les Larmes des choses, Julliard, 1989. (*Requiem pour une révolution*, Éditions Baker Street, 2014.)

Les Sœurs, Presses de la Cité, 1985. Points, 2011.

L'Amateur, Presses de la Cité, 1982. 10/18, 1988. J'ai lu, 2005.

Le Transfuge, Presses de la Cité, 1980. 10/18, 1988. Points, 2010.

Mère Russie, Presses de la Cité, 1978. 10/18, 1985. Points, 2011.

Le Cercle Octobre, Presses de la Cité, 1976. 10/18, 1985.

Coup de barre, Presses de la Cité, 1974. 10/18, 1988.

La Boucle, Presses de la Cité, 1973. 10/18, 1983. J'ai lu, 2006 (paru sous le titre *La Défection de A.J. Lewinter*).

Document

Conversations avec Shimon Peres, Denoël, 1997. Folio, 1998.

Robert Littell

Réquiem pour une révolution

Le grand roman de la
Révolution russe

*traduit de l'anglais
par Julien Deleuze*

Éditions Baker Street

Ouvrage publié sous la direction
de Cynthia Liebow

L'auteur tient à remercier les auteurs et les éditeurs suivants pour l'autorisation de reproduire des passages de leurs livres :

Des extraits de *The Time of Stalin: Portait of a Tyranny*, de Anton Antonov Ovseyenko. Traduction anglaise ©Harper & Row, Publishers, Inc, 1981. Reproduit avec l'autorisation de l'éditeur. Extrait de *Gut Yunif Gut Yohr* de Mary B. Jaffe, 1965. Avec l'autorisation de la Citadel Press. Extrait d'*Anna Akhmatova: A Poetic Pilgrimage* d'Amanda Haight, ©1976. Avec l'autorisation de l'Oxford University Press. « Mandelstam's Poem on Stalin (November 1933) » dans *Hope Against Hope* de Nedezhda Mandelstam, traduit du russe par Max Hayward. ©1970, Atheneum Publishers. Traduction anglaise ©Atheneum Publishers, 1970. Reproduit avec l'autorisation d'Atheneum Publishers, filiale de Macmillan, Inc. Extraits de *I Love: The Story of Vladimir Mayakovsky and Lili Brik*, d'Ann et Samuel Charters. ©Ann et Samuel Charters, 1979. Reproduit avec l'autorisation de Farrar, Straus and Giroux, Inc. Extrait de *Selected Poems* d'Ossip Mandelstam. Traduction anglaise ©Rivers Press Ltd, 1973, 1975. Reproduit avec l'autorisation de Farrar, Straus et Giroux, Inc.

Titre original :
The Revolutionist
Éditeur original :
Bantam Books, New York, 1988
© Robert Littell, 1988
ISBN original : 978-0-553052-60-2

Pour la traduction française :
Les Larmes des choses
© Éditions Julliard, Paris, 1989
ISBN : 2-260-00623-X

Pour cette nouvelle édition française :
© Éditions Baker Street, Paris, 2014
ISBN : 978-2-917559-40-6

Pour Victoria

Sunt lacrimae rerum…
Virgile, *L'Énéide.*

LIVRE UN

Il mérite la mort mais, Dieu merci, nous n'avons pas la peine capitale et ce n'est pas à moi de l'introduire. Que mille hommes le bâtonnent par douze fois.

Le tsar Nicolas Ier ordonnant le châtiment d'un étudiant qui avait attaqué son professeur, d'après la nouvelle *Hadji Murad* de Nicolas Tolstoï.

Que Dieu ne voie pas la révolte russe – la révolte sans esprit et sans pitié.

Alexandre Pouchkine, qui écrivait cent ans avant la révolution bolchevique.

POUR SE SITUER DANS LE TEMPS...

Un samedi de mars 1911, un garçon de courses dégringola l'étroit escalier de l'immeuble Asch en criant des choses incompréhensibles. Alexander Til, qui travaillait dans un atelier étouffant à côté de l'escalier, leva les yeux de sa machine à coudre.

« Qu'est-ce qui se passe ? demanda-t-il.

— Il y a le feu, cria une fille depuis la porte. En haut. Dans l'atelier du Triangle. »

Alexander, qui allait avoir dix-sept ans une semaine plus tard, se jeta dans l'escalier. « Mon père travaille pour le Triangle Shirtwaist, s'exclama-t-il. Mon frère aussi. »

Des centaines de filles se précipitaient vers la rue. Luttant contre le courant, Alexander essaya de monter, mais il fut entraîné par le torrent. Au rez-de-chaussée, l'entassement des corps rendait impossible l'ouverture de la porte, dont le battant pivotait vers l'intérieur. De la fumée commença à descendre des étages supérieurs. Les cris augmentèrent de volume. Alexander trébucha, tomba, se débattit pour se relever et n'y parvint pas. Se protégeant la tête des bras, haletant, essayant de ne pas suffoquer, il entendit par-dessus les cris les pompiers briser les gonds à la hache. La porte bascula sur la tête des ouvrières et un projecteur poignarda la fumée. Alexander vit un peu de lumière, arriva à se relever en s'accrochant à ses voisins et sortit, titubant, larmoyant, dans la rue, à l'air libre.

Son beau-frère, Léon, qui travaillait dans un atelier du pâté de maisons voisin, avait couru jusque-là en entendant les sirènes. Il empoigna Alexander.

« Où est ton père ? Où est Abner ? » cria-t-il.

Alexander regarda en l'air. Les trois derniers étages de l'immeuble étaient la proie des flammes. Les lances d'incendie n'arrivaient pas si haut. Des dizaines de filles hystériques étaient montées sur l'escalier de secours extérieur. Les pompiers leur criaient de rentrer, que l'escalier ne supporterait par leur poids, mais les filles n'entendaient pas – elles hurlaient aussi –, l'escalier de secours s'effondra et elles tombèrent comme des oiseaux abattus par un chasseur.

À toutes les fenêtres, des filles rampaient sur les corniches pour échapper à la chaleur et aux flammes, et se jetaient dans le vide. Les pompiers, le visage barbouillé de larmes, tendaient des bâches, mais les filles tombaient de trop haut, elles les transperçaient et s'écrasaient sur la chaussée.

Alexander aperçut son frère, Abner, accroupi dans l'embrasure d'une fenêtre ouverte au neuvième étage. Il aida une fille à ramper sur la corniche, puis l'écarta de la façade, la tenant à bout de bras, et la laissa tomber. Il fit de même avec une seconde. Puis avec une troisième. Plus tard, les journaux décrivirent son action comme « atrocement chevaleresque ». Il guida une quatrième fille sur la corniche. Ce devait être sa petite amie, Nora, parce qu'elle lui mit les bras autour du cou et l'embrassa.

Dans la rue, les gens se turent. Avec une incroyable douceur, Abner tint Nora dans le vide et la laissa choir vers sa mort. Ensuite, il sauta aussi.

On trouva le lendemain le corps brisé du père d'Alexander au bas de la cage d'ascenseur. Il avait toujours sur le dos sa machine à coudre portable.

Quelque chose se cassa en Alexander, comme une montre au ressort trop remonté ; il cessa de parler, de penser, de sentir. Pendant des semaines, Léon ne le quitta pas. Quand ils allaient quelque part, il lui tenait fermement l'épaule. En regardant les yeux sans vie de son beau-frère glisser sans but sur les murs écaillés de leur appartement, Léon se demandait s'il redeviendrait jamais pareil à lui-même.

Puis, un matin, vers la fin d'avril, une étincelle de vie apparut dans les yeux d'Alexander. Ses lèvres bougèrent. Un mot en émergea.

« Justice », murmura-t-il d'une voix rauque.

Léon se pencha vers lui.

« Quoi, la justice ?

— La justice, dit Alexander, c'est ce qui nous manque. »

À partir de ce moment, le cœur d'Alexander se remit à tictaquer, lentement d'abord, puis avec panique, comme si le temps devait lui faire défaut s'il ne se dépêchait pas. Il se mit à parler de ce qui avait ôté leur vie à Abner, à son père et à cent quarante-quatre autres personnes. Ils avaient été victimes, dit-il, raisonnant avec soin, mesurant ses mots, d'un système qui ne prenait en compte qu'un seul facteur : le profit. C'était pourquoi l'escalier de l'immeuble Asch ne mesurait que quatre-vingts centimètres de large, la porte d'entrée s'ouvrait vers l'intérieur, l'unique ascenseur ne pouvait contenir que douze personnes, et son père avait été forcé de sauter dans le conduit pour échapper aux flammes. C'était pourquoi l'immeuble avait dix étages, mais l'échelle des pompiers ne montait qu'au sixième. C'était pourquoi les compagnies d'assurances avaient offert à vingt-trois familles soixante-quinze dollars chacune en dédommagement intégral de leurs pertes.

Le dimanche suivant, Alexander, Léon et plusieurs syndicalistes allèrent parler au propriétaire du Triangle Shirtwaist, qui vivait à Long Island dans une maison de campagne que les ouvriers appelaient Tsarskoïe Selo, d'après la propriété du tsar près de Saint-Pétersbourg. Au début, le propriétaire refusa de les recevoir, mais il changea d'avis quand Alexander lança une brique au travers d'une porte-fenêtre.

Le col de chemise ouvert, les mains dans les poches du pantalon, Alexander s'avança :

« Considérez-vous que les soixante-quinze dollars offerts aux familles par la compagnie d'assurances soient suffisants ? » Il fit un autre pas en avant. « Vous sentez-vous une quelconque responsabilité dans la mort de vos employés ? Allez-vous offrir une compensation supplémentaire ? Allez-vous améliorer les conditions de travail des survivants ? »

En voyant la délégation, le propriétaire avait envoyé son majordome chercher la police locale. Deux policiers montèrent l'allée dans une Ford toute neuve, rugissante, dans l'intention d'arrêter Alexander et les autres pour violation de domicile, atteinte à la propriété privée et menaces de mort vis-à-vis d'un éminent citoyen. Quand l'un des policiers essaya de passer les menottes à Alexander, il lui donna un coup de poing dans la mâchoire. Léon, les autres et lui s'égaillèrent dans les champs.

C'est à ce moment précis de sa vie qu'Alexander commença à se considérer comme un révolutionnaire.

CHAPITRE PREMIER

New York 1917

Dès que le Juif vit l'insigne doré et argenté, il tenta de refermer la porte, mais l'agent fédéral fut trop rapide pour lui. Il avait déjà fermement enfoncé un de ses richelieus dans l'embrasure.

« On ne peut pas dire qu'il soit accueillant, se plaignit le visiteur à son collègue.

— On dirait qu'il ne veut pas nous laisser passer », fit le second agent.

Le Juif évalua les deux hommes pendant qu'ils entraient. Ils avaient des lèvres minces, des visages typiques du Midwest, portaient des feutres mous et des pardessus bon marché, à martingale, identiques. L'un d'eux laissa entendre qu'il s'appelait Hoover. L'autre ne se présenta pas. Ils remirent leurs badges dans leurs poches et essuyèrent soigneusement leurs chaussures sur le chiffon qui servait de paillasson pour en enlever les traces imaginaires du Lower East Side. Puis, ils suivirent le Juif au travers du couloir étroit où, le long des murs, des piles de livres montaient à mi-corps, jusqu'à la petite pièce donnant sur la cour. Là, celui qui s'appelait Hoover, un jeune homme qui n'avait pas beaucoup plus de vingt ans, sortit un petit carnet à spirale, se mouilla le pouce et le feuilleta jusqu'à la page qu'il cherchait.

« Son vrai nom est Alexander Til », dit-il au Juif. Sa voix, rauque, fatiguée, semblait venir du fond de sa large poitrine. « C'est un blanc. Naturalisé américain, d'origine juive russe. Un mètre soixante-seize. Maigre. Début de calvitie. Les yeux verts. Le sujet porte des lunettes et a une cicatrice de huit centimètres derrière l'oreille gauche, résultat d'une blessure reçue alors qu'il résistait à une arrestation pour piquet de grève illégal durant la grève des ouvriers de l'habillement en 1912. Le coup à la tête a diminué l'acuité de son oreille gauche. Il a l'habitude de tendre l'oreille droite vers les gens quand il leur parle. Il s'est parfois déguisé en laissant pousser sa barbe et sa moustache. »

Le Juif, qui louait le trois pièces de Hester Street et sous-louait la plus petite, donnant sur la cour, pour joindre les deux bouts, fixa Hoover.

« Le nom de Til jusqu'à présent jamais je n'ai entendu, répondit-il prudemment. Le locataire à qui je loue, il m'a dit qu'il s'appelait Rosenstein. »

L'autre agent se déplaçait dans la pièce, passant distraitement le bout des doigts sur une table, l'appui de la fenêtre et le dos des livres comme une femme qui soupçonne la présence de poussière.

« Est-ce que votre Rosenstein avait une barbe ? » demanda-t-il au Juif sans le regarder.

Celui-ci haussa les épaules.

« Des barbes, beaucoup de gens ici ont.

— Est-ce qu'il était sourd d'une oreille ?

— Je lui ai jamais assez parlé pour remarquer. »

L'agent se tourna pour fixer le Juif.

« Depuis combien de temps est-il parti ? »

— Quatre, peut-être cinq jours.

— Pourquoi est-il parti ?

— Il est parti, c'est tout ce que je sais.

— Il n'a pas dit où il allait ?

— Non.

— Et, naturellement, vous ne savez pas où nous pourrions le trouver ?

— C'est correct. Je ne sais pas.

— Vous êtes étranger aussi, n'est-ce pas ? Mentir à des agents du FBI en mission pourrait vous coûter cher.

— Je ne sais pas où il est », insista le Juif, têtu.

Son fils de douze ans entra dans la pièce. Le garçon, comme la plupart des enfants des quartiers ouvriers, puait le kérosène ; on lui en mettait tous les jours sur le cou, les poignets et les chevilles pour éviter les poux. Il se plaça timidement derrière les jambes de son père, accrocha les mains à ses bretelles et fixa les intrus avec d'immenses yeux noirs.

Hoover eut une grimace de dégoût et se mit à faire la liste sur son carnet des quelques objets que contenait la pièce. Il y avait un lit bas, en métal, avec une paillasse, et deux phrases étaient écrites à la craie sur le mur au-dessus : « Le capitalisme crée des producteurs et des consommateurs. Le communisme crée des êtres humains qui se trouvent aussi être des producteurs et des consommateurs. » À côté du lit, une caisse renversée servait de table de nuit, supportant une lampe à pétrole et une demi-douzaine d'exemplaires d'une revue militante intitulée *Les Masses*. L'un d'eux était ouvert sur un article de John Reed, écrit à Mexico, à propos de Francisco Pancho Villa, ce que nota consciencieusement Hoover, qui se rappelait avoir lu des choses très défavorables sur le célèbre Villa dans une circulaire interdépartementale. Il y avait plusieurs assiettes d'étain, des tasses et une bouilloire noircie sur une vieille table avec un numéro du journal anarchiste d'Emma Goldman, *Mother Earth*, une édition allemande de *Das Kapital*, le roman de Tchernychevski : *Chto Delat*, en russe, et un livre intitulé : *Portrait de l'artiste en jeune homme*. Une phrase était écrite à la craie sous la petite fenêtre qui donnait sur la cour : « La propriété, c'est le vol – Proudhon. » Le terme « c'est » avait été souligné, comme si la personne qui l'avait écrit avait souvent entendu la phrase mais ne s'était que récemment persuadée de sa véracité. Punaisés derrière la porte, il y avait un article déchiré dans le *New York Tribune*, racontant que les habitants d'Erwin, Tennessee, avaient pendu un éléphant à une tour de forage pour avoir piétiné un homme, une publicité pour un concert de Caruso à Carnegie Hall et un tract polycopié annonçant que le célèbre révolutionnaire russe Léon Trotski s'adresserait à un Cercle socialiste sur Bedloe's Island le dimanche suivant, 18 mars 1917. « Venez nombreux, disait-il, apportez votre pique-nique. » En bas de la feuille, en grosses lettres, l'avertissement suivant : « Alcool strictement interdit. »

Hoover leva les yeux de son carnet.

« Ces livres sur la table, ils sont à lui ou à vous ?

— À lui.

— Il reviendra les chercher, vous croyez ? »

Le Juif secoua la tête.

« Il m'a dit de les vendre pour payer la semaine qu'il me doit. »

L'autre agent retourna un presse-papiers en verre et le tint à hauteur d'œil pour voir la neige se déposer à l'intérieur.

« Avec cette affaire en Russie, nous devons être plus vigilants que jamais. Un révolutionnaire comme Til peut contaminer des milliers de personnes.

— De notre point de vue, dit Hoover, ce Til est un dangereux idéaliste. »

Avec un sourire mince comme une lame de couteau, il dit au Juif :

« Vous comprenez notre point de vue ? »

Le Juif tira pensivement sur le lobe d'une oreille qui portait la marque de cette habitude.

« Je comprends votre point de vue, dit-il finalement. Et vous avez évidemment raison, de ce point de vue… Mais votre point de vue est erroné. Dans les États-Unis d'Amérique, l'idéalisme n'est pas encore un crime.

— Ce n'est pas une question d'idéalisme, dit Hoover avec impatience. C'est une question de propriété.

— La propriété, souligna le Juif, c'est le vol.

Grattez un Juif… », grogna l'autre agent.

Zander – comme les amis d'Alexander s'étaient mis à l'appeler – se tenait en bordure de la foule regardant les hommes de l'abattoir, en tabliers maculés de sang, essayer de libérer un cheval qui s'était effondré entre ses brancards en tirant une charretée de charbon sur la Troisième Avenue. Plusieurs passagers se penchaient par les fenêtres d'un tramway qui passait, donnant des conseils. Le cheval, qui avait des œillères et les côtes saillantes, hennit et rua faiblement, touchant un des ouvriers au tibia. Il jura et s'écarta en boitillant. Un jeune policier au visage imberbe se pencha sur le cheval et lui enfonça le canon de son revolver dans l'oreille. La plupart des spectateurs regardèrent ailleurs. Les passagers rentrèrent la tête dans le tramway. Un jeune garçon en culottes de velours gloussa nerveusement. Le policier pressa la détente. Le revolver tressauta dans sa main. Du sang et de l'écume jaillirent de la bouche du cheval. L'animal eut un sursaut, puis resta immobile.

Zander s'écarta. Il était toujours mal à l'aise dans une foule, il avait peur d'être piétiné à mort. Regardant derrière lui, il vit un instant le cadavre du cheval, une jambe grotesquement dressée, comme un doigt accusateur pointé vers le ciel. Il lui vint à l'esprit que, dans les pays capitalistes, il n'y avait pas que les animaux qui mouraient à la tâche. Les humains aussi travaillaient jusqu'au dernier moment, puis on s'en débarrassait pendant que ceux qui avaient plus de chance détournaient le regard, gênés. Zander n'avait jamais détourné le regard ; il avait fixé chaque mort jusqu'à ce qu'elle se grave dans sa mémoire. Il avait vu des ouvriers s'effondrer comme ce cheval, avait vu des gens incapables de soulever un autre sac, de faire un pas de plus. Les patrons ne leur appuyaient pas de revolver contre l'oreille, ils cessaient simplement de les payer et les laissaient à la rue, comme de vieilles chaussures. Mais qu'était-ce, sinon une autre forme d'exécution ?

« Rien ne t'intimide », avait explosé Léon, son beau-frère, pendant une de leurs batailles acharnées sur la meilleure façon de refaire le monde, « ni la perspective de la mort ni celle de l'échec, rien. » Léon avait complètement tort, bien sûr. Zander *savait* comment étaient les choses, *rêvait* de ce qu'elles pourraient être, et cela le mettait au supplice. Et s'il n'y pouvait rien changer ? Et si Marx se trompait, si la révolution n'était pas inévitable, si les masses étaient destinées à être exploitées jusqu'à la mort comme le cheval qui tirait la charrette de charbon dans la Troisième Avenue ? Et si les usines, les mines, les ghettos et une hiérarchie mesquine fondée sur la force étaient des choses inévitables ?

Non ! Zander ne l'accepterait jamais. Et il n'abandonnerait jamais la lutte. Il tiendrait les barricades, peu importe où et quand les ouvriers les élèveraient.

Depuis la mort de son père et de son frère dans l'incendie du Triangle, c'était exactement ce qu'il faisait. L'État de New York, le Connecticut, le New Jersey, le Michigan, l'Ohio, le Colorado avaient tous lancé des mandats d'amener contre lui, pour piquets illégaux, réunions interdites, incitation à l'émeute. Incitation à l'émeute ! Il avait incité à bien plus qu'à l'émeute, ce que le gouvernement fédéral avait compris quand il avait lancé un mandat contre lui au titre de la loi de 1903 qui permettait la déportation des anarchistes étrangers. Le FBI le traquait depuis presque un an pour avoir « prêché la sédition, la rébellion armée et autres théories communistes destinées à renverser l'ordre établi ». Du moins, c'était ce que disait la légende du portrait assez ressemblant qui figurait sur l'avis de recherche.

Zander continua son chemin vers la boutique du prêteur sur gages, un pâté de maisons plus haut dans la Troisième Avenue. Il portait une chemise de lin écru, un costume qui avait été « retourné » par un tailleur grec d'East Broadway, et qui se boutonnait la gauche sur la droite. Il avait une barbe épaisse emmêlée, une peau douce qu'il pensait vaguement être peu masculine et des yeux qu'une actrice yiddish avait une fois, dans un éclair d'intuition, décrits comme « meurtris ».

La clochette fixée à la porte tinta quand il entra dans l'officine du prêteur sur gages. Celui-ci sortit de l'arrière-boutique. Il avait le crâne si étroit qu'il paraissait avoir été déformé lors d'une naissance difficile, et d'énormes oreilles rouges, saillant à angle droit. « Êtes-vous acheteur ou vendeur ? » demanda-t-il d'une voix nasale et geignarde.

Le bruit saccadé d'une machine à écrire venait de l'arrière-salle. On cessa de taper. Une voix de femme murmura : « Oh, merde ! » Puis la frappe reprit.

« Si le prix est correct, je suis vendeur », dit Zander.

Le prêteur sur gages rit doucement. « Pour un vendeur, quand le prix est-il jamais correct ? Montrez-moi ce que vous avez. »

Il écarta des harmonicas, des oignons, des boutons de manchette et des poudriers pour dégager un espace sur le comptoir.

Zander sortit de la poche de sa veste un mouchoir plié et le posa délicatement sur le verre épais. Il écarta les pans du mouchoir pour révéler une broche en argent avec un camée, une petite pierre rouge. Sa mère, Rivka, la lui avait donnée en 1908, à Rotterdam, sur le quai, comme son père, son frère et lui allaient prendre le bateau pour l'Amérique.

« J'ai changé d'avis, avait dit son père d'une voix misérable. Nous allons tous attendre à Rotterdam avec toi.

— Nous avons réglé ça hier soir, avait insisté Rivka. Quand j'irai assez bien pour voyager, sois sûr que je traverserai l'océan jusqu'à ton Amérique. » Elle essaya de sourire de façon encourageante. « Après tout, la tuberculose, ce n'est pas la fin du monde. »

Alexander se rappelait avoir crié : « Maman, je suis désolé de nous avoir fait quitter la Russie.

— Ce n'est pas toi qui nous as fait quitter la Russie, l'avait réprimandé Rivka, c'est Dieu. »

Elle avait béni Alexander, Abner et son mari, en yiddish, les avait tous embrassés sur le front, et Jack sur les lèvres devant les garçons, ce qu'elle n'avait jamais fait auparavant. Puis elle avait refermé la main d'Alexander sur la broche. « Tu es le plus fragile, murmura-t-elle. Je veux que tu aies quelque chose de moi. »

Alexander se souvenait d'avoir vu, pendant que deux remorqueurs à vapeur écartaient le *Darmstadt* du quai, sa mère debout avec d'autres femmes près d'une énorme grue. Bien qu'elle ne lui eût jamais fait aucun reproche, il avait été frappé par le fait qu'elle n'agite pas le bras. Lui non plus ne l'avait pas fait : la culpabilité rendait ses bras lourds comme du plomb. Ils s'étaient fixés, paralysés, par-dessus le vide qui s'élargissait.

Ce fut la dernière fois qu'il la vit.

Le prêteur sur gages se mit une loupe de bijoutier à l'œil droit et ramassa la broche. Zander remarqua un exemplaire du *New York Times* sur le comptoir. Il était daté du vendredi 16 mars 1917. Le titre de la une était : « Révolution en Russie : le tsar abdique. » Le prêteur sur gages retourna la broche pour en examiner le dos. Zander regarda autour de lui. Au mur, une affichette imprimée disait que, les machines à écrire étant maintenant en service partout et exclusivement utilisées par des dames, les messieurs étaient priés de s'abstenir de fumer et de cracher sur les lieux.

« Combien en voulez-vous ?

— Combien en offrez-vous ?

— J'en ai vu dix mille comme ça. Dites votre prix. Je vous dirai oui ou non. »

Zander hésita. « Le rubis à lui seul devrait valoir trente-cinq dollars », dit-il.

L'autre eut un petit rire toussant. Il laissa tomber la broche sur le mouchoir et en replia les coins, comme s'il ne voulait pas la voir plus longtemps qu'il n'y était obligé.

« Faites-moi une offre », dit Zander d'une voix tendue.

L'homme enfonça un doigt épais dans une de ses narines étroites et y fouilla. Il haussa les épaules. « Le camée n'a rien de particulier. Ce que vous appelez un rubis, c'est du verre taillé. Seule la monture en argent a une quelconque valeur. Je peux peut-être vous en donner deux dollars cinquante. Pas un sou de plus. À prendre ou à laisser.

— Deux cinquante ! » Le cœur de Zander se serra. Il empocha la broche et sortit la montre de gousset que Maud lui avait offerte pour son vingt et unième anniversaire. « Et ça ? »

Le prêteur sur gages eut un reniflement méprisant. « L'avenir, c'est les montres-bracelets. »

Retournant vers le centre-ville le long d'immeubles sinistres et gris, Zander décida de ne pas se laisser déprimer par le prêteur sur gages. Il devait y avoir un moyen de trouver assez d'argent pour acheter un billet de paquebot. Il fallait juste le trouver.

Il se torturait encore la cervelle quand il remarqua le bar McSorley's plus loin dans la 7e Rue. Il franchit les portes battantes et s'approcha du comptoir.

« Qu'est-ce que vous buvez ? »

Zander commanda une pinte de bière et prit un œuf dur à un penny dans une corbeille. Il le fit rouler entre sa paume et le bar pour fendre la coquille et se mit à l'écaler. Le barman remplit une chope, enleva la mousse avec une spatule en bois et la posa devant Zander.

Plus loin au comptoir, quelqu'un renversa un verre de bière. Il y eut une bousculade et des cris de bonne humeur : « Arrêtez ça, les gars. » Zander tendit le cou pour voir ce qui se passait. Un homme très massif laissait les autres le ramener à son verre. Zander le reconnut immédiatement. Il prit sa chope et son œuf dur et se fraya un passage dans la foule.

« Atticus ? »

A (pour Atticus) O (pour Orson) Tuohy – 1,85 m, arborant une moustache rousse de morse – se retourna. « Bon Dieu, j'ai failli ne pas te reconnaître, dit-il en pompant le bras de Zander. Avec cette barbe, tu es l'image toute crachée d'un de ces vieux daguerréotypes de ton grand-père. » Tuohy prit par l'épaule l'homme avec qui il buvait. « Dis bonjour à Emilio Ortona », dit-il à Zander. Tuohy baissa la voix. « Emilio est un anarchiste du New Jersey. Emilio, voici un vieux copain de mouvement à moi, du nom de Zander Til. »

Ortona lui fit un signe de tête sans tendre la main. Zander lui rendit poliment son salut. Leurs chemins s'étaient déjà croisés, une fois lors d'une grève d'ouvriers bouchers dans le New Jersey, une autre à un grand meeting des mineurs de Ludlow au Colorado. Chaque fois qu'il voyait Ortona, Zander se demandait s'il était vraiment l'anarchiste qu'il prétendait être ou le truand dont il avait l'air.

« Où est-ce que tu crèches ces temps-ci ? demanda Tuohy.

— J'ai une chambre dans Essex Street, derrière Hester Street, au-dessus d'un *delicatessen*, répondit Zander.

« — Tous les Italiens connaissent ce *delicatessen*, dit Ortona. C'est le seul endroit à Manhattan où on trouve du *baccala mante*. »

Tuohy se lança dans une description de sa dernière petite amie, un petit numéro bien chaud de Hunter College, qui faisait des extras à la clinique de contrôle des naissances de Margaret Sanger à Brooklyn ; elle avait été arrêtée deux fois pour avoir violé le Comstock Act qui considérait l'information sur la contraception comme obscène. « Il n'y a qu'un truc qui ne va pas chez elle », plaisanta Tuohy, dont les cheveux roux gominés en arrière étaient partagés par une raie au milieu et dont le nez était en permanence à l'affût d'une femelle. « Elle est si petite que, chaque fois que je la regarde, j'ai l'impression qu'elle est à une demi-rue de distance.

— Qu'est-ce que tu deviens ? demanda Zander à Tuohy.

— Qu'est-ce que je deviens ? » répéta Tuohy. Il sourit à Ortona. « Montre-lui l'artillerie, Emilio. »

Ortona entrebâilla le sac en tapisserie qu'il portait pour que Zander y jette un œil. Il y avait deux revolvers à l'intérieur. Zander reconnut un Nagant, un revolver de l'armée russe fabriqué avant le tournant du siècle, et un Smith et Wesson américain.

« Le Nagant est ma propriété personnelle, dit Ortona avec fierté, l'autre est un emprunt.

— Nous étions à Brooklyn cet après-midi, dit Tuohy avec une lueur dans l'œil.

— À la Banque nationale des métaux et de la mécanique de Schenectady Avenue », ajouta Ortona.

Tuohy se tourna vers lui. « Qui est-ce qui raconte l'histoire ?

— Excuse-moi, bordel », dit sèchement Ortona. Il introduisit un doigt sous son col empesé pour se gratter.

« De toute façon, continua Tuohy, nous avons attendu la fermeture, puis on a joué notre numéro. Emilio a coupé la ligne de téléphone avec son canif. Je leur ai fait voir mon adorable Smith et Wesson et j'ai ordonné au caissier d'ouvrir la porte de la chambre forte Mossler. Tu ne devineras jamais ce que cet enfoiré a dit. »

Zander but une gorgée de bière.

« Il a dit qu'il ne pouvait pas ! s'exclama Tuohy.

— Il ne pouvait pas ouvrir cette saleté de coffre, dit Ortona, parce qu'il était équipé d'une invention moderne.

— Un genre de minuteur, dit Tuohy. La foutue porte se verrouille automatiquement à quatre heures pile, et rien sauf de la dynamite ne peut l'ouvrir avant neuf heures le lundi matin. » Tuohy avala le reste de sa tequila, à laquelle il avait pris goût durant la guerre civile mexicaine, et fit signe au barman de remplir son verre. « Ci-gît Atticus Tuohy », dit-il, composant une des épitaphes pour lesquelles il était célèbre, « un révolutionnaire qui n'aurait pas pu piller une banque capitaliste même si sa vie en avait dépendu.

— Je ne savais pas que tu faisais des expropriations, commenta Zander.

— Expropriations ! » ricana Ortona. Vous les », il faillit dire « Juifs » mais se reprit à temps, « marxistes prenez tout tellement au sérieux. » Grommelant que c'était la dernière fois qu'il s'engageait avec des connards de braqueurs de banque bolcheviks, Ortona se dirigea vers la porte.

Tuohy frappa impatiemment le comptoir avec son verre vide ; le barman avait oublié de le resservir.

« Tu vas écouter Debs[1] demain soir ? Ça devrait être intéressant d'écouter ce qu'il a à dire sur cette révolution en Russie.

— Rappelle-toi ce que Trotski disait de Debs et de ses socialistes, dit Zander. C'est le parti idéal pour des dentistes qui ont réussi.

— Debs est différent. Il a des tripes.

— Écoute, insista Zander, la seule chose qui intéresse ces socialistes et ces Wobblies[2] et les types du syndicat de la confection, c'est des enveloppes de paie plus épaisses, moins d'heures de travail, des congés payés et de plus longues nuits pour rêver chaque semaine.

— Les socialistes sont peut-être des tièdes, mais ça ne veut pas dire que le socialisme soit mauvais. Toute étude sérieuse de l'économie mène au socialisme.

— Toute étude sérieuse de l'usine, chuchota Zander avec force, mène au communisme. Lis le chapitre terrible de *Das Kapital* sur la journée de travail, tu verras si tu en sors indemne. »

Tuohy pencha la tête et étudia Zander. Il le connaissait depuis longtemps. Il avait amené Zander rencontrer Trotski et sa femme dans leur appartement du Bronx peu après leur arrivée d'Europe – Trotski le légendaire révolutionnaire russe qui pouvait se plaindre amèrement de devoir payer dix-huit dollars par mois de loyer, qui meublait son appartement à crédit avec désinvolture, s'émerveillait de l'existence d'un vide-ordures et parlait sans fin avec passion de *cette vieille canaille*[3] d'Europe et de la révolution permanente qui, il en était convaincu, la balaierait comme un feu de brousse poussé par le vent, quoique hélas pas de son vivant. Et pourtant c'était arrivé, un soulèvement spontané du peuple, et à l'endroit où ils s'y attendaient tous le moins : en Russie.

---

1   Eugene Debs : syndicaliste américain (1855-1926). (*Toutes les notes sont du traducteur.*)

2   Wobblies : Industrial Workers of the World, mouvement socialiste modéré.

3   En français dans le texte.

« Je peux voir les signes comme tout le monde, dit Tuohy. Il n'y a pas de révolution qui se prépare ici, alors tu repars. »

Les doigts de Zander se refermèrent sur la broche dans la poche de sa veste.

« Quand les ouvriers élèvent une barricade, dit-il, c'est le devoir de quelqu'un qui pense être un révolutionnaire d'aller la défendre.

— Tu es amoureux de la révolution », décida Tuohy. Il agita la main pour attirer l'œil du barman. « Que doit faire un homme pour avoir un verre ici ? » Il se retourna vers Zander. « Eh bien, pourquoi pas ? Une bonne révolution est beaucoup plus sexy que certaines filles de ma connaissance. L'ennui, c'est que quand tu arriveras en Russie ce sera sans doute fini.

— Ou bien la deuxième révolution, celle qui mettra Lénine et les bolcheviks au pouvoir, sera en train de démarrer.

— Vous, les Russes, vous êtes tous des rêveurs. Tu te souviens de la Russie ? »

Zander s'en souvenait très bien : le hennissement sauvage des chevaux et le martèlement rythmé des sabots pendant que les cosaques entraient au galop dans son village, les oies paniquées qui s'éparpillaient, les haches qui fracassaient les portes, les cris humains si pleins de terreur qu'ils se réverbéraient dans sa tête longtemps après qu'il eut cessé de les entendre. Il se souvenait de la course désespérée pour descendre dans le tunnel que son père et son frère avaient creusé sous le plancher, emmenant la terre dans des paniers de paille et la jetant la nuit dans la rivière pour que personne, même pas les Juifs, ne devine ce qu'ils faisaient. Il se souvenait d'avoir été pris à découvert pendant le dernier pogrom, se rappelait les sabots qui martelaient le sol de l'autre côté de la colline et les cris pitoyables de l'homme qu'ils pourchassaient, se souvenait de s'être enterré comme une taupe dans un tas de fumier et d'avoir regardé depuis son abri deux cosaques géants en bonnet de fourrure éperonner leurs chevaux rabougris et leur faire piétiner Adler, le gros colporteur de kérosène. Un des cosaques avait bondi de sa selle, avait arraché la bouteille de pétrole du harnais de bois qu'Adler portait sur le dos et l'avait vidée sur les vêtements de l'homme à terre. Puis le cosaque avait frotté une allumette. Adler avait supplié Dieu de sauver son serviteur. Adler avait sangloté. Adler s'était frappé le front sur le sol. Ses vêtements étaient en flammes. Hurlant comme un animal blessé, il avait dévalé la colline, les membres bougeant dans tous les sens, avait plongé dans la rivière presque gelée, perçant la fine couche de glace avec le sifflement d'un fer rouge trempé dans un seau d'eau de pluie. Zander se souvenait de ses parents, ensuite, se demandant avec angoisse s'ils devaient tous émigrer en Amérique. « Pour vous dire la vérité, leur avait-il dit, je ne sais pas vraiment où est l'Amérique. Mais j'irai là-bas, avec ou sans vous, et avec ou sans votre bénédiction. » Rivka, les yeux brûlants, avait serré contre elle le garçon tremblant. « Alors… nous irons tous », avait-elle dit doucement.

« La Russie, dit Zander à Tuohy, ce n'est pas quelque chose qu'on oublie.

— Quel âge avais-tu quand tu es parti ?

— Je devais avoir cent ans. »

Sifflotant en sourdine un air italien, Emilio Ortona traversa le bar rempli de dockers et descendit le long couloir sombre vers le bureau à l'arrière. De la lumière brillait sous la porte. Ortona entra sans frapper. Silvio, qui faisait un puzzle sur son bureau à cylindre, sursauta.

« C'est moi, le rassura Ortona.

— Je ne t'attendais pas si tôt », remarqua Silvio, se renfonçant dans sa chaise tournante. Il remplit un gobelet de whisky et en avala plusieurs petites gorgées rapides. Ortona voyait sa pomme d'Adam monter et descendre.

« Comment ça a marché ? » demanda nerveusement Silvio en indiquant un siège à Ortona, évitant soigneusement son regard.

« Ces connards de bolcheviks ont comme d'habitude déconné », dit Ortona. Il fit passer la sacoche avec les deux revolvers dans sa main gauche et regarda plus soigneusement autour de lui. Les épaisses draperies en velours devant la porte du fond étaient tirées, et la lampe électrique du bureau était déjà allumée. Silvio avait l'air très mal à l'aise. « Qu'est-ce qui ne va pas, Silvio ? » demanda Ortona. Il recula vers la porte. « Je n'ai pas perdu ton artillerie, hein ? »

Deux hommes sortirent de derrière les draperies. Ils tenaient chacun un automatique Browning à la main. L'un dit que son nom était Hoover et qu'ils étaient des agents du Bureau de recherches du Département de la Justice. L'autre ne donna pas son nom.

« On va se charger de ça, dit Hoover à Ortona, ça doit être lourd.

— J'avais pas le choix, s'excusa Silvio. Ils savaient que tu devais venir. Ils savaient, pour la banque à Brooklyn.

— Dehors », ordonna l'autre agent. Silvio abaissa le cylindre de son bureau pour protéger le puzzle, le verrouilla avec une petite clef attachée à une chaîne d'or massif qui barrait son gilet et disparut comme une araignée se glissant dans une fente du mur.

« Bon, j'ai emprunté des revolvers pour faire du tir », dit Ortona aux agents, les mains écartées, paumes en l'air, pour démontrer sa complète innocence. « Où est le crime ? »

Le second agent prit son Browning de la main gauche, s'approcha d'Ortona et le frappa sèchement à l'estomac. Aspirant de l'air, Ortona se plia en deux. Les deux agents le prirent par les aisselles et l'assirent sur la chaise pivotante de Silvio.

« Tu connais bien un barbu qui s'appelle Zander ? voulut savoir Hoover.

— Qu'est-ce qui vous fait croire que je connais un Zander ? »

Hoover fit tourner la chaise pour qu'Ortona soit face à l'autre agent, qui le gifla durement à plusieurs reprises. Puis Hoover le fit tourner de nouveau.

« Alors, ce Zander, tu le connais bien ?

— Pourquoi le protèges-tu ? dit le second agent derrière Ortona. C'est un youtre.

— Zander est le diminutif d'Alexander, n'est-ce pas ? » demanda Hoover.

Ortona hocha la tête.

« Voilà, on va y arriver, dit l'autre agent avec enthousiasme.

— Et Alexander, c'est le prénom de Til ?

— Je ne connais pas son nom de famille », insista Ortona. Hoover voulut faire pivoter la chaise, mais Ortona lui posa la main sur l'avant-bras. « Le nom de Til me dit quelque chose », admit-il.

Hoover sourit de ses lèvres minces.

« Ce que nous voulons savoir, c'est où trouver cet Alexander Til.

— On le veut, dit l'autre agent.

— Qu'est-ce qu'il y aurait pour moi là-dedans ? » demanda Ortona.

CHAPITRE II

En descendant Houston Street, Zander regarda le labyrinthe d'escaliers de secours. Très peu de choses avaient changé dans le Lower East Side depuis qu'un reporter de faits divers du *New York Evening Sun* nommé Jacob Riis avait, avant le tournant du siècle, publié un essai sur la vie dans les logements ouvriers, sous le titre *Comment vit l'autre moitié*. De nombreux bâtiments de bois avaient été démolis et remplacés par de plus grands immeubles en brique. Les cafards s'étaient multipliés. On avait installé des bornes d'incendie dans les rues. Un arrêté municipal obligeait les propriétaires à construire des escaliers de secours, et les Juifs les avaient immédiatement transformés en pièces supplémentaires, y aérant la literie pendant la journée, y dormant pendant les étouffantes nuits d'été.

La plupart des gens avaient été favorables aux escaliers de secours. Mais le frère de Zander, Abner, s'y était opposé dès le début, avait soutenu que ce qu'il fallait aux immeubles modernes, c'étaient de larges escaliers intérieurs avec des portes coupe-feu et des lances d'incendie à chaque étage. Abner avait toujours été en avance sur son temps. Il voulait une semaine de quarante-cinq heures et des congés payés, et même une compensation pour les ouvriers qui tombaient malades ou étaient renvoyés parce que l'usine avait moins de commandes. Vers la fin, il s'était évidemment rapproché de l'idée de Zander, que la racine des inégalités qui les entouraient était dans le système lui-même ; il faudrait le changer, disait-il, mais il n'en était pas arrivé à l'idée que ce ne pourrait être fait que par une révolution violente. Pauvre Abner... il manquait encore énormément à Zander. Il pleurait son père, mais son frère aîné lui *manquait*. Il avait parfois l'impression de regarder le monde par les yeux d'Abner. Il se considérait irrationnellement comme le double physique d'Abner et imaginait qu'ils avaient les mêmes expressions, la même façon de fermer les yeux à demi quand ils entendaient des choses avec lesquelles ils n'étaient pas d'accord, les mêmes explosions de colère quand les autres ne répondaient pas à leur logique ou à leur passion. Et, par-dessus tout, les mêmes bases morales.

Comme Abner, Zander était une créature du ghetto juif du Lower East Side de Manhattan. Il y avait le cinéma de Canal Street où Abner et lui avaient introduit en fraude une bouteille pleine de mites pour les libérer dans le noir, les insectes se dirigeant vers la seule source de lumière, le projecteur ; les ombres géantes sur l'écran avaient fait s'enfuir la pianiste en pleine crise d'hystérie. Il y avait le « Marché aux cochons », comme les Juifs l'appelaient, dans Hester Street, où l'on pouvait acheter tout au monde *sauf* des cochons ; c'était là qu'Alexander avait trouvé son premier boulot en Amérique, vendant des bobines de fil et des pelotes de laine dans une charrette délabrée tirée par un cheval si maigre que ses côtes ressortaient comme les barreaux d'une grille. Il y avait East Broadway, que les intellectuels juifs appelaient *ulitza*, le mot russe pour rue, croyant que cela faisait plus cultivé de parler russe que yiddish ; c'était dans *ulitza* que Jack Til installa durant l'hiver 1909 sa deuxième femme et son jeune fils, Léon, qui avait l'âge d'Alexander, avec ses deux propres garçons. Il y avait l'école primaire au coin de Suffolk Street et de Rivington Street, d'où Alexander et Léon, pendant leur unique année d'école, s'enfuirent pris de panique par une fenêtre du rez-de-chaussée quand le service de santé nouvellement créé envoya un docteur examiner les amygdales des élèves avec un abaisse-langue ; Léon avait convaincu Alexander que le médecin les enlevait chirurgicalement. Les pensées de Zander se portèrent sur Léon. La dernière fois qu'il l'avait vu, des mois plus tôt, la conversation avait été tendue. Léon se laissait entraîner de plus en plus profond dans le mouvement sioniste, il avait même parlé d'émigrer en Palestine dans l'espoir de créer une patrie juive. Quand Zander avait demandé sarcastiquement ce que les sionistes avaient l'intention de faire des Arabes qui vivaient déjà là-bas, Léon avait explosé. « Cette terre était à nous il y a deux mille ans. Elle nous appartiendra de nouveau. Les Arabes qui veulent rester vivront à nos côtés en paix et dans la prospérité, c'est plus que ce que le reste du monde fait pour nous. »

Léon, pensa Zander en tournant dans Essex Street vers sa chambre au-dessus du *delicatessen*, pariait sur le mauvais cheval. Les Juifs avaient autant de chances de…

Il sentit soudain qu'on le tirait par la manche. « Monsieur ! Monsieur ! » Un petit garçon avec des bretelles et qui sentait le kérosène le regardait. « Ces livres sont à vous. »

Il tendit à Zander les livres qu'il avait laissés derrière lui dans la chambre qui donnait sur le puits d'aération de Hester Street.

« Tu as fait tout ce chemin pour ça ?

— Mon père m'a envoyé vous avertir. Deux hommes avec des insignes sont venus vous chercher.

— Est-ce que ton père leur a dit où me trouver ?

— Ils lui ont demandé, mais il a dit qu'il ne savait pas. »

Zander sourit. « Ton père est un brave homme. » Il chercha une pièce dans sa poche. « Voilà pour toi. »

Le garçon secoua la tête.

« C'est le Sabbat, dit-il avec une gravité qui n'était pas de son âge. Je n'ai pas le droit de toucher de l'argent.

— J'aimerais te donner quelque chose, insista Zander.

— Vous pouvez me dire quelque chose, suggéra le garçon.

— Te dire quoi ?

— Les hommes qui vous cherchaient vous ont traité de révolutionnaire. Qu'est-ce que ça veut dire, révolutionnaire ?

— J'avais un grand-père qui était un célèbre révolutionnaire, dit Zander. C'était en Russie, il y a de nombreuses années. Il appartenait à un mouvement qui s'appelait Narodnaïa Volya – la Volonté du Peuple. Il voulait changer la vie des masses qui vivaient dans la pauvreté et l'ignorance. Il y croyait si fort qu'il a abandonné sa femme et son fils et qu'il est allé s'installer dans un petit village. Il y a fait l'école. Il essayait d'apprendre à lire aux paysans.

— Et qu'est-ce qui est arrivé à votre grand-père ?

— Les paysans, qui se méfiaient beaucoup des étrangers, l'ont traité comme de la crotte. Un par un, ses camarades et lui ont abandonné et quitté les villages. La leçon qu'il a apprise de cette expérience était celle-ci : l'histoire bouge lentement, il faut lui donner une poussée.

— Alors, un révolutionnaire, c'est quelqu'un qui donne une poussée à l'histoire ?

— C'est une bonne définition de base.

— Est-ce que votre grand-père a donné une poussée à l'histoire ?

— Il a essayé. Lui et plusieurs autres ont essayé d'assassiner le tsar. Tu comprends le mot "assassiner" ? »

Les yeux du garçon s'agrandirent.

« Tuer ! murmura-t-il incrédule.

— Ils ont été trahis et arrêtés avant de pouvoir réussir, continua Zander.

— Qu'est-ce qui leur est arrivé ? »

Zander raconta l'histoire comme son père, le fils qui avait été abandonné, la lui avait dite.

« On leur a mis des fers aux pieds, dit-il, on leur a rasé la tête et on les a jugés. Quand ça a été le tour de mon grand-père de parler, il a dit aux juges que son sang serait l'engrais où germerait la graine du socialisme.

— Et alors ?

— Ils les ont condamnés à mort, lui et les autres, et les ont exécutés. Le bourreau a mis une corde autour du cou de mon grand-père et une capuche noire sur sa tête et l'a fait tomber par une trappe de l'échafaud, un assistant s'est accroché à ses chevilles jusqu'à ce qu'il soit étranglé. »

L'enfant avala sa salive. « Et est-ce que le socialisme a germé comme il l'avait dit ? »

Zander pensa au titre du *Times*. « Il est en train de germer », assura-t-il.

Encore sous le choc de l'histoire, le garçon s'éloigna lentement dans Essex Street. Zander entra au numéro 27, à côté du *delicatessen*, et monta l'escalier vers sa chambre au cinquième. Sur un palier il fut presque asphyxié par l'odeur d'urine. Au cinquième, il tâta le mur jusqu'à la deuxième porte à droite. Il glissa son passe-partout dans la serrure et l'entendit jouer. Il poussa la porte et entra.

Dans la lumière faiblissante qui filtrait par l'unique fenêtre sale donnant sur Essex Street cinq étages plus bas, Zander discerna deux silhouettes à peine perceptibles debout près du lit. Comme ses yeux s'habituaient à la pénombre, il vit que les deux hommes portaient des chapeaux identiques, des manteaux à martingale, et pointaient des pistolets sur lui.

« Comme je disais, dit une des silhouettes à l'autre, tout vient à point à qui sait attendre.

— La patience, dit l'autre, est une vertu souveraine.

— Alexander Til, psalmodia le premier, j'ai un mandat d'arrêt en bonne forme contre vous, signé et confirmé par les officiers du Département de la Justice à Washington.

— Vous faites une erreur, leur dit Zander. Je m'appelle Rosenstein.

— Ce n'est pas ce que votre ami Ortona nous a raconté, dit la première voix. Maintenant soyez un bon garçon, allez à la table allumer la lampe, qu'on puisse jeter un coup d'œil à la cicatrice au-dessus de votre oreille gauche. Et gardez vos mains en vue. On va devenir drôlement nerveux si on ne voit pas vos mains, c'est pas vrai, Henry ?

— Certainement, acquiesça l'autre silhouette.

— J'ai des papiers qui prouvent qui je suis, insista Zander.

— Eh bien, allumez cette lampe, on va les regarder. »

Zander s'approcha de la table, posa ses livres et chercha à tâtons la boîte d'allumettes qu'il laissait toujours près de la lampe. Il la trouva, frotta une allumette et en toucha la mèche. Puis il mit le verre et souleva la lampe pour régler la flamme.

Zander imagina plus qu'il ne vit les deux canons de pistolet braqués sur sa poitrine et se rappela Abner disant, pendant que les policiers formaient leurs rangs pour charger des grévistes pendant les grèves de l'industrie de la confection en 1911 : « Un homme meurt de peur, un autre en est réveillé. » D'un coup de poignet, il jeta la lampe aux pieds des deux silhouettes. Elle éclata, éclaboussant de pétrole les chaussures de l'un d'eux. En un éclair, des flammes léchèrent le pétrole répandu.

« Fils de… », cria l'autre agent, se jetant de côté, pliant les genoux et lâchant deux coups de feu rapides au travers des flammes. Zander, qui bondissait vers la porte, sentit une brûlure à l'avant-bras gauche, comme s'il avait été piqué par une guêpe. Derrière lui, l'agent dont les chaussures brûlaient frappait furieusement les flammes avec son feutre mou. « Pour l'amour du ciel, aide-moi », cria-t-il à son compagnon. L'autre ne savait que faire, attaquer les flammes ou poursuivre Zander qui disparaissait. Son hésitation donna à Zander les secondes dont il avait besoin.

Zander avait repéré un chemin de fuite quand il avait emménagé… monter deux étages, une porte non verrouillée, traverser le toit vers l'immeuble voisin, descendre l'escalier de secours jusqu'à un toit en contrebas, en franchir quatre autres pour trouver une porte ouverte, puis descendre six étages jusqu'à Hester Street et la sécurité des rues.

« Damnation ! » s'exclama, frustré, l'agent qui avait couru derrière Zander. La nuit tombait sur le Lower East Side comme un voile de suie. Respirant péniblement, le pistolet armé, il chercha sur les toits un mouvement sur lequel tirer.

En dessous, dans Hester Street, Zander enfonça un mouchoir dans sa manche pour arrêter le sang et, remerciant sa bonne étoile, partit vers l'est dans la direction du port de Brooklyn – et de chez Maud.

CHAPITRE III

À part un homme qui promenait son bouledogue, Pierrepont Street était déserte. Zander attendit qu'il ait tourné le coin avant de monter les marches de l'immeuble de pierre et de tirer la sonnette. Après un moment, il la tira une seconde fois. Une lampe électrique s'éclaira à l'étage. Un moment plus tard, la lumière de l'entrée s'alluma et Maud, enveloppée dans un peignoir d'homme, apparut dans le vestibule. Elle écarta le rideau de l'étroite fenêtre à côté de la porte et regarda dehors. De toute évidence, elle ne reconnut pas la silhouette barbue sur le pas de la porte.

« Partez ou je hurle pour appeler la police, cria-t-elle d'une voix effrayée.

— C'est moi, dit Zander.

— Zander ! » s'exclama-t-elle. Elle se battit avec la serrure et ouvrit la porte en grand. Puis elle se rappela qu'elle lui en voulait. « Tu crois que tu peux sortir de ma vie pendant un an et puis te montrer à ma porte comme si rien ne s'était... » Elle remarqua le sang séché sur son avant-bras. « Oh mon Dieu ! » suffoqua-t-elle. « Toi et tes grèves idiotes ! » Elle l'attira à l'intérieur.

Maud avait l'honneur d'être la première femme avec qui Zander avait dormi qui n'ait pas eu de sous-vêtements sales. Il avait une fois été follement, quoique brièvement, amoureux d'une actrice myope du théâtre d'art yiddish de Maurice Schwartz, mais elle ne comptait pas car, étant du genre bohème, elle ne portait pas du tout de sous-vêtements. Avant elle il y avait eu une série de filles, toutes des anarchistes, des Wobblies, des organisatrices du syndicat de la confection ou des marxistes d'une teinte ou d'une autre, toutes pauvres, ayant toutes l'habitude de se déshabiller précipitamment dans le noir pour cacher leurs sous-vêtements.

Maud, c'était autre chose. Zander l'avait rencontrée le jour de Noël 1915 à l'un des légendaires concerts d'orgue du mercredi du professeur Baldwin dans le grand auditorium du City College. Assis au fond, sa bonne oreille tendue vers les arpèges de Bach qui rebondissaient du toit, Zander avait été présenté à une femme plus âgée que lui, aux cheveux coupés à la garçonne, un bandeau bleu sur le front et des yeux fatigués qui donnaient l'impression d'en avoir trop vu dans la vie. « Monsieur Til, madame Pruett », avait murmuré un ami. Ils s'étaient salués de la tête sans sourire. Plus tard, dans un bar de Greenwich Village, Zander l'avait réellement vue pour la première fois. Âgée d'environ trente-cinq ans, elle riait vite et avait le tic de passer ses doigts osseux sur sa jupe serrée à la recherche de plis offensants.

Il se révéla que Maud était divorcée ; catholique déchue, elle aurait abandonné l'Église même sans le divorce (elle pouvait supporter la crucifixion, mais ne digérait pas la résurrection). Elle avait un fils de quinze ans, Kermit, brillant et dont un bras était déformé. Assez riche pour être indépendante, elle possédait une maison en ville dans Pierrepont Street à Brooklyn Heights, juste de l'autre côté du pont de Brooklyn, en face de Manhattan. C'était aussi une amante passionnée qui croyait qu'une partenaire de lit dénuée d'imagination poussait un homme à des fantaisies, au lieu de le limiter à des fantasmes la concernant. Ses principales qualités du point de vue de Zander étaient sa peau incroyablement douce et son tendre corps féminin qu'elle était prête à partager avec lui, mais aussi le fait qu'elle était inconnue des cercles de gauche et pouvait dès lors lui offrir une maison où se réfugier quand les rues devenaient trop dangereuses pour lui. Ses principaux inconvénients, d'un autre côté, étaient d'abord qu'elle vivait à Brooklyn où il était difficile d'aller, et ensuite qu'elle était d'une immaturité désespérante en politique. Pour n'en donner qu'un exemple, elle considérait que le plus grand inconvénient de l'industrialisation, c'était d'avoir apporté du bruit.

Zander, alors révolutionnaire professionnel travaillant pour le petit parti bolchevik, avait consacré de longues heures fastidieuses à l'éducation de Maud. Étouffant des bâillements, les yeux vitreux d'ennui, elle avait fait semblant de lui prêter attention. Mais une nuit, pendant qu'il lisait à haute voix un passage de *Das Kapital*, il l'avait surprise à fredonner un air populaire de jazz. « Si ça t'assomme, avait-il lâché, dis-le et je la fermerai. »

Maud rassembla son courage. « Oui, ça m'assomme, admit-elle, levant le menton en un geste de défi. Si tu veux mon avis, la sexualité est aussi importante que la morale. Oh, Zander, écoute, laisse-toi aller un peu. On pourrait attraper un trolley et aller à l'Hippodrome écouter Sousa et son orchestre. Ou aller voir Florence Reed dans *Le Péché éternel* à Broadway. À propos de sexualité, j'ai entendu dire qu'elle est épatante. »

L'insensibilité de Maud vis-à-vis de choses qui lui tenaient passionnément à cœur, c'en était trop pour Zander. Ils s'étaient disputés, sur le désir qu'éprouvait Maud d'une relation plus permanente, sur l'implication de Zander dans divers conflits du travail dans le New Jersey et le Connecticut (« chaque fois que tu entends le mot "grève", tu te précipites comme un fou », s'était-elle plainte), sur la nourriture que Maud considérait, après le sexe, comme une des plus importantes raisons de vivre, alors que Zander ne la traitait que comme un carburant, sur ses manières à table (il se servait d'une fourchette comme s'il avait découvert l'instrument tard sa vie) et enfin sur les sous-vêtements de Maud, qu'il considérait comme un symbole de son caractère bourgeois acharné et indestructible.

Quand Zander était parti un matin, près d'un an auparavant, il avait emporté son exemplaire de *Das Kapital*. Maud l'avait aperçu sous son bras. « Alors, tu ne reviens pas », avait-elle dit froidement, de la porte. Elle avait penché la tête de côté et souri amèrement. « Je suppose que c'est mieux comme ça. Je veux dire, je ne peux pas vraiment vivre avec un homme qui ne comprend pas que mes sous-vêtements sont *mes* sous-vêtements, quoi. »

Maintenant, hypnotisée par le sang séché sur le bras de Zander, Maud oublia les sous-vêtements et les manières à table. Elle se précipita à la cave et jeta plusieurs grandes pelletées de charbon dans la chaudière. Quand l'eau fut chaude, elle lui fit couler un bain. Pendant qu'il trempait dedans, elle nettoya sa blessure avec du coton et de l'alcool.

« Pardon, dit-elle en le voyant tressaillir. Bon Dieu, c'est moche. Qu'est-ce qui t'a fait ça ?

— Je me suis pris le bras dans des barbelés en escaladant une clôture », lui expliqua Zander avec fatigue.

De l'entrée, le fils de Maud, Kermit, cria :

« Qu'est-ce qui se passe ? Qui est là ?

— Ce n'est que Zander.

— Zander est revenu !

— Tu le verras demain matin. » Elle murmura à Zander : « Si tu grimpais à une clôture, c'était sans doute parce qu'ils te couraient après à cause des piquets de grève.

— Ils essayaient de m'arrêter, et j'essayais de ne pas l'être, admit Zander.

— Un de ces jours, ils feront bien plus que de te donner la chasse. Ils te tireront bel et bien dessus. » Maud regarda la barbe de Zander. « Dieu sait quelle vermine peut vivre là-dedans. » Maniant des ciseaux de couture avec une dextérité inattendue, elle rafraîchit sa moustache et sa barbe, puis lui appliqua une serviette chaude sur le visage pour assouplir les poils. Elle lui passa de la mousse avec la brosse douce et le savon à barbe dont elle se servait pour ses jambes, lui donna un de ces nouveaux rasoirs de sécurité Gillette et, assise sur le rebord de la baignoire, lui tint un miroir pendant qu'il se rasait. Quand il eut fini, Zander se rinça le visage à l'eau froide et étudia longuement son reflet. Il avait presque oublié à quoi il ressemblait.

Il avait commencé à porter la barbe et la moustache à la suite d'une conversation avec Trotski, tard un soir, à propos des aspects concrets de la vie d'un révolutionnaire. La discussion avait eu lieu dans la cuisine de l'appartement de Trotski dans la 164e Rue, dans le Bronx. Trotski était en train de huiler l'automatique Browning qu'il portait toujours dans la poche. Le son grinçant d'un opéra de Puccini venait du salon ; la femme de Trotski remontait le gramophone et remplaçait les disques.

« Il faut aiguiser votre instinct révolutionnaire, avait conseillé Trotski à Zander. Si vous suivez quelqu'un, par exemple, boitez : les gens ne soupçonnent jamais un boiteux de les suivre. Si les autorités s'intéressent trop à vous, laissez-vous pousser la barbe. D'une part, ça rend l'identification difficile au tribunal, un bon avocat peut soutenir qu'un témoin identifie la barbe et non l'homme derrière. » Trotski avait souri lors d'un aria particulièrement beau. « Ah, cette Galli-Curci est une sorcière, avait-il dit, secouant la tête d'admiration. Il est difficile de croire qu'elle n'est pas réellement dans la pièce à côté. » Son regard était devenu lointain. « Où en étions-nous ?

— Vous parliez des avantages des barbes, lui avait rappelé Zander.

— En effet. L'autre avantage est qu'on peut se rendre instantanément méconnaissable simplement en la rasant. Les gens se seront habitués à vous avec votre masque et ne vous reconnaîtront pas sans. »

En émergeant de la baignoire de Maud, Zander se rendit compte que Trotski avait eu raison ; s'il reconnaissait à peine son propre visage, les autres n'y parviendraient certainement pas. Cette idée lui remonta énormément le moral. Il ne lui restait plus qu'à trouver l'argent de son billet pour la révolution.

Dans les draps propres de Maud, Zander eut un sommeil agité. Il rêva d'un homme en flammes plongeant dans une rivière gelée avec un grésillement sinistre. Il se mit à transpirer abondamment et gémit de douleur en se tournant sur son bras blessé. Maud lui passa une serviette humide sur le front et les membres. La fièvre diminua et il plongea dans un profond sommeil. Quand il s'éveilla enfin, Maud était assise sur le bord du lit et l'observait, les yeux fatigués. Elle avait ouvert les volets, et le jour venu des fenêtres derrière elle semblait baigner son corps d'une lumière presque chirurgicale qui rendait sa chemise de nuit en soie quasi transparente. Il distinguait, comme elle en avait l'intention, le contour de ses seins lourds contre le tissu. Quand elle vit qu'il était réveillé, elle glissa une main fraîche sous la couverture. Zander releva sa chemise de nuit au-dessus de ses hanches. Rejetant la couverture du pied, il la guida sur lui.

« Où est Kermit ? demanda-t-il dans la chevelure qui lui tombait sur le visage.

— Je l'ai envoyé jouer sur les quais », murmura Maud.

Elle se soulevait et se laissait descendre en mouvements mesurés, comme une bouée dans la houle. « Pas encore », l'avertit-elle, chuchotant ses instructions avec cette part d'elle qui dirigeait la manœuvre. « Attends », lui ordonna-t-elle quelques moments après – puis elle gémit « maintenant », et s'enfonça sur lui de haut.

« Ah, j'ai fait ça bien », rit-elle en s'affaissant sur lui, tremblant de plaisir, et Zander renforça l'autocompliment par un des siens : « Tu sais chorégraphier l'amour mieux que quiconque à Brooklyn », lui dit-il.

Elle lui servit le petit déjeuner dans la pièce du dessus, bourrée de meubles en osier et de plantes sur des supports en vannerie. Elle remplit une bouteille de lait vide au robinet et arrosa ses géraniums blancs pendant qu'il prenait son thé à la russe, dans un verre, en y remuant une cuillerée de confiture tout en le sirotant. Sans tourner la tête, gardant la voix désinvolte, elle lui demanda combien de temps il pensait rester avec elle. Il ne répondit pas immédiatement et elle dit qu'elle avait posé la question par simple curiosité. Pour elle, il pouvait aller et venir comme il voulait. Elle n'avait pas l'intention d'essayer de l'enfermer dans quelque chose de permanent. Zander la remercia et lui demanda si elle avait vu le *Times* de vendredi et les articles sur la révolution en Russie. Elle leva de nouveau le menton en signe de défi. « Les révolutions ne me fascinent pas comme toi », dit-elle. Puis, comme si ses propres mots lui avaient soudain mis une terrible idée en tête, elle éclata : « Tu ne penses pas à… oh, Zander, n'est-ce pas ? Tu viens juste de revenir et tu repars déjà. Seulement cette fois, c'est pour la Russie. »

Zander s'éclaircit la gorge. « En fait, j'allais te demander si tu pourrais envisager de me prêter l'argent de la traversée. » Il baissa la voix. « Il faut que j'y retourne, Maud. »

La peau de son visage parut se tendre sur les os.

« Ça finit toujours pareil, hein ? Le plus grand atout d'une femme, c'est le mystère. Quand on couche avec un homme, on perd son mystère. Et, sachant tout, il vous quitte pour un autre mystère – une autre femme, une révolution. »

Elle secoua la tête de dégoût.

« Tu as un sacré culot. C'est une chose d'aller et venir comme il te plaît. C'en est une autre que de me demander de payer le voyage. J'ai ma fierté, tu sais. »

À un long jet de pierre de l'embarcadère du ferry, une douzaine de manœuvres chinois portant des pantalons bouffants et des calottes remontaient de lourds madriers de la grève rocheuse, et les chargeaient sur un énorme chariot découvert tiré par six chevaux de trait hirsutes. Un baleinier en bois avait été détruit par la tempête la semaine précédente, et des épaves s'étaient échouées à South Ferry à Manhattan. Les Chinois, payés 3,50 dollars par semaine par une entreprise de bois et charbon du Bronx, récupéraient le bois pour le débiter et le vendre à des particuliers l'hiver suivant.

Sans prêter attention au furieux battement des vagues contre les piliers et aux cris hystériques des mouettes qui tournaient au-dessus, Zander regarda plusieurs Chinois monter la pente en trébuchant, une partie du grand mât du baleinier sur les épaules.

« Qu'est-ce qui te fait sourire ? » demanda Maud. Kermit et elle attendaient l'arrivée du ferry avec Zander.

« Je ne souris pas. Je grimace par sympathie.

— Le voilà ! » s'exclama Kermit, montrant du doigt avec excitation le ferry qui se glissait entre les piliers de bois garnis de vieux pneus, ricochant doucement d'un côté à l'autre jusqu'à ce que sa proue vienne effleurer la jetée. Une petite cloche sonna, et les quelque soixante-dix personnes qui attendaient le ferry de la fin de la matinée pour la statue de la Liberté commencèrent à s'aligner devant la guérite en bois du vendeur de tickets.

« Allons-y », implora Kermit en tirant la manche de Zander avec sa bonne main.

« Attends une minute, dit Zander. Je n'aime pas les foules. »

S'appuyant négligemment contre le mur blanchi à la chaux de l'entrepôt, Zander étudia les hommes en feutre mou et manteau à martingale qui se tenaient de part et d'autre de la guérite et surveillaient les gens au passage. L'un d'eux lui semblait familier – ou était-ce son imagination qui faisait des siennes ? S'ils étaient agents fédéraux, comme Zander le soupçonnait, ne voulaient-ils que voir qui irait écouter Trotski au rassemblement socialiste ? Ou le cherchaient-ils ? Il n'avait jamais parlé de Bedloe's Island[1] à Ortona, pour autant qu'il s'en souvienne. Il n'en avait même parlé à Maud qu'après le petit déjeuner ce matin,

---

1 Où se trouve la statue de la Liberté.

et Kermit et elle étaient restés en sa compagnie depuis. Puis Zander se rappela le tract qu'il avait épinglé derrière sa porte. Quel idiot ! Les agents qui avaient fouillé sa chambre de Hester Street l'avaient remarqué. Ils étaient là pour lui. Mais le reconnaîtraient-ils avec son visage rose rasé de frais, sans lunettes, un canotier de paille appartenant à l'ex-mari de Maud planté crânement sur la tête, l'écharpe de laine de Kermit autour du cou, son costume complété par un vieux pantalon de flanelle blanche et un pull vert tricoté serré que Maud avait trouvé au grenier dans une malle ?

« S'il te plaît, Zander, il n'y aura plus de places si on ne se met pas dans la queue, supplia Kermit.

— Remonte tes manches », fit Maud au garçon comme il entraînait Zander.

En attendant son tour, se rapprochant peu à peu du guichet, Zander tenait le panier de pique-nique d'une main, et de son autre bras serrait fermement celui de Maud – le parfait père de famille lors d'une sortie du dimanche. Derrière eux un taxi Mercer à quatre cylindres s'arrêta contre le trottoir, et Trotski, son fils de neuf ans Seriozha et trois autres hommes en sortirent. Deux de ces hommes gardaient la main droite dans la poche de leur manteau, et Zander ne fut pas surpris de voir que Tuohy était l'un d'eux ; il avait entendu dire que celui-ci servait occasionnellement de garde du corps.

« Combien ? » demanda le vendeur de tickets derrière sa grille.

Zander jeta un œil sur les prix inscrits sur une pancarte. « Deux adultes, un enfant », dit-il en posant douze cents sur le comptoir.

Une fois à bord du ferry, Kermit fila sur le pont supérieur. Maud et Zander s'assirent sur un banc de bois à bâbord. Près d'eux, une grosse femme se plaignait à une nonne assise à côté d'elle : « J'ai envie de lui dire : ne fais pas ça, mais en fait je ne sais pas ce qu'elle ne doit pas faire ! »

Maud serra le bras de Zander d'un air complice. Au-dessus d'eux, un filet de fumée noire sortait en tire-bouchon de la fine cheminée du ferry. Le pont vibrait sous leurs pieds. Le bateau s'éloigna lentement de l'embarcadère et s'engagea dans la houle de la baie. En arrière, sur la jetée, les deux hommes que Zander avait pris pour des agents fédéraux fixaient le ferry avec un air perplexe, comme s'ils avaient entendu une plaisanterie sans vraiment en comprendre la chute.

Dès que le vent se leva, Maud annonça qu'elle rentrait dans la cabine. Zander grimpa par une échelle sur le pont supérieur. Kermit, le fils de Trotski Seriozha et deux autres gosses s'appuyaient à la rambarde, regardant en silence l'horizon de Manhattan. Sur la droite, Zander voyait le pont de Brooklyn et les docks ; un clipper qui avait été beau pourrissait contre un quai en ruine. Le ferry dépassa Governor's Island et arriva à hauteur d'Ellis Island[1]. Bien qu'il n'eût contemplé ce lieu qu'une fois auparavant, tout y était familier à Zander, le long et bas bâtiment d'enregistrement en brique rouge aux fenêtres à croisillons, les quatre minarets à l'air turc, les pelouses soignées.

Il se vit soudain avec son père et son frère, attendant sur le quai d'Ellis Island le ferry qui les amènerait à la Battery[2]. Il se souvint de sanglots désespérés qu'il avait entendus derrière lui. À la porte du bâtiment officiel, on arrachait un enfant des jambes de sa mère auxquelles il s'accrochait comme du lierre. Zander ne sut jamais si c'était à l'enfant ou à la mère que l'entrée en Amérique avait été refusée, et lequel était renvoyé en Europe, mais il savait d'expérience que ça n'avait pas d'importance. Les deux souffraient autant.

Zander regrettait encore amèrement à ce jour de ne pas s'être accroché comme du lierre à sa propre mère sur le quai de Rotterdam.

Il regarda Ellis Island passer avant de reporter son regard vers Trotski, qui était assis sur un banc construit autour de la cheminée du vapeur. Des éclats de lumière argentée jaillissaient de son pince-nez quand le soleil le frappait. Il griffonnait des notes dans la marge d'un manuscrit et poursuivait en même temps une conversation avec son voisin. Zander se dirigea vers eux.

Tuohy s'écarta de son poste à l'échelle avant pour lui serrer la main.

« Tu es venu écouter notre ami convertir les femmes de dentistes, commenta-t-il. Tu as vu les fédés au guichet, je pense ?

— Tôt ou tard il allait falloir que j'apprenne s'ils me reconnaissaient sans barbe », expliqua Zander. Il désigna de la tête la main de Tuohy enfouie dans la poche de son manteau. « Tu as vraiment un pistolet là-dedans ?

— Tu plaisantes ou quoi ? Où est-ce que je trouverais l'argent pour acheter un pistolet ? Tout ce que j'ai dans ma poche avec quoi jouer, c'est moi-même. Même tendu, ce n'est pas mortel. » Tuohy prenait visiblement plaisir à sa petite plaisanterie. « Remarque, je ne refuserais pas le Nagant d'Ortona si, par une bonté de son noir cœur d'anarchiste, il me l'offrait.

— Ortona, c'est du poison. Il m'a donné aux fédés – ils attendaient dans ma chambre l'autre jour.

---

1 Île qui servait de centre de tri aux immigrants européens à leur arrivée sur le sol américain.
2 Point d'arrivée des immigrants acceptés.

— Ça correspond. Hier il est sorti de nulle part pour faire la pute devant Trotski. Mais lui, il repère les indics à un kilomètre, il ne lui aurait même pas donné l'heure. Quelqu'un devrait s'occuper d'Ortona.

— Tu penses ? » Zander jeta un coup d'œil à Tuohy. « Tu es volontaire pour arranger les choses ?

— Je ne serais pas contre. Sauf, bien sûr, si tu en fais une affaire personnelle.

— Qu'en pense Trotski ? demanda Zander.

— Je ne lui en ai pas parlé. Mais je le ferai.

— Oui, fais-le. » Zander rejoignit Trotski et dit en russe : « Camarade Trotski, vous vous souvenez de moi ? Je suis Alexander Til. »

Trotski fixa Zander au travers de son pince-nez. Ses yeux s'élargirent quand il le reconnut.

« Bien sûr, bien sûr, dit-il jovialement. Je vous présente Nikolaï Boukharine. Nikolaï, voici Alexander Til, le petit-fils de Til.

— *Le* Til ? demanda Boukharine.

— *Le* Til », confirma Trotski.

Zander et Boukharine se serrèrent la main. Trotski fit signe à Zander de s'asseoir à côté de lui sur le banc.

« Et nous voilà, pris en sandwich entre la statue de la prétendue Liberté et le fameux Wall Street, en train de concocter une deuxième révolution en Russie. Délicieux, non ? Qu'en pensez-vous, Alexander ? » Trotski désigna un passage du texte dactylographié. « Je suis partisan de dire, ouvertement, que le gouvernement provisoire du prince Lvov est condamné à décevoir la classe ouvrière qui a chassé le tsar lors de la première révolution. Nikolaï que voilà pense que ça donnerait l'impression qu'on est des opportunistes, que nous devrions plutôt jouer le jeu du gouvernement provisoire jusqu'à ce que ses insuffisances deviennent évidentes d'elles-mêmes, puis nous joindre aux autres partis socialistes…

— Même aux mencheviks », cria Boukharine avec exubérance. Il avait presque trente ans, mais pouvait encore s'enthousiasmer comme un gamin pour toute idée qui lui plaisait.

« Si je peux me permettre, suggéra Zander, Lénine n'acceptera jamais une coalition avec les mencheviks.

— Exactement », acquiesça Trotski avec un sourire grimaçant ; il avait été tenté de se rapprocher des mencheviks pendant de nombreuses années et avait subi les attaques cinglantes de Lénine plus d'une fois. « Lénine devrait se situer clairement à gauche des mencheviks si bien que, quand la classe ouvrière se détournera du gouvernement provisoire, il représentera la seule solution possible. »

Seriozha s'approcha d'eux et tira sur la main de Trotski.

« Papa, j'ai dit que Petrograd est plus grand que New York et un garçon dit que non, que New York est plus grand. Alors, lequel est-ce ?

— Il a raison et tu as tort, dit Trotski à son fils. Mais il y a d'autres choses à voir à New York que sa taille.

— Comme ?

— Hier j'ai vu un vieil homme ramasser un croûton de pain dans une poubelle. » Trotski racontait l'histoire avec intensité, observant soigneusement les réactions du garçon. « Il a tâté le croûton avec ses mains, puis il a essayé de le mordre, et enfin il l'a frappé contre la poubelle. Mais le pain ne s'est pas brisé. À la fin, il l'a glissé sous son vieux manteau et il est parti dans St Mark's Place en traînant la jambe. Ce petit épisode n'a en aucune façon dérangé les plans de la classe dirigeante. »

Le jeune garçon hocha solennellement la tête.

« La seule chose qui dérangera les plans de la classe dirigeante, c'est toi.

— Joliment dit », commenta Boukharine.

Trotski était radieux.

Tuohy leur cria : « Nous y sommes presque. »

Devant, la statue de la Liberté, d'un vert terni, était nettement visible, juchée sur sa base à onze pointes qui avait autrefois fait partie du vieux Fort Wood.

« Il y a deux choses significatives à se rappeler, à propos de cette statue », expliqua Trotski à son fils. Il fit un clin d'œil à Zander. « D'abord, elle tourne le dos à l'Amérique. C'est un symbole important. » Boukharine gloussa. « Deuxièmement, tu vois clairement qu'elle tient une torche de la main droite. Mais qu'est-ce qu'elle a dans la main gauche ?

— Un livre, dit gaiement le jeune garçon.

— Exactement. Un livre. Mais quel livre ? »

L'enfant grimaça et tendit ses mains vides, paumes vers le haut.

« Le livre, annonça théâtralement Trotski, c'est le *Das Kapital*[1] de Marx !

— Aah », fit Seriozha, une fois de plus impressionné de voir que son père semblait tout savoir.

Comme le ferry manœuvrait le long de la jetée de bois, Trotski, se penchant sur la rambarde à côté de Zander, lui dit que c'était gentil de sa part de faire autant de chemin pour l'entendre parler.

« Je ne suis pas venu pour vous entendre parler », avoua Zander.

Trotski ôta son pince-nez et se mit à en nettoyer les verres avec l'extrémité de sa cravate.

---

1   En fait, il s'agit de la Constitution des Éétaats-Unis.

« Que croyez-vous que je puisse faire pour vous ? » demanda-t-il directement.

Zander dit simplement : « Je veux rentrer. »

Trotski remit son pince-nez et examina Zander.

« Depuis combien de temps êtes-vous dans ce pays, Zander ?

— Dix ans.

— Vous êtes américain, alors. Restez et faites une révolution ici.

— Si je traîne par ici plus longtemps, répliqua Zander, les fédés vont m'attraper. Ils vont m'enfermer dans un pénitencier et jeter la clef.

— Pourquoi venir me voir ? demanda Trotski. J'aurai assez de mal à rentrer moi-même.

— J'ai besoin d'argent pour payer mon voyage. J'ai besoin de faux papiers. J'ai besoin d'une lettre d'introduction pour les camarades de Petrograd. »

Du pont principal, les gens débarquaient déjà sur la jetée. Maud leva les yeux, vit Zander et lui fit signe. S'accrochant à l'échelle avec sa bonne main, Kermit l'appela : « Viens, Zander. »

Trotski était visiblement mécontent. « Suis-je un capitaliste, pour que tout le monde vienne à moi la main tendue ? » Secouant la tête d'agacement, il partit à grands pas rejoindre Boukharine et ses deux gardes du corps.

La municipalité avait commencé peu de temps auparavant à poser dans les parcs publics de la ville des pancartes interdisant de marcher sur les pelouses ; mais elle n'en était pas encore arrivée à Bedloe's Island. Aussi Maud, qui normalement respectait strictement les injonctions écrites, n'eut-elle aucun remords à déposer son panier et à étendre sa nappe de chintz sur l'herbe près de la base de la statue. Trotski, entouré d'une cinquantaine d'ardents socialistes, des femmes pour la plupart, tenait sa cour du côté ombragé. Agitant un os de poulet comme une baguette de chef d'orchestre, passant à l'allemand ou au russe quand il ne trouvait pas le mot qu'il voulait en anglais, il donna un cours rapide sur les événements qui avaient conduit à la chute du tsar. Il décrivit l'inflation vertigineuse, le rationnement sévère, la rareté de la (mauvaise) nourriture et du combustible, les queues qui se formaient devant les boulangeries aux heures glaciales d'avant l'aube, où l'on voyait certaines femmes serrant leurs bébés contre leur poitrine pour qu'ils ne meurent pas de froid. L'ouvrier d'usine moyen travaillait dix heures et demie par jour et ramenait chez lui trente-cinq roubles par mois ; une paire ordinaire de chaussures en cuir, dit Trotski en se penchant pour donner une claque sur le côté des siennes, coûtait plus de cent roubles.

Et puis il y avait la Grande Guerre contre l'Allemagne. Le tsar y avait engagé son pays aux côtés des Alliés. Quinze millions d'hommes avaient été mobilisés, parmi eux des centaines de milliers d'enfants ; s'ils n'obéissaient pas aux ordres, leurs officiers les *fessaient* ou les *fusillaient*, selon leur humeur. « Est-ce que vous comprenez ? cria Trotski. Est-ce que mes mots vous rentrent dans le crâne ? Les fessaient ou les fusillaient ! » Des millions de soldats avaient été envoyés dans les tranchées sans vêtements d'hiver ni bottes, et certains sans fusil ; on attendait d'eux qu'ils s'en procurent sur le champ de bataille. Les morts russes, estimés à des millions, n'avaient jamais été proprement recensés. Les Allemands durent souvent dégager au bulldozer des montagnes de cadavres russes empilés devant leurs tranchées pour dégager le champ de tir avant l'attaque suivante. Pendant ce temps, à Petrograd (la capitale russe avait perdu son nom de Saint-Pétersbourg au début de la guerre), la bourgeoisie prenait le thé entre soi dans l'après-midi, sortant du sucre de petites boîtes en argent rangées dans les porte-monnaie, secouant la tête devant la détérioration de l'ordre social et les inconvénients causés par la guerre.

Nicolas II, tsar de toutes les Russies par la Grâce de Dieu et la force de l'habitude, était, continuait Trotski, complètement incompétent, ignorant les bases de l'économie, et restait indifférent à l'effervescence sociale qui menaçait son empire. Sa femme, l'impératrice Alexandra, née allemande, petite-fille de la reine Victoria d'Angleterre, était encore moins intelligente et d'esprit encore plus étroit que lui.

« Le 8 mars », psalmodia Trotski, la tête renversée vers le ciel, le bouc parallèle au sol, « vingt mille femmes répétant *Khle-e-ba… khle-e-ba…* du pain… du pain, défilèrent dans Petrograd pour célébrer la Journée des Femmes. Le lendemain, deux cent mille ouvriers rejoignirent les femmes. La troupe, qui s'était toujours interposée entre la classe dirigeante et les ouvriers, ignora ses officiers et se répandit dans les rues. Se massant dans les grandes avenues de Petrograd, les soldats prirent un arsenal dans Liteini Prospekt et distribuèrent fusils et mitrailleuses aux travailleurs.

« Les mutineries se répandirent comme un incendie de forêt. Nicolas, qui était au front, n'avait d'autre choix qu'abdiquer. Et maintenant, mesdames et messieurs, commence la lutte pour savoir quelles institutions, quelles philosophies politiques vont prendre la place de la dynastie Romanov. »

« Voilà pour quoi tu es venu », dit Maud à Zander.

« La Russie, continua Trotski, a ouvert une nouvelle ère de sang et de fer. La puissante avalanche de la Révolution est lancée et nulle force humaine ne la contiendra. Tous ceux qui ont été opprimés, déshérités, trompés, se lèveront. Toutes les tentatives d'en finir avec la guerre de classes seront inutiles. Les philistins pensent que c'est le révolutionnaire qui fait la révolution, et qu'il peut l'arrêter quand il le veut. »

Trotski parlait comme si son public avait disparu ; il paraissait jeter un défi à l'horizon.

« Il n'en est pas ainsi ! Les masses font la révolution. »

Il y eut une agitation à l'arrière du groupe. Des têtes se tournèrent. Deux jeunes femmes essayaient de calmer un jeune homme. Il bondit sur ses pieds.

« Trotski est un tas de merde ! explosa-t-il. Depuis des années, il critique Lénine et est du côté des mencheviks. Maintenant, tout d'un coup il voit la lumière et retourne sa veste. Quel Trotski est-ce qu'il faut croire ? » Il se tourna vers Trotski : « Vous parlez beaucoup.

— Les révolutions, observa laconiquement Trotski, sont verbeuses.

— Mais vous ne comprenez pas vraiment la dialectique. Tout le monde sait qu'avant de pouvoir faire une révolution socialiste, il faut avoir une base industrielle et un prolétariat. La Russie n'a ni l'un ni l'autre.

— Qu'est-ce que vous proposez ? demanda Trotski avec une passion si contrôlée que sa mâchoire en tremblait. Que les travailleurs se débarrassent du tsar et puis remettent gentiment les rênes du pouvoir aux banquiers et aux professeurs, qui installeront des parlements et d'autres constructions du libéralisme pourri ? Je dis non ! Pourquoi aller jusque-là et s'arrêter ? Ce n'est pas le moment de perdre courage. »

Le jeune homme s'avança vers Trotski. Tuohy et l'autre garde du corps se levèrent. Trotski posa la main sur le pistolet dans sa poche.

« La Russie est une terre de paysans, cria le jeune homme, pas de prolétaires. Il y a une révolution à Petrograd. Et le reste du pays ? Qu'en est-il des masses obscures dans les villages, qui n'ont jamais entendu parler de Marx, du socialisme ou de Léon Trotski ?

— Les masses obscures savent ce que c'est que la terre, déclara Trotski d'une voix retentissante. Nous leur donnerons de la terre ! Elles savent ce que c'est que le pain. Nous leur donnerons du pain ! » Il paraissait s'étouffer d'émotion. « Elles savent ce que c'est que la paix. Nous leur donnerons la paix ! » Il se tourna vers le reste du groupe et leva de façon théâtrale les bras en l'air. « Nous assistons au début de la seconde Révolution russe. Espérons que beaucoup d'entre nous », il jeta un rapide coup d'œil vers Zander, « y participeront. »

Les dames de l'assistance applaudirent ; nombre d'entre elles portaient des gants de dentelle qui étouffaient le son de leurs paumes.

Le jeune homme qui avait défié Trotski et les deux jeunes femmes s'éloignèrent en discutant vigoureusement. Tuohy regarda Zander et haussa les épaules. L'autre garde du corps enleva son chapeau et s'enfonça parmi les socialistes en marmonnant : « Pour la glorieuse Révolution russe – donnez ce que vous pouvez. » Les dames plongèrent dans leurs portefeuilles pour remplir le chapeau de billets. Quand le garde du corps présenta à Maud son chapeau rempli d'argent, elle lui dit qu'elle était contre toutes les révolutions, mais il ne fit que sourire.

Maud se mit à ranger les assiettes dans le panier. Kermit, qui était monté jusqu'à la torche de la statue avec Seriozha et d'autres enfants, revint en courant vers eux.

« Quelle vue ! s'exclama-t-il. On peut voir jusqu'au rivage de Brooklyn. » Il sortit un papier de la poche de sa veste et le tendit à Zander. « Cet homme, là-bas, celui avec la drôle de barbe, m'a dit de te donner ça. »

Zander prit le papier. Y était marqué, d'une épaisse écriture autoritaire : « Au bureau de *Novyi Mir*, mardi à 11 heures. » Le mot était signé : « T ».

CHAPITRE IV

Des nuages mornes et vaguement menaçants venaient des détroits. À Battery, des signaux de tempête flottaient aux mâts gouvernementaux. Dans la rade, des cargos jetaient une deuxième ancre au cas où le vent se lèverait dans la journée.

Le temps correspondait à l'humeur de Tuohy. Il descendait la rue avec sa longue écharpe de laine enroulée autour du cou, un bout pendant sur l'épaule comme le tuyau d'échappement d'une des machines volantes de M. Wright, les mains enfoncées au fond des poches de son pantalon. Il était furieux, ce qu'il attribuait à un ennui profond : le temps l'ennuyait, Trotski aussi, et les milieux socialistes et leur dialectique assommante, et les coffres-forts de banque qui se fermaient automatiquement sur le coup de 4 heures, et la vie en général et sa vie sexuelle en particulier. Et il ne semblait pas que la note que Trotski lui avait glissée dans la poche quand Tuohy l'avait déposé à son appartement du Bronx tard dans la nuit de dimanche, après avoir discouru devant un groupe de Bundistes du Lower East Side – « Au bureau de *Novyi Mir*, mardi à 11 heures » –, dût changer sa vie d'une façon ou d'une autre. Sans doute un autre cercle socialiste, une autre série de femmes de dentistes, comme les appelait Til, qui plongeaient des doigts manucurés dans des bourses en soie pour financer la révolution mondiale.

Tuohy émit un grognement. La révolution mondiale était aussi vraisemblable, à son avis, que l'envoi d'un homme sur Mars. Lui-même, Tuohy, accepterait n'importe quelle révolution, peu importait où, quelque chose pour lui faire battre le cœur et lui donner une envie de faire l'amour qu'il ne ressentait que lorsqu'il pensait satisfaire peut-être ses appétits charnels pour la dernière fois. Til pouvait avoir raison pour une fois. C'était en Russie qu'il se passait quelque chose. Tuohy parlait russe, quoique avec des fautes de grammaire, grâce à sa mère, qu'elle repose en paix. Il y était même allé lors de l'été 1911, pour installer des ascenseurs Otis dans le Palais d'Hiver du tsar.

La simple évocation d'une révolution fit que Tuohy se souvint, avec beaucoup de nostalgie, des journées impétueuses au Mexique à peine deux ans auparavant, avec Emiliano Zapata qui guidait son armée de paysans contre les *huertistas* sur son cheval blanc qui pétait. Tuohy avait fait franchir la frontière à quatre mitrailleuses à refroidissement à eau en parfait état, provenant de l'armée américaine, avec vingt mille balles dans des caisses qui étaient censées contenir des pistons pour ascenseurs Otis. Zapata, qui puait la sueur et l'ail, avait pris Tuohy dans ses bras, l'avait appelé frère et lui avait fourni une série abondante de senoritas avides de se brûler les poils du pubis sur la flamme révolutionnaire d'un gringo.

Tuohy était si plongé dans ses souvenirs qu'il dépassa la librairie gauchiste de Frank Shay avant de relever les yeux et réaliser où il était. Agacé, il fit demi-tour. Il allait à un rendez-vous avec la fille de Hunter College qui s'occupait le week-end de la clinique de Margaret Sanger à Brooklyn. Elle mesurait 1,52 m, avait d'immenses yeux marron, des hanches étroites et de gros seins, et se considérait comme une bolchevik et une révolutionnaire, quoique la révolution qu'elle avait en tête n'eût que peu de chose en commun avec celle de Tuohy.

« Nous les femmes, lui expliquait passionnément Marlène, devons rejeter le joug de l'oppression mâle qui nous a gardées sexuellement dociles et dépourvues d'orgasmes pendant des siècles. Mon Dieu, le complot mâle contre le corps féminin, contre le clitoris, contre notre potentiel pour un nombre infini d'orgasmes consécutifs est aussi évident que la bosse de ton pantalon quand tu es face à une femme qui parle ouvertement de sexe. Oh non, ce n'est pas du vote que nous avons besoin. Ce n'est pas du droit de faire le même travail que les hommes – et qu'ils détestent, soit dit en passant. C'est du droit de faire l'amour quand nous voulons, où nous voulons, avec qui nous voulons et comme nous voulons. Et tout se ramène au contrôle des naissances. »

Tuohy supportait ces tirades parce que Marlène était un sacré numéro au lit. Elle considérait tout acte sexuel qui sortait de ce qu'on appelait communément la norme comme une salve tirée pour la cause de l'imminente, inévitable et glorieuse révolution des femmes. Ci-gît Atticus Tuohy, pensa-t-il, qui faisait l'amour pendant que Marlène faisait la guerre.

Les gonds de la porte de la librairie grincèrent quand Tuohy l'ouvrit. Marlène se tenait à la caisse, essayant d'intéresser Shay au dernier tract de Margaret Sanger sur le contrôle des naissances. Le texte portait sur la technique et était illustré de dessins en coupe. Shay secouait la tête avec regret. Il n'avait rien contre Margaret Sanger ni la contraception, ni contre les dessins en coupe explicites, mais la municipalité, poussée par les femmes offensées de certains politiciens catholiques de Tammany Hall[1], bondirait sur l'occasion de fermer sa boutique pour vente de pornographie.

« Merci, dit Shay à Marlène, mais vraiment pas. »

« J'ai raté mon coup », se plaignit Marlène pendant que Tuohy et elle se dirigeaient vers les quartiers résidentiels dans un des nouveaux bus à moteur que la ville de New York avait récemment achetés à la compagnie Ford. La fête, dans un immeuble du West Side, battait son plein quand ils arrivèrent. Deux douzaines de personnes environ, la plupart ayant quelque chose à voir avec Tin Pan Alley[2], étaient dispersées dans les trois pièces et la minuscule cuisine. Ils buvaient du gin pur contenu dans des carafes d'eau ou reniflaient au travers de billets roulés d'un dollar de la cocaïne fournie par un jeune truand de l'East Side qui s'appelait Charlie Luciano.

« Marlène ! » glapit l'hôtesse, et une fille pieds nus avec de courts cheveux bouclés bondit d'un divan bas pour embrasser Marlène sur la bouche. Un sein sortait de sa chemise déboutonnée, et elle regarda Tuohy comme il regardait le sein.

« Qui est ton ami ? » demanda l'hôtesse qui s'appelait Connie. Elle leva la main pour agacer la moustache de morse de Tuohy de ses ongles rouge vif, puis rit en entourant du bras la taille de Marlène pour la guider dans une pièce où un Noir dont la tête rasée révélait le crâne brillant et huilé jouait du xylophone. Un petit homme barbu, à demi nu, complètement drogué, avec une jambe maigre et déformée, boita jusqu'au milieu de la pièce et commença à se balancer avec la musique. Plusieurs personnes applaudirent. Quelqu'un siffla.

« Bouge ton cul de Juif, cria Connie.

— C'est à l'autre côté qu'on reconnaît les Juifs, dit Tuohy.

— Comme si je ne le savais pas, dit Marlène en riant.

— Tu as quelque chose contre les Juifs ? demanda Connie à Tuohy.

— Quelques-uns de mes meilleurs amis sont malheureusement des Juifs, répondit-il. Ce n'est pas leur faute. »

Marlène dit : « Quelques-uns de mes meilleurs amants sont circoncis. »

Connie rit follement. « J'aime bien les queues circoncises. Oh, comprenez-moi bien, je ne rejette pas celles qui ne le sont pas. »

---

1 Siège du Parti démocrate.
2 Quartier des éditeurs de musique populaire.

Vers trois heures du matin, les derniers invités s'évanouirent dans la nuit. Le musicien rangea son xylophone dans une boîte en bois, posa un baiser humide sur le sein de Connie et s'en fut. Tuohy ôta ses chaussures, s'étendit sur un matelas à deux places dans la chambre et cria à Marlène, qui aidait Connie à empiler des verres sales dans l'évier de la cuisine :

« Hé, qui fait quoi à qui ?

— Tu es un obsédé sexuel, répondit Marlène.

— Tout le monde l'est, répliqua-t-il. Le monde se divise entre ceux qui l'avouent et ceux qui ne l'avouent pas. »

Quand les deux filles entrèrent enfin dans la chambre, elles portaient chacune une chemise – et rien d'autre. « Nous allons révolutionner la baise », annonça Marlène. Connie gloussa.

Atticus s'assit bien droit, fixant les deux touffes de poils pubiens.

« Ci-gît Atticus Tuohy, remarqua-t-il avec enthousiasme, qui découvrit, pour le bénéfice éternel de l'humanité, que trois ne sont pas une foule après tout. »

Tuohy était né en 1891, l'année où le travail commença sur le Chemin de fer transsibérien du comte Witte, fils accidentel et unique d'Eamon Tuohy, un Irlandais aventureux, ingénieur en tunnels, qui était employé sur la ligne à voie unique de cinq mille cinq cents miles, et de Nadejda Beliankova, la fille rebelle d'un officier tsariste de province qui avait été posté, à son grand déplaisir, dans la ville perdue de Chelyabinsk, dans l'Oural. Nadejda se présenta au mariage enceinte de sept mois. Deux mois plus tard, l'enfant fut mis au monde par une sage-femme gitane qui, suivant une vieille coutume russe, le plaça à côté d'un bol de fruits superbes afin que lui aussi devînt en grandissant un spécimen parfait. Quand le contrat d'Eamon expira, quatre ans et trois mois plus tard, il ramena en hâte sa femme et son bébé à New York, où il finit par trouver du travail chez William Barclay Parsons, l'ingénieur en chef de la nouvelle commission des Transports rapides, qui avait formé le plan de construire un métro sous les rues de la ville.

À part une visite de temps en temps à l'une des premières bouches de tunnel près de City Hall, Atticus vit très peu son père. Il allait dans une école du West Side, où les enfants se moquaient de son anglais, et passait la plupart de son temps libre avec sa mère et ses amis russes, qui se moquaient de son russe. Quand la nouvelle leur arriva, par un messager spécial en moto avec des bottes de cuir montant au genou, qu'Eamon avait été tué par un glissement de terrain dans une section de tunnel allant de City Hall à Grand Central Station, la mère et le fils crurent tous deux que c'était la fin du monde. Nadejda dut quitter son cercle russe de couture et s'engager comme vendeuse dans un magasin de corsets. Atticus finit par suivre les traces de son père, gagnant à dix-sept ans une bourse à l'école des Mines de Columbia University. Il suivait les cours pendant les jours de semaine et travaillait dans l'équipe de nuit et le samedi dans un des tunnels de Parsons, rampant sous Broadway. Comme il grandissait et mûrissait, l'Irlandais en lui domina peu à peu le Russe. Un dimanche, invité à une réception dans l'appartement spacieux du doyen de l'école des Mines, il accula dans un coin une blonde aux grands yeux et lui fit la cour en lui racontant des histoires du Transsibérien, pour la plupart inventées, et des récits d'accidents mortels sous les rues de la ville, pour la plupart vrais. La fille tomba instantanément amoureuse de l'Irlandais géant et irrespectueux qui parlait du creusement de tunnels comme si c'était une activité sexuelle. Avant la fin de la soirée, elle l'avait incité à la séduire, conquête que le jeune Tuohy eut l'occasion de regretter quand il découvrit, à peu près au même moment que le doyen, que sa dernière maîtresse était la plus jeune fille de celui-ci. Voilà comment Tuohy, malgré ses bons résultats, fut expulsé de l'école des Mines de Columbia University.

Le goût du vagabondage l'entraîna vers l'Ouest et il travailla dans une série de mines et de tunnels, jusqu'à ce qu'il se fasse embaucher dans une équipe de Chicago qui construisait un immeuble de neuf étages, moment où Tuohy tomba promptement et profondément amoureux des ascenseurs qu'il décrivait tout simplement comme des « tunnels vers le haut ».

Les ascenseurs avaient été révélés lors de l'Exposition du Crystal Palace à New York en 1853, quand Elisha Grevers Otis avait fait monter celui où il avait pris place au-dessus de la tête des spectateurs avant de faire couper le câble. L'ascenseur ne tomba pas grâce à un mécanisme à ressort qu'Otis avait inventé.

Tuohy suivit un cours de formation rapide de six semaines auprès de la compagnie Otis et s'apprêta à remplir les immeubles du monde entier d'ascenseurs Otis. Il se joignit à l'équipe qui installait le premier ascenseur de Kansas City. Sa croisade le mena au Texas, en Californie, de nouveau à New York, puis lui fit traverser l'Atlantique vers Londres, Amsterdam, Stockholm, Berlin, Vienne, Varsovie et, en 1911, Saint-Pétersbourg, dans le Palais d'Hiver du tsar. À chaque arrêt, Tuohy laissait sa marque – un ascenseur Otis à piston.

De retour à Paris durant l'automne 1911, alors qu'il paraissait beaucoup plus mûr que ses vingt ans, la vie insouciante, en bulle de savon, que Tuohy menait éclata. Une lettre de sa mère finit par le rattraper. « Des gens qui savent de quoi ils parlent, écrivait-elle, disent que je vais mourir très bientôt. Il y a une certaine satisfaction à trouver dans la lenteur du système postal, car quand tu recevras ceci tu pourras te réconforter en te disant qu'au moins c'en est fini. »

Bizarrement, le jour même où Tuohy reçut la lettre, il assista à l'enterrement de deux personnes dont il n'avait jamais entendu parler, Paul et Laura Lafargue.

À Paris, Tuohy s'était lié avec une Russe qui avait été forcée de s'exiler à cause de ses activités politiques en faveur d'un groupe scissionnaire peu connu de révolutionnaires qui s'appelaient les bolcheviks. La fille, du nom de Nyura, sonna à la porte de Tuohy le matin du 20 novembre. Elle avait les yeux cerclés de rouge. « Les Lafargue sont morts, sanglota-t-elle. Ils se sont suicidés. »

Les Lafargue, comme tout le monde sauf Tuohy semblait le savoir, étaient de célèbres socialistes français. Paul avait fait partie du légendaire soulèvement de la Commune de Paris en 1871. Laura était la fille de Karl Marx. À l'âge de soixante-dix ans, ils avaient décidé qu'ils n'avaient plus d'utilité sociale et choisi de mettre fin à leur vie.

L'enterrement au cimetière du Père-Lachaise à Paris attira tous ceux qui étaient quelque chose dans le mouvement socialiste européen. Le principal orateur était le socialiste français Jean Jaurès. Il fut suivi par un Russe lourdement bâti, de taille moyenne, avec une barbe roussâtre en pointe. À part une couronne de cheveux roux il était presque chauve, ce qui lui donnait l'air bien plus vieux que ses quarante et un ans. Les gens l'appelaient « Starik » – « vieil homme » en russe ; ce nom lui avait été donné par un vieux paysan chez qui il logeait pendant son exil en Sibérie. Son vrai nom, découvrit Tuohy, était Vladimir Ilitch Oulianov, mais il était mieux connu par son nom de guerre du parti, Lénine. C'était le chef du Parti bolchevik. « Si vous ne pouvez plus travailler pour le Parti », dit Lénine à la foule endeuillée (il parlait en russe et une jeune femme qui s'appelait Inessa Armand traduisait en français), « il faut être capable de regarder la vérité en face et de mourir comme les Lafargue. »

Après les funérailles, Nyura ramena Tuohy avec elle à l'appartement de Lénine au 24 de la rue Beaunier, près de l'avenue d'Orléans et du parc Montsouris. Autour du thé servi dans des gobelets de cuisine, Lénine tenait sa cour. Quand il découvrit que le jeune ingénieur en ascenseurs revenait juste de Saint-Pétersbourg, il l'interrogea minutieusement sur les conditions qui régnaient dans la capitale russe. Y avait-il des files d'attente pour le pain ? De quoi est-ce que les travailleurs parlaient, à part le temps ? De l'avis de Tuohy, quelles étaient les relations entre les ouvriers et les recrues de l'armée dans les rues ?

En répondant, Tuohy se sentit étrangement attiré par ces yeux qui s'étrécissaient dans la réflexion, prenant un air nettement mongol en le transperçant. Quand Lénine parlait, ses manières étaient directes et son langage simple. Pourtant, il parvenait à donner l'impression d'un homme pressé, d'un homme qui ne disposait que d'un temps limité. Il paraissait physiquement mal à l'aise, remuant sur sa chaise, changeant de position, puis sautant soudain sur ses pieds pour faire les cent pas, le visage détourné, crispé – par la pensée ? la douleur ?

« Vous avez lu *Das Kapital* ? » demanda Lénine à Tuohy, et quand celui-ci admit que non, Lénine lui conseilla d'acheter le livre. « Marx est comme un musicien au diapason parfait, dit-il. Il a un sens révolution-naire absolu. »

L'heure et demie que Tuohy passa avec Lénine lui donna un nou-veau point de vue sur la vie. C'était la première fois qu'il se trouvait en présence de gens engagés de tout leur cœur à autre chose que gagner de l'argent ou s'amuser. Le Russe en Tuohy acceptait aisément l'idée que les meilleurs des meilleurs dédiaient leur vie à des idées. L'Irlandais en lui répondait au romantisme de la révolution – vivre et travailler clan-destinement pour renverser un ordre existant.

« Les révolutions, avait dit Lénine citant Marx, sont les locomotives de l'Histoire. »

« Ci-gît Atticus Tuohy, se dit-il en quittant l'appartement de Lénine en ce jour fatidique, qui n'a jamais pu résister au sifflet d'un train. »

CHAPITRE V

Un ivrogne impeccablement habillé, buvant au goulot d'une bouteille enveloppée dans un sac de papier brun, bouscula presque Zander en titubant, pendant que celui-ci traversait Tompkins Square en allant vers St Mark's Place. « Libère ton esprit et bouge ton cul », postillonna l'ivrogne avec indignation. Il s'arrêta net et, oscillant légèrement, cligna rapidement des yeux comme s'il essayait de voir Zander distinctement. Puis il rota et, exécutant une pirouette élégante, continua son chemin, jetant par-dessus son épaule : « Bouge ton cul, ouais, mais te fais pas prendre. »

Bouge ton cul mais te fais pas prendre. Quel meilleur credo pour un révolutionnaire moderne ? se dit Zander. Il allait entrer au numéro 77 de St Mark's Place quand il aperçut Tuohy qui venait vers lui, accompagné par une fille qui avait bien une tête de moins que lui ; Zander supposa que c'était elle qui travaillait clandestinement à la clinique de Margaret Sanger.

« Qu'est-ce qui se passe ? » demanda Zander. Il remarqua que Tuohy avait de vraies valises sous les yeux.

« Aucune idée. » Tuohy n'essaya pas de présenter son amie. « On a tous les deux reçu des messages nous disant d'être ici à 11 heures.

— Peut-être vont-ils sortir une édition spéciale sur la révolution russe, et ont-ils besoin de gens pour la distribuer », suggéra la fille.

La moustache de morse de Tuohy frémit d'indignation.

« Est-ce que j'ai l'air d'un garçon de courses ? »

Ils entrèrent tous trois dans le sous-sol du numéro 77 et descendirent le couloir jusqu'à la pièce de derrière qui servait de bureau éditorial au *Novyi Mir*. Depuis son arrivée à New York, Trotski avait écrit un torrent d'articles pour cette publication d'émigrés, invitant les travailleurs à se retourner contre leurs exploiteurs et à transformer la guerre capitaliste en guerre civile. En Amérique du moins, il n'y avait eu que très peu de convertis.

Trotski avait l'air agité. « Vous êtes en retard », dit-il sèchement, jetant à peine un coup d'œil aux nouveaux arrivants. Trois hommes jeunes, dont deux s'étaient trouvés dans des piquets de grève avec Zander une fois ou l'autre, s'appuyaient contre le mur du fond sous la fenêtre à barreaux qui donnait à l'arrière sur un passage sordide. Une jeune femme qui servait de secrétaire bénévole à Trotski fouillait dans un classeur plein de lettres. « Assurez-vous de mettre toutes celles de Lénine à part, lui ordonna Trotski. Je veux les emmener avec moi. »

Trotski finit de trier une pile de télégrammes. « Alors », commença-t-il en repoussant les papiers et en se perchant sur le bord d'une énorme table de chêne, « vous vous demandez sûrement tous pourquoi vous êtes ici. » Il chercha dans sa veste un article qu'il avait déchiré dans le *Sunday Times* et, le tenant devant son nez, lut le titre : « BERLIN S'ATTEND À UNE NOUVELLE RÉVOLTE EN RUSSIE. » Trotski froissa l'article et le jeta dans une corbeille à papier.

« Par une curieuse coïncidence, c'est précisément mon analyse, dit-il. Il va y avoir une nouvelle révolution, mesdames et messieurs. Certains d'entre nous dans cette pièce auront peut-être la bonne fortune de prendre part à la création du premier État communiste de la planète. J'espère moi-même retourner en Russie sur un navire norvégien, le *Christianiafjord*, qui part de New York dans une semaine. Je veux aussi vous dire que nous avons contacté, par câble, Lénine à Zurich. Les camarades de là-bas et lui essaient d'organiser avec les Allemands un transport en train jusqu'en Finlande, d'où ils se rendront à Petrograd. Vous six, ici aujourd'hui, avez prouvé durant une longue période votre dévouement à la cause du prolétariat. De plus, vous parlez tous russe. Malheureusement, nous n'avons pas assez de ressources pour financer votre retour à tous.

— Combien peuvent partir ? » voulut savoir Zander.

Trotski le considéra d'un air amusé. « Un. »

Les cinq hommes et la femme échangèrent des regards.

« Comment déciderez-vous qui partira ? demanda Tuohy.

— J'avais pensé, répondit Trotski, que vous tireriez au sort.

— Je ne gagnerai jamais, se lamenta Marlène. Je n'ai jamais de chance aux jeux de hasard. »

Zander dit : « Je suis prêt à essayer. » Il ressentait un élan de confiance irrationnelle ; il était absolument sûr de gagner. Il le voulait tellement qu'il *devait* gagner. Toute sa vie d'adulte – les jours et les semaines interminables dans les piquets de grève, les séjours en prison, la dévotion monacale au socialisme et à la révolution qui l'avait obligé à se cacher pendant des années dans des meublés misérables – avait été une préparation à son retour en Russie, vers les remparts que les travailleurs avaient jetés bas. Comment pourrait-il s'expliquer autrement toutes les souffrances, toute la solitude, tous les désirs insatisfaits ? Il était destiné à retourner là-bas ! Il fallait qu'il y retourne ! Il y retournerait !

Trotski prit six morceaux de papier, en marqua un d'un « X » à l'encre, les plia plusieurs fois et les mit dans sa casquette.

« Qui commence ?

— En Amérique, les dames passent d'abord d'habitude », offrit galamment Tuohy.

Trotski tendit la casquette à l'amie de Tuohy. Elle saisit un papier et le déplia.

« Je vous avais dit que je ne gagnerais jamais », gémit-elle.

Un par un, les trois jeunes hommes appuyés au mur prirent un papier, l'ouvrirent et montrèrent qu'il était vierge. Deux des trois eurent l'air plus soulagés que déçus.

Zander était maintenant certain que le « X » lui était destiné. Trotski tendit la casquette à Tuohy, qui prit nonchalamment le morceau de papier le plus proche de lui. Il le garda entre ses doigts et l'offrit à Zander en manière de taquinerie.

« Je tirerai moi-même », dit doucement Zander.

Tuohy accepta d'un hochement de tête. Il déplia lentement son papier et releva les yeux. Il était impossible de savoir d'après son expression s'il avait tiré le « X » ou un bulletin blanc.

« Eh bien ? demanda Marlène avec irritation.

— Tu aurais dû le prendre », dit Tuohy à Zander. Il montra le papier. Le « X » au milieu était clairement visible. « On dirait que c'est le vieux Tuohy qui part en Russie. »

Les autres jeunes hommes se pressèrent autour de Tuohy pour le féliciter. Sa petite amie l'embrassa vigoureusement sur la bouche. Tout le monde rit. La secrétaire de Trotski sortit une bouteille de vodka et fit passer des verres. Zander, effondré que le destin l'ait privé de quelque chose qui était sien de plein droit, s'engagea dans le couloir. Sa tête tournait, il n'arrivait pas à voir clair. Dehors, le crachin commençait. Zander leva le visage vers le ciel gris. Les gouttes de pluie lui tombaient dans les yeux et dévalaient ses joues. Être arrivé si près…

Trotski sortit du sous-sol derrière lui. Il avait un curieux demi-sourire sur les lèvres. Sans un mot, il prit une enveloppe scellée dans sa poche de poitrine et la lui tendit. Voyant qu'il ne la prenait pas immédiatement, Trotski la fourra dans la poche de la veste de Zander. Les deux hommes se regardèrent. Trotski hocha la tête pour indiquer qu'aucune parole n'était nécessaire, et repartit vers son bureau. Zander prit l'enveloppe, en étudia un côté puis l'autre. Il déchira une languette sur le côté de l'enveloppe et en sortit le contenu. Il y avait cent douze dollars en monnaie américaine, soixante-quinze roubles russes, une note disant que le commissaire de bord du *Christianiafjord* était un certain Kaare Ingvaldsen, le nom et l'adresse d'une imprimerie de la Deuxième Avenue avec le mot « passeport » entre parenthèses, et une autre lettre sur feuille séparée, où était écrit à la main en russe :

> Camarades – Un mouvement révolutionnaire, pour être efficace, doit être composé d'écrivains doués, d'organisateurs capables et de quelques canailles imaginatives. Je vous recommande le porteur de la présente, Alexander Til, dont le nom de famille vous sera familier, comme une canaille imaginative.

La lettre était signée Trotski.

Un sentiment d'extase se répandit au travers du système nerveux de Zander ; ses doigts serrés sur les lettres et l'argent le picotaient. Deux femmes tenant des parapluies au-dessus de leurs têtes le contournèrent. Pensant qu'il était ivre, elles évitèrent soigneusement son regard en passant. « Il n'est même pas midi », dit l'une d'elles avec un claquement de langue.

« Bougez votre cul, leur cria Zander avec euphorie, mais ne vous faites pas prendre ! »

L'imprimeur, un vieux Juif allemand qui avait l'air d'un coq de combat, nettoyait l'encre sur le bout de ses doigts avec une barre de savon de Marseille et une brosse dure. « Ah, si j'avais votre âge, dit-il à Zander en secouant la tête avec nostalgie, je ferais une de ces choses pour moi-même. » Il se sécha les mains avec une serviette, sortit une unique feuille de papier d'un classeur et la donna à Zander.

« Qu'en pensez-vous ?

— C'est superbe », répondit-il en examinant le document.

La photo, prise la veille par le gendre de l'imprimeur dans la petite pièce derrière la presse, avait été collée sur le coin en haut à droite, et le cachet du Département d'État apparaissait en travers du visage de Zander.

« C'était plus facile quand ils ne se servaient pas de ces photographies modernes, expliqua l'imprimeur. L'année prochaine ce sera encore plus difficile. Ils vont faire des passeports avec des couvertures protectrices, un peu comme des petites brochures.

— Comment avez-vous fait le cachet ? demanda Zander.

— Secret professionnel, répliqua fièrement l'autre. Mais je vais vous le dire quand même. Vous coupez une pomme de terre en deux. Vous vous servez de la tranche pour relever l'encre du cachet d'un passeport authentique. Vous appuyez la pomme de terre sur la photo. Le cachet est plus léger, mais lisible. »

Zander vérifia la description sur le côté gauche du document – âge, taille, couleur des cheveux et des yeux.

« Qu'est-ce qui vous a fait choisir le nom de Litzky ? demanda-t-il avec curiosité.

— J'ai connu un Litzky autrefois, répondit l'imprimeur. C'était pendant l'automne 1906. Je venais de descendre du bateau. Litzky m'a donné du travail dans son épicerie d'Attorney Street et une paillasse dans l'arrière-boutique jusqu'à ce que je puisse me débrouiller tout seul. C'était un très grand service et je ne l'ai jamais oublié. »

Il regarda Zander plier soigneusement en deux l'unique feuille du passeport, puis encore en deux.

« Ne prenez pas tant de soin, lui dit-il. Tripotez-le, froissez-le, rentrez-le et sortez-le de votre poche cent fois. C'est mieux qu'il ait l'air vieux et fatigué.

— Combien vous dois-je ? » demanda Zander.

Les sourcils du coq de combat se haussèrent.

« Il n'est pas question que de l'argent change de main, dit-il dignement. Je fais ceci pour M. Trotski et la cause commune. Je vous envie, jeune homme, de partir pour la révolution. Puis-je vous donner un conseil ? Ça ne vous ennuie pas ? Juste ceci : quand vous aurez fait la révolution, vous devrez tous les matins sans faute prendre un moment pour vous recueillir et vous rappeler *pourquoi* vous l'avez faite. Les gens qui font la révolution ont tendance à oublier le *pourquoi*.

— Je me souviendrai du pourquoi, jura Zander. Vous pouvez y compter. »

Maud n'émit pas d'objection quand Zander lui demanda s'il pouvait rester jusqu'au mardi suivant ; le *Christianiafjord* devait partir ce jour-là avec la marée. Elle lui offrit même un vieux sac de voyage et tous les vêtements qu'il pourrait trouver dans la malle que son ancien mari avait laissée au grenier. Zander et Maud continuèrent à dormir dans le même lit et firent plusieurs fois l'amour, mais il s'agissait de satisfaire à leurs besoins réciproques plutôt qu'autre chose. Le cœur de Maud n'y était plus. Pour se protéger, elle cessait progressivement d'être amoureuse de Zander. À cette condition, cela ne la gênait pas qu'il traîne par là jusqu'à ce que le bateau prenne la mer. Elle savait d'expérience qu'il est plus facile de cesser d'aimer un homme quand il est encore physiquement sur place.

Un soir, Zander trouva Maud en train de broyer du noir dans la pénombre, près de la cheminée du salon, une bouteille de cognac presque vide sur la table basse devant elle, une cigarette pendant aux lèvres, ce qui était curieux car il ne l'avait encore jamais vue fumer. Ses yeux, à peine visibles dans le clair de lune qui filtrait par la fenêtre, avaient l'air gonflés. « Tu te rappelles le premier réveillon du Nouvel An qu'on a passé ensemble ? demanda-t-elle. On a écrit des vœux sur des bouts de papier, on les a brûlés dans un cendrier et on a avalé les cendres. Tu disais que c'était une vieille coutume russe. Qu'avais-tu marqué sur ton papier, Zander ? »

Zander dut réfléchir un moment. « *Et si omnes, ego non.* » Ça veut dire en latin : « Même si tous les autres, moi pas. »

Maud sourit dans le noir. « J'avais écrit : S'il te plaît, Dieu, dépêche-toi. »

Après un moment, Zander lui demanda doucement si elle préférerait qu'il quitte tout de suite la maison.

« Je préférerais que tu ne sois jamais venu ! » explosa-t-elle. Mais quand il commença à ranger ses affaires dans le sac de voyage, elle apparut à la porte de la chambre et lui dit d'une voix dure : « Reste, reste, ça m'est égal. »

L'après-midi suivant, le dernier dimanche avant le mardi, Kermit monta l'escalier en courant et frappa à la porte de Zander.

« Il y a un homme en bas qui te demande, murmura-t-il, excité.

— Qui me demande ? » Zander jeta un coup d'œil à la fenêtre, essayant de se rappeler si c'était de la pelouse ou du ciment en dessous, au cas où il devrait sauter. Puis il se força à penser logiquement. S'il y avait des policiers à la porte, ils n'auraient pas envoyé Kermit le « demander », ils poseraient la question eux-mêmes. Et les policiers allaient d'habitude par deux.

« Décris cet homme, dit Zander à l'adolescent.

— Il est plus petit que toi. De larges épaules. Il a l'air d'un boxeur. Chauve ici », Kermit se tapota le sommet du crâne de la paume, « et il porte de grosses lunettes.

— Léon ! s'exclama Zander. Que fait-il ici ? »

Dans l'entrée, les deux hommes s'étreignirent, à l'étonnement de Kermit, qui n'avait jamais vu des hommes adultes s'enlacer. « Tu n'as pas été suivi ? » demanda Zander en russe. Comme ils employaient cette langue avec son absence d'articles, la conversation devint cryptique, on eût dit qu'ils échangeaient des télégrammes.

« Non, non, ne t'inquiète pas, j'ai été prudent, lui assura Léon. Ils sont venus te chercher au début de la semaine. Deux fédés. L'un s'appelle Hoover. Tu les connais ?

— Je les ai brièvement rencontrés, rit Zander. Comment m'as-tu trouvé, Léon ?

— Ça n'a pas été facile, admit-il. Je voulais t'avertir – les fédés ont l'air vraiment décidés cette fois-ci – mais tu avais encore déménagé. Alors j'ai dépisté la petite amie de Tuohy, celle qui travaille le week-end à la clinique Sanger de Brooklyn, et j'ai trouvé Tuohy par elle. Il m'a dit que tu étais avec une femme qui vivait à Brooklyn Heights et qui avait un garçon au bras déformé. Le gosse ne parle pas russe, hein ? J'ai passé quatre jours à traîner autour de la confiserie de Henry Street jusqu'à ce que je le repère. Je n'ai eu qu'à le suivre chez lui. » Léon passa le bras autour des épaules de Zander. « Tuohy m'a dit que tu retournes en Russie. »

Zander hocha la tête. « Je rentre *chez moi*, Léon. Sur le *Christianiafjord*, qui part avec la marée, mardi. »

Léon secoua vigoureusement la tête. « Il faut que nous ayons une conversation sérieuse, à cœur ouvert, Zander. »

Léon l'emmena dans un tout petit restaurant roumain de la Deuxième Avenue, dont la spécialité était des légumes farcis, qu'on mangeait jusqu'à en être « farci » soi-même. L'addition pour deux, avec tout cela, se montait à soixante-dix-neuf cents.

Léon, qui avait de l'argent cette semaine, commanda une bouteille de vodka polonaise. « À ton père et à ma mère, qu'ils reposent en paix », dit-il et, trinquant solennellement, Zander et lui burent leur vodka *do dna* – cul sec.

« On dirait que c'est hier que Jack a épousé ma mère et s'est installé dans cet immeuble d'*ulitza*, évoqua Léon.

— La première chose que tu as faite quand on s'est rencontrés, ça a été de me demander mon âge, lui rappela Zander. Quand tu as su que tu avais quatre mois de plus, tu as été très content de toi.

— Tu te souviens qu'on disait à la maîtresse de l'école n° 160 qu'on était jumeaux ? Quand elle répondait qu'on ne se ressemblait pas, on disait que peut-être que non, mais qu'on pensait pareil.

— Tu te souviens qu'on fauchait des livres du chariot de la bibliothèque scolaire et puis qu'on se battait pour savoir qui les lirait en premier ?

— Comment pourrais-je l'oublier ?

— Tu perds tes cheveux, Léon, le taquina Zander. Chaque fois que je te vois, tu en as une poignée de moins.

— Des ennuis avec les femmes, expliqua Léon. Je suis fou d'une pharmacienne du Bronx. » Il remplit les verres jusqu'au bord. Zander se pencha et aspira assez de vodka pour pouvoir soulever le verre sans en renverser.

« Elle dit qu'elle m'aime, continua Léon, mais elle refuse catégoriquement de vivre en Palestine.

— Tu sais ce que Tolstoï a dit, remarqua Zander. Qu'il dirait la vérité sur les femmes quand il aurait un pied dans la tombe. Il la dirait, sauterait dans le cercueil et refermerait le couvercle sur lui.

— Les femmes sont dangereuses, acquiesça Léon avec un petit rire, mais pas *si* dangereuses que ça.

— À propos de la Palestine, dit Zander.

— À propos de la Russie », dit Léon. Ils sourirent tous deux. « Écoute, Zander, je peux comprendre que la Russie ait captivé ton imagination, entre la révolution et l'abdication du tsar. Mais tu fais une grosse erreur. La Russie te brisera le cœur.

— Tu es sioniste, Léon. Pas moi. Pour moi, la Palestine n'est pas la terre promise, mais la Russie pourrait l'être.

— Tu es un Juif, déclara Léon.

— Je suis un révolutionnaire avant d'être un Juif, insista Zander.

— Alors tu te précipites vers la première révolution disponible...

— L'avantage d'avoir une révolution disponible, Léon, c'est de découvrir qui est un révolutionnaire et qui n'en est pas un.

— Qu'est-ce que ça veut dire ? »

De la table voisine, les clients leur jetaient des coups d'œil curieux. Zander haussa les épaules.

« On a déjà parlé de ça, dit-il plus calmement. Ce que ça veut dire, Léon, c'est que je crois que la meilleure façon d'aider les Juifs, c'est d'aider tout le monde. » Zander parlait avec une intensité tranquille. « Si nous réussissons à faire une révolution communiste en Russie, elle se répandra sur l'Europe. Nous mettrons fin aux iniquités économiques qui nourrissent l'antisémitisme. Nous créerons une nouvelle sorte de gens, des hommes et des femmes communistes, qui ne seront antirien. Aller en Palestine n'est pas une solution, Léon. Même si vous arrivez à vous tailler un État juif – vous n'avez qu'une chance sur un million – de toute façon, tout ce que vous arriverez à faire, c'est à déloger beaucoup d'Arabes et à humilier les autres. Vous finirez par créer une nouvelle zone entière d'antisémitisme là où il n'y en a pas aujourd'hui.

— Je respecte ton idéalisme, dit Léon d'une voix troublée, mais pas tes idées. » Il massa son haut front du bout des doigts. « Cette révolution est un terrible rêve. La théorie a l'air assez raisonnable, je veux bien l'admettre, mais les gens qui la mettront en pratique – tes Lénine, tes Trotski – sont humains comme tout le monde. Tu ne peux pas voir les signes, Zander ? La première préoccupation de ceux qui prennent le pouvoir est de le *garder*. Alors ils ont recours à ce qu'utilisent toujours les hommes qui tiennent le pouvoir – des mensonges, des exagérations, la répression, la propagande, les guerres. Les révolutions ne changent pas les choses, elles les réarrangent seulement. Viens avec moi en Palestine, Zander, pas pour faire la révolution, mais pour cultiver la terre. »

Léon remplit de nouveau les verres. Le serveur remarqua que les bols de nourriture étaient intacts.

« Qu'est-ce qu'il y a avec les farcis ? demanda-t-il, évidemment vexé.

— Mange, ne serait-ce que pour lui faire plaisir », ordonna Léon.

Ils grignotèrent pensivement quelques poivrons farcis de foie de poulet. Zander brisa le silence. « Dis-moi une chose, Léon. Je sais que tu ne crois pas en Dieu. Alors, en quel sens es-tu juif ? »

Léon secoua la tête comme pour dire que la réponse était évidente.

« Dans le sens où, tous les vingt-cinq ou cinquante ans, le monde me le rappelle en essayant de m'assassiner. » Il commença à développer sa pensée, mais haussa les épaules. « Écoute, Zander, tu ne saurais pas par hasard qui est Chaïm Weizmann ?

— Qu'est-ce que je gagne si je réponds bien ?

— Une histoire.

— Je devrais peut-être répondre à côté. C'est le chef de ton mouvement sioniste.

— Eh bien, dit Léon, Weizmann a un frère qui s'appelle Shemuel. Et Shemuel est un peu comme toi, c'est-à-dire un idéaliste, un révolutionnaire et un parfait imbécile – ne m'interromps pas, Zander, je suis plus vieux que toi. De toute façon, la mère de Weizmann a dit une fois : "Si Shemuel gagne, nous vivrons en Russie en paix et en sécurité. Si Chaïm gagne, nous irons en Palestine et nous vivrons en paix et en sécurité là-bas." » Léon leva son verre. « À Chaïm ! » Il renversa la tête et but sa vodka d'une longue gorgée, puis frémit sous l'effet de l'alcool et lança le verre contre le mur, où il se brisa en petits morceaux.

Les autres dîneurs, alarmés, se tournèrent pour voir ce qui se passait. « Des Russes », murmura l'un d'eux comme si cela expliquait tout.

C'était maintenant au tour de Zander de lever son verre. « À Shemuel ! » dit-il. Puis lui aussi but et jeta son verre contre le mur, mais il rebondit sans se casser et roula bruyamment sous une chaise.

Léon et Zander échangèrent un regard solennel. Puis Zander rit avec gêne.

« Tu n'es pas superstitieux, hein ? demanda-t-il.

— La question est de savoir si tu l'es », dit gravement Léon.

Ils savaient tous deux que, d'après la tradition russe, si le verre ne se brisait pas, le vœu ne se réaliserait pas.

Plus tard Léon raccompagna Zander une partie du chemin jusque sur le pont de Brooklyn. À leurs pieds, un destroyer gris à quatre cheminées partait avec la marée du soir de l'arsenal de Brooklyn vers le détroit et l'Atlantique.

« L'Amérique sera bientôt en guerre, commenta Léon.

— Si les choses se passent comme nous voulons, la Russie sera bientôt sortie de la guerre. »

De quelque part dans Brooklyn parvint, distinct, le carillon de cloches d'église marquant minuit. « Elles sonnent pour moi, dit Zander. Elles me rappellent en Russie. »

Les deux hommes s'arrêtèrent au milieu du pont. Léon fit porter son poids sur une jambe, puis sur l'autre. « Tu ne m'en veux pas d'avoir essayé ? »

Zander regarda ses chaussures, puis de nouveau Léon.

« Je le prends comme une marque d'affection. Je te dois beaucoup. Après l'incendie du Triangle, je n'aurais jamais survécu sans toi. »

Léon écarta de la main les remerciements de Zander.

« Dieu te bénisse, Zander. Je t'aime énormément, mais quand on en vient à la Russie et à la révolution, t'es un connard.

— Je t'aime aussi, Léon, mais, en fait, nous ne sommes pas jumeaux – nous ne pensons pas pareil !

— Il se passera peut-être longtemps avant qu'on se revoie », dit Léon.

Zander, d'un air lugubre, hocha la tête.

Léon fixa son regard sur les planches du trottoir ; il était à court de mots. Ils s'enlacèrent puis s'embrassèrent, à la russe, sur la bouche. Léon se détourna rapidement et s'éloigna en hâte vers Manhattan sans regarder en arrière. Zander le regarda partir, puis se dirigea vers Brooklyn Heights. Il marchait lentement, se demandant s'il reverrait jamais Léon et regrettant de ne pas avoir lancé le verre de vodka plus fort.

Pour Zander, c'était un travail resté inachevé. Pour Tuohy, ça avait l'air d'être du pur sport.

Si Ortona fut surpris de les voir, il ne le montra pas.

« Hé, Zander, Tuohy, qu'est-ce que vous avez, les gars, un passeport du gouvernement des États-Unis pour venir ici dans le New Jersey ? Il en faut un, vous savez – un passeport, des cartes routières, un dictionnaire pour parler avec nous, les indigènes, hein ? Qu'est-ce que vous voulez boire ? J'ai de la glace dans la glacière, je peux vous en casser un peu, pas de problème. »

Zander accepta un verre d'eau de Seltz et de glace pilée, et Tuohy prit de la vodka qu'une dame serbe de Newark, Ortona le jurait, distillait chez elle. « Alors, on s'est vraiment planté l'autre jour », dit négligemment Ortona à Tuohy.

Tuohy regarda autour de lui.

« C'est un chouette endroit, ici.

— Ouais, hein ? » acquiesça Ortona. Il se sentait plus détendu. C'était clair que Zander n'avait pas la moindre idée de qui l'avait donné aux agents fédéraux.

« Les meubles sont à toi, ou tu les loues avec l'appartement ? demanda Tuohy.

— Certains sont à moi, d'autres pas. La table à dessus de verre, les tapis, la chaise sur laquelle tu es assis, je les ai achetés aux émigrants à la descente du bateau, à bas prix.

— Tu sais te débrouiller », commenta Zander.

Ortona haussa modestement les épaules.

« Où est le crime ? » Il sourit à Zander puis à Tuohy. « Alors, à quoi dois-je le plaisir ?

— Voilà, dit Tuohy. Le Smith et Wesson, on en a encore besoin. On organise une autre expropriation. »

Ortona se cura machinalement l'oreille d'un ongle.

« Vous les bolcheviks, vous m'amusez, vous avez des mots tellement bizarres. Expropriation. » Il renifla. « Pour quand en avez-vous besoin ?

— Aujourd'hui. Maintenant, dit Zander.

— Aujourd'hui, maintenant ! Vous avez peut-être aussi besoin d'une mitrailleuse aujourd'hui, maintenant. Il faut que je demande à son propriétaire. Il faut que je le persuade de me le confier. » Il regarda Tuohy. « La dernière fois tu m'as donné quarante-huit heures, et même ça, c'était presser la transaction. »

Zander dit avec nervosité :

« Il nous faut l'arme aujourd'hui. C'est très important.

— Et ton Nagant russe ? demanda Tuohy.

— Il est si vieux que je ne suis pas sûr qu'il tire droit.

— Je prendrais ça comme une faveur, Emilio », insista Zander.

Il vint soudain à l'idée d'Ortona qu'on le testait. Peut-être que Zander le soupçonnait, après tout, et s'il ne lui prêtait pas le revolver, ses soupçons seraient confirmés. « Sûr, si tu présentes ça comme ça. » Ortona passa dans l'autre pièce, sortit de sous le matelas un paquet enveloppé de chiffons, revint et le posa sur la table.

Tuohy regarda Zander, le défiant d'agir. Zander écarta le tissu et ramassa l'arme. Elle était vieille mais en très bon état, bien huilée, lourde dans la main. Il y avait quatre balles dans les plis du chiffon. Zander en prit une, la mit dans la chambre et arma le chien.

« Hé, fais gaffe ! »

Zander tendit le bras jusqu'à ce que le canon touche la poitrine d'Ortona.

Les yeux de celui-ci lui sortirent des orbites.

« Tu essaies de me faire peur, c'est ça que tu essaies de faire, dit-il d'une voix méconnaissable.

— Finis-en, dit Tuohy.

— Pour l'amour du ciel, supplia Ortona, je n'avais pas le choix, hein ? Ils m'ont attrapé par les couilles. Ils ont serré. » Il regarda frénétiquement autour de lui. « Oh, doux Jésus. En quoi ça aidera la bon Dieu de révolution si tu me tues ?

— Vas-y », grogna impatiemment Tuohy.

Zander se mordit la lèvre. La main qui tenait le pistolet tremblait.

« Si tu me tues, ils iront juste se chercher un autre indic. » Ortona avait du mal à respirer. « Laisse-moi vivre, comme ça tu sais qui ils tiennent, hein ? »

Secouant la tête de dégoût, Tuohy arracha le revolver à Zander, enfonça profondément le canon dans l'estomac de l'homme terrifié et appuya sur la détente. La balle projeta Ortona au milieu de la pièce, laissant un trou béant dans sa chemise. Tuohy s'agenouilla à côté du corps et lui prit le pouls. Il n'y en avait pas. Il referma les doigts d'Ortona sur la crosse du Nagant et regarda Zander. « Ci-gît Atticus Tuohy, dit-il avec un sourire sinistre, qui savait comment égaliser le score. »

Zander alla dans la salle de bains, vomit dans la cuvette des toilettes, tira la chasse puis, quand le réservoir se fut rempli, la tira une deuxième fois. Ensuite, Tuohy et lui sortirent par la porte de service, descendirent l'escalier grinçant en bois jusqu'à l'allée de derrière, et repartirent à pied dans la nuit vers l'embarcadère du ferry.

Tout départ est un déchirement, c'est pourquoi les voyageurs s'attardent invariablement jusqu'au dernier instant. Les passagers du *Christianiafjord* ne dérogèrent pas à la norme. Tuohy apparut dans un taxi, escorté par trois filles, et prit son temps pour les baisers d'adieu. Trotski n'arriva pas avant que le vapeur ne soit sous pression, et même alors il envoya à bord sa femme et ses deux jeunes fils pendant qu'il se réfugiait dans la cabane du chef des dockers pour envoyer des notes de dernière minute à des amis américains. Zander, debout sur le côté du pont, sentit une douleur poignante en se souvenant d'avoir regardé sa mère sur le quai à Rotterdam et de ne pas l'avoir saluée du bras. Il avait demandé à Maud si elle voulait le voir partir, mais elle avait fraîchement décliné l'invitation, disant qu'elle ne savait se conduire en dame que lors des arrivées.

Le capitaine du *Christianiafjord*, un homme incroyablement mince, avec des touffes de poils blonds au milieu des joues, jetait des coups d'œil impatients à la pendule du navire dans la cabine de pilotage, et à la table des marées écrite à la craie sur une ardoise qui pendait à la cloison. Finalement, il aboya un ordre en norvégien à un matelot qui se pencha par-dessus le bastingage et cria quelque chose dans un mégaphone vers le pont principal. Immédiatement, une douzaine d'hommes attrapèrent les cordages qui retenaient la passerelle et les lancèrent à terre. Trotski sauta sur la passerelle.

Tuohy s'approcha de Zander et ils regardèrent ensemble Trotski se précipiter sur le pont principal.

« Tu vois la brune avec les cheveux frisottés, là-bas ? » dit Tuohy. Il fit signe du bras et elle le lui rendit. « J'ai failli ne pas partir à cause d'elle. Quel corps ! Quelqu'un l'a embauchée pour poser nue sur un piédestal dans un cocktail. C'est là que je l'ai rencontrée. » Tuohy fit de nouveau signe aux trois filles qui l'avaient accompagné sur le quai. « Je suis impatient de mettre les mains sur les femelles de Russie.

— Tu y vas pour les filles ou pour la révolution ? »

Tuohy s'adossa au bastingage et prit une cigarette dans un étui en argent. Il protégea la flamme de ses mains pour l'allumer et inspira profondément. « Bien sûr, je crois à la dialectique et à l'inévitabilité historique de la guerre de classes et à tout ce genre de choses, mais je suis un révolutionnaire à cause du bonus, qui consiste en des érections plus grosses et meilleures. »

En dessous d'eux, les ouvriers du quai ôtaient les derniers cordages des bittes d'amarre, et les matelots du navire les halaient à bord. Un remorqueur attaché à la proue du *Christianiafjord* commença à l'entraîner doucement dans l'Hudson River. Pendant un instant, Zander s'imagina que le bateau restait immobile et que le quai s'éloignait de lui. Puis il sentit le pont frémir sous ses pieds comme l'hélice géante attaquait lentement l'eau. Avec un hurlement de sirène, le remorqueur abandonna son câble et le *Christianiafjord* vint au vent. Des fanions claquèrent sur les drisses. Le répétiteur sonna dans la cabine de pilotage.

Les cheveux volant de tous côtés, Trotski monta sur le pont supérieur par l'échelle extérieure pour mieux voir la ville. « Je veux regarder ce monstre une dernière fois », dit-il à Zander et Tuohy.

Le vaisseau passa près de l'extrémité d'un quai qui dépassait dans l'Hudson, à la 40ᵉ Rue. Zander distingua la silhouette solitaire d'un homme debout sur une chaise à côté du dernier pilier. Il agitait frénétiquement son chapeau vers le bateau. « Léon », murmura Zander. Il bondit sur le perchoir de la vigie pour que Léon puisse le voir.

« Léon ! » hurla-t-il, mais sa voix fut emportée par le vent.

Cette fois-ci, Zander agita le bras.

LIVRE DEUX

Vivre à Petrograd, c'est comme vivre dans un cercueil.

Ossip Mandelstam

POUR SE SITUER DANS LE TEMPS...

En avril, les nuages qui dérivaient depuis le golfe de Finlande se mirent à recouvrir Petrograd. Des rubans puis des rideaux de pluie attaquèrent les blocs de bois dont beaucoup de rues étaient pavées. Les gens murmuraient nerveusement à propos d'un « second déluge », et plusieurs prêtres orthodoxes se demandèrent à haute voix en chaire laquelle des factions luttant pour le pouvoir organiserait la construction d'une arche.

Sur les quais de la Neva, des cosaques portant des espèces de ponchos noir brillant éperonnaient leurs chevaux rabougris pour les faire se rapprocher des tas d'ordures en train de dégeler, qu'ils fouillaient de leurs longues lances aiguës. De temps à autre, un des cosaques transperçait un rat de sa lance et le levait en l'air, se tortillant toujours, pour mettre la viande aux enchères. Autour de Nevski Prospekt, qui traversait Petrograd comme une épine dorsale, des centaines de déserteurs, souvent ivres, parfois fous, rôdaient dans les rues latérales, brisant des vitres, pillant des boutiques et réduisant en bouillie quiconque essayait de les arrêter. Près du pont Tuchkov, la glace se brisa un matin, au milieu du mois, et une femme noyée fit surface. Une patrouille de Pharaons (comme tout le monde appelait la police montée) arrêtèrent leurs chevaux et regardèrent le corps qui flottait sur le ventre, jambes écartées, bras croisés dans le dos suivant un angle grotesque. Les Pharaons décidèrent que ce n'était qu'un suicide de plus – il y en avait eu tellement récemment que les journaux avaient cessé d'en donner une liste individuelle – et s'en furent au trot.

À mi-chemin entre la gare de Finlande et le pont sur la Bolshaïa Nevka, un camion découvert de l'armée stoppa devant une boulangerie du gouvernement. Des déserteurs, fers aux pieds, gardés par deux caporaux barbus, déchargèrent des sacs de jute pleins de pain noir fraîchement cuit. En quelques minutes le mot se répandit dans les rues voisines et une queue se forma, serpentant sur le trottoir et disparaissant au coin. La femme du boutiquier descendit la queue, écrivant des numéros sur les paumes pour éviter qu'on discute sur l'ordre dans lequel les clients seraient servis.

Gloussant de plaisir, une vieille femme édentée qui se servait d'un parapluie anglais en guise de canne sortit en boitant de la boutique avec une miche sous le bras. Un soldat tête nue avec un pantalon civil enfoncé dans ses bottes militaires lui arracha le pain et s'enfuit en courant. La vieille femme cria de désespoir d'une voix presque animale. Les gens qui faisaient la queue reprirent le cri « Au voleur ! Au voleur ! »

Des soldats à bicyclette qui passaient engagèrent la poursuite. Ils rattrapèrent le voleur vers le pont, lui tordirent les deux bras jusqu'à ce que les os se brisent, puis le ramenèrent à la boulangerie.

« Qu'est-ce que vous voulez faire de lui ? demanda un des soldats à vélo.

— Appelez la police », suggéra quelqu'un.

Un dirigeant bolchevik qui avait pour nom de guerre Staline se trouvait dans la queue. « Nous n'avons pas besoin de la police capitaliste, cria-t-il. Nous avons besoin de la justice révolutionnaire ! »

Tout le monde acquiesça avec enthousiasme. Les soldats cyclistes présidèrent une brève cour martiale sur le trottoir. Le voleur, bras ballants, s'évanouit et dut être ramené à la conscience à force de gifles. Il implora la clémence. Il avait une concubine et un enfant, gémit-il, le pain était pour eux.

« S'il voulait du pain », s'exclama un jeune homme avec des béquilles fabriquées à la main, « il aurait dû faire la queue comme tout le monde. » Il regarda autour de lui. Des têtes s'inclinèrent pour marquer l'assentiment.

« La mort, c'est trop bon pour les gens comme lui », hurla la vieille femme édentée qui avait perdu son pain.

« Camarades, s'exclama la femme du boutiquier, les bras du voleur sont cassés. Il a déjà été puni.

— Ses os se répareront, remarqua Staline, et il volera encore.

— On ne peut pas rester ici à discuter toute la journée, dit un des soldats. Que tous ceux qui le jugent coupable et votent pour la justice révolutionnaire lèvent la main. »

Des douzaines de mains se levèrent.

« Tous ceux qui le jugent innocent ? »

La femme du boutiquier commença à lever la main, puis se détourna en haussant les épaules.

« La culpabilité gagne », cria le soldat.

Avec un grondement d'excitation, la foule s'abattit sur le condamné et le piétina à mort.

CHAPITRE PREMIER

Petrograd 1917

En allant de la gare de Finlande vers le pont sur la Bolshaïa Nevka, Zander éprouvait un vertige en sentant la terre de Russie sous ses pieds. Le sac de voyage jeté sur son épaule ne pesait rien, n'existait pas. Il se pencha pour toucher le sol de ses doigts et rit.

« Je n'arrive pas à croire que je suis ici, dit-il à Tuohy. Je n'arrive pas à croire que je suis de retour chez moi. »

Tuohy, dix pas devant, lui répondit : « Bienvenue dans la Mère Russie » d'une voix étrange, et montra du doigt le corps du soldat recroquevillé sur le trottoir devant la boulangerie déserte. Une vieille édentée était accroupie au-dessus du corps, frappant faiblement ses membres brisés avec un parapluie anglais fracassé. « Ils ont attrapé le voleur, gémit-elle amèrement, mais dans tout le brouhaha quelqu'un a emporté mon pain. »

Zander plongea la main dans la poche du manteau lui descendant à la cheville qu'il avait pris dans le grenier de Maud. « Tiens, petite mère », dit-il en lui tendant ce qui restait de la miche qu'ils avaient achetée pendant leur brève étape à Helsinki.

« Hé, c'est tout ce qu'il nous restait de pain », protesta Tuohy. La vieille femme prit le morceau et le porta directement à son nez. « Qui êtes-vous, un messie, pour distribuer du pain comme s'il avait moins de valeur que l'or ? » Elle le cacha prestement dans les plis de son châle et fit un signe de croix sur Zander avec le bout de son parapluie. « Que Dieu soit avec toi, marmonna-t-elle, désorientée par cet acte de générosité, mais méfie-toi des bolcheviks. »

« Tu as entendu ce que la vieille peau a dit ? » mugit de rire Tuohy pendant qu'ils traversaient la Bolshaïa Nevka. « Méfie-toi des bolcheviks ! Ha ! C'est nous les bolcheviks. »

Sur la rive côté Vieux Pétersbourg de la Bolshaïa Nevka, Zander, maintenant plus calme, demanda à un marin qui poussait une brouette pleine de tracts la direction de l'hôtel Kshesinskaïa. Une double file de conscrits, des paysans à en juger par leurs vêtements en haillons, passèrent en traînant les pieds, se dirigeant vers un dépôt militaire et, plus tard, le front de l'ouest. Un prêtre orthodoxe avec un chapeau haut de forme et un bâton épais à embout métallique s'arrêta pour examiner les recrues et fit le signe de croix sur ceux qui inclinaient la tête vers lui.

« Les élus de Dieu, dit le prêtre à Zander quand il le vit fixer les conscrits, partis combattre le Satan allemand.

— De la chair à canon, lui cria Zander en retour, partis rendre les capitalistes plus riches. »

Le visage du prêtre devint rouge betterave et il frappa trois fois les pavés de bois de son bâton, puis cracha dans la direction de Zander. « Bolcheviki », postillonna-t-il. Il allait partir, mais se retourna et cria : « Assassins du Christ ! », repartit pour se retourner une fois de plus et hurla : « Youtres ! »

Ils trouvèrent l'hôtel Kshesinskaïa sans grande difficulté. Plusieurs douzaines de gardes rouges bolcheviks, portant des vestes à martingale, des casquettes d'ouvriers à visière et des brassards rouges, faisaient l'exercice dans un terrain vague à côté. Une énorme banderole rouge qui barrait la façade de brique blanche du bâtiment portait en lettres géantes dorées le slogan bolchevik : « Du pain ! De la terre ! La paix ! »

L'hôtel particulier, avec sa façade de palais, ses lustres de cristal, ses rampes d'acajou et ses sols de marbre, avait autrefois été la résidence citadine de la célèbre danseuse étoile *assoluta*, Mathilde Kshesinskaïa. Traditionnellement c'étaient les jeunes dames appartenant au monde du ballet qui initiaient les membres de la famille royale russe aux mystères de l'amour physique. Kshesinskaïa, une petite femme qui s'habillait toujours en noir de charbon, avait rempli cette fonction délicate auprès de Nicolas quand il n'était qu'un grand-duc novice. Après la soudaine abdication de Nicolas le mois précédent, les bolcheviks de Petrograd, qui avaient désespérément besoin d'un quartier général convenable, avaient simplement confisqué sa maison « au nom du peuple ».

Sous le plafond garni de miroirs de la spacieuse entrée de l'hôtel, Zander et Tuohy se trouvèrent devant une jeune femme à l'air appliqué assise derrière une table de cuisine ordinaire. Elle portait une pèlerine de cosaque drapée sur les épaules, et un filet rempli d'oignons entre les pieds. Une carte manuscrite calée contre un encrier d'étain donnait son nom : Arishka. Tuohy s'éclaircit la gorge.

« Nous venons tout juste d'arriver d'Amérique, de New York, avec d'importantes lettres du camarade Trotski pour le patron, dit-il en russe.

— Vous êtes américain ? » demanda la femme. Elle n'en avait jamais rencontré.

« En fait, je suis à demi irlandais et à demi russe », lui dit Tuohy. Il s'assit sur le bord de la table et se mit à jouer avec le couvercle de l'encrier. « Mais j'ai été élevé en Amérique. On pourrait peut-être aller se promener quand vous aurez fini votre journée et je vous raconterai tout ça. Qu'en dites-vous ?

— Ce que j'en dis, c'est », la jeune femme eut un geste effronté du menton vers le large escalier, « que le patron est au premier étage, la première porte à gauche. » Et elle ajouta doucement : « Peut-être qu'il aimerait aller se promener avec vous et entendre parler de l'Amérique. »

Tuohy lui lança ce qu'il pensait être son sourire le plus séduisant.

« Vous ne savez pas ce que vous manquez.

— Viens, appela impatiemment Zander de l'escalier.

— Un peu de respect, s'il te plaît, pour l'alchimie de la situation, répondit Tuohy en anglais. Les révolutions produisent du sexe comme les arbres de la sève », ajouta-t-il. Souriant à Arishka par-dessus son épaule, il suivit Zander dans l'escalier.

Ils contournèrent une demi-douzaine de soldats pelotonnés sur le plancher du couloir, profondément endormis, et arrivèrent à la porte que la jeune femme leur avait indiquée. Zander frappa. Comme personne ne répondait, il l'entrebâilla. La pièce bourdonnait d'activité. Deux femmes – les sœurs de Lénine – fouillaient dans des cartons de tracts et les divisaient en trois piles. Deux adolescentes découpaient de petits rubans rouges dans une pièce de tissu et y inséraient des épingles pour qu'on puisse les porter au revers d'une veste. Plusieurs hommes en uniforme de marin apposaient des cachets sur des laissez-passer et les signaient. Aux quatre coins de la pièce, quatre hommes criaient dans des téléphones. « Petrograd a besoin de cent vingt wagons de farine par jour », hurlait dans son téléphone un jeune homme à la peau bilieuse. « Hier nous n'en avons reçu que trente-neuf. » Il tapa du poing sur la table. « Nous exigeons des explications. » Le jeune homme, dont le vrai nom était Viatcheslav Skriabine mais qu'on appelait Molotov – *molot* signifie « marteau » en russe –, recouvrit le micro de la main. « Il en bégaie, tellement il est nerveux », annonça-t-il avec un clin d'œil. « Quoi ? » glapit-il dans le téléphone. Il écouta un moment. « Et vous pensez qu'on va avaler ces conneries ? »

De l'autre côté de la pièce, un homme trapu avachi dans un fauteuil tournant en bois regardait par la porte-fenêtre en prenant machinalement des *semitchki*, des graines de tournesol séchées, dans un papier plié, cassant les enveloppes avec ses dents et les crachant par terre. À en juger par la pile de cosses à ses pieds, il s'y occupait depuis un certain temps. Il pivota, aperçut Zander à la porte et lui fit signe d'entrer d'un geste vague de la main droite.

Zander et Tuohy posèrent leurs sacs dans un coin et s'approchèrent de la table derrière laquelle était l'homme.

« Autre chose, cria Molotov dans le téléphone, nous devons à tout prix bien préparer l'arrivée de Lénine à la gare de Finlande. Combien de gens pouvez-vous nous envoyer ? » Il écouta un moment. « Qu'est-ce que vous voulez dire, tous ceux qui le veulent iront ? C'est pas une réponse, ça ! »

L'homme trapu dans le fauteuil tournant hocha la tête comme s'il avait trouvé la confirmation de quelque chose. Levant les yeux, il remarqua l'expression sur le visage de Tuohy. « Vous croyez être tombés dans un asile de fous », dit-il. Il parlait russe avec un épais accent géorgien, et Tuohy avait du mal à le comprendre. « Admettez-le, c'est ce que vous pensez. » Il cracha une cosse sur le plancher. « Tolstoï racontait souvent une histoire. Il avait vu au loin un homme dont les gestes suggéraient la folie. En se rapprochant, il réalisa que l'homme aiguisait un couteau. » L'homme trapu frappa le bord de la table du bout des doigts, content de son anecdote. « Cela peut ne pas en avoir l'air, mais c'est ce que nous faisons – nous aiguisons des couteaux. »

« Deux cents, tonnait Molotov dans le téléphone, ce n'est pas acceptable. Il faudra que vous en trouviez deux fois autant. »

« Que pensez-vous que nous puissions faire pour vous ? demanda l'homme de son fauteuil.

— Nous avons des lettres d'introduction de Trotski, expliqua Zander. Nous voulons voir le patron.

— C'est moi, le patron », dit simplement l'homme trapu. Il laissa un très vague sourire passer sur son visage et donna son nom sans formalité : « Staline. »

Zander avait entendu parler de cet homme qui avait quotidiennement travaillé à renverser le tsar depuis son expulsion du séminaire à dix-neuf ans. Son vrai nom était Josef Djougachvili, Soso (diminutif de Josef) pour ses copains géorgiens. C'était lui qui, sous son nom de parti de Koba, avait organisé la fameuse « expropriation » de la banque de Tiflis qui se termina par une fusillade sur la place principale de la ville et amena une transfusion de billets de cinq cents roubles dans les coffres du Parti, qui en avait grand besoin.

Staline – le nom signifie « acier » en russe – repoussa sa chaise et fit le tour de la table. « Où sont ces lettres que vous avez fait tant de chemin pour nous montrer ? » demanda-t-il. Ses yeux s'amenuisèrent dans ce qui était devenu une expression de suspicion permanente. Zander s'aperçut que le visage, au-dessus de l'épaisse moustache, était grêlé de traces de variole. Son bras gauche était plus court que le droit et paraissait pendre de l'épaule. De petite taille, il portait une tunique militaire kaki boutonnée jusqu'au cou et un gros pantalon civil enfoncé dans des bottes de cuir usées avec des semelles particulièrement épaisses, destinées, supposa Zander, à le faire paraître plus grand.

Zander et Tuohy lui donnèrent les lettres. Staline se gratta une narine avec l'articulation d'un doigt en les lisant l'une après l'autre. Quand il eut fini, il les jeta sur la table.

« Lequel de vous est Alexander Til ? demanda-t-il en haussant très légèrement un sourcil.

— C'est moi.

— Un rapport avec *notre* Til ? »

Zander hocha la tête.

« C'était le père de mon père.

— Votre nom est une meilleure recommandation que douze lettres de Trotski, déclara Staline. Je ne mâche pas mes mots. Je n'ai jamais eu beaucoup d'estime pour lui. J'ai rencontré Trotski pour la première fois à un congrès à Londres en 1907, à une réception donnée par des amis anglais. J'ai été obligé d'utiliser les fonds du Parti pour louer un smoking – de m'endimancher comme un cadavre dans un de ces costumes de singe capitaliste. Trotski portait aussi un smoking, mais il avait l'air à l'aise dedans. Il était très élégant, très intellectuel, si vous voyez ce que je veux dire. Merde, je me torche le cul avec les articles écrits par des révolutionnaires de café comme Trotski. La moitié du temps, je ne comprends pas ce qu'il dit, de toute façon. » Staline se couvrit avec gêne le dos de la main gauche avec la droite pour cacher une série de verrues. « Eh bien, comment allons-nous vous utiliser ? Qu'est-ce que vous faisiez pour le Parti à New York ? »

Tuohy répondit avant que Zander ne puisse placer un mot. « Nous avons parfois servi de gardes du corps à Trotski. »

Staline hocha pensivement la tête. « Nous sommes en train d'organiser un groupe de gardes du corps pour protéger les nôtres qui vont faire de la propagande auprès des masses dans les usines et les casernes. » Il prit un carton dans un placard, en sortit deux parabellum Mauser allemands tout neufs, dans des holsters d'épaule en bois, et les tendit à Zander et Tuohy. Puis il griffonna une adresse au dos d'une enveloppe, gribouilla ses initiales dessous et la tendit à Zander.

« C'est une maison tenue par des camarades, lui dit Staline. Vous y trouverez le vivre et le couvert. Soyez au rapport ici demain matin. » Il fixa ses petits yeux géorgiens sur Zander. « Nous verrons si vous êtes vraiment une canaille imaginative. »

La maison, plantée comme la proue d'un brise-glace au coin des rues Shirokaïa et Gazovaïa, se révéla être une des curiosités architecturales du Vieux Petrograd. Les gens du quartier, rêvant de voyages qu'ils ne faisaient qu'en imagination, l'avaient surnommé « le bateau à vapeur ». Elle avait été construite au siècle précédent par le propriétaire outrageusement riche de la Compagnie des vapeurs de la Volga. Les portes coulissantes lambrissées des salons avaient été importées d'Angleterre, la fontaine dans l'entrée principale de France, les vitraux de la chapelle et le marbre des cheminées d'Italie, le teck de l'escalier des Indes, les tapisseries de la salle de bal d'Asie centrale, les lustres de Venise. À la mort du magnat du transport maritime, la maison était revenue à son fils aîné, un syphilitique qui finit par la perdre aux cartes contre un de ses copains, le jeune prince Félix Ioussoupov, à ce moment-là habillé en travesti et accompagné de quatre officiers de la garde raides comme des piquets qui le prenaient pour une femme. Le prince se fit un nom par la suite en abattant Raspoutine, le « vagabond sacré » illettré qui était à la fois le confesseur spirituel et le conseiller politique de la famille royale, pendant qu'un disque, *Yankee Doodle Dandy*, tournait sur un gramophone pour couvrir le bruit du pistolet. Contraint à un exil discret après cet épisode, le prince avait laissé la maison à sa sœur jumelle, pour qui il éprouvait une passion secrète. Elle s'appelait Lili, mais elle fut connue dans les cercles bolcheviks comme la Princesse rouge, tant à cause de ses penchants politiques – depuis que des drapeaux rouges avaient été déployés durant la Révolution française de 1789, cette couleur était associée au radicalisme – que parce qu'en russe rouge veut aussi dire beau.

Tuohy dansa une petite gigue quand il aperçut le Vapeur. « Si j'avais su que c'est ainsi que vivent les révolutionnaires, j'en serais devenu un plus tôt. »

Zander ouvrit le loquet du gros portail de fer forgé et tira la cloche de la porte massive en chêne. Presque instantanément, elle s'ouvrit brutalement pour révéler une femme musculeuse, les manches relevées et les mains couvertes de mousse de savon. Derrière elle, Zander vit de la lessive pendue sur des cordes en travers de l'entrée au-dessus de la fontaine. Une demi-douzaine de chats étaient en vue, certains dormant, roulés en boule sur des piles de linge, d'autres jouant avec un bouchon. « Oui ? » demanda la femme en se séchant les mains sur son tablier et en mesurant les deux hommes du regard.

« Nous avons été envoyés à cette adresse par... »

Un cri étouffé interrompit Zander. Puis un second. Ils venaient de derrière une double porte fermée qui donnait dans l'entrée.

« Qui est l'heureuse victime ? » demanda Tuohy.

Un troisième cri, plus aigu que les précédents, transperça la porte.

« Par le camarade Staline, poursuivit Zander avec incertitude. Il nous a dit que nous trouverions ici le vivre et le couvert.

— Si c'est le cas, fit impatiemment la femme, pourquoi restez-vous là comme des statues ? Entrez et fermez la porte derrière vous. Et essuyez vos bottes sur cette couverture de l'armée. Autant que vous le sachiez tout de suite, c'est une des règles de la maison, et nous sommes stricts à propos des règles. Ceux qui les violent sont traînés devant le comité de la maison et traités sévèrement. »

« Ci-gît Atticus Tuohy, sommairement pendu par le cou jusqu'à ce que mort s'ensuive pour ne pas s'être essuyé les pieds », se moqua Tuohy en anglais. « Si j'avais su que c'est ainsi que meurent les révolutionnaires, je n'en serais jamais devenu un. »

« Alors, vous êtes des étrangers, remarqua la femme d'un air soupçonneux. Nous avons déjà un Allemand ici. Il est dentiste. C'est de là que viennent les cris. Qu'êtes-vous, alors ? Anglais ? Italiens ?

— Nous sommes chinois, dit Tuohy avec sérieux.

— Nous venons d'Amérique, lui dit Zander.

— Je suis contente que l'un de vous sache se tenir. Ce qu'il faut, c'est que vous parliez à la princesse – elle s'occupe de la logistique. Elle trouvera un endroit où vous coucher. »

Tuohy releva la tête.

« Une princesse vit ici ?

— Une princesse *russe*, fit la femme avec hauteur, pas une princesse chinoise. » Elle expliqua à Zander : « Les cris viennent d'elle – elle se fait plomber une carie. »

La double porte coulissa et la tête du dentiste allemand apparut.

« Vous deux, oui, vous, venez s'il vous plaît, oui ? » Il fit signe à Zander et Tuohy. « J'en suis au moment crucial et j'ai besoin de mains solides pour maintenir la patiente. »

Zander et Tuohy posèrent leurs sacs contre le mur et, se baissant pour passer sous les vêtements qui séchaient, suivirent le dentiste. Un fauteuil de barbier rembourré, en cuir, était boulonné au sol au milieu de ce qui avait été un salon élégant. La roulette du dentiste pendait d'un appareil articulé vissé au plafond. Elle était connectée à une boîte de transmission qui était à son tour reliée par une série de courroies à l'axe arrière d'un vélo fixé sur un support de bois. Un jeune adolescent costaud, le fils de la femme qui faisait la lessive, était juché sur la bicyclette, attendant le signal du dentiste pour pédaler et faire tourner la roulette.

La princesse Lili Mikhaïlovna était assise dans le fauteuil de dentiste, respirant par la bouche, une joue enflée par un tampon de coton. Elle approchait de la trentaine, avait de courts cheveux noirs qu'elle rejetait d'un doigt derrière son oreille, des yeux sombres de la couleur d'un nuage de pluie, et une dent de devant ébréchée qui ne parvenait pas à déparer un visage extraordinairement beau où l'on reconnaissait une trace de sang tartare – des pommettes un peu hautes, un nez très légèrement plat, les yeux à peine bridés, juste un soupçon. Elle portait un pantalon large vivement coloré, un pull noir de marin à col haut qui se boutonnait sur l'épaule et la moulait. Elle avait un corps long, mince, plat et dur. Sa peau avait l'air extrêmement blanche par contraste avec le pull noir. « Merde », dit-elle, et elle ôta le tampon de coton de sa joue et cracha un peu de sang dans un plat d'étain.

« Ça suffit peut-être pour un jour, oui ? » suggéra le dentiste, Otto Eppler.

La princesse secoua brièvement la tête.

« Je préférerais en finir. Que reste-t-il à faire ?

— Je dois remplir la carie avec un mélange d'oxyde de zinc et de clous de girofle pilés pour désensibiliser la racine, oui ? Puis je chaufferai un plomb de chasse numéro quatre pour le stériliser et l'amollir. Après il n'y aura plus qu'à l'enfoncer dans la cavité.

— Je jure de renoncer à la masturbation si ça ne fait pas trop mal », annonça gravement la princesse.

Tuohy dit : « C'est un prix élevé à payer. »

Eppler fit un signe de tête vers Zander et Tuohy.

« Vous, camarades, vous la tiendrez, oui ? Si elle bouge, je ne pourrai pas placer le plomb et il faudra recommencer toute l'opération. »

Tuohy, de loin le plus fort des deux, prit le front de Lili dans une étreinte de fer et la pressa contre le dos du fauteuil. Zander lui pesa sur les épaules. Lili ferma les yeux et ouvrit la bouche.

Le dentiste changea de lunettes et, plissant les yeux pour mieux y voir, commença à badigeonner l'intérieur de la cavité avec un petit pinceau d'artiste qu'il plongeait de temps en temps dans une mixture contenue dans un gobelet. Lili gémit doucement. Le dentiste alluma une bougie sur sa table et tint sur la flamme une cuiller à thé contenant un plomb. Quand il le jugea assez chaud, il l'attrapa avec une pince coudée et le déposa adroitement dans le trou qu'il avait creusé dans la dent. Le garçon sur la bicyclette se mit un doigt dans chaque oreille et fit une grimace. Lili eut un long soupir guttural de douleur. Son front moite de sueur lutta contre la prise de Tuohy. Ses petits seins montaient et descendaient près des mains de Zander.

« J'ai presque fini, oui », murmura Eppler. Avec des gestes précis, il plaça le bout d'un instrument pointu qui ressemblait à un burin sur le plomb maintenant engagé dans la cavité, et frappa sèchement l'extrémité de l'outil avec un petit marteau. Un cri rauque vint de la gorge de Lili, brisant le silence. Le dentiste frappa de nouveau et Lili cria une deuxième fois. Les cristaux des appliques murales tintèrent.

« Elle n'en supportera pas beaucoup plus, dit Zander.

— Ne fais pas attention à lui, le contredit Lili, haletant bouche ouverte.

— Une dernière fois, oui ? » dit Eppler. Il mit son burin en place et prépara le marteau. Des larmes apparurent dans les yeux de Lili. Le dentiste tapa sur l'instrument. Lili hurla de douleur. Eppler regarda dans sa bouche et hocha la tête de contentement. « C'est en place. Je dois dire, en toute modestie, c'est un très beau travail. »

La princesse parut fondre dans le fauteuil de barbier. Quand elle eut repris son calme, elle parvint à sourire faiblement. « Au moins, maintenant, je n'aurai pas à abandonner la masturbation. »

Ce soir-là, Lili, qui présidait au bout de la table, dit à Hippolyte Evgenevitch Evremov :

« Tu es le plus âgé ici. C'est à toi de porter le toast.

— Si je pouvais me souvenir de leurs noms », s'exclama le vieil homme de l'autre bout de la table. Il était dur d'oreille et ne se rendait pas compte qu'il parlait fort. « Je proposerais volontiers un toast.

— Ne t'en fais pas pour leurs noms, Grand-papa », cria la femme qui avait fait la lessive dans l'entrée. Elle s'appelait Sérafima Federovna, et était l'épouse de la main gauche du sergent Kirpitchnikov assis en face d'elle.

L'adolescent qui avait pédalé pour le dentiste tira la manche de Sérafima. « Plus de sel, Maman. »

Sérafima se tourna vers Zander, son autre voisin.

« Nous l'appelons Mélor, expliqua-t-elle avec une évidente fierté. Ça signifie Marx-Engels-Lénine-Organisateurs-Révolution. Il est né en Sibérie, où le petit père, que Dieu damne son âme putride, nous a envoyés après le soulèvement de 1905.

— Mélor, dit Zander, est un nom très original.

— Son vrai père était un révolutionnaire, continua Sérafima. Il n'a pas survécu à la Sibérie. » Elle pointa sa fourchette vers le sergent Kirpitchnikov de l'autre côté de la table. « C'est le beau-père. Il s'appelle Pasha. Il était sergent avant de déserter. Maintenant il est bolchevik. »

Le sergent, croix de Saint-Georges en évidence sur sa tunique de garde rouge déboutonnée, leva fièrement le bras gauche. Sur le dos de la main était tatoué Pasha, une lettre par doigt.

« Le sel, pleurnicha Mélor.

— À propos de sel », dit Appolinaria Antonova, la grande et gracieuse femme de Ronzha, le poète. Elle se précipita vers le buffet et y prit une petite assiette sur laquelle elle avait mis du pain noir et du sel, et la posa devant Zander et Tuohy. « Pour les nouveaux arrivants, dit-elle timidement. C'est une vieille tradition russe. »

Lili répondit froidement :

« Ici, nous nous flattons de briser les traditions.

— Chère Lili Mikhaïlovna », répliqua le poète de l'autre bout de la table. Il avait un visage maigre et pâle, un long nez d'aigle, un front haut, des yeux sombres et enfoncés, et était surnommé Ronzha, d'après le grand oiseau bleu-gris natif comme lui des montagnes de l'Oural. « Si vous brisez toutes les traditions simplement parce que ce sont des traditions, il ne restera plus rien pour maintenir la cohésion de votre nouvelle société.

— Je peux peut-être porter le toast sans connaître leurs noms, vociféra Hippolyte.

— Oui, oui, tout à fait, porte le toast », acquiesça Otto Eppler, le dentiste allemand.

Le vieil homme repoussa sa chaise et se leva en vacillant un peu. Vasia Timoféïevitch Maslov, le photographe efflanqué, fit le tour de la table en remplissant de vodka tous les verres jusqu'au bord, sauf celui de Mélor.

Hippolyte, qui avait quatre-vingt-douze ans, frappa le côté d'un verre avec un couteau pour obtenir le silence, puis s'éclaircit la gorge.

« Il me revient, en tant que le plus vieux révolutionnaire à cette table, de lever mon verre de bienvenue aux deux camarades qui sont venus à nous, qui sont venus rejoindre la révolution, d'au-delà des mers, de…

— D'Amérique, Grand-papa, souffla Sérafima.

— D'Amérique, continua Hippolyte.

— Bravo, Grand-papa », cria Mélor.

Des larmes se formèrent dans les yeux du vieil homme.

« J'avais deux fils autrefois, dit-il de sa voix forte, mais la Sibérie me les a pris, l'un par le typhus, l'autre par le gel. »

Autour de la table, les gens commencèrent à se regarder, embarrassés.

« Vladimir Ilitch m'a une fois averti que le sentimentalisme est un crime. Peut-être pas. Des cadres dorés, conclut-il abruptement, c'est ce qu'on met autour des photos des gens qui meurent. »

Le vieil homme se laissa tomber sur sa chaise et son regard se perdit dans le vide. Il y eut un moment d'indécision. Puis le sergent Kirpitchnikov tapa du poing sur la table. « Buvez ! » cria-t-il, et il renversa la tête et avala sa vodka d'une seule gorgée experte. Les autres prirent leur verre et suivirent son exemple.

Zander se leva.

« Être de retour en Russie, rompre le pain avec des camarades révolutionnaires – pour nous c'est un rêve qui se réalise.

— Assez parlé, cria Mélor. Mangeons. »

Avec un rire, Otto Eppler souleva le couvercle du ragoût, qui était fait de chou, de pommes de terre, et de quelques os de cheval que Sérafima avait récupérés dans une poubelle devant un mess d'officiers, et commença à servir. Tenant la miche contre sa poitrine, Sérafima coupa le pain noir. Tout le monde mangea en silence, se concentrant sur le ragoût. Au bout de la table, Ronzha et Appolinaria se parlaient à mi-voix. Soudain, Appolinaria repoussa son assiette d'agacement.

« Ce n'est pas ça du tout, dit-elle à son mari. Ce que je dis, c'est que tout contient en soi une essence qui défie toute description.

— Et ce que je dis, argumenta Ronzha, c'est que le rôle du poète est de décrire l'essence qui défie la description.

— Si quelque chose défie la description, demanda poliment Zander de son bout de table, comment est-il possible de trouver les mots qui le décriront ? »

Ronzha leva légèrement le menton et regarda bien Zander pour la première fois.

« Le poète est quelqu'un qui peut décrire l'essence des choses dans les espaces entre les mots.

— Plus de ragoût, réclama Mélor.

— Un cadre doré, marmonna Hippolyte, c'est ce qu'on mettra bientôt autour de ma photo. »

Otto Eppler fit un signe de tête vers Ronzha.

« C'est un poète, apprit-il à Zander comme si cela expliquait tout.

— Tu as l'air d'un poète, dit Tuohy avec bonne humeur.

— Et qu'es-tu ? le défia Appolinaria.

— Eh bien, ce que je suis, c'est un révolutionnaire, répondit-il.

— Tu dois avoir l'habitude des armes, alors, dit le sergent Kirpitchnikov.

— J'ai une connaissance pratique de leurs deux extrémités, admit Tuohy. Mon ami aussi.

— Les deux extrémités ? chuchota Mélor à sa mère.

— Il veut dire qu'il s'est fait tirer *dessus*, expliqua Sérafima.

— Tout le monde en Russie s'est fait tirer dessus, dit Pasha. Le truc, c'est d'être le *tireur*.

— C'est ce que j'ai l'intention d'être », dit Tuohy.

Lili le regarda en face.

« Tu te dis révolutionnaire. Mais qu'est-ce qui te le permet ? Regardes-tu l'art différemment ? Écoutes-tu la musique différemment ? Fais-tu l'amour différemment ? T'es-tu libéré de l'approche mâle conventionnelle du sexe – séduction, érection, éjaculation, sommeil ? Aimes-tu des hommes ? Fais-tu l'amour aux hommes que tu aimes ? Te masturbes-tu sans te sentir coupable ?

— Et toi ? » répondit Tuohy.

La princesse eut un sourire innocent.

« Tu ne t'attends pas à ce que je réponde, mais je vais le faire. Je me masturbe quand je suis d'humeur à ça et sans trace de culpabilité. J'ai même fait l'amour à ma mitraillette. Littéralement. J'ai pris le canon dans ma bouche et je l'ai caressé du bout de la langue…

— Bravo, Lili, s'exclama Ronzha, le poète. Tu as été convenablement outrageante.

— Mélor, l'heure de te coucher est passée, dit sèchement Sérafima.

— Depuis quand est-ce qu'un communiste a une heure de coucher ? pleurnicha le garçon.

— Mais tu n'as toujours pas répondu à la question, rappela Lili à Tuohy. Qu'est-ce qui te permet de te dire révolutionnaire ?

— Qu'est-ce qui permet à quiconque autour de cette table de se dire révolutionnaire ? répliqua Tuohy d'une voix indifférente.

— Appolinaria et moi ne sommes pas des révolutionnaires, déclara Ronzha. Les révolutionnaires tuent des gens. Nous sommes contre tuer des gens. »

Appolinaria se rapprocha de Ronzha sans le toucher.

« Ce qui vient après la violence, ajouta-t-elle, ce n'est pas la justice, mais plus de violence.

— Et le futur ? demanda le sergent Kirpitchnikov. Qu'en est-il du futur ?

— Le futur, dit le poète, inspirera de la propagande alors que le passé inspirait – inspire – de la poésie.

— Toi et ta poésie, grogna le sergent.

— Il n'y a rien de mal à ce que quelqu'un domine le langage », fit remarquer le poète d'un ton égal.

Hippolyte se pencha vers Lili.

« De quoi est-ce qu'ils parlent ?

— Ils discutent de ce qui permet à quelqu'un de s'appeler un révolutionnaire.

— Quant à moi, tonna le vieil homme, c'est dans mon sang. C'est dans mes testicules. Je suis un révolutionnaire de cœur depuis que j'ai glissé des morceaux de pain aux prisonniers du tsar qui partaient pour la Sibérie. Je n'ai jamais rien été d'autre.

— Et toi, Alexander ? » La princesse fixa Zander.

« Je suis un révolutionnaire », commença-t-il. Il remarqua que tous autour de la table, y compris Ronzha et sa femme, étaient pendus à ses

lèvres. « À cause de ma conviction que nous devons respecter ceux »,
Zander regarda le poète en face, « qui n'ont *pas* dominé le langage, qui
ne peuvent pas s'exprimer avec précision, soit avec des mots, soit avec
les espaces entre les mots, qui secouent les poings vers le ciel de frustration ou qui tâtent nerveusement la détente de fusils volés. Il me semble
qu'ils essaient de nous dire quelque chose. C'est notre devoir sacré, devant l'Histoire, devant le passé et le futur, d'écouter. »

Ronzha dit doucement : « Alors un révolutionnaire est quelqu'un
qui écoute ? »

Zander hocha la tête.

« Qui écoute », il pensa à son grand-père, « et qui, le moment venu,
donne une poussée à l'Histoire.

— C'est une aussi bonne réponse qu'une autre, commenta Otto Eppler.

— C'est bien dit, si vous voulez mon avis, acquiesça Vasia, le photographe.

— C'est une façon de voir les choses », dit Lili de mauvaise grâce.

> Cher Léon,
> Salutations du Petrograd prolétaire !
> Voici un petit mot pour te faire savoir que je suis arrivé dans ma
> terre promise. Tu auras du mal à y croire, mais en sortant de la gare ce
> matin, j'ai senti l'attraction gravitationnelle de la Russie au travers de
> mes semelles. La Russie que je connaissais enfant n'est pas celle où je
> suis revenu. Il est passé trop de l'Amérique dans mon sang. Je te l'ac-
> corde, par moments je suis mal à l'aise. Je me sens étranger chez moi.
> Mais au moins je suis chez moi !
> Quant à Petrograd, il y a une distincte odeur de chaos dans l'air.
> (J'ai vu le corps d'un voleur qui avait été piétiné à mort dans la rue ce
> matin.) J'ai le sentiment déplaisant que le chaos pourrait venir s'appli-
> quer sur ma bouche comme un tampon de coton imprégné d'éther, et
> que je perdrais conscience. Le sol, qui m'a donné une telle secousse de
> bienvenue, pourrait s'ouvrir sous mes pieds. Quelles pensées morbi-
> des ! Il est tard et je suis épuisé. Nous résisterons au coton imprégné
> de chaos, Léon. De grandes choses vont se produire ici, je le sens dans
> mes os.
> Je suis allé au bon endroit !
>
> De ton frère
> Avec amour
> Zander.

Dans le coin du grenier que Lili leur avait assigné, Tuohy s'assit sur
sa couchette pour ôter ses bottes et ses chaussures épaisses. Zander,

épuisé par sa première journée à Petrograd, se glissa tout habillé sous plusieurs couvertures de l'armée et posa la tête sur son manteau plié. Les voix du sergent Kirpitchnikov et de Sérafima traversaient le plancher ; ils étaient dans une pièce juste en dessous de l'endroit où était couché Zander.

« Poèmes ou pas poèmes, il n'y a pas de place pour eux sous ce toit s'ils ont peur de la violence, cria Pasha.

— Lili dit que sa poésie est révolutionnaire, répliqua Sérafima, et c'est sa maison.

— Sa maison, se moqua le sergent. C'est une façon bourgeoise de voir les choses si jamais j'en ai entendu une. C'est la maison de tout le monde.

— Si c'est la maison de tout le monde, déclara triomphalement Sérafima, alors c'est aussi la maison du poète, qu'il soit ou non pour la violence.

— T'es une conne ! » cria le sergent Kirpitchnikov.

Sérafima éclata en un torrent de larmes.

« Quand on va au fond des choses, parvint-elle à dire, tu n'as pas besoin de moi.

— J'ai besoin de toi.

— Au nom de Dieu, je le voudrais. Au nom de Dieu, je voudrais que tu sois estropié et que tu aies besoin de moi pour fermer tes boutons.

— Tais-toi, femme ! »

Tuohy frappa plusieurs fois le plancher de son pied nu.

« Silence au-dessus ! cria le sergent. On essaie de dormir, ici. »

« Dis, fit soudain Tuohy, ça ne me déplairait pas de mettre la main sur cette princesse en bas.

— Je ne peux pas m'empêcher de penser à cette vieille dame qui frappait le corps du voleur », admit Zander.

Tuohy ôta son mégot du fume-cigarette et l'éteignit sur le parquet. « Les révolutions », dit-il, répétant une formule qu'il avait entendu Trotski employer plus d'une fois, « ne doivent pas être confondues avec des dîners de gala. » Il s'allongea sur le matelas et remonta la couverture sous son menton. « L'ennui avec toi, remarqua-t-il, c'est que tu es prêt à mourir pour la révolution, mais pas à tuer pour elle. »

L'ennui avec toi, pensa Zander, c'est que tu es prêt à tuer, mais pas à mourir pour elle. Mais il ne dit rien.

CHAPITRE II

Staline arpentait le quai, sous les arches triomphales rouge et or, tirant nerveusement sur une cigarette roulée à la main. Levant les yeux, il aperçut le phare unique d'une locomotive dans le lointain. Il jeta sa cigarette sur les rails. « Le voilà », cria-t-il.

« Marins, beugla un quartier-maître géant et barbu, garde-à-vous. Présentez armes. »

Alexandra Kollontaï, une bolchevik proche de Lénine, prépara ses roses. Molotov sortit un sifflet de sa poche et en tira trois longs coups. Dehors, un immense projecteur mobile perché sur une voiture blindée perça la nuit au-dessus de leurs têtes.

Le train, avec des drapeaux rouges sur la machine, entra lentement en gare. Il y avait trois voitures de passagers, et on voyait les visages soucieux d'hommes, de femmes et d'un enfant qui regardaient par les fenêtres du wagon du milieu.

« Je le vois, les gars », hurla Staline, et il courut le premier vers la porte arrière de la voiture. Kollontaï releva sa jupe et courut à ses côtés ; ils parurent un moment faire la course pour voir qui arriverait le premier. Lénine descendit sur le quai, l'air hébété. Kollontaï lui poussa le bouquet de roses dans les mains. Staline arriva et lui pompa le bras. L'équipe volante des gardes du corps, dirigée par le sergent Kirpitchnikov, Zander et Tuohy parmi eux, entoura le groupe.

Dans la salle d'attente impériale, l'orchestre attaqua *La Marseillaise*. Les marins du quai frappèrent la crosse de leurs fusils sur le sol et les ramenèrent vivement à hauteur des yeux.

« Alors, on ne va pas m'arrêter après tout », remarqua sèchement Lénine. Il avait les traits tirés, les yeux fatigués, les nerfs à bout.

Plusieurs autres leaders bolcheviks, dont un Molotov exalté, se frayèrent un passage au milieu des gardes du corps et serrèrent énergiquement la main de leur chef. Lénine sourit faiblement et leva sa casquette d'ouvrier à visière au-dessus de sa tête pour saluer ceux qui ne pouvaient s'approcher de lui. Il s'aperçut que l'orchestre jouait *La Marseillaise*. « J'ai cru un moment être arrivé à Paris », persifla-t-il. Staline expliqua que très peu des camarades de Petrograd avaient entendu parler de *L'Internationale,* et certainement aucun des membres de la fanfare de régiment réquisitionnée pour l'occasion. Fronçant les sourcils, Lénine dit : « Il y a beaucoup de choses qu'il nous faudra mettre en ordre ici. »

Le sergent Kirpitchnikov fit signe du doigt, et les gardes du corps se resserrèrent autour de Lénine, comme il s'éloignait à grands pas, ses pieds claquant sur le sol, pour passer les marins en revue. Un tonnerre de hourras vint de l'extérieur de la gare de Finlande. Ça sonnait aux oreilles de Zander comme des vagues se brisant sur le rivage.

Les marins perdirent toute discipline et, avec des exclamations sauvages, jetèrent leurs casquettes en l'air. Brandissant les roses de Kollontaï au-dessus de sa tête, Lénine, entouré des gardes du corps, descendit le quai jusqu'à la salle d'attente impériale bourrée de membres du Parti.

« Je vous salue comme l'avant-garde de l'armée prolétarienne mondiale », cria Lénine d'une voix aiguë. Soudain, il aperçut Hippolyte et, se précipitant en avant de ses gardes du corps, enlaça maladroitement le vieil homme.

« Ainsi vous êtes toujours en vie ! dit-il.

— Je m'y accroche avec mes ongles en attendant la révolution que vous avez promise, répondit Hippolyte.

— Il n'y en a plus pour longtemps maintenant », dit Lénine au vieil homme.

D'un coin de la salle d'attente, Lili cria « Vive notre Lénine ! » Vasia Maslov reprit le cri : « Vive notre Lénine, vive notre Lénine ! » Dehors, des centaines de personnes, répondant à l'incantation, s'avancèrent et se mirent à taper sur les fenêtres.

« Ça fait partie du programme ? » lâcha Lénine.

Un carreau se brisa, puis un autre. La rumeur de la foule s'enfla.

« Il faut que vous leur parliez », dit Staline à Lénine.

Le sergent Kirpitchnikov s'exclama : « Une chaîne ! » Les gardes du corps se prirent les bras et guidèrent Lénine dehors. Il passa la porte de la salle d'attente impériale et sortit dans la lumière jaune, maladive, des phares. Le rugissement de la foule remplit la nuit. Des bras se tendirent hors de l'anneau des ténèbres pour toucher le chef bolchevik, pour lui serrer la main. Quelqu'un lui arracha sa casquette de la tête. Les gardes du corps se frayèrent un chemin jusqu'à une automitrailleuse garée dix mètres plus loin. Ils l'atteignirent et hissèrent Lénine dessus. La tête et les épaules dépassant de la tourelle, il fit un bref discours.

« Camarades… La révolution socialiste mondiale… vous salue… vive… »

Tuohy, assis sur une aile, frappa le panneau du conducteur. Le moteur de la voiture blindée démarra. Zander, sur l'autre aile, faisait frénétiquement signe à la foule de s'écarter. Il aperçut en un éclair dans la lumière d'un phare Lili, le bras passé sous celui de Kollontaï, le visage brillant d'excitation. « Alexander ! » cria-t-elle, mais le reste se perdit quand la voiture avança.

La foule se dispersa, se sépara en îlots, puis en individus. Des ouvriers portant des torches enflammées couraient à côté de la voiture. Un projecteur de la forteresse Pierre-et-Paul s'alluma, remplissant les rues pleines de monde de longues ombres obliques. La voiture blindée rampa dans la rue Sembirsk, dépassa la clinique Villy, puis traversa le pont Sampsoniyevski vers le vieux Petrograd. À chaque intersection, elle s'arrêtait et le torse de Lénine apparaissait dans la tourelle. Instantanément, une foule se formait et Lénine, la voix rauque d'avoir crié, se lançait dans un de ses discours tout prêts.

« Chers camarades, soldats, marins, travailleurs… vous accueille comme l'avant-garde… la révolution russe a ouvert la voie… vive… »

« Pssst. »

La tête d'Otto Eppler apparut à la double porte entrouverte, avec une bouteille et deux gobelets. « Je t'offre un verre, oui ? » dit le dentiste avec une politesse formelle, s'inclinant devant Zander et le faisant entrer dans son cabinet. « Je t'interdis de me le refuser. Pendant que vous accueilliez le roi des communistes, j'arrachais une dent à un diplomate polonais qui m'a payé avec ceci. » Il tendit une bouteille ouverte devant le visage de Zander pour qu'il puisse lire l'étiquette. Elle était en français. Zander put déchiffrer le mot « cognac ».

« Il y en a d'autres d'où ça vient, dit Eppler. Il m'a passé commande d'une fausse dent d'ivoire montée sur une plaque d'or, hoqueta-t-il. Pour les camarades, je fabrique des dents en ébonite. Mais pour quelqu'un qui peut payer avec du cognac français, je puise – oui ? – dans mon stock d'ivoire et d'or. Pourquoi pas ?

— Pourquoi pas », acquiesça Zander. Ils trinquèrent.

Eppler fit signe à Zander de s'asseoir dans le fauteuil de barbier au milieu de la pièce et s'installa sur un tabouret à côté de lui.

« Alors. Quelle impression t'a-t-il faite ? »

Zander sirota sa boisson. C'était aussi bon que le cognac qu'il avait goûté chez Maud.

« Les choses ne seront plus pareilles à Petrograd maintenant qu'il est là, dit-il à Eppler.

— Exactement ce que je pense. Les choses ne seront plus pareilles. Ça, c'est évident. Mais iront-elles mieux, oui ? ou pire ?

— De quel point de vue ? » demanda Zander. Il était tard, il soupirait après son matelas dans le grenier.

« De notre point de vue de communistes, quoi d'autre ? » Eppler caressa pensivement de l'index le bord de son gobelet. « Tu es léniniste, oui ?

— Je suis bolchevik. Étant donné la nature hiérarchique du Parti, ça fait de moi un léniniste.

— Exactement, s'exclama triomphalement Eppler. Nous sommes des léninistes par défaut. T'es-tu jamais arrêté à considérer, jeune homme, jeune camarade, ce que notre roi des communistes a fait à notre parti ?

— Je ne suis pas sûr de te suivre, Otto. »

Eppler rapprocha son tabouret et baissa la voix.

« Lénine a fait du Parti bolchevik un parti d'*avant-garde*, oui ?

— Nous sommes la garde avancée – l'avant-garde – du prolétariat entier, acquiesça Zander. Qu'y a-t-il de mal à ça ? »

Eppler s'appuya l'index sur les lèvres.

« Ce que je dis ne dépassera pas ces portes ? »

Zander lui assura que non.

Eppler réunit ses pensées.

« Une avant-garde autodésignée en est venue à se voir comme la classe ouvrière au nom de qui elle parle. Alors, le parti d'avant-garde se substitue d'abord à la classe ouvrière entière, oui ? Puis *l'organisation* du parti se substitue au parti entier, oui ? Puis le Comité central se substitue à *l'organisation* du parti, oui ? Tu vois où ça mène ? C'est inévitable ! Un jour, un dictateur unique se substituera au Comité central, oui ? » Soudain, l'index d'Eppler vola de nouveau à ses lèvres. « C'est ce que nos critiques disent de nous. Cela va sans dire, personnellement je n'en crois pas un mot, oui ? »

CHAPITRE III

Mélor enroula soigneusement la ficelle autour de la toupie faite maison et donna un coup de poignet. La toupie tournoya sur le sol de l'entrée et rebondit, toujours tourbillonnant, contre la botte de Zander.

« Où est tout le monde ? demanda Zander.

— Le camarade dentiste a été appelé à l'hôpital pour une urgence – les dents de quelqu'un ont rencontré brutalement une paire de coups-de-poing américains », dit l'adolescent. Il avait l'air maussade, préoccupé ; il semblait évident à Zander que Mélor en voulait à quelqu'un. Il récupéra la toupie et enroula de nouveau la ficelle autour. « Tous les autres, y compris son altesse Ronzha », la façon dont Mélor prononçait le nom du poète indiquait qu'il n'avait guère d'affection pour lui, « sont partis ici ou là, sauf moi et grand-papa Hippolyte, qui a la courante et a peur de s'éloigner des toilettes. » L'enfant tira sur la ficelle et la toupie décrivit un long arc gracieux. « Vous voulez peut-être voir des photos de la princesse sans vêtements ? C'est Vasia qui les a prises. Et je sais où il les range.

— J'ai besoin d'une aiguille, de fil et de quelques boutons », dit Zander au jeune garçon.

Mélor insista.

« Elle n'a pas de poils sur le con.

— Quel âge dis-tu avoir ?

— Douze ans, presque, mais j'en ai vu beaucoup pour mon âge.

— Oui, on dirait, reconnut Zander. Quelle est la chambre d'Hippolyte ? »

Le garçon fit un signe de tête vers le premier étage.

Au milieu de l'escalier, Zander se retourna et demanda : « Qu'est-ce que tu veux devenir quand tu seras grand ? »

Mélor grimaça en réfléchissant. « Ce que je veux, dit-il d'un air morose, c'est qu'on me prenne au sérieux. »

Hippolyte revenait des toilettes dans sa chambre d'un pas traînant.

« La cinquième fois aujourd'hui, dit-il de sa voix forte. Ce qu'il me faut, c'est un bouchon.

— Tu n'aurais pas une aiguille, du fil et quelques boutons ? demanda Zander.

— Il faut parler plus fort », dit Hippolyte.

Zander lui cria dans l'oreille :

« J'ai besoin d'une aiguille, de fil et de quelques boutons.

— Crier comme ça, ça te donne l'impression d'être loin de moi, non ? Eh bien, tu l'es – à soixante-dix ans de distance, je suppose. » Il eut un ricanement de sorcière. « Comment diable est-ce que j'ai vieilli si vite ? C'est ce que je voudrais savoir. J'ai du fil et une aiguille, dit Hippolyte. On peut prendre les boutons d'un vieux costume qui est trop grand pour moi. »

Il poussa Zander dans sa chambre, farfouilla dans une valise de cuir usée pour y trouver le vieux costume et commença à couper les boutons avec un rasoir-sabre au manche de nacre. « Il m'allait, ce costume, dit-il. C'est drôle de voir comme on rétrécit en vieillissant. »

En regardant autour de lui, Zander fut frappé par le nombre de calendriers. Le vieil homme avait évidemment accroché au mur tous ceux sur lesquels il avait pu mettre la main. Il y avait un calendrier bolchevik avec la caricature d'un gros capitaliste fumant un ouvrier roulé comme un cigare. Il y en avait un venant de la brigade de pompiers du coin, avec le dessin des derniers véhicules à moteur de lutte contre l'incendie. Il y en avait un imprimé par une écurie de louage avec des aquarelles de chevaux. La banque centrale avait distribué un calendrier illustré des divers billets en roubles. Il y avait même un calendrier anglais, émis par une compagnie de sapeurs, qui avait treize jours d'avance sur les calendriers russes basés sur le vieux système. Dans son esprit, Zander imaginait Hippolyte faisant le tour de la pièce à la fin de chaque mois, arrachant la première page de tous ses calendriers. Quelque part en chemin il en avait oublié un, un calendrier d'Asie centrale avec une photo de jolies paysannes, qui indiquait toujours février.

« Celui-ci est toujours sur février, dit Zander.

— J'aime la photo, pas le mois », répondit Hippolyte. Il enleva le dernier bouton et en déposa une poignée sur la table, puis sortit une petite trousse de couture avec plusieurs aiguilles et des bobines de fil.

Zander passa du fil dans le chas d'une aiguille et se mit à réparer son manteau. Hippolyte se laissa tomber dans un fauteuil qui avait été élégant. « On ne pense pas à la mort à ton âge, dit-il. Me voilà, à quatre-vingt-douze ans, et il ne se passe pas un jour, pas une heure, je ne prends pas une inspiration, je ne fais pas un pet sans penser que ça pourrait être mon dernier – mon dernier jour, ma dernière heure, ma dernière inspiration, mon dernier pet. Non pas que je m'accroche à la vie pour elle-même, loin de là. La vieillesse est un naufrage, comme disent les paysans, et j'en suis la preuve vivante. Non monsieur, ce pourquoi je respire, ce pourquoi je pète, c'est afin de vivre assez longtemps pour voir la révolution socialiste balayer l'Europe comme Vladimir Ilitch me l'a promis. »

Zander avait remarqué, quand Lénine était arrivé à la gare de Finlande, qu'il connaissait personnellement Hippolyte.

« Quand t'a-t-il promis cela ? demanda-t-il, intrigué.

— C'était en Sibérie, dans mon village de Shushenskoye, raconta Hippolyte. Le nouveau siècle était à un jet de pierre de distance. Je travaillais comme constructeur de barrage, puis, quand les patrons découvrirent qu'il avait été construit sur le mauvais méandre de la mauvaise rivière, comme destructeur de barrage. Un exilé politique, un de ces avocats beaux parleurs si je pourrais lui louer une chambre. C'était Vladimir Ilitch, bien sûr. Il purgeait une peine de déportation de trois ans et demi pour activités politiques illégales. Je l'ai logé, naturellement ; je n'ai jamais de ma vie rejeté quelqu'un qui avait besoin d'un service. Il n'avait que vingt-cinq ans environ, mais je me suis mis à l'appeler Starik, parce qu'il n'avait déjà plus beaucoup de cheveux. Il a passé l'hiver entier devant ma cheminée à lire et à recopier des passages dans un calepin à lignes. Bon Dieu, c'était un fils de pute méthodique, Vladimir Ilitch. Je me rappelle qu'il mettait du fil de couleur différente aux aiguilles de sa trousse de couture pour qu'il y en ait toujours une de prête quand il venait à en avoir besoin. C'est comme si c'était hier. Au dégel, j'attelais mon cheval de labour et nous partions pour Minusinsk, moi pour échanger contre des semences les fourrures des bêtes que j'avais piégées durant l'hiver, lui vers la taverne et la rousse qui allait se révéler malade plus tard.

— Qu'est-ce qu'elle avait ? » demanda Zander, mais Hippolyte était parti sur une autre voie.

Ses yeux se mouillèrent pendant qu'il regardait les photos dans des cadres bon marché sur une table qui n'avait que trois pieds.

« Parfois, je l'admets, je m'embrouille. Je crois qu'on est en 1905, et que les ouvriers marchent sur le Palais d'Hiver en portant des icônes et des portraits du tsar. Je sais que ça va mal finir et j'essaie de les détourner avant que les cosaques n'ouvrent le feu, avant que le sang ne tache la neige, mais personne n'écoute un vieil homme qui doit aller aux toilettes une douzaine de fois par jour. » Hippolyte Evgenevitch Evremov secoua la tête de désespoir.

« On n'est pas en 1905, dit Zander doucement. On est en 1917. Cette fois, les choses se passeront différemment.

— Parle plus fort », dit le vieil homme avec irritation. Soudain, une expression désespérée passa sur son visage, il se souleva du fauteuil et partit d'un pas mal assuré vers les toilettes.

« On peut s'asseoir avec vous ? » dit Tuohy en se glissant sur le banc de la cantine à côté d'Arishka. Zander prit la place voisine et salua de la tête Lili de l'autre côté de la table.

« Qu'est-ce que vous faisiez, tous les deux ? demanda Arishka.

— J'ai servi de garde du corps au beau-frère de Trotski, Kamenev, quand il est allé à l'usine Lessner ce matin, dit Tuohy.

— Comment ça s'est passé ? demanda Lili.

— Ils ont écouté poliment, et l'ont décemment applaudi quand il a eu fini, raconta Tuohy. Puis Kerenski s'est montré et a attaqué Lénine pour avoir traversé l'Allemagne afin de revenir en Russie. Il a même suggéré qu'il était sur la liste de paie du Kaiser.

— Comment ont réagi les travailleurs ? voulut savoir Arishka.

— Ils l'ont encore plus applaudi que Kamenev. Il me semble qu'ils sont de l'avis de celui qui a parlé en dernier.

— C'est pourquoi il faut envoyer nos gens plus souvent dans les usines, dit Arishka.

— Je crois qu'il nous faut avoir un message plus simple que celui de l'opposition, dit Lili.

— S'il y a une chose dont on ne peut pas accuser Lénine, dit Zander, c'est de manquer d'un message facilement compréhensible. »

Il faisait référence, comme tout le monde à table le saisit, à ce qui était maintenant connu comme les « Thèses d'avril » de Lénine, qui appelaient carrément au renversement du gouvernement provisoire, à la destruction de l'État bourgeois et à la fin de la participation russe à la Grande Guerre.

« Si vous voulez mon opinion, dit Arishka, il y a quelque chose qui ne va pas chez lui.

— Qu'est-ce qu'il y a de mal à secouer Staline et les autres ? insista Lili.

— Ce n'est pas ce que je voulais dire, expliqua Arishka. Je voulais dire que quelque chose ne va pas chez Lénine physiquement. J'ai passé deux ans à travailler comme aide-infirmière. Et je vous dis qu'il a l'air d'un malade.

— Il marche un peu bizarrement, dit Tuohy en anglais, mais ça ne signifie pas qu'il soit malade. Tu l'as vu hier matin, Zander, qu'est-ce que tu en penses ? »

Zander avait été retiré de l'équipe des gardes du corps au milieu de la matinée.

« Je veux que vous alliez à l'appartement de Lénine et que vous lui montriez une de ces affiches, lui avait ordonné Staline. Peut-être réalisera-t-il que ceux d'entre nous qui sont restés en Russie pendant des années savent une chose ou deux, après tout. »

Lénine avait emménagé dans l'appartement de sa sœur Anna, au sixième étage du numéro 52 rue Shirokaïa ; il dormait dans la chambre que sa mère avait occupée jusqu'à sa mort l'année précédente.

La femme de Lénine, Kroupskaïa, fit attendre Zander dans la petite entrée. Il entendait Lénine, derrière la porte de la chambre, faire les cent pas en dictant. « Les révolutions éveillent de grandes espérances… de grandes espérances… vous avez noté ça ? Les masses se tourneront inévitablement… inévitablement vers le parti qu'elles pensent être le plus capable de réaliser ces grandes espérances. » Une autre voix d'homme dit : « Quand vous serez prêt. »

Un moment plus tard, Lénine cria de douleur, puis jura. Peu après, un petit homme plus âgé, bien habillé, avec un col dur, portant une petite sacoche de cuir, sortit de la pièce. Il parla brièvement à mi-voix avec Kroupskaïa près de la porte d'entrée. Zander crut entendre l'homme dire quelque chose à propos d'« arsenic » et de « piqûres ». Kroupskaïa referma la porte sur lui avec un air lugubre. Derrière la porte de sa chambre, Lénine s'était remis à dicter. « Dans la situation actuelle, il n'y a aucun parti qui dispose à lui seul d'une majorité. La seule question, donc, est de savoir quelle minorité prendra le dessus… le dessus. »

Kroupskaïa demanda à Zander pourquoi il voulait voir Lénine.

« Staline m'a ordonné de lui montrer ceci », dit Zander, et il posa l'affiche à plat sur une table pour qu'elle puisse la lire. L'affiche avait été mise en circulation par des membres de la garde d'honneur qui avait accueilli Lénine à la gare de Finlande. « Ayant appris que Monsieur Lénine nous a rejoints avec la permission de Sa Majesté l'Empereur allemand, disait-elle, nous exprimons un profond regret d'avoir participé à son accueil solennel à Petrograd. »

« *Monsieur* Lénine, vraiment, renifla Kroupskaïa. Ils n'ont même pas eu la courtoisie de l'appeler *citoyen* Lénine. » Elle roula l'affiche et ramena Zander à la porte. « Dites au camarade Staline que ça ne sert à rien de lui montrer ce genre de choses. Ça ne fera que le plonger dans une de ses rages. »

« Elle a réellement utilisé le mot "rages" ? demanda Lili quand Zander raconta l'histoire de sa commission chez Lénine.

— Rages, oui, dit Zander.

— C'est un curieux choix de mot, se hasarda Lili. Ça fait penser à un chien enragé. »

Le club avait rouvert après l'abdication du tsar, avec une nouvelle direction et un nouveau nom, L'Abri des comédiens, mais les habitués qui s'y montraient employaient toujours son ancien nom, Le Chien vagabond. À cause de la prohibition du temps de guerre, on ne servait que de l'ersatz de café ou du jus de pomme dans des tasses ébréchées. Les clients payaient un droit d'entrée de 25 roubles et improvisaient leurs propres distractions quand l'humeur les en prenait.

Sous une niche dans le mur, qui contenait un phallus en bois sculpté illuminé par un unique cierge d'église, Yitzhak Feldstein, un poète yiddish mince et frêle avec des yeux enfoncés, sortit un morceau de papier de la poche de poitrine de sa veste élimée.

« J'ai traduit quelques vers de la poétesse américaine Emily Dickinson en yiddish », dit-il, et il commença à les réciter d'une voix monotone.

> *Oib ich ken machen eyn hartz gringer*
> *Dan leb ich nit umzist…*[1]

Vladimir Maïakovski, le manteau posé sur les épaules, fit une entrée remarquée au bras de Lili Brik, avec qui il avait une liaison de longue date. Le mari de celle-ci, Osip, traînait derrière eux. Plongeant les yeux dans ceux de sa maîtresse, Maïakovski déclama un de ses poèmes d'amour :

> *Si tu le veux – je serai irréprochablement tendre*
> *Pas un homme, mais – un nuage en pantalon*

À minuit, Ronzha, qui s'occupait à polir un nouveau poème à une table d'angle, se leva. Le silence se fit au Chien vagabond. Partout dans la pièce en sous-sol, les gens se tournèrent pour le voir pendant qu'il commençait à réciter.

> *Une tristesse inexprimable*
> *A ouvert de grands yeux étonnés*
> *Le vase de fleurs s'est éveillé*
> *Et a répandu son cristal.*

---

1 Si je peux empêcher un seul cœur de se briser,
Je n'aurai pas vécu en vain…

La pièce entière
De langueur – douce médecine
Un royaume si petit
A dévoré tant de sommeil.

Des fragments de vin rouge,
Et un temps de mai ensoleillé,
Et, brisant un fin biscuit,
La blancheur des doigts les plus minces.

Un poète lyrique décharné du nom de Boris Pasternak, sous le coup de l'excitation, faisait osciller sa cigarette dans sa bouche.

« "Le vin rouge et le fin biscuit" me font penser à un service religieux.

— Pourquoi le "petit royaume" ? demanda pensivement Lili Brik. Et comment pourrait-il "dévorer le sommeil" ?

— Il "dévore le sommeil" quand ses pétales se ferment », suggéra Ilya Ehrenbourg, un jeune poète presque édenté, qui perdait ses cheveux, assis à une grande table près des toilettes.

« Les royaumes sont pour les tsars », marmonna le metteur en scène de théâtre Vsevold Meyerhold.

« J'aime beaucoup le poème, dit sérieusement Pasternak. J'aime son humeur. J'aime le mélange de solides et de liquides. »

« Ah, dit Maïakovski, savourant la découverte. Pas des "gouttes" de vin rouge, mais des "fragments" de vin rouge. Je vois, maintenant. »

Pasternak se pencha en avant.

« Qu'est-ce que *tu* en penses, Ronzha ?

— Je ne sais pas encore », répondit-il. Il avait l'air épuisé. « C'est à vous, mes premiers auditeurs, de donner une existence au poème en l'interprétant et de le juger. Je ne suis capable de juger que mes vieux poèmes. »

Assis en face de Ronzha, Tuohy étouffa un bâillement.

« Partons d'ici, murmura-t-il à Zander.

— Va-t'en si tu veux, lui chuchota Zander, je reste. »

Près de la porte des toilettes, Ilya Ehrenbourg sortit une flasque de poche, corsa sa tasse de jus de pomme et se mit à pontifier sur le rôle de l'artiste dans une société qui subissait des changements violents.

Maïakovski agita théâtralement les bras.

« En tout cas, cria-t-il, les révolutionnaires sont censés détruire le passé et donner à tout le monde une chance de recommencer de zéro. »

Pasternak secoua la tête.

« Quant à moi, je trouve que c'est de mauvais augure quand la poésie se met au service de la politique. Qu'est-ce qui empêche l'État de décider soudain que la société ne tire plus profit de ce que tel ou tel poète veut dire ? »

Appolinaria, assise de l'autre côté de Tuohy, soupira.

« Je savais que nous n'aurions pas dû venir », dit-elle. Elle prit le coude de Ronzha et lui murmura quelque chose à l'oreille, mais il ne pouvait pas se contenir.

« Qui ici peut garantir que ces bolcheviks s'occuperont des choses avec plus de justice ? demanda-t-il d'une voix forte.

— Si nous, les bolcheviks, réussissons, lâcha Meyerhold, c'est le peuple qui s'occupera de ses propres affaires.

— Et je suppose que vos Lénine, vos Trotski et vos Staline se retireront simplement sur les rives de la mer Noire ? » dit Ronzha d'un air sarcastique, et il cracha un vers de Pouchkine :

Dans la nuit, au-delà de la Volga,
les bandes de brigands s'assemblaient autour
de leurs feux…

Meyerhold bondit de sa chaise, renversant un verre de jus de pomme.

« Si vous insinuez que les bolcheviks sont "des bandes de brigands"…

— "Des bandes de brigands", cria le poète yiddish Feldstein, c'est exactement ce qu'ils sont !

— Calmez-vous, messieurs, je vous en prie…, implora Pasternak.

— Je ne suis pas du tout excité, dit Ronzha d'une voix trahissant la plus grande excitation.

— Ne pas s'impliquer lors d'une époque de transition violente devrait être interprété comme un manque de courage, s'emporta Meyerhold.

— Nous verrons qui manque de courage, dit Ronzha, tremblant de colère. Nous verrons qui compromet son intégrité quand les dirigeants de l'économie se mettront à diriger l'art. »

L'arrivée de la danseuse étoile Tamara Karsavina, qui tenait le premier rôle dans *Le Lac des cygnes* de Tchaïkovski au théâtre Mariinski, interrompit la controverse. Traînant derrière elle une cape de soie noire avec une bordure de plumes d'autruche blanches, elle descendit l'escalier d'une démarche glissante. Plusieurs serveurs dégagèrent en hâte un espace libre au milieu de la pièce et placèrent un grand miroir au cadre doré à plat sur le sol. Karsavina fit tomber sa cape d'un mouvement d'épaules, se débarrassa de ses chaussures d'un coup de pied et, remontant sa jupe au-dessus du genou, se mit à danser sur le miroir.

Tuohy poussa Zander du coude. « Peut-être que je vais rester après tout », dit-il.

Appolinaria vit l'expression sur le visage de Tuohy. « Est-ce la danseuse que tu regardes, ou le reflet de son corps dans le miroir ? » demanda-t-elle ironiquement.

Tuohy, qui avait bu plusieurs verres de jus de pomme trop corsé, lui fit un sourire matois : « Il est dans la nature des choses que le mâle convoite la vue ou une bouffée de ce saint des saints entre les jambes de la femelle de l'espèce », dit-il, et en même temps il envoya une main baladeuse sous sa jupe. Elle recula avec un cri. Ronzha, qui avait vu ce qui s'était passé, se pencha sur la petite table et gifla Tuohy si violemment que sa chaise bascula en arrière et que son crâne heurta le mur.

Distraite par l'échauffourée, Karsavina retomba sur le miroir avec tant de force qu'il se brisa sous ses pieds nus. « Je saigne ! » hurla-t-elle en français.

Maïakovski tomba à genoux, porta le pied de la danseuse à ses lèvres et se mit à en sucer le sang. Furieuse de jalousie, Lili Brik se précipita dans l'escalier. Les serveurs commencèrent à balayer les éclats du miroir.

« Je suppose, annonça Feldstein de sa voix monotone, que cela signifie que nous aurons sept ans de malheur.

— Si cela n'en amène que sept, dit Ronzha d'un air sinistre, nous aurons tous beaucoup de chance. »

CHAPITRE IV

La princesse, d'habitude aussi calme et pâle que la mort, vibrait d'émotion, le visage en feu.

« Enfonce-toi bien ça dans ton crâne mi-russe, mi-irlandais, dit-elle à Tuohy, qui avait toujours mal à la tête depuis la veille. Non seulement ce sont tous les deux des invités dans ma maison, mais lui est sans doute le génie poétique de notre génération – du genre qui arrive une fois tous les cent ans.

— Il est antibolchevik, insista Tuohy d'un air maussade. Il est prisonnier du passé. »

Lili écarta d'un geste sec une mèche de ses yeux.

« Il se nourrit du passé. Il a peur du changement. Quel être sain d'esprit n'a pas peur ? Il changera d'avis quand il verra comment le nouvel ordre traite ses artistes.

— On n'échappe que difficilement au passé », remarqua Zander d'un ton mordant.

Lili se rebiffa.

« Que veux-tu dire ?

— Je pense que, profondément, nous sommes tous prisonniers de nos passés, expliqua pensivement Zander.

— Tu penses que parce que je suis née princesse, je ne peux être une révolutionnaire sincère ?

— Et si ton ami poète ne se joint pas à nous quand il verra comment notre nouvel ordre traite ses artistes ? » demanda Tuohy.

La princesse se passa la langue sur les lèvres.

« En Ouzbékistan, dit-elle, on raconte l'histoire d'un paysan qui s'est vengé de quelqu'un au bout de cent ans – parce qu'il était alors pressé et ne pouvait pas attendre plus longtemps. Si tu fais encore des avances à Appolinaria, je te tuerai. » Lili sortit un petit pistolet nickelé de sous sa jupe et le brandit sous le nez de Tuohy. « Je sais très bien me servir de ceci.

— Je n'en doute pas, lui assura Tuohy d'un ton respectueux.

— Pourrais-tu s'il te plaît ne pas l'agiter partout comme ça ? dit Zander.

— Nous nous comprenons, alors ? demanda Lili à Tuohy.

— Toute dame armée d'un pistolet peut supposer qu'on la comprend », reconnut-il.

Ils avaient été convoqués dans le repaire de Lili au dernier étage de l'hôtel Kshesinskaïa quand ils étaient arrivés ce matin. Le petit bureau était au troisième étage, sous un toit pointu, et avait une fenêtre ovale d'où, si le temps le permettait, on pouvait voir l'horizon de Petrograd. La pièce empestait l'encens ouzbek et donnait une impression de désordre élégant. De grossières affiches bolcheviks peintes à la main pendaient aux murs côte à côte avec des icônes que Lili avait sauvées d'un feu de joie devant une église. Empilées sur le plancher sans ordre apparent, il y avait des dizaines de boîtes à dossiers en carton débordant de lettres et de télégrammes. Un samovar en argent massif et une demi-douzaine de verres de cristal étaient posés sur une table. Sous la fenêtre ovale se trouvait un petit sofa à deux places qui avait été volé dans le salon du Club des officiers anglais à l'étranger, près du Palais d'Hiver. La photographie floue d'une jeune fille au visage rond, avec de grands yeux effrayés et de courts cheveux frisés, était punaisée au mur. Des dizaines de livres reliés en cuir de Pouchkine, Tchekhov, Tolstoï, Gogol et Dostoïevski s'entassaient au hasard sur le sol et sur l'étagère qui courait le long d'un mur.

Des années auparavant, Lili avait assisté à un atelier révolutionnaire organisé à Bologne par Léon Trotski. Elle était revenue de ce stage de trois semaines connaissant les bases du codage et du décodage, et avait employé cette compétence dans les centres de communication bolcheviks depuis lors. Les chiffres dont se servait Lili étaient simples. Chacun des livres qui se trouvaient dans son bureau avait reçu un nom de code. La personne qui chiffrait un message signalait quel livre elle utilisait en commençant son texte par le mot de code. Le message lui-même consistait en nombres remplaçant des lettres. Chaque lettre de la missive était transformée en trois nombres séparés par des tirets. Le premier représentait une page du livre, le second une ligne de la page, le troisième une lettre de la ligne. C'était un travail ennuyeux de coder et de décoder, mais à moins que quelqu'un ne sache de quelle édition il était question, le code ne pouvait pas être brisé.

« J'avais une autre raison de vous faire monter ici tous les deux, admit Lili. Staline a suggéré que je vous parle. »

Tuohy n'était que trop heureux de changer de sujet.

« Chère madame, l'Irlandais en moi est à votre disposition, lui assura-t-il.

— Voilà, commença Lili, manifestement troublée. Autant que je ré-pugne à l'admettre, il semble qu'il y ait un traître au Vapeur. »

Tuohy jeta un coup d'œil à Zander.

« Tu as frappé à la bonne porte. Les traîtres sont une de nos spécia-lités.

— Quelqu'un a volé une lettre que Lénine avait envoyée aux ca-marades d'ici avant son retour, continua Lili. Elle a paru dans un jour-nal de droite, mot pour mot, ce matin. Bien sûr, nous soutenons que c'est un faux complet, mais à la vérité, Lénine a bien écrit cette lettre. Kroupskaïa l'a codée en se servant des *Âmes mortes* de Gogol. La lettre est arrivée tard dans la journée et je l'ai rapportée au Vapeur parce que j'avais rendez-vous avec notre dentiste. Je suis arrivée juste au moment où tout le monde se mettait à table. J'ai mangé rapidement, suis montée déchiffrer la lettre, puis l'ai stupidement laissée sur une table dans ma chambre quand je suis descendue faire soigner ma dent.

— Comment peux-tu être sûre que le traître a vu cette copie-là de la lettre ? demanda Zander. Ou que quelqu'un n'a pas mis la main dessus ici à l'hôtel, le lendemain ?

— C'était bien cette copie-là. Quand j'ai décodé la lettre, j'ai mal orthographié le nom du diplomate allemand qui a organisé la traver-sée de l'Allemagne pour Lénine. Le texte imprimé dans les journaux d'aujourd'hui comporte la même erreur, ce qui prouve que quelqu'un a mis la main sur mon exemplaire. Et ça ne peut pas s'être passé ailleurs. J'ai montré la lettre à Staline le lendemain matin. Il l'a lue puis l'a brûlée dans un cendrier.

— Ce qui nous limite au Vapeur, dit Tuohy.

— Puisque le vol a eu lieu avant que vous arriviez en Russie, nous savons que ce n'était pas l'un de vous, expliqua Lili.

— Cela me gêne d'en parler…, commença Tuohy, mais la princesse le coupa.

— Si tu t'apprêtes à accuser Ronzha ou Appolinaria, c'est hors de question. Je me porte personnellement garante d'eux.

— Et qui se portera garant de toi ? » demanda hardiment Zander.

Lili lui lança un de ses sourires glacés.

« Vous avez ma permission de me traiter comme les autres – en suspect potentiel.

— Qu'est-ce que Staline veut que nous fassions ? fit Tuohy.

— Il pensait que vous pourriez commencer par fouiller toutes les pièces.

— Est-ce qu'il a été question de ce que nous devrions faire du traître quand nous le trouverons ? demanda Tuohy.

— Lui ou elle, ajouta Zander.

— Une telle discussion, dit nettement Lili, n'est pas nécessaire. »

En descendant du grenier, Tuohy demanda à Zander :

« Hé, qu'est-ce qui se passe entre vous ?

— Princesse un jour, princesse toujours », dit celui-ci.

Tuohy demanda :

« Tu crois qu'elle est amoureuse de son ami poète ? »

Zander haussa les épaules.

« Elle se donne certainement du mal pour le protéger.

— Nous commencerons la fouille par la chambre du poète », dit brièvement Tuohy.

En plus de leurs missions habituelles de gardes du corps, Zander et Tuohy parvinrent durant les journées suivantes à fouiller toutes les pièces du Vapeur. Tuohy fut visiblement déçu de ne trouver dans la chambre occupée par Ronzha et Appolinaria rien d'autre sortant de l'ordinaire qu'un livre anglais reproduisant des frises de temples hindous. Zander trouva une boîte de carton cachée sous le matelas de Vasia Maslov, mais elle se révéla être remplie de douzaines de photos de Lili nue. Le vieil Hippolyte n'avait en sa possession rien de plus compromettant que plusieurs boîtes de cornichons avec des étiquettes allemandes, et une traduction de la Déclaration d'indépendance américaine où quelqu'un avait écrit dans la marge : « Assez éloquent, mais tous les hommes créés égaux, ça veut dire tous les hommes blancs. » Lili avait caché un godemichet d'ivoire dans une boîte sous ses petites culottes qui, à l'étonnement de Tuohy, étaient toutes en pure soie. Le sergent Kirpitchnikov était parvenu à cacher une cartouche de cigarettes bulgares derrière une pierre descellée de sa cheminée. Sérafima avait dissimulé plusieurs paires de bas de soie dans un vieux corset. Sous la couchette de Mélor, il y avait une carotte de tabac à chiquer américain, une baïonnette australienne, une bouteille à demi pleine de lotion capillaire italienne, et une photo de la princesse que le gamin avait évidemment fauchée dans la collection de Vasia. Se souvenant des critiques nocturnes d'Otto Eppler à l'égard de Lénine, Zander fouilla ses pièces avec un soin particulier, mais il ne trouva qu'un stock d'ivoire et d'or pour fabriquer de fausses dents et, curieusement, un paquet étiqueté « cyanure ».

Quand Zander et Tuohy firent leur rapport à Staline, il prit mal leur échec à trouver le voleur de la lettre. « Il est essentiel dans ce genre d'affaires, les chapitra-t-il, de faire un exemple du traître afin de décourager ceux qui pourraient être tentés de lui emboîter le pas. Pour cela, il n'est pas indispensable de trouver le coupable ; n'importe qui fait l'affaire. »

L'encens épaississait l'air. De fins cierges brûlaient dans des appliques dorées. Un jeune prêtre avec une barbe frisée, en robe noire, agitait un encensoir de cuivre vers une vieille femme. Les doigts repliés comme si elle plumait une oie, elle se signa avec ferveur, puis tomba à genoux et se prosterna sur le sol, le front pressé sur les pierres froides en signe de complète soumission à l'Église. De derrière un treillis dans une des alcôves, le son léger d'une chorale de garçons montait comme la fumée vers les coupoles dorées. Le prêtre défia Zander et Tuohy avec son encensoir, le secouant dans leur direction en faisant le signe de la croix de sa main libre, mais ils le regardèrent belliqueusement et il s'éloigna vers de vieux fidèles qui étaient plus susceptibles de répondre de la façon prescrite.

Ils avaient suivi Vasia Maslov, le photographe, dans l'église, sur une intuition. Celle de Tuohy, en fait.

« Quiconque s'est glissé dans le bureau de Lili quand elle avait laissé traîner la lettre devait être pressé de repartir, avait-il pour théorie. Quel meilleur moyen de la copier rapidement que de la photographier ?

— Staline ou pas Staline, je refuse catégoriquement de faire porter le chapeau à Vasia s'il n'est pas coupable, dit Zander.

— Je ne parle pas de faire porter le chapeau à qui que ce soit. Je dis seulement qu'en tant que photographe, c'est le suspect principal. »

En se tenant sur la pointe des pieds, en regardant par-dessus la tête des croyants, ils pouvaient maintenant voir Vasia ; il cadrait dans son viseur une statue peinte, grandeur nature, du Christ sur la croix, illuminée par un unique rayon de soleil tombant d'une étroite ouverture haut dans le mur.

Vasia sortit de l'église, et Zander et Tuohy le suivirent à bonne distance pendant qu'il traversait le pont Nikolaïevski vers le campus de l'université sur l'île Vasilierski. Il s'arrêta pour bavarder avec deux adolescents en uniforme d'étudiants, puis fit signe à un troisième à une fenêtre.

« Je monte », cria-t-il, et il entra dans le bâtiment en courant. Au loin, les cloches des fines flèches de la forteresse Pierre-et-Paul carillonnèrent le *Bozhe Tsaria Khrani* – Dieu sauve le tsar. Les gens avaient détrôné le tsar mais ne s'étaient pas encore préoccupés de changer l'air.

« Attends ici », dit Tuohy. Il jeta un coup d'œil à la fenêtre d'où l'étudiant avait salué Vasia. C'était au quatrième étage, juste au-dessus de l'entrée. Il monta les marches du perron et entra dans l'immeuble. Des groupes de garçons en uniforme se tenaient dans le hall, en train de discuter ; Tuohy entendit quelqu'un dire d'« avril » que c'était « ridicule », sans savoir s'il s'agissait du mois ou des thèses de Lénine. Au quatrième étage, Tuohy trouva une porte avec une plaque de cuivre qui annonçait « PEINTURE-NATURES MORTES » et une carte coincée dessous avec le mot « photographie ». Il ouvrit la porte. La pièce était déserte. Une douzaine de chevalets faisaient face à une petite plate-forme recouverte de velours rouge. La lumière se déversait par des fenêtres démesurées. Tuohy commençait à penser qu'il avait mal compté les étages quand il entendit un gémissement étouffé, de l'autre côté d'une porte fermée au-dessus de laquelle brillait une ampoule rouge. Un autre gémissement en sortit. Tuohy, qui se considérait plutôt comme un expert en la matière, l'identifia comme un son indiscutablement sexuel. Avec un sourire satisfait, se demandant à quel point la fille serait déshabillée, il saisit la poignée et ouvrit brutalement la porte.

Vasia embrassait passionnément un adolescent en lui caressant la nuque d'une main et la bosse du pantalon de l'autre. Il tourna brusquement la tête, alarmé, reconnut Tuohy et le fixa avec des yeux pleins de haine pure.

Ils s'occupèrent d'abord des transgressions les moins graves. Sérafima accusa Hippolyte d'avoir bouché les toilettes avec des journaux, qu'on découpait en morceaux et gardait à portée de main pour un usage hygiénique.

« Comment sais-tu que c'était moi ? brailla le vieil homme.

— Tu te sers plus des toilettes que trois autres personnes ensemble, cria Sérafima en réponse.

— Ce n'est pas une preuve, fit Hippolyte avec mépris.

— Il a raison », dit le dernier pensionnaire en date du Vapeur, un expert en démolition du nom d'Alyosha Zhitkin. « Ça aurait pu être n'importe lequel d'entre nous.

— Accusation rejetée pour manque de preuves, dit la princesse depuis le bout de la table. Qu'y a-t-il ensuite ? »

Ensuite venait le cas du chat disparu.

« C'est le gris avec la tache blanche sur le bout de l'oreille droite, dit Lili. Je n'accuse personne – j'aimerais juste savoir ce qu'il est devenu. »

Le vieil Hippolyte suggéra avec rancune que le fils de Sérafima, Mélor, l'avait probablement vendu au boucher du coin qui, d'après la rumeur, faisait passer de la viande de chat pour des plats recherchés à base de lapin importé de France ; comme peu de Russes avaient jamais goûté à l'un ou à l'autre, ils ne pouvaient pas faire la différence.

Le sergent Kirpitchnikov, en réponse au coup de pied que lui avait donné Sérafima sous la table, bondit à la défense de Mélor.

« Accuser quelqu'un sans preuve, dit Pasha, c'est la marque d'un destructeur du nouvel ordre, le contraire d'un bâtisseur.

— Moi un destructeur ! » s'exclama Hippolyte, les yeux grands ouverts en signe d'innocence. « Après tout ce que j'ai fait pour le parti ?

— Je suis d'accord avec Pasha », dit calmement Alyosha Zhitkin. L'expert en démolition, un homme mince avec un bouc noir bien coupé, fumait à la chaîne des cigares qu'il roulait dans un morceau de papier journal rempli de fort tabac bulgare. Pendant qu'il parlait, le cigare omniprésent se balançait à sa bouche. « Ce sera un jour tragique pour notre parti et notre pays, continua-t-il, quand on pourra dénoncer quelqu'un sans fournir la moindre preuve.

— Il y a une preuve, s'exclama Hippolyte avec indignation.

— Laquelle ? demanda Appolinaria.

— Mais le chat a disparu ! cria le vieil homme.

— Et tu appelles ça une preuve ! cracha Sérafima.

— Accusation rejetée pour manque de preuves, dit la princesse. Qu'avons-nous d'autre ?

— Ce que nous avons », annonça Otto Eppler, son accent allemand plus guttural que d'habitude, « c'est l'accusation du camarade Tuohy contre le camarade Maslov.

— Je ne veux pas prendre part à ça, dit Ronzha, se levant et se dirigeant vers la porte.

— Moi non plus, ajouta Appolinaria. C'est honteux de traîner un homme dans la boue à cause de ses préférences sexuelles. »

Elle suivit Ronzha, claquant la porte derrière elle.

« Tu es sûr de vouloir continuer ? » demanda Lili à Tuohy.

Vasia Maslov, le visage crispé, fixait le plafond sans prononcer un mot. Zander dit à Tuohy à voix basse :

« C'est *privatsatche*, Atticus. Ce n'est l'affaire de personne. On ne te demande pas de rendre compte de la façon dont tu fais l'amour, ou avec qui.

— L'homosexualité n'est pas compatible avec le socialisme, ni avec le fait d'être un bolchevik, affirma Tuohy sévèrement. Je n'aime pas ça plus que vous, mais vous faites tous du sentimentalisme. Vous savez ce que Lénine a dit du sentimentalisme – que ce n'était pas moins un crime que la lâcheté face à l'ennemi.

— Puisque tu cites Lénine, dit Lili, je voudrais te rappeler autre chose qu'il a dit. L'amour, par quoi il entendait clairement le sexe, a été ennobli par le socialisme et rendu par lui aussi accessible qu'un verre d'eau.

— Cependant, marmonna Otto Eppler, personne ne veut boire dans le caniveau.

— Si c'est vrai à propos de Vasia, dit Hippolyte de sa voix tonnante, c'est indigne d'un homme et antibolchevik, et notre comité devrait s'en occuper avant que les instances supérieures du Parti en aient l'occasion.

— Pourquoi laisser les autres laver notre linge sale en public ? acquiesça le sergent Kirpitchnikov.

— C'est aussi une question de sécurité, avança Tuohy. Si j'ai surpris Vasia durant un acte homosexuel, quelqu'un d'autre pourrait l'y prendre aussi et ce quelqu'un pourrait le faire chanter – le transformer en espion pour nos ennemis.

— Je tuerais quiconque essaierait de me faire chanter, déclara Vasia.

— Il me semble », dit Alyosha Zhitkin, le cigare collé à la lèvre inférieure, « que la question présente n'est pas sans intérêt. Y a-t-il une place dans notre vision des choses, dans ce socialisme que nous construisons, pour l'amour homosexuel ?

— Vous savez tous ce que je pense des femmes qui font l'amour aux femmes et des hommes qui font l'amour aux hommes, remarqua Lili. Je suis Lénine parce qu'il se propose de nous libérer – des contraintes économiques, des contraintes sexuelles aussi.

— Pourtant, s'exclama le vieil Hippolyte, un pédéraste est un pédéraste…

— Si tous les socialistes étaient homosexuels, intervint Sérafima, il n'y aurait pas de bébés socialistes. Alors, que deviendrait le socialisme ?

— Je crois à l'amour libre autant qu'un autre, maintint Pasha, mais il faut voir ce qui est normal.

— Et qui décide de ce qui est normal ? » demanda doucement Zander.

Vasia ricana.

« Tuohy ici présent décide, voilà qui.

— Il faut que quelqu'un décide, dit Tuohy sans se troubler, sinon le problème n'est pas réglé.

— Nous décidons, dit fermement Alyosha Zhitkin, ici même, maintenant, à cette réunion de notre comité de maison.

— Normal… c'est normal ! » insista le sergent Kirpitchnikov. Il regarda Sérafima pour obtenir son soutien, mais elle avait l'air déroutée.

« Là-bas à New York, dit Zander, dans les ateliers du ghetto juif tenus par les exploiteurs, une journée *normale* de travail fait douze heures. Et un salaire *normal* pour cette journée est de trois ou quatre dollars. Et il n'existe pas de vacances *normales*. Il est *normal* qu'un ouvrier victime d'un accident du travail soit renvoyé sans salaire jusqu'à ce qu'il soit assez bien pour travailler de nouveau.

— Zander a un bon argument, commenta Alyosha Zhitkin. Ce qui est normal pour certains ne l'est pas forcément pour les autres.

— Écoutez, continua Zander. Le but des socialistes est de créer une société, une atmosphère, où les hommes et les femmes pourront exprimer librement leur nature profonde. Si un homme sent qu'il a besoin de faire l'amour à un autre homme pour s'exprimer sexuellement, où est le mal du moment que personne n'est forcé d'aller avec lui ? »

Sérafima dit :

« C'est vrai qu'il n'a fait de mal à personne… »

Le sergent Kirpitchnikov haussa les épaules.

« En Sibérie, certains jeunes commencent par, pardonnez-moi l'expression, baiser des poulets, parce qu'il n'y a pas assez de femmes. Tout le monde le sait, mais personne n'en parle jamais comme étant antisocialiste.

— Peux-tu parler plus fort ? cria Hippolyte.

— Il y a encore le problème de la sécurité, dit Tuohy. Et si quelqu'un essaie de le faire chanter ?

— Qui pourrait le faire chanter, demanda Alyosha Zhitkin, si nous savons tous qu'il fait l'amour à des hommes et qu'on s'en fout ?

— Je vote pour que nous votions, annonça Lili. Que tous ceux qui pensent qu'il y a une place dans une société socialiste pour l'amour homosexuel lèvent la main. »

Zander, Alyosha Zhitkin et Lili levèrent immédiatement la leur. Otto Eppler les imita précipitamment. Sérafima jeta un coup d'œil au sergent Kirpitchnikov, et ils en firent autant en même temps. Hippolyte cria : « Puisque je n'entends pas, je vote avec la majorité », et leva la sienne aussi. Tout le monde regarda Tuohy.

« Je suis contre, dit-il. Je crois que vous faites une erreur.

— Eh bien, c'en est fini », fit Alyosha Zhitkin avec soulagement.

Dehors, Tuohy murmura à Vasia :

« Tu entendras encore parler de cette histoire.

— Va te faire foutre aussi », répliqua Vasia.

CHAPITRE V

La Mercedes, qui venait du parc automobile bolchevik, avait connu des jours meilleurs. Elle avait appartenu à un riche homme d'affaires suédois qui, dès qu'il entendit parler de l'abdication du tsar, entassa sa femme, ses enfants et leurs malles dans un traîneau à cheval et s'enfuit dans la neige jusqu'à Vyborg. La voiture était tombée en ruine, abandonnée sur le bord d'un canal gelé. Un mécanicien bolchevik, déserteur du corps des ambulanciers, avait bricolé un carburateur qu'il avait fauché dans une Pierce-Arrow imprudemment garée dehors, et remplacé le pot d'échappement rouillé par celui d'une Lincoln américaine qui s'était encastrée dans une pièce d'artillerie tirée par des chevaux. La Mercedes roulait, mais avec des à-coups et des ratés périodiques.

« Je n'ai pas entendu ce que tu disais », dit Zander à Lili après une déflagration particulièrement violente.

Elle ne détourna pas les yeux de la route.

« Je te demandais ce qui te déplaît en moi. Tout le monde au Kshesinskaïa, tout le monde au Vapeur m'accepte comme camarade. Le fait que je sois née dans une famille de l'aristocratie n'a pas plus d'importance que le fait que Pasha Kirpitchnikov soit né dans une famille paysanne ou Otto Eppler dans une famille allemande. Tu sembles être le seul à me reprocher ma naissance.

— Je suppose, s'entendit dire Zander, qu'il m'est difficile de croire que quelqu'un qui n'a jamais connu la pauvreté puisse être un vrai révolutionnaire. »

La Mercedes pétarada de nouveau et se rapprocha d'un camion de l'armée à plateau découvert, rempli de recrues qui, voyant une femme au volant de l'auto derrière eux, se mirent à faire des gestes suggestifs.

« Voilà tes paysans, dit-elle à Zander, venus tout droit de la campagne. Tu crois vraiment qu'ils en savent plus que moi sur la révolution ?

— Chacun d'eux en sait plus que toi. Chacun d'eux sait ce qu'est la faim, le froid, l'humiliation, la condescendance, la saleté, ce que c'est de se briser le dos pour engranger la récolte avant qu'il ne pleuve, juste pour que la plus grande partie en soit confisquée par les aristocrates qui possèdent la terre. » Il ne pouvait plus se retenir. « Tu joues à la révolutionnaire comme un gamin joue avec un nouveau jouet – en attendant quelque chose de mieux, de plus neuf, de plus stimulant. »

Lili klaxonna avec colère et dépassa le camion.

« Tu es incroyablement snob », dit-elle à Zander. Après un moment, elle ajouta : « Tu m'en veux parce que tu as peur d'admettre que tu veux coucher avec moi. »

Pan ! La Mercedes eut un nouveau raté ; quelques paysannes qui guidaient des vaches maigres sur la route avec de longues branches de bouleau se jetèrent de côté, effrayées.

« J'ai mes obsessions, admit Zander avec lassitude, mais ton corps n'en fait pas partie.

— Dis-moi tes obsessions, cites-en une. »

Zander regarda son profil ; il ne pouvait nier qu'elle fût extraordinairement belle.

« Je suis obsédé par la question essentielle que tout révolutionnaire doit affronter – combien de souffrance a-t-on le droit d'infliger à la génération actuelle pour que les générations futures puissent vivre plus librement ?

— C'est une question qui m'intéresse aussi, dit Lili, sur la défensive.

— Elle t'*intéresse* seulement. Elle ne te *hante* pas. Elle ne te *consume* pas. Des millions de gens mourront dans la souffrance, vivront dans la souffrance – et tu es seulement *intéressée* !

— Les gens comme toi sont dangereux.

— Les gens comme moi sont dangereux pour les gens comme toi. »

Vasia, profondément endormi sur le siège arrière, sa toque de fourrure bien tirée sur les oreilles, remua.

« Nous arrivons bientôt ?

— Rendors-toi, dit sèchement Lili. Je te préviendrai quand on arrivera. »

Dans les faubourgs de Tsarskoïe Selo, à trente-cinq kilomètres de Petrograd, Lili en eut assez des ratés. « Nous allons marcher, maintenant », dit-elle à ses passagers. Ils laissèrent la voiture dans l'ombre d'un sapin et entrèrent dans la ville en passant sous l'arc de triomphe. Ils dépassèrent la petite maison de bois où Pouchkine avait vécu après son mariage, contournèrent le long palais rococo que l'impératrice Élisabeth avait fait construire pour éclipser Versailles et arrivèrent finalement au palais Alexandre, la résidence d'été du tsar et sa prison actuelle.

Il y avait un poste de contrôle de l'armée à une centaine de mètres de l'entrée. Lili présenta son laissez-passer au soldat de garde devant la basse guérite de bois.

Le soldat retourna le laissez-passer. Il était évident qu'il ne savait pas lire.

« Il est signé par le camarade Staline, dit Lili obligeamment.

— Le Staline qui est bolchevik ? demanda le garde.

— Ce Staline-là.

— Ha ! Vous êtes tous des bolcheviks, alors. Moi aussi, je suis un bolchevik – je crois.

— Qu'est-ce que vous voulez dire par "je crois" ? » demanda Zander.

Le jeune soldat sourit largement, révélant une rangée de dents cariées. « Quand le recruteur bolchevik est passé par ici, j'ai fait ma marque dans son carnet. Il disait qu'ils arrêteraient la guerre et qu'ils donneraient la terre aux paysans et je suis d'accord avec ça. »

La sentinelle fit sonner une cloche pour appeler l'officier de garde. Un colonel sortit d'une dépendance en se pavanant, faisant impatiemment claquer une cravache sur sa culotte de cheval.

« Nous sommes envoyés, expliqua Lili, par les représentants bolcheviks du Soviet pour vérifier que le citoyen Romanov, anciennement connu comme le tsar Nicolas, est bien ici, ainsi que les divers membres de sa famille, et pour établir dans quelles conditions et, plus important, sous quel dispositif de sécurité ils vivent. »

Le colonel, qui avait une cicatrice livide fine comme un cheveu au-dessus de l'œil droit, serra les mâchoires au mot « bolchevik », mais ne dit rien. Il ajusta son pince-nez et lut le laissez-passer que Staline avait signé en tant que membre du Comité exécutif des Soviets. Puis il pivota sur les talons et repartit d'où il était venu, disparaissant dans le même bâtiment.

« Que sommes-nous censés faire maintenant ? » demanda Vasia en polissant la lentille de son Delta Patronen « 8x10 » Drageners avec un morceau de soie.

« Il est foutrement impoli, si vous voulez mon avis, fit Lili.

— Il faut que vous l'excusiez, vos excellences et madame », dit le soldat. Il fixait Lili avec curiosité de son regard ouvert et honnête de paysan ; il n'avait jamais encore rencontré de dame qui jure comme un homme. « Le colonel vient d'un régiment de ligne dont les officiers supérieurs ont été assassinés par les bolcheviks pendant le soulèvement contre celui qu'on appelle maintenant le citoyen Romanov. »

Un jeune officier portant une blouse blanche à martingale, immaculée, sortit de la dépendance et fit signe à Lili et aux autres.

« Est-ce que *lui* au moins parle aux bolcheviks ? marmonna Lili à mi-voix.

— Oh, lui, il est tellement bébé que si on lui tordait le nez, il en sortirait du lait », ricana le garde.

À l'intérieur du palais, Lili, Zander et Vasia se trouvèrent dans une pièce où se décrottait le contingent de garde ; des sabres et des manteaux écarlates pendant à des patères recouvraient les murs. « Le citoyen Romanov a été invité à vous rencontrer dans la salle de musique », dit le jeune officier. Il parlait avec un léger zézaiement qui aurait révélé, si son maintien avait laissé le moindre doute, qu'il venait de la classe supérieure ; son brevet de lieutenant avait été acheté, pas obtenu au mérite.

« Invité ? » Lili, irritée, rejeta une mèche de cheveux derrière l'oreille. « Son statut ici est donc tel qu'on l'*invite* à assister à une réunion avec des représentants du Soviet de Petrograd ? »

Le jeune officier se rendit compte de son erreur. « *Invité*, c'est une façon de parler. Son Altesse… je veux dire que le citoyen Romanov comprend parfaitement que les invitations sont formulées aussi longtemps qu'elles ne sont pas déclinées. »

Ils suivirent l'officier dans une série de couloirs garnis de tapis. À un moment, ils passèrent devant une grande baie qui donnait sur un jardin enclos dans lequel un marin immense poussait une brouette où se trouvait un jeune garçon. Ils entendirent l'enfant crier de plaisir quand le marin fit semblant de le renverser. « C'est le prince héritier Alexeï », dit Lili à Zander. D'un côté du jardin, trois adolescentes portant des robes de dentelle blanche, des blouses blanches et de courtes capes doublées de fourrure jouaient au croquet. « Celle qui balance le maillet est Anastasia. À sa gauche, sa sœur Marie. Derrière, la troisième sœur, Tatiana. » Une quatrième fillette tenant un chien en laisse entra dans le jardin par une petite porte. « Et celle-ci, c'est Olga. »

Le lieutenant haussa les sourcils de surprise.

« Vous connaissez les membres de la famille royale ?

— C'est pourquoi j'ai été choisie pour cette mission », dit Lili. Et, regardant Zander en face : « Quand j'étais très jeune je fréquentais les cercles aristocratiques. Anastasia était une amie d'enfance. Une fois, elle a passé deux semaines de vacances dans le domaine de mon grand-père. Nous dormions dans la même chambre. Une autre fois, j'ai pris le thé avec elle et sa famille au Palais d'Hiver. »

L'homme connu sous le nom de citoyen Romanov apparut ponctuellement. Comme la pendule de la salle de musique sonnait le quart d'heure, un huissier ouvrit en grand la double porte de la pièce et l'ancien tsar entra. D'un geste de la main, il renvoya le serviteur qui franchit la porte et la referma sans bruit derrière lui.

Le citoyen Romanov avait beaucoup vieilli durant les derniers mois et ressemblait à peine aux photographies que Zander avait vues. Il avait le visage mince, les joues creuses, les épaules voûtées. Il paraissait avoir du mal à accommoder. Il clignait beaucoup des yeux, comme par un tic nerveux. Il portait un pantalon militaire ordinaire enfoncé dans d'élégantes bottes de feutre, et une tunique blanche d'officier, à martingale, tachée aux manches. Quand il vit Vasia installer son appareil sur un trépied, il se tourna vers le lieutenant et dit avec reproche :

« Si vous m'aviez informé de leur intention de prendre des photographies, j'aurais changé de tenue.

— Les photos, citoyen Romanov, expliqua Lili, ne sont pas destinées à la publication, mais aux membres du Soviet qui sont impatients d'avoir la preuve que vous êtes toujours ici.

— Et où serais-je ? » demanda Nicolas avec hauteur. Il s'assit brusquement sur un tabouret devant le piano à queue, le fit pivoter d'un demi-tour et s'arrêta face à ses visiteurs, qui étaient côte à côte devant lui sur un canapé au milieu de la pièce. Il croisa ses longues jambes, prit une cigarette dans un étui en argent, la tapota plusieurs fois pour tasser le tabac et l'alluma.

« Il y a eu des rumeurs », dit vaguement Lili. Elle faisait référence à une histoire selon laquelle l'ambassadeur anglais à Petrograd avait offert asile en Angleterre à Nicolas. Des plans avaient été faits pour envoyer les membres de la famille royale à Mourmansk, où ils embarqueraient sur un cuirassé britannique. Au dernier moment, le Soviet en entendit parler, souleva une tempête de protestations – et envoya Lili à Tsarskoïe Selo pour confirmer la présence du citoyen Romanov.

L'ancien tsar rit avec gêne.

« J'ai entendu ces rumeurs, selon lesquelles je m'étais envolé sur mon tapis volant vers un des châteaux de mon cousin en Angleterre. » Nicolas secoua la tête devant l'absurdité de l'idée. « Si je dois aller quelque part, je préférerais de loin mon domaine de Crimée. Mais il n'est pas certain qu'on me donne le choix. » Nicolas tira sur sa cigarette et exhala la fumée par les narines. « Je voulais vous demander ce que vous avez fait, concernant la plainte que j'ai déposée auprès du colonel de la garde avant-hier.

— Nous ne sommes pas venus ici pour discuter de…

— On m'a dit que les responsables étaient une bande de soldats », poursuivit Nicolas. Il semblait pour la première fois réellement intéressé par la conversation. « Ils ont sorti le cercueil de Raspoutine de sa niche dans la chapelle, enlevé le corps, l'ont trempé dans de l'essence et l'ont brûlé sur un bûcher. Je suis parvenu jusqu'à présent à cacher la nouvelle à ma femme et à mes enfants, mais ils finiront par l'apprendre.

Ah, mon pauvre Raspoutine ! Il ne suffisait pas de le tuer – il leur fallait profaner son corps. J'insiste fermement pour que les responsables soient identifiés et sévèrement punis.

— Citoyen Romanov, regardez par ici », lui ordonna Vasia. L'ancien tsar pivota d'un quart de tour vers l'appareil photo, ses yeux aux paupières lourdes presque fermés, et Vasia appuya sur le bouton qui enflammait le magnésium. L'éclair fit tressaillir Nicolas.

Il refit face à Lili.

« À propos de ma plainte.

— Elle sera évoquée devant les instances appropriées du Soviet, lui assura-t-elle. Avez-vous des commentaires à faire sur la façon dont vous ou votre famille êtes traités ?

— Des commentaires ? Non, pas de commentaire. Tout le monde est très courtois, très correct. J'aimerais avoir accès à plus de livres…

— Êtes-vous, et les membres de votre famille, en bonne santé ?

— Je pense qu'on peut dire que nous sommes en bonne santé, oui.

— À quoi occupez-vous votre temps, ici ? »

Zander remarqua que Nicolas regardait furtivement dans la direction de Lili comme si elle éveillait un souvenir en lui.

« Je coupe du bois de chauffage », dit le citoyen Romanov. Ses yeux s'ouvrirent plus grand. « J'enseigne l'histoire et la géographie au petit Alexeï. Je lis beaucoup… Fais-je erreur en pensant que nous nous connaissons ? Nous sommes-nous déjà rencontrés ? »

L'éclair de magnésium explosa comme Vasia prenait une photo du profil de l'ancien tsar. Surpris, Nicolas se tourna vers lui et lui demanda avec froideur : « Avez-vous fini ? »

Vasia commença à démonter la caméra du trépied. « J'ai ce qu'il me fallait », dit-il à Lili.

Le citoyen Romanov, distrait par la dernière photo, oublia sa question à Lili.

« Où en étais-je ? demanda-t-il.

— Je crois que nous aussi avons ce qu'il nous fallait », dit Lili au jeune officier.

Elle se leva et se dirigea vers la porte. Son départ soudain était destiné à faire comprendre à Nicolas qu'il était là par son bon plaisir à *elle*. Zander se leva pour la suivre.

Nicolas, toujours assis sur le tabouret de piano, les héla :

« Combien de temps dois-je rester prisonnier ici, pouvez-vous au moins me dire ça ? » La question ouvrit les vannes. « Je n'ai pas l'intention d'offenser les nouvelles autorités de Petrograd, loin de là. Mais à quoi cela sert-il… J'ai abdiqué légalement et dans les formes… J'ai même abandonné toute prétention de mon fils au trône… Le garçon ne va pas bien, vous savez... de l'hémophilie... Il aura assez de mal à mener une vie normale sans assumer les responsabilités d'un tsar... Ce n'est pas que nous ne soyons pas bien traités... C'est l'incertitude... oui, l'incertitude... Nous ne sommes pas indifférents à l'hostilité à notre personne qui est évidente dans certains cercles... Je ne porte pas d'accusations... ne me plains pas. J'expose seulement les faits... »

De retour dans l'entrée, ils furent surpris de voir des sandwiches et du cidre posés sur une table. Plusieurs officiers, portant tous des tuniques blanches à martingale, tous jeunes, s'adossaient aux murs. « Les sandwiches sont pour vous », dit l'un d'entre eux. Zander murmura à Lili qu'ils devraient partir immédiatement afin de parcourir une partie du chemin avant la tombée de la nuit. Mais elle répondit qu'ils ne pouvaient guère refuser cette démonstration d'hospitalité.

Quand ils revinrent enfin à la Mercedes, ce fut pour découvrir qu'un des pneus était à plat et que les outils nécessaires pour monter la roue de secours manquaient. Vasia parvint finalement à en emprunter au conducteur d'un camion de l'armée qui livrait du bois de chauffage aux casernes des gardes, mais quand ils eurent changé la roue et rendu les outils, le soleil disparaissait derrière la forêt de bouleaux blancs qui entourait Tsarskoïe Selo. Ils discutèrent pour savoir s'ils passeraient la nuit sur place et repartiraient le lendemain matin ; conduire de nuit sur une route dans cet état pourrait facilement rompre un essieu. Vasia était partisan de rester, mais Lili et Zander en avaient assez de leur compagnie respective et leur vote l'emporta. Lili alluma les phares et, contournant les nids-de-poule qu'elle pouvait voir, partit vers Petrograd.

Ils avaient pris la route depuis dix minutes quand deux automitrailleuses, sirènes hurlantes, des gaz d'échappement jaillissant derrière elles, dépassèrent à vive allure la Mercedes. Quelques moments après, une Rolls Royce et une Pierce-Arrow, roulant toutes deux avec les phares tamisés, les doublèrent. Lili ralentit pour éviter la poussière soulevée par les voitures lancées à pleine vitesse.

« Il y a beaucoup de circulation pour cette heure-ci, commenta Vasia, mal à l'aise. Qu'est-ce que vous croyez que ça veut dire ?

— Il se passe peut-être quelque chose à Petrograd », dit négligemment Lili, mais elle saisit fermement le volant et essaya de percer du regard la poussière qui tourbillonnait dans leur sillage.

Et soudain, dans un virage, les phares de la Mercedes, traversant la poussière, se fixèrent sur une large masse. Les automitrailleuses s'étaient arrêtées au milieu de la route, la bloquant. Leurs phares s'allumèrent, éblouissant les occupants de la Mercedes. Lili eut un hoquet de surprise, freina et passa en marche arrière, mais deux autres voitures, sorties en rugissant d'un chemin forestier, coupèrent la voie. Zander arracha son pistolet du holster en bois et aperçut du coin de l'œil Lili essayer désespérément d'attraper le sien dans la poche de son manteau.

Dehors, quelqu'un appuya sur un klaxon. Il y eut des cris et des jurons comme une demi-douzaine d'hommes en tunique blanche descendaient le talus de chaque côté. En une seconde la Mercedes, prise sous les feux de huit phares, fut entourée par des hommes qui pointaient des pistolets aux vitres. Un officier trapu leva le museau d'une mitrailleuse qu'il appuyait sur sa hanche ; Zander vit un rayon de lumière rebondir sur la bande de balles qui traînait par terre.

Les assaillants n'étaient que des silhouettes dans la lumière crue des phares.

« Ne tirez pas, pour l'amour du ciel, cria Vasia du siège arrière.

— Baissez les vitres et jetez vos armes », ordonna une voix.

Lili soupesa son pistolet nickelé.

« Ils vont nous tuer de toute façon – nous pourrions aussi bien ne pas mourir comme des moutons. » Mais sa voix était mal assurée, elle regarda Zander pour obtenir confirmation.

« S'ils voulaient nous tuer, ils auraient commencé à tirer à partir des bois quand nous nous sommes arrêtés, dit-il.

— Vous avez dix secondes pour obéir, cria la voix dans les ténèbres.

— La nourriture qu'ils nous ont offerte. Le pneu à plat. » Lili secoua la tête, de colère. « Si nous étions repartis quand tu le voulais…

— Tu ne pouvais pas savoir », dit Zander.

Vasia hurla : « Je me rends ! » Il saisit la poignée et descendit la vitre. Une bouffée d'air glacé remplit la Mercedes pendant qu'il jetait par la fenêtre le pistolet contenu dans son sac de photo. Lili haussa les épaules, résignée, et suivit son exemple. Zander tendit le bras devant elle et jeta son arme de son côté. Les portes furent violemment ouvertes. Des mains brutales les arrachèrent tous trois de la Mercedes. Quelqu'un eut un rire vicieux. Des moteurs toussèrent, puis démarrèrent. L'officier qui tenait la mitrailleuse en enfonça le canon dans la poitrine de Lili et lui cracha au visage. Quelqu'un frappa Zander sur la tête avec une épaisse chaussette de laine remplie de cailloux.

Zander se réveilla sur le plancher d'une automitrailleuse, sur le ventre, les bras liés derrière le dos aux poignets et aux coudes. Le véhicule filait sur la route ; à chaque nid-de-poule, son visage venait frapper le métal. Il crut sentir du sang couler sur sa joue. Un élancement de souffrance lui traversa la tête – et il s'évanouit de nouveau.

La fois suivante où il reprit conscience, plusieurs officiers le poussaient et le tiraient pour lui faire descendre un escalier de pierre. Il pensa entendre la voix de Lili quelque part devant lui, disant : « Va te faire foutre, espèce de fils de… », mais le monde se mit à tournoyer comme la toupie de Mélor, il s'enfonça dans le noir et reperdit connaissance.

Quand il revint à lui de nouveau, il se trouva dans un monde crépusculaire, ni complètement éveillé ni complètement endormi. Il était attaché à un pilier de bois dans une pièce si obscure qu'il avait l'impression de flotter dans l'espace. Son pouls se répercutait sous son crâne. De temps en temps, il entendait des bruits de trottinement, comme si des rats se précipitaient d'un trou à un autre. Il entendit finalement un faible sanglot et il murmura dans le noir : « Lili ? Vasia ?

— Alexander ? »

La voix de Lili. Mais il était si désorienté qu'il n'était pas sûr de l'avoir entendue ou imaginée.

La quatrième fois où il se réveilla, ce fut pour trouver quelqu'un qui lui baignait le visage avec de l'eau glacée. « Buvez », chuchota une voix. On pressa l'éponge contre ses lèvres desséchées. L'homme murmura : « Oui, bien que je marche dans la vallée…

— Prêtre, allez colporter vos prières ailleurs. » À nouveau la voix de Lili. Cette fois Zander en était certain.

« Ici, nous sommes tous morts, dit-elle amèrement.

— Non, non, ils n'ont pas l'intention de vous tuer », dit tout bas le prêtre.

Les yeux de Zander s'habituant à l'obscurité, il commença à distinguer la silhouette courte et encapuchonnée.

« Ils veulent… vous blesser… blesser deux d'entre vous et laisser le troisième ramener les autres à Petrograd… ils veulent terroriser les bolcheviks.

— Blesser ? Nous blesser comment ? » demanda Vasia mais, si le prêtre lui répondit, Zander ne l'entendit pas. Pesant contre ses liens, il se sentit s'évanouir.

« Alexander », l'appela Lili, « Alexan… Al… »

Il s'éveilla devant une demi-douzaine de lampes à pétrole qui jetaient une lueur jaune sur une pièce remplie de cadets en tunique blanche à martingale. Zander comprit qu'il était dans une cave à charbon ; d'un côté, il y avait des compartiments remplis de houille, avec au-dessus de chacun un toboggan de bois menant à une petite fenêtre fermée d'un volet. Des ombres rampaient sur les murs. Vasia était lié à un pilier, Lili à un second et Zander à un troisième, leur faisant face.

Le colonel, brandissant un sabre courbe de cavalerie dans sa main gantée, se tourna vers Vasia. « Ayez pitié, ayez pitié », sanglota-t-il pendant que le colonel coupait les boutons de ses bretelles. Son pantalon s'affaissa sur ses chevilles.

Un des jeunes officiers qui tenait une lampe à pétrole vit que Zander avait les yeux ouverts.

« Celui-ci est conscient, mon colonel, signala-t-il.

— Qu'il regarde, alors, ricana le colonel.

— Vous êtes des porcs, cria Lili, luttant contre les cordes qui l'attachaient au pilier, pour tuer un homme de sang-froid. »

Le colonel fit sauter de son sabre les boutons du caleçon de Vasia. « Qui prêterait attention à encore un bolchevik de mort ? » demanda-t-il avec pédanterie. Plusieurs des jeunes officiers rirent sous cape. La pointe du sabre tourna autour du pénis inerte de Vasia. Le colonel maniait l'arme avec autant de précision qu'une lame de rasoir. « Mais un bolchevik blessé... »

Vasia fixa des yeux terrifiés sur le sabre brillant.

« Vous ne feriez pas ça ? Oh, mon Dieu, vous ne feriez...

— Un bolchevik mutilé... » La cicatrice au-dessus de l'œil du colonel était rouge vif.

« Vous êtes un animal », lâcha Lili.

Le colonel souleva l'extrémité du pénis de Vasia de ses doigts gantés et abaissa le sabre.

« *Aiiiiiiiiii !* »

Le colonel se tourna vers les officiers, dont certains avaient pâli ; l'un d'eux, particulièrement jeune, vomit dans un seau à charbon.

« Voilà notre réponse à ceux qui veulent sortir la Mère Russie de la guerre, déclara-t-il. Ce sont des lâches – ils n'ont pas besoin de leur virilité. De toute façon, je l'ai seulement circoncis, pour ainsi dire. »

Le colonel trancha avec son sabre la corde qui attachait les mains de Vasia. Geignant comme un animal blessé, il s'effondra à genoux et ramena les pans de sa chemise sur la blessure pour étancher le sang.

Le colonel se tourna vers la princesse. La pointe de son sabre fit sauter les trois boutons supérieurs de son chemisier puis écarta celui-ci pour révéler un sein blanc. L'acier froid caressa un téton. Des sons inhumains sortirent du fond de la gorge de Lili.

Zander, luttant contre ses liens, essaya de se rappeler ce que le prêtre avait dit... quelque chose comme en blesser deux et laisser le troisième ramener les autres à Petrograd. La douleur lui emplissait la tête. Il avait l'impression que son crâne était fracturé et que sa cervelle coulait avec ses pensées. Puis le brouillard se leva et ce qu'il devait faire lui devint parfaitement clair.

« Votre colonel est fou », annonça-t-il d'une voix faible.

Les jeunes officiers le regardèrent, surpris de l'entendre parler.

« C'est aussi un lâche, le provoqua Zander. Il trouve facile de s'attaquer à une femme ligotée et sans défense. Il n'a pas le courage d'affronter un homme. »

Lili fixa Zander. « Tu n'as pas le droit de prendre sur toi ce qui m'était destiné. »

Le colonel, le visage perdu dans l'ombre où seule était visible la lueur des yeux, s'écarta lentement de Lili.

Zander se sentit partir de nouveau.

« Vous êtes un sadique, un lâche », se moqua-t-il pendant que le colonel avançait vers lui.

Lili hurla : « Porc, reviens ! », mais elle vit que le colonel avait les yeux fixés sur Zander. « *Je te hais !* » cria-t-elle – non pas au colonel, mais à Zander.

« Plus de lumière », ordonna le premier. Un des officiers s'approcha avec une lampe à pétrole. Le sabre coupa les boutons des bretelles de Zander, puis ceux de sa braguette. Son pantalon tomba à terre. De l'autre côté de la pièce, Vasia sanglotait doucement.

« Si tu es un de ces bolcheviks youtres, déjà circoncis, siffla le colonel, je trancherai tout. »

Le jeune officier approcha en tremblant la lampe de l'entrejambe de Zander. « C'est bien un youtre. »

Le colonel saisit la lampe et la posa aux pieds de Zander. Puis il tendit la main et lui prit le pénis.

« Dis à tes amis de Petrograd, gronda-t-il, qu'avant d'en avoir fini nous trancherons toutes les bites bolcheviks du pays. »

Zander ouvrit la bouche et hurla, mais son cri se perdit dans l'explosion, bien qu'il fût incapable de dire si elle venait de l'intérieur ou de l'extérieur de sa tête. Il y eut ensuite une série d'échos qui disparurent progressivement, ne laissant que les ténèbres et le vide de son imagination brisée.

CHAPITRE VI

« Il faut que tu parles fort, fiston, si tu veux que je t'entende », cria Hippolyte Evgenevitch.

Mélor n'osait pas hurler parce qu'il ne voulait pas que quelqu'un surprenne la conversation. Il fit un porte-voix de ses mains et envoya ses mots dans l'oreille du vieil homme.

« Vous voulez peut-être acheter une photo de la princesse Lili sans vêtements ? »

Les yeux d'Hippolyte s'étrécirent de méfiance.

« Et où as-tu mis tes sales petites pattes sur une chose pareille ?

— Où je l'ai trouvée, lui dit Mélor avec hauteur, c'est mon secret. Vous voulez l'acheter ou vous ne voulez pas, alors ?

— Il faut que je voie la marchandise avant de prendre ma décision. »

Mélor grimaça en réfléchissant à la question, puis glissa de mauvais gré la main sous sa chemise et tendit la photo à Hippolyte. Un sourire lascif lutta avec les rides sur les traits du vieil homme.

« Je te donnerai un rouble en échange, annonça-t-il finalement, et il se mit à chercher une pièce dans son porte-monnaie.

— Un *minable* rouble ! » L'embryon d'instinct commercial de Mélor était en plein essor. « C'est de l'exploit… exploit… » Mélor avait du mal à se rappeler le mot. « *Exploiteration* !, voilà ce que c'est. Un rouble ! Mais elle n'a même pas de poils sur le con !

— Deux roubles alors, lâcha le vieil homme, irrité. Je n'achète ceci que parce que ça ne devrait pas être entre les mains d'un mineur.

— Sûr, Grand-papa », rit Mélor en empochant l'argent et en se glissant vers la porte. « C'est pour faire bander le prolétariat, comme si je ne le savais pas. »

Hippolyte ferma son verrou dès que le garçon fut sorti de la pièce et s'assit sur le siège près de la fenêtre pour étudier la photo. Il la tint à bout de bras, essayant d'accommoder. Lili était belle, aucun doute. Ses yeux, légèrement bridés à l'asiate, regardaient droit dans l'appareil, comme si elle le défiait dans une lutte de volontés. Ses seins étaient plats, avec de larges aréoles, et un autre homme aurait pu y voir un défaut, mais Hippolyte avait toujours été en faveur des femmes aux petits seins. Quant à l'absence de poils pubiens, cela lui rappela, en un éclair de souvenir, la fois où il avait perdu sa virginité. Il était alors un chercheur d'or de vingt ans, grand, maigre et laconique, qui prospectait les déserts sibériens, et il avait séduit la fille illégitime de la cuisinière de l'expédition, une enfant décharnée qui prétendait avoir quatorze ans, bien que tout le monde l'eût suspectée d'ajouter un an ou deux à son âge. Maintenant, fixant la photo de Lili, Hippolyte essaya de se remettre en mémoire *cette* érection, mais même quelque chose d'aussi simple semblait au-delà de ses possibilités. Non pas qu'il regrettât son échec. Il y voyait le seul avantage de la vieillesse. Quand il était jeune, tant de choses – toutes ! – étaient imprégnées d'un élément sexuel. Avec l'âge, cette dépendance absolue vis-à-vis du sexe comme stimulant s'était évanouie. Les événements quotidiens, sans parler des gens, apparaissaient sous un jour plus calme, plus sensé. Il appréciait les femmes pour leur camaraderie plus que pour leur silhouette ou leur disponibilité. Déshabiller en imagination toute femme qu'il rencontrait ne l'obsédant plus, il pouvait faire réellement attention à ce qu'elles disaient. En supposant qu'il l'entende. Ah, si seulement il avait assez d'argent pour s'offrir le cornet acoustique en cuivre massif qu'il avait vu en vente au vieux marché derrière la cathédrale Kazan, il n'aurait pas à demander aux gens d'élever la voix. Entendre une conversation entière au lieu d'une phrase ici et là, savoir pour quoi il votait au lieu de lever la main avec la majorité – ce serait meilleur que toutes les érections qu'il eût jamais eues.

Il regarda de nouveau la photo de la princesse. Cela lui donna une idée. Pourquoi n'y avait-il pas pensé plus tôt ? La photo de la sœur du prince Ioussoupov, l'homme qui avait abattu Raspoutine, nue comme au jour de sa naissance, pourrait avoir de la valeur pour quelqu'un. Lili elle-même ne le saurait jamais. Même si elle l'apprenait, elle ne s'en soucierait sans doute pas du moment que c'était pour une bonne cause.

Hippolyte glissa soigneusement la photo dans la poche intérieure de sa veste et commença à lacer ses bottines. S'il avait cru en Dieu, ce qui n'était pas le cas, il aurait dit que la photographie de la princesse nue était un cadeau de la providence.

À part quelques vieillards récupérant des poissons pourris dans les poubelles, le marché derrière la cathédrale Kazan était presque désert ;

les légumes, les poulets vivants et le poisson frais qui étaient arrivés en petites quantités de la campagne autour de Petrograd avaient été vendus depuis longtemps, et les seuls éventaires qui restaient proposaient des articles ménagers d'occasion, et des brides, des selles et des médailles mises en gage par des soldats affamés. Hippolyte se coula vers le stand où il y avait le cornet acoustique, ramassa quelques rouleaux de piano mécanique et se mit à les faire tourner dans sa main machinalement.

« Ne touchez pas à la marchandise si vous n'êtes pas acheteur », grinça le marchand derrière le comptoir, un Ouzbek très gras portant un costume de ville en lambeaux et une calotte brodée traditionnelle.

« Parlez plus fort », dit Hippolyte en se mettant la main en coupe derrière l'oreille.

« J'ai dit, ne touchez pas à la marchandise, cria l'Ouzbek, si vous n'êtes pas acheteur.

— Et si j'étais vendeur ? » demanda Hippolyte avec espoir.

Le gros homme découvrit ses dents comme un animal sur le point de tuer.

« Tout dépend de ce que vous avez à vendre, bien sûr. »

Hippolyte l'attira dans un coin et sortit la photo de Lili de sa poche. L'Ouzbek glissa une paire de lunettes à monture d'or sur son nez et l'examina. Un lent sifflement indistinct filtra entre ses dents.

« C'est une photo de la princesse…, commença Hippolyte, mais l'Ouzbek lui coupa la parole d'un geste.

— Ça n'a aucune valeur, mais je vous en donne quand même un rouleau de piano mécanique. »

Hippolyte secoua vigoureusement la tête.

« Non, non…

— Deux rouleaux alors, cria l'Ouzbek, mais c'est ma dernière offre.

— Comment est-ce que j'entendrais un piano mécanique ? » demanda Hippolyte, déçu.

L'Ouzbek finit par comprendre ce que le vieil homme voulait.

« Le cornet acoustique vaut beaucoup plus qu'une photo. »

Le visage d'Hippolyte se défit. Il commença à remettre la photographie dans sa poche.

« Laissez-moi regarder encore », dit l'Ouzbek. Il tint la photo à la lumière et la fixa avec des yeux exorbités. Ses larges narines se dilatèrent comme s'il avait senti un effluve du parfum de la femme. « Par déférence pour votre âge et votre condition physique, cria l'Ouzbek, j'accepte le marché. »

Hippolyte saisit le cornet, fit briller le cuivre sur sa manche et le porta délicatement à son oreille.

« Vis centenaire, vieil homme, si tu en as le courage », cria joyeusement l'Ouzbek en glissant la photo dans un portefeuille en cuir.

Les plis d'un sourire bénin prirent position, comme une armée d'occupation, sur le visage d'Hippolyte.

« Inutile de hurler, dit-il à l'Ouzbek avec une grande dignité. Je vous entends parfaitement bien. »

La lumière qui passait par les fentes du volet illuminait des particules de poussière qui s'élevaient lentement. Une main de femme lui baignait le front avec un morceau de tissu humide.

« Ouvert les yeux… »

« Fiévreux… »

« Commotion… »

« Il faut espérer… »

« Si seulement il guérit, j'abandonnerai le sexe… »

« Alexander, est-ce que tu entends… »

Zander referma les yeux. Derrière ses paupières, il voyait Abner tendre les bras et laisser doucement tomber la fille qu'il aimait vers sa mort.

Une lumière tremblotante maintenant. Un mur animé d'ombres. Il avait la tête lourde. Il leva la main et sentit… des bandages. Il était peut-être encore en vie, se dit-il. C'était une possibilité à considérer. Il bougea la tête sur l'oreiller. La flamme d'une bougie arriva dans son champ de vision. Pour quelqu'un qui pensait ne jamais rien revoir, c'était douloureusement beau. À côté de la bougie se tenait une femme, son dos nu tourné vers lui. Il lui sembla que c'était peut-être sa mère. Quand elle se tournerait, il lui demanderait pourquoi elle n'avait pas fait signe du bras. Plongeant une éponge dans une cuvette, la femme se lavait les aisselles. Elle bougeait comme la flamme. Comme la flamme, elle était douloureusement belle.

La bougie s'éteignit. Ou bien ses yeux se fermèrent. Il se dit qu'il pourrait rallumer la bougie en ouvrant les yeux. Il lutta pour les ouvrir, pour voir la flamme, la femme. Mais ses paupières étaient si lourdes… Il devait se contenter du souvenir de la flamme, du souvenir de la femme.

Peut-être était-ce ce en quoi consistait la mort, pensa-t-il : toujours, et seulement, se souvenir…

CHAPITRE VII

Arishka tira sa cape de cosaque sur ses seins jusqu'à ce que ses orteils soient découverts au pied du lit. Elle les agita gaiement contre la cuisse de Tuohy en l'examinant.

« *Nevozmozhno*, dit-elle.

— Ça veut dire *impossible*, répondit Tuohy en anglais.

— Im-puss-i-bull, répéta-t-elle avec un petit rire.

— Quoi d'autre ? demanda-t-il.

— *Doloi voinu*, offrit-elle.

— En anglais, *Down with the war*[1].

— Down wit de wor. »

Tuohy tira sur le bas de la cape jusqu'à ce que ses seins soient de nouveau visibles.

« Laisse ça tranquille, *drouzhok*, j'aime regarder tes mamelons, dit-il.

— Dis-moi quelque chose, Americanitz. Quand t'es-tu pour la première fois mis dans la tête que tu voulais coucher avec moi ?

— Eh bien, quand je t'ai vue pour la première fois assise derrière cette table à l'entrée de l'hôtel Kshesinskaïa, déclara Tuohy avec un sourire désarmant. J'ai vu le sac d'oignons à tes pieds et mon cœur a raté un battement. Je ne peux pas résister à une odeur d'oignons sur l'haleine d'une femme.

— Tu es un jeune homme impossible, conclut la jeune femme. Tu n'es jamais sérieux. » Arishka pencha la tête d'un air impertinent. « Tu es très différent de mon mari.

— Et où est-il maintenant, ce mari ?

---

1 À bas la guerre.

— Sur le front, dit-elle, soudain sombre. C'est un agitateur bolchevik au 443ᵉ régiment de la 110ᵉ division. » Ses yeux parurent faire le point sur une pensée. « Si jamais tu visites ce régiment, tu ne pourras pas le manquer. Il a de longs cheveux qu'il se noue sur la nuque. Il a fait le vœu de ne pas les couper tant que des soldats russes mourraient dans une guerre capitaliste.

— Tu l'aimes, n'est-ce pas ?

— Bien sûr que je l'aime !

— Et tu couches avec d'autres hommes ? »

La jeune femme regarda Tuohy en face.

« Bien sûr que je couche avec d'autres hommes. J'ai vingt-trois ans. Mon mari est parti depuis vingt-huit mois. »

Quand il se présenta au quartier général bolchevik le lendemain matin, Tuohy fut convoqué dans le bureau de Staline.

« Pendant que d'autres affrontaient la rigueur des cafés de l'Europe », sermonnait-il une personne invisible quand Tuohy ouvrit la porte du bureau, « j'ai passé quatre ans à Turokhar en Sibérie du Nord. En hiver, la température descendait à moins 40° centigrades. À moins 40° les ongles cessent de pousser. La merde gèle avant de toucher le sol. On faisait sauter des éclats de lait gelé et on les suçait jusqu'à ce qu'ils nous fondent dans la bouche. L'arrivée de la cargaison de vodka était l'événement le plus important de l'année. Une procession guidée par un prêtre portant une croix allait accueillir le wagon qui la transportait. Vous m'imaginez suivre un prêtre avec une croix ? Eh bien, je l'ai fait. Merde, j'aurais rampé pour avoir ma ration de vodka. Et maintenant nous prenons le thé comme des messieurs et des dames, et nous discutons de mots savants comme si ça pouvait lancer les masses dans la révolution et que nous n'ayons qu'à nous accrocher à leurs basques. » Staline aperçut Tuohy appuyé au mur. L'attrapant rudement par le coude, il le fit sortir de la pièce et l'entraîna vers la fenêtre au bout du couloir.

Parlant russe avec son accent géorgien habituel, Staline dit : « Il paraît qu'une fois vous avez éliminé un traître à New York ? »

Tuohy ne cilla pas.

« Où avez-vous obtenu cette information ?

— J'entends dire des choses. Voilà l'histoire : nous avons des comptes dans plusieurs banques de Petrograd sur lesquels nos amis allemands nous font parvenir de l'argent depuis Stockholm. Ils sont au nom d'un bolchevik qui s'appelle Alexinsky. Gregory Alexinsky. Nous avons des raisons de croire qu'Alexinsky est sur le point de se rallier à Kerenski. Si le gouvernement provisoire obtient cette information, nous sommes foutus. » Staline en arriva à l'essentiel. « Alexinsky arrive de Moscou par le train cet après-midi. Il transportera des bijoux de famille dans une mallette. Vous devez veiller à les prendre.

— Je ne comprends pas. Vous voulez que je le dévalise ou que je le tue ?

— Les deux. Comme ça, il ne se plaindra pas d'avoir été dévalisé. Les paysans ont un dicton : "Un homme décapité ne se plaint pas de ses cheveux." » Staline eut un rire guttural qui sonnait comme s'il s'éclaircissait la gorge. « Veillez à jeter les bijoux dans la rivière. La mallette disparue, le motif semblera être le vol, mais nous ne voulons pas prendre le risque que sa mort puisse être reliée à nous par l'intermédiaire des joyaux. Dès que vous aurez réussi, vous devrez disparaître de la scène jusqu'à ce que les choses se calment. Trotski part ce soir pour faire un tour du front. Je me suis arrangé pour que vous l'accompagniez en tant que garde du corps. » Staline pencha la tête de côté et ajouta : « Occupez-vous bien de ce travail et je ne l'oublierai pas. »

Staline lui avait donné une excellente description d'Alexinsky, aussi Tuohy n'eut-il aucun mal à l'identifier quand le train de Moscou s'arrêta à la gare dans l'après-midi. Le quai était bondé de soldats et de marins en permission, de paysannes qui traînaient de gros sacs de toile, et il y avait aussi une file de religieuses, dont le visage se perdait dans l'ombre des cornettes, en pèlerinage aux lieux sacrés de Petrograd. Alexinsky, grand, mince, portant un manteau avec un col de vison et des vernis italiens pointus, serrait une mallette contre son corps et se battait avec une lourde valise de cuir.

Tuohy lui barra le chemin.

« Camarade Alexinsky, dit-il d'une voix respectueuse, je vous accueille au nom du ministre de la Justice du gouvernement provisoire, Alexandre Kerenski. Laissez-moi porter cette valise. »

Une expression de doute passa sur le visage d'Alexinsky, puis se transforma instantanément en un sourire de remerciements.

« Comme c'est aimable de la part de Kerenski, dit-il. Mais comment savait-il quand je devais revenir à Petrograd ? »

Tuohy souleva la valise et emboîta le pas à Alexinsky.

« Il se passe très peu de chose que Kerenski ne sache pas », dit-il sans autre précision.

Les yeux d'Alexinsky se posèrent d'un air méfiant sur Tuohy.

« Vous parlez russe avec un léger accent ?

— Je suis à moitié anglais », expliqua-t-il.

Comme Staline l'avait prévu, ce détail sembla apaiser les inquiétudes d'Alexinsky ; les Anglais étaient connus pour être favorables à Kerenski.

À l'extérieur, Tuohy guida Alexinsky à travers un groupe désordonné de paysans qui faisaient du thé sur de petits feux de bois, jusqu'à la Pierce-Arrow à deux sièges qu'il avait « empruntée » pour l'occasion. Il posa la valise de cuir dans le compartiment à bagages et tint la porte ouverte pour Alexinsky, qui serrait toujours sa mallette sous un bras.

« Être accueilli par une auto ! plaisanta Alexinsky. C'est comme dans le bon vieux temps.

— Vous êtes un homme très important. Mes supérieurs sont prêts à se donner beaucoup de mal pour s'assurer qu'il ne vous arrive rien. »

Tuohy prit une route détournée, traversant des quartiers dégradés et des canaux perdus, restant tout le temps dans la direction générale du secteur de Vyborg. Alexinsky jetait des coups d'œil rapides aux petites rues étroites qui ne lui étaient pas familières.

« Où m'emmenez-vous ? demanda-t-il, faisant un effort pour que sa voix soit naturelle.

— Je suis désolé, je croyais vous l'avoir dit, dit Tuohy d'un air innocent. Le ministre veut vous voir immédiatement – quelque chose à propos de comptes bancaires à votre nom. Il m'a ordonné de faire un détour pour être sûr que vous n'étiez pas suivi. »

Tuohy tourna dans une voie latérale, étroite et mal pavée, qui partait de la rue Chukova, puis dans une allée de terre derrière une rangée d'étables abandonnées. Les ténèbres descendaient sur la ville quand il arrêta la Pierce-Arrow dans une étable délabrée dont la porte était ouverte. Il coupa le moteur.

« Et où est Kerenski ? demanda nerveusement Alexinsky.

— Il vous attend dans l'appartement en haut. » Tuohy ferma la porte de l'étable et tira le loquet. Puis il contourna l'auto vers Alexinsky.

Toute couleur avait disparu du visage de celui-ci, et ses mots se bousculaient. « Écoutez, je ne vous connais pas, mais vous avez l'air honnête. Nous pouvons peut-être nous entendre. Ça vaudrait la peine pour vous… »

Tuohy se contenta de sourire. « Citoyen Alexinsky, vous vous faites du souci pour rien. Croyez-moi, Kerenski vous attend à l'étage. Il vous considère comme un collaborateur important. »

Tuohy ouvrit la porte de la voiture, désigna de la tête l'escalier et sourit de nouveau. « Vous faites attendre le ministre. »

Alexinsky regarda autour de lui d'un air indécis, puis s'engagea avec précaution dans l'escalier qui grinça sous ses pas. Tuohy prit une cigarette, la tapa plusieurs fois contre l'étui et la mit dans sa bouche sans l'allumer. Il sortit son pistolet du holster en bois, visa le dos d'Alexinsky et pressa la détente. La détonation résonna comme un coup de fouet dans l'étable. Le corps d'Alexinsky fut projeté par la porte entrebâillée sur un plancher jonché de bouteilles de bière et de vieux magazines. Montant les marches deux par deux, Tuohy récupéra la mallette, retourna du pied Alexinsky sur le dos et lui saisit le poignet pour chercher le pouls. Quand il le trouva, il secoua la tête d'irritation. Les yeux d'Alexinsky s'ouvrirent soudain. Tuohy, le bras tendu, essaya d'enfoncer le canon de son pistolet allemand dans la bouche d'Alexinsky. Le blessé le supplia des yeux et serra les dents comme si son refus d'ouvrir la bouche pouvait le sauver.

« Demande grâce », ordonna Tuohy.

Alexinsky fit l'erreur de dire : « S'il vous plaît. » Quand sa bouche s'ouvrit, Tuohy y glissa profond le canon. Alexinsky s'étrangla, mais Tuohy, savourant le moment, ne tira pas.

« Camarade Alexinsky, il se passe très peu de chose à Petrograd que *Staline* ne sache pas », murmura-t-il durement.

Les yeux d'Alexinsky devinrent vitreux de terreur. Les doigts de Tuohy le picotaient, tant le sentiment de puissance – et le plaisir – qu'il éprouvait était grand. Souriant légèrement, il appuya sur la détente.

La nuit, ainsi qu'un fin brouillard moite venant de la Baltique, avait déjà recouvert la ville quand Tuohy, à pied, atteignit le pont Anitchkov, dont les chevaux de bronze terni se découpaient sur les dernières traces de gris à l'ouest. Tuohy s'arrêta au milieu du pont pour être sûr qu'il n'était pas observé, puis força la serrure de la mallette avec son couteau de poche et fit tomber le contenu dans les ténèbres en dessous de lui. Il jeta ensuite la mallette et prit le chemin le plus direct qu'il connaissait vers la maison d'Arishka.

« Americanitz, tu es trop brutal avec moi », se plaignit Arishka, après que Tuohy lui eut enlevé ses vêtements et eut lancé son assaut. Il se plaça de façon à lui faire faire quelque chose qu'elle n'avait jamais fait auparavant, mais elle résista. « J'ai entendu parler de cette chose, mais ça ne me tente pas, dit-elle de sa façon directe. »

Tuohy insista. Arishka serra les dents.

« Pour l'amour du ciel, s'exclama Tuohy, ça ne va pas te mordre. »

Arishka commit l'erreur de dire : « S'il te plaît, Americanitz... »

Tuohy se glissa entre ses lèvres ouvertes. Arishka s'étrangla. Fermant les yeux, indifférent à l'évidente panique d'Arishka, Tuohy revécut le meurtre d'Alexinsky jusqu'à ce que, souriant légèrement, il s'offrît à nouveau de presser la détente.

Sur le coup de minuit, Tuohy rejoignit la caravane de trois voitures parquées à la porte de Moscou au bout de Ligovsky Prospekt. Trotski, se battant avec un panier de pique-nique rempli de saucisses et de vin, apparut bientôt avec plusieurs agitateurs bolcheviks, et le convoi partit vers le front.

Trotski, qui n'était de retour à Petrograd que depuis peu – les Anglais l'avaient fait débarquer du *Christianiafjord* et l'avaient interné à Halifax pendant un mois avant de l'autoriser à continuer vers la Russie –, se pelotonna sur le siège arrière, se mit des tampons de coton dans les oreilles et sombra dans un profond sommeil. Tuohy conduisit jusqu'à ce qu'il commençât à s'assoupir, puis changea de place avec des propagandistes et s'endormit d'un sommeil agité sur le siège du passager, la tête heurtant la fenêtre chaque fois que la voiture franchissait un nid-de-poule.

Dans les jours qui suivirent, la caravane de Trotski explora le paysage lunaire de la Russie en guerre. Les marques des batailles et de la destruction étaient partout – et c'était pire que ce que Tuohy s'était imaginé. Des villages entiers avaient été dévastés par d'énormes obus allemands. Les routes étaient encombrées de réfugiés qui, craignant une nouvelle attaque ennemie, avaient chargé leurs biens sur des charrettes à bras et étaient partis vers l'est. Le convoi dépassait parfois des poignées de prisonniers autrichiens qu'on éloignait du front ; une fois, ils virent même un prisonnier allemand portant un grand manteau et le casque à pointe caractéristique.

Tard un soir, le groupe de Trotski bivouaqua au bord d'une rivière, en face d'un hôpital sur l'autre rive, et dans la matinée Tuohy traversa pour flirter avec une infirmière anglaise qu'il avait vue la veille. Il arriva à temps pour l'enterrement d'un soldat adolescent qui avait succombé à des blessures de shrapnel. Le corps avait été enveloppé dans un drap et placé dans un cercueil. Un prêtre, la voix éraillée à force de célébrer des funérailles, prononça des prières au-dessus du cercueil qui grouillait de mouches. Enfin, quelqu'un eut le bon sens de clouer le couvercle. Tuohy, se glissant plus près de l'infirmière anglaise, crut entendre les mouches emprisonnées bourdonner en essayant de sortir.

L'après-midi, ils déjeunèrent dans une cantine mobile avec ses fours à pain de plein air alignés près de là, de la fumée s'échappant de leurs cheminées d'étain. Plus tard, les trois voitures du convoi franchirent sur un bac une rivière à côté d'un pont détruit. Ils dépassèrent des rangées de fil de fer barbelé enchevêtrées, tendues devant un réseau de tranchées fraîchement creusées, qui avaient été préparées comme position de repli au cas où le front lui-même céderait. Derrière une grange, ils trouvèrent des centaines de fusils, pour la moitié rouillés et inutilisables, appuyés contre un mur ; ils avaient été récupérés sur le champ de bataille et laissés à la disposition des nouvelles recrues qui arrivaient sans armes. La caravane contourna une troupe de soldats presque enfants qui pliaient sous le poids de leurs fusils et de leurs sacs ; ils se dirigeaient vers le front pour relever une unité de ligne.

Chaque fois que le convoi rencontrait une unité, quelle qu'en fût l'importance et quelle que fût l'heure, Trotski émergeait du siège arrière de son auto, montait sur une caisse de munitions ou un cercueil et, la lumière se reflétant sur son pince-nez, attaquait le gouvernement provisoire pour son incapacité à sortir la Russie de la guerre. Cependant, la propagande n'était pas le motif principal du voyage. Trotski avait été envoyé pour évaluer l'humeur des troupes au front. Si on en arrivait à une confrontation, les soldats du rang soutiendraient-ils la poignée de bolcheviks qui avait l'intention d'en finir avec la guerre, ou leurs officiers qui voulaient imposer la discipline militaire et continuer le combat ?

Un genre de réponse se présenta à l'improviste un soir où Trotski et son entourage partageaient avec des soldats une soupe aux choux aqueuse, réchauffée sur un feu de camp, à l'arrière du front. Le régiment avait reçu l'ordre de rejoindre les tranchées qui faisaient face aux Allemands. Le Soviet du régiment, dominé par les bolcheviks, protesta. « Nous en avons fini de répandre notre sang, cria un des jeunes bolcheviks, pour que les capitalistes de Moscou et de Petrograd puissent engraisser leurs comptes bancaires. »

Le colonel, un officier décharné à la poitrine pleine de médailles, apparut peu après. « Soldats, dit-il d'une voix forte, le jour où le tsar a déclaré la guerre à l'Allemagne, il a récité le serment d'Alexandre Ier lors de l'invasion de notre mère patrie en 1812. » Le colonel leva le menton et se mit à déclamer : « Je jure solennellement... »

Dans les ombres derrière les feux de camp, une poignée de soldats se levèrent et accompagnèrent leur colonel dans le serment.

« ... que je ne ferai jamais la paix... »

Il y avait maintenant plusieurs dizaines de soldats sur leurs pieds, et la voix du colonel se perdait dans le chœur.

« ... aussi longtemps qu'un de nos ennemis est sur le sol de... »

Soudain, le jeune bolchevik qui avait parlé plus tôt sortit des ombres et plongea une baïonnette dans l'estomac du colonel. Il la retira et s'éloigna calmement. Du sang jaillit sur la tunique du colonel. Il vacilla et s'effondra. Plusieurs officiers subalternes qui regardaient à distance coururent à leurs chevaux et s'enfoncèrent au galop dans la nuit.

Les agitateurs bolcheviks de Petrograd essayèrent de convaincre Trotski qu'il serait plus sage pour eux de partir immédiatement, et Tuohy appuya la proposition de tout son cœur. Mais Trotski était inflexible : il voulait observer par lui-même ce qui se passerait.

Une heure plus tard, Tuohy entendit des moteurs. Des phares percèrent les ténèbres de tous côtés et une douzaine d'automitrailleuses, des véhicules énormes qui avaient l'air de monstres préhistoriques, encerclèrent le camp. « Soldats, cria une voix dans un haut-parleur, vous avez trois minutes pour être prêts à l'inspection avec équipement et fusil. Quiconque n'obéira pas à cet ordre sera fusillé. »

« Maintenant nous allons voir, dit calmement Trotski, s'ils combattront pour leurs droits ou s'ils se laisseront faire humblement. »

Pendant un moment l'issue resta indécise. Tuohy fit jouer son pistolet dans le holster et se prépara à entraîner Trotski sous une de leurs voitures. Puis plusieurs soldats se levèrent, jetèrent du pied de la terre sur leurs feux de camp et s'alignèrent devant les phares des automitrailleuses. D'autres les rejoignirent jusqu'à ce que, enfin, tous les soldats du régiment soient en ligne.

« Baïonnette au canon », ordonna la voix.

Les soldats sortirent leurs baïonnettes du fourreau et les fixèrent à leurs fusils.

« Présentez armes. »

Les soldats avancèrent leurs fusils. Quatre officiers, le pistolet à la main, descendirent la file. Un d'eux passait un doigt sur chaque baïonnette. Son doigt se retira d'une baïonnette engluée de sang. Les officiers sortirent brutalement le soldat de la file, lui prirent son fusil et le jetèrent contre un tronc d'arbre. « Soldats, cria un officier, tel est le sort des rebelles parmi vous. » Et, disant cela, il tendit le bras et appliqua le canon de son pistolet sur la nuque de l'homme.

« Camarades, cria celui-ci, vive la révolution ! »

Une balle lui traversa la nuque.

« Sous-officiers, ordonna un gradé, prenez le commandement et amenez ces hommes aux tranchées. Exécution. »

Dans la lumière étrange qui venait des automitrailleuses, les soldats mirent leur fusil à l'épaule et s'éloignèrent, moroses, dans la nuit.

Une tranquillité absolue s'installa sur la campagne. Trotski, Tuohy et plusieurs des agitateurs bolcheviks s'approchèrent du corps du soldat. Il gisait sur le ventre au pied de l'arbre. Avec un frisson, Tuohy vit que les longs cheveux du soldat étaient noués sur la nuque.

« Quel régiment était-ce ? demanda-t-il à un des agitateurs.

— Le 443e régiment de la 110e division, répondit-il. Pourquoi ?

— Rien. »

Il comprit que le mort était le mari d'Arishka.

Le gras Ouzbek qui avait échangé le cornet acoustique contre la photo de la princesse nue la gardait cachée dans un tiroir, la regardant quand sa femme lui indiquait, par une série de gestes subtils qui étaient depuis longtemps devenus un code entre eux, qu'elle voulait qu'on lui fasse l'amour, cette nuit. Puis, un jour, l'Ouzbek marchandait avec un cosaque qui s'était trouvé en possession d'une enveloppe de cocaïne. Le cosaque hésitait à l'échanger contre une selle qui avait appartenu à un grand-duc – son blason royal était gravé sur le cuir – et dix livres sterling anglaises, aussi l'Ouzbek lui offrit la photo de la femme nue pour conclure le marché. « L'homme qui me l'a vendue jurait que c'était une vraie princesse. »

Le cosaque caressa du pouce le corps de la princesse puis, avec un grognement de satisfaction, rangea le billet de dix livres et la photo dans son livret militaire, hissa la selle sur son épaule et s'en fut.

CHAPITRE VIII

Aussi blanc que le drap qui le couvrait, Zander était appuyé contre ses oreillers dans un large lit. De lourds rideaux verts étaient tirés devant la fenêtre, parce que la lumière du jour lui faisait toujours mal aux yeux. Lili lui donnait à la cuiller du bouillon de poulet auquel on avait ajouté un jaune d'œuf.

« As-tu toujours mal à la tête ? »

Comme il ne répondait pas, elle demanda doucement : « Tu te rappelles ce qui est arrivé ? »

Il se rappelait très bien.

« Le colonel m'a coupé...

— Oh, Alexander, tu ne te souviens *pas*. Il n'a pas... »

Zander créa un mur autour de lui pour que ses mots ne pénètrent pas. S'il se laissait aller à l'espoir, il mourrait de déception.

« Tu ne me crois pas ? » Elle avait des larmes dans la voix. « Regarde toi-même. » Elle arracha le drap.

Zander détourna la tête et ferma les yeux.

« Si tu ne veux pas regarder, cria Lili, alors sens. »

Elle prit en main son pénis mou comme si elle ramassait un moineau blessé. Elle pétrit du bout des doigts le bec de l'oiseau.

« Maintenant tu peux regarder, Alexander, l'encouragea-t-elle doucement. Tourne la tête. Voilà. Ouvre les yeux. »

Son crâne était parcouru d'élancements ; il crut que la douleur allait l'aveugler. La lumière s'infiltra dans son cerveau.

Des images, lavées par les larmes, se précisèrent.

Ce qu'il vit confirma ce qu'il ressentait.

Et sa vision se brouilla de nouveau comme il se mettait à sangloter.

Quand il put supporter de l'écouter, Lili lui expliqua ce qui s'était passé dans la chaufferie.

« Tu te souviens du jeune soldat qui montait la garde quand nous sommes arrivés, celui qui a dit être un bolchevik ? Ses camarades et lui s'entendaient mal avec leurs officiers depuis des mois. Quand l'un d'eux a vu qu'on nous descendait à la chaufferie, ils se sont réunis derrière la caserne et ils ont voté pour intervenir. La première explosion que tu as entendue a fait sauter la porte de la chaufferie. Les autres – celles que tu as prises pour des échos –, c'étaient des coups de feu. Les soldats ont abattu le colonel et huit des neuf officiers. Ils ont gardé le dernier pour que nous le ramenions à Petrograd quand tu pourras supporter le voyage.

— Pendant combien de temps suis-je resté inconscient ?

— C'est le douzième jour aujourd'hui. Nous avons fait venir un docteur de Petrograd. Il a dit que tu étais en état de choc, qu'après ce qui s'était passé tu aurais peut-être peur de te réveiller. Il m'a conseillé de ne pas te bouger à moins que tu ne sois conscient ou mort.

— Où sommes-nous ? »

Lili eut l'air contente d'elle.

« J'ai réquisitionné une chambre dans le palais. Tu dors dans le lit qui a appartenu au tsar Alexandre II.

— Si seulement Léon pouvait me voir. » Une idée vint à Zander. « Et Vasia ? comment va-t-il ?

— Vasia avait vraiment besoin de soins. Je l'ai envoyé à Petrograd dans la voiture qui avait amené le médecin.

— Comment allait-il ?

— Il allait bien physiquement. Le sang s'était coagulé, la cicatrisation avait commencé. C'était une torture pour lui d'uriner, mais il paraissait prendre plaisir à la souffrance. » Lili lui tendit le bol de bouillon. « C'est assez de discours pour la journée, dit-elle. Bois ça. Tu as besoin de reprendre des forces. »

Il se réveilla un instant au milieu de la nuit. Sa tête le faisait toujours souffrir, quoique moins. L'absence complète de lumière lui donna l'impression de dériver de nouveau dans l'espace. Son pouls s'accéléra. Son cœur se mit à battre sauvagement. Il réalisa alors qu'il n'était pas seul dans le lit. Lili dormait dans ses bras, une main recouvrant, protégeant, son pénis inerte. Il essaya de l'ériger pour se prouver de nouveau qu'il était toujours entier, mais sans succès. Il sentait l'haleine chaude et humide de Lili contre sa poitrine. Il caressa de la paume son dos frais. Alors c'est toi la flamme de la bougie, pensa-t-il. Puis il se rendit compte qu'il l'avait dit à haute voix. « *Chto ?* » murmura-t-elle doucement. Elle bougea un peu, puis replongea dans un sommeil profond et tranquille.

Zander reprenait des forces chaque jour. Il dormait moins et passait plus de temps assis dans son lit. Au début, la tête lui tournait quand il se levait, puis cela passa et il se mit à faire le tour de la pièce pour prendre de l'exercice. Il pensait à son travail à Petrograd, à aller le reprendre, mais quand il en parlait à Lili, elle secouait la tête comme s'il ne pouvait pas en être question. « Attends », disait-elle.

Lili ne le quittait presque pas des yeux. Recroquevillée dans le fauteuil à côté de la fenêtre, le soleil lui frappant le visage, elle lui dit beaucoup de choses sur elle-même qu'elle n'avait jamais racontées à personne. Elle avait été élevée à la campagne par ses grands-parents maternels parce que son père, nettement plus âgé que sa mère, n'aimait pas avoir des petites filles sous son toit.

« Ma grand-mère était une femme délicate qui parlait toujours en français, fumait des cigarettes parfumées à la violette pour éloigner ce que M. Pasteur appelait des "microbes" et interrompait toute conversation qu'elle désapprouvait en employant une petite sonnette en argent qu'elle gardait à portée de main. Une fois, j'avais treize ans, j'ai continué à décrire une fonction corporelle nouvelle pour moi après qu'elle eut sonné, et elle m'a punie en m'envoyant prendre une douche glacée.

« D'un autre côté, mon grand-père était un peu avant-gardiste – il pensait que quelques femmes étaient les égales de beaucoup d'hommes, et il a tenu à ce que je sois éduquée comme un garçon. Il a engagé un jeune précepteur polonais et a mis sur pied une école. Nous étions neuf dans la classe. J'étais la seule fille. » Lili rit doucement.

« Les garçons me provoquaient tout le temps – ils disaient que je défendais ce que je pensais être mon territoire avant même que qui que ce soit ait eu une chance de m'attaquer. C'était sans doute vrai ; quand on y pense, je devais être franchement agressive. La première personne à qui j'ai fait l'amour, c'était le professeur. On était vierges tous les deux, alors ça ne s'est pas trop bien passé. En fait, ça s'est très mal passé. Je m'étais rasé le pubis parce que je pensais qu'il ne fallait pas cacher la marque de ma sexualité. Il n'avait jamais vu un sexe féminin auparavant, et ça lui a fait peur. De temps en temps, je rencontre encore la même réaction. »

« Pourquoi es-tu devenue socialiste ? demanda Zander à une autre occasion.

— À dix-huit ans je me suis convertie au zoroastrisme, l'ancienne religion des Ouzbeks avant qu'ils ne deviennent musulmans. Je croyais que l'univers était le lieu d'une lutte entre l'esprit du bien, incarné par Zoroastre en Spenta Mainyu, et l'esprit du mal, Angra Mainyu. En y repensant, je vois que c'est mon zoroastrisme qui m'a rendue assez mûre pour Marx : lui aussi voit la lutte plus ou moins en noir et blanc. Il y a les bons et les méchants.

— Tu ne tiens pas compte de l'économie.

— Oh, je n'ai jamais compris l'économie. Ce qui m'a attirée dans Marx, ce n'était pas tant son idée que l'État allait disparaître, c'est plutôt sa promesse que, sous le socialisme, la famille bourgeoise traditionnelle cesserait d'exister. D'après ma propre expérience, d'après tout ce que j'ai pu voir, la famille est un genre de prison à vie. Je voulais être libre, et Marx m'offrait le contexte où rechercher cette liberté. Quand les bolcheviks m'ont contactée pour leur servir de messager entre Petrograd et Zurich, où se trouvait Lénine, j'ai sauté sur l'occasion. Ils m'ont donné ma chance de fuir et je l'ai saisie. Depuis, j'ai travaillé pour eux d'une façon ou d'une autre, et je ne le regrette pas. »

Avec les semaines qui passaient, Zander et Lili se sentaient plus à l'aise ensemble. Zander essayait de lire et, quand la migraine le prenait, il fermait les yeux et sommeillait. Ses rêves, quoique toujours un peu angoissants, devenaient moins terribles. Quand il s'éveillait de nouveau, c'était pour voir Lili qui le regardait de son fauteuil près de la fenêtre. Ils échangeaient des sourires, et il se laissait de nouveau glisser dans le sommeil.

Lili s'arrangeait toujours pour lui rapporter quelque chose de spécial à manger : un pichet de lait de chèvre fermenté, des blinis tartinés de crème, du fromage de brebis, un morceau de poulet bouilli, une fois des *piroshki* au chou et à la viande, et même une bouteille de vin géorgien verdâtre. Les soldats qui leur avaient sauvé la vie semblaient fouiller le voisinage pour lui trouver des mets délicats ; une fois ils laissèrent entendre à Lili que plusieurs des plats venaient droit de la table du citoyen Romanov.

Et, chaque soir, Lili enlevait ses vêtements, se lavait à la lumière vacillante de la bougie et se glissait dans le lit avec Zander, se glissait dans ses bras comme si c'était sa place, recouvrait son pénis de la main et s'endormait. Chaque soir, il essayait d'avoir une érection ; l'appelait comme un esprit d'entre les morts. Et à chaque nouvelle nuit, il était plus convaincu que sa virilité avait définitivement disparu.

« Ne t'en fais pas, ça viendra », lui affirma Lili un soir, comme si elle avait surveillé la montée de sa peur. Elle se mit à caresser son pénis du bout des doigts, prenant un plaisir distrait à la douceur de sa peau. « Ça viendra, Alexander, je te le promets.

— Non ! » Il était impossible de faire la différence entre le mot et un grognement. « C'est fini pour toujours. Je n'aimerai plus jamais une femme. »

Lili se souleva sur un coude et fixa les ténèbres. Ses émotions si longtemps contrôlées avaient été réveillées. « Tu aimeras une femme de nouveau, lui dit-elle comme un ordre. Tu vas m'aimer… maintenant. »

Dans le noir, elle se pencha jusqu'à toucher son pénis de ses lèvres et lui rendit la vie à force de baisers. Elle le toucha là où on l'avait déjà touché – mais jamais pareillement ; il avait l'impression qu'on prenait totalement possession de lui. Dérivant dans la noirceur de la pièce, il l'entendit murmurer une ligne d'un poème de Maïakovski : elle conviait le cœur de Zander à la « fête des corps ». S'imbriquant dans les angles de son corps jusqu'à ne plus savoir où le sien finissait et où celui de Lili commençait, il l'accueillit avidement, avec reconnaissance. Il cessa de savoir où il était dans le lit, où le lit était placé dans la chambre, où la chambre se trouvait dans l'univers. Elle était sa seule boussole, il s'accrochait à elle comme si elle pouvait l'empêcher de couler. Il lui irritait le visage, les seins, les cuisses, avec sa barbe de trois jours. Au bout d'un moment, Zander se rendit compte qu'elle se retenait, qu'elle repoussait l'orgasme comme si c'était une perte de contrôle, une faille, une agression. « Arrête », lui ordonna-t-elle avec une note de panique dans la voix. Elle grimaça. « Arrête, le pria-t-elle plusieurs minutes après. Qu'est-ce qui te donne le droit de me faire ça ? » murmura-t-elle encore, mais Zander ne l'entendit pas.

Puis, ne pensant plus au rythme ni au décorum, elle replia les genoux contre sa poitrine et s'abandonna.

Lili se sépara de lui prudemment, elle craignait qu'un mouvement brusque ne lui fasse perdre de nouveau le contrôle d'elle-même.

« Dis-moi, franchement, demanda-t-elle, est-ce que je fais bien l'amour ?

— Dire d'une femme qu'elle fait bien l'amour, c'est décrire sa *capacité* à prendre plaisir à l'acte d'amour, répondit doucement Zander. De ce point de vue, tu fais bien l'amour. »

Quelque chose fit sourire Lili.

« Les hommes ne savent pas ce que c'est d'être pénétré, dit-elle avec nervosité. Un jour, il faudra que je te montre. »

Après qu'ils eurent dormi un moment, Lili le réveilla en le secouant et dit : « Maintenant c'est ton tour », le rendit dur, l'amena petit à petit à la limite du plaisir et, d'un coup de langue, la lui fit franchir. « Toi aussi, tu fais bien l'amour », lui dit-elle pendant qu'il jaillissait, et il y avait du rire et de l'amour dans sa voix, « mais sauras-tu faire la révolution ? »

Le printemps flottait dans l'air comme du linge séchant sur une corde ; comme du linge, il était remué par d'occasionnels courants d'un air sec et imprégné de très légères senteurs de jardin. La pluie, quand il en tombait, était chaude sur la peau, et ceux qui se trouvaient pris dessous paraissaient se rendre compte du bruit qu'elle faisait en touchant le sol plutôt que de son humidité. Reniflant le printemps d'une fenêtre ouverte, Zander pensait à la révolution pour laquelle il avait traversé un océan et un continent. « Mais sauras-tu faire la révolution ? » lui avait-elle demandé en plaisantant à demi – et à demi sérieusement. C'était une question pertinente. Il croyait aussi fermement que jamais à l'existence de son centre moral, à sa capacité à reconnaître le mal absolu, à son devoir, devant le fantôme de son grand-père, devant la mémoire de son frère Abner, d'arranger les choses là où il le pouvait. Mais il n'y avait que bien peu de place dans cette vision propre et nette des choses pour Lili, pour l'amour, pour un contact sexuel si intime que son *intimité* même enflammait les partenaires. Ou du moins c'était ce qu'il lui semblait alors, regardant par la porte-fenêtre de la chambre d'un tsar pendant que Lili appuyait une oreille contre sa colonne vertébrale pour essayer d'entendre les battements de cœur.

Quant à Lili, elle avait toujours pensé à cette entité qu'on appelle un « couple » comme à une barrière commode contre la solitude, la vieillesse ou la mort. Avec Alexander dans sa vie, elle voyait les choses différemment. Elle n'avait jamais auparavant accordé grande valeur à sa vie, la mort lui avait toujours paru être une affaire vaguement dérangeante, une gêne plus qu'autre chose. Maintenant, quand elle pensait à sa mort, ou, pis encore, à celle d'Alexander, cela lui paraissait être une affreuse catastrophe, un terrible gaspillage de possibilités, la fin dépourvue de sens de ce qui était devenu pour elle un commencement sans fin.

Et ainsi ils s'aimaient et traînaient à Tsarskoïe Selo. D'autorité, Lili bannit de leur vie le temps.

La seule horloge, proclama-t-elle comme si c'était un commandement biblique, c'était la faim de l'un pour l'autre, et la faim de nourriture.

Pourtant la révolution, comme le tic-tac d'une pendule dans une chambre, s'imposait à leur conscience. Comme Zander reprenait des forces, Lili et lui, début juin, se mirent à vagabonder dans la campagne plate qui entourait la ville. Lili s'arrangeait toujours pour trouver de quoi pique-niquer à ces occasions – un morceau de fromage de chèvre friable, un bout de pain noir, une échalote ou deux, une pincée de sel dans un bout de journal, un peu de vin aqueux qu'ils mettaient à refroidir au bord de la rivière pendant qu'ils se déshabillaient et luttaient de toutes leurs forces contre le courant. Une fois, elle atteignit un entablement submergé avant lui et, se tournant pour lui faire face, elle le laissa dériver entre ses jambes vers les lèvres de son sexe que l'eau grossissait et que le courant agitait comme une délicate anémone de mer rose. Après, ils se laissaient sécher au soleil, grignotaient leur pique-nique, partageaient le vin, s'endormaient sous un cerisier sauvage qui portait des feuilles mais pas de fruits, et finalement retournaient en ville alors que les dernières teintes du coucher de soleil se retiraient en bon ordre derrière l'horizon. C'était à ce moment que le jeune garde leur communiquait les rumeurs.

« Avez-vous entendu la dernière, mademoiselle Lili ? »

« Écoutez ça… »

« Camarade princesse, me croiriez-vous si je vous disais… »

L'image qui se dégageait donnait à penser que la révolution n'était plus qu'une question de temps. À Petrograd, le célèbre régiment des Mitrailleuses, quelque dix mille âmes armées de mitrailleuses à refroidissement à eau, s'était publiquement déclaré en faveur des bolcheviks. Les masses tombaient lentement sous le charme de la logique acérée de Trotski, offerte presque tous les soirs à un public entassé dans le Cirque moderne, un amphithéâtre lugubre éclairé par cinq petites lampes à gaz qui pendaient à des câbles.

Il y avait d'autres rumeurs : on disait que ce régiment-ci ou celui-là penchait dans un sens ou un autre, on avait entendu Kerenski se vanter d'avoir finalement la preuve que Lénine était à la solde du Kaiser, ou bien que le témoin qui était censé fournir cette preuve à Kerenski avait été assassiné de façon particulièrement affreuse. Les jeunes gardes, qui manquaient de l'éducation nécessaire pour s'y reconnaître, demandaient invariablement leur opinion à Lili et à Zander. Pouvait-il être vrai que les marins de la garnison de Kronstadt, traditionnellement très à gauche, menaçaient de déclencher une insurrection armée ? Dans un message qui réclamait des nouvelles de la santé de Zander, Tuohy mentionnait lui aussi cette rumeur. Pourquoi Kerenski visitait-il en trombe le front, parlant de sa voix excitée d'adolescent de la nécessité d'une victoire sur les Allemands ? Cela voulait-il dire qu'une nouvelle offensive allait encore être lancée ? Était-ce raisonnable, l'histoire selon laquelle les bolcheviks seraient capables de réunir vingt mille gardes rouges armés ?

Est-ce que quelqu'un pouvait affirmer avec certitude que la seule raison pour laquelle les Allemands retardaient une attaque destinée à prendre Petrograd était qu'ils attendaient de voir si Lénine réussirait à sortir la Russie de la guerre ?

Zander et Lili écoutaient les rumeurs, haussaient les épaules et finissaient par se retirer dans la chambre où un tsar avait autrefois dormi. Ils tiraient les lourds rideaux, allumaient la bougie et se lavaient mutuellement à sa lueur dansante, puis s'occupaient à explorer des possibilités qu'ils supposaient infinies. Une nuit, Lili donna à Zander la leçon qu'elle lui avait promise sur ce que c'était d'être pénétré. Une autre fois, elle sortit une demi-pêche conservée depuis le pique-nique du jour près de la rivière, s'en parfuma le vagin puis, comme si c'était la chose la plus naturelle du monde, atterrit, comme un papillon sur une feuille, sur les lèvres de Zander.

Quand un visiteur arriva sans prévenir, ils s'habillèrent en hâte, curieux de voir qui cela pouvait être. Par précaution, Zander prit son pistolet allemand, que le garde lui avait rendu, dans sa cachette sous un coussin du sofa, et le glissa dans sa ceinture. « Comment s'appelle-t-il ? » cria Lili en se débattant avec les petits boutons de perle d'un chemisier à col montant, mais le jeune soldat qui les avait prévenus admit qu'il ne s'était pas donné la peine de le demander.

Comme il était impossible de trouver de l'essence, le visiteur était arrivé, de façon assez théâtrale semblait-il, dans une voiture à chevaux ouverte tirée par une troïka. D'après le garde, le conducteur avait dirigé l'attelage avec une habileté extraordinaire. Maintenant la jument du milieu à un trot rapide, laissant les chevaux qui la flanquaient au petit galop, la tête tournée de côté, il était entré dans la cour à toute allure avant de tirer les rênes près de la guérite de la sentinelle. Entendant le battement des sabots sur les pavés et le tintement des clochettes d'argent accrochées comme un collier à chaque bride, les quatre filles du tsar Nicolas s'étaient précipitées à leur fenêtre à l'étage. « Est-ce qu'on pourra faire une promenade, alors ? » avait crié gaiement vers le bas la princesse Anastasia, la plus impulsive des quatre, pour se faire aussitôt repousser de la fenêtre par le bras impérieux de la tsarine qui, si elle avait deviné l'identité du conducteur de la troïka, aurait certainement essayé de le tuer de ses mains nues.

« Félix ! cria Lili quand elle posa les yeux sur le visiteur.

— Litchik !

— Félix, voici un camarade », Lili, pour une fois troublée, ne savait pas comment présenter Zander, « un camarade de Petrograd, et beaucoup plus. » Elle leva le menton et sourit chaleureusement à Zander. « Beaucoup plus, oui. Il s'appelle Alexander Til. C'est mon ami et mon amant et un frère pour moi, comme toi. Alexander, voici mon frère jumeau, Félix. »

Zander réalisa qu'il était devant Félix Ioussoupov, l'assassin princier de Raspoutine. Mais alors que Lili était clairement une princesse sous l'apparence d'une ouvrière, Félix ressemblait plutôt à un paysan déguisé en prince. Il avait des traits épais qui rappelaient à Zander le visage maquillé d'une prostituée. Ses lèvres étaient figées dans une moue permanente, comme s'il avait des griefs informulés contre le monde entier. Ses gestes, incursions saccadées dans l'air de doigts longs et félins, n'évoquaient rien tant qu'une exaspération féminine.

« Pouvons-nous parler, Lilyonotchek ? demanda presque plaintivement Félix.

— Tu peux faire confiance à Alexander, commença à dire Lili, mais Zander se dirigeait déjà vers la porte.

— Il veut te parler seul. C'est normal – je ne suis pas vexé.

— Au moins, il est discret, ton dernier, dit Félix comme la porte se fermait sur Zander.

— Il y a une forte possibilité, lui dit Lili en s'installant sur le sofa, que mon dernier, comme tu le dis si élégamment, soit le dernier. »

Félix rit tout haut. « Comme tu n'as pas l'air de quelqu'un qui se prépare à abandonner les hommes, je suppose que tu veux dire que tu es tombée sur une liaison sérieuse. Eh bien, *tant mieux*[1], dit-il si sèchement qu'il était évident qu'il ne croyait pas un mot de ce qu'il disait.

— Comment as-tu su où me trouver ? » voulut savoir Lili. Elle n'était pas particulièrement contente de voir son frère, les scènes déplaisantes qu'il avait faites à Paris et plus tard au Vapeur étaient encore trop fraîches dans sa mémoire.

Félix s'assit à côté d'elle, enleva ses bottes et remua les orteils. « Mes pieds sentent, mais j'aime plutôt l'odeur. Ah, Lissik, auprès des bolcheviks, j'ai tout le crédit d'un révolutionnaire : Félix Ioussoupov, l'homme qui a abattu Raspoutine. Bien sûr, si j'ai tiré sur le salopard, c'était pour sauver le tsar, ou au moins l'institution. Raspoutine donnait une mauvaise réputation à la famille impériale, sans parler de nombreux conseils nocifs sur la conduite de la guerre. Quand il faudra choisir entre ma classe et la canaille des rues, je me tiendrai aux côtés de ma classe, merci bien. Toujours. » Il se renfonça dans le sofa et fixa Lili. « Comment je t'ai trouvée ? J'ai posé des questions là où il fallait. » Il mima un coup de téléphone. « Ioussoupov à l'appareil. Oui, *le* Ioussoupov. Je me demande si vous pourriez me dire, etc. Lissik, si tu savais comme je déteste parler au téléphone. »

Lili attendit qu'il explique ce qui l'avait poussé à abandonner les plaisirs nocturnes de son domaine près de Petrograd.

« Je suis venu, dit-il en donnant à ses sourcils épilés la forme de V inversés, pour te convaincre de quitter la Russie avec moi avant que l'enfer ne se déchaîne.

— Quitter la Russie !

— Lisyok, nous pourrions nous installer dans un divin *hôtel particulier*[2] parisien. Sur la rive droite, cela va sans dire. Tu pourrais même amener l'enfant, ça ne me dérangerait pas. Nous pourrions prétendre

---

1 En français dans le texte.
2 En français dans le texte.

être tout ce que tu voudrais – mari et femme, artiste et modèle, ou, ou… » Dans son affolement à la faire venir, il essayait d'être drôle et convaincant en même temps. « Ou même frère et sœur, quoique, bien sûr, personne ne nous croirait une minute, ils comprendraient tout de suite, n'est-ce pas ? Et supposeraient que nous sommes amants. » Il se rapprocha d'elle, et elle réalisa que ses pieds sentaient vraiment. « Tu n'as pas oublié que nous étions amants, hein, Lissik, murmura-t-il. Ça ne t'est pas sorti de la tête ? »

Pour Lili, ce n'avait été qu'une autre frontière à franchir, une autre façon d'exprimer son mépris pour les conventions. À peine sortie d'une liaison avec un poète russe, elle était tombée sur son frère à Paris. Elle le connaissait vaguement à cause des séjours qu'elle faisait occasionnellement à Saint-Pétersbourg. Il l'avait défiée de faire l'amour avec lui. Elle avait couché avec Félix comme elle aurait couché avec n'importe qui le lui demandant poliment.

« C'était il y a une vie, dit-elle.

— Pas pour moi. » Il tomba à genoux et appuya la tête contre ses cuisses. « Lilyonotchek, Lilyonotchek, ma Lilyonish à moi, tu ne comprends pas ? Je suis venu te sauver. Si tu ne veux pas quitter la Russie, nous pourrions nous cacher chez moi à la campagne. Quand le sang coulera à flots, ils ne feront pas la différence entre une princesse et une ex-princesse. Tu es marquée si tu restes. Un jour, quelqu'un te collera contre un mur à cause de ce que tu étais, et pas à cause de qui tu es. » Félix baissa la voix jusqu'à un chuchotement dur. « Tu dois prendre l'enfant et partir d'ici. Avec moi. Immédiatement. »

« Et qu'as-tu répondu ?

— Je lui ai dit non.

— Juste non ? » Zander remarqua qu'elle évitait son regard.

« Pourquoi me fixes-tu ainsi ? Qu'est-ce qui te donne le droit de me faire subir un interrogatoire ?

— Juste un simple non ? répéta Zander sans se troubler. C'était ça ta réponse ? »

Lili leva les yeux vers lui. « Je lui ai dit qu'il n'était pas question que je te quitte. Pas maintenant. Jamais. Je suis collée à toi, Alexander. » Elle se sentit soudain peu sûre d'elle. « À supposer que tu le veuilles. »

Ce n'était pas formulé comme une question, mais exigeait désespérément une réponse.

« Je le veux, répondit simplement Zander.

— Sinon, tu me le dirais ? »

Il hocha la tête.

« Et pourtant quelque chose t'embête. »

Zander hocha de nouveau la tête.

Lili crut un instant qu'elle devrait lui arracher les mots de la bouche, mais Zander tendit la main, entrelaça ses doigts aux siens et lui dit : « Deux choses… se sont passées… cet après-midi. »

Il dit cela avec tant de gravité que le cœur de Lili s'arrêta presque de battre.

« Deux choses ?

— Tu te rappelles que nous avons entendu dire que Kerenski était allé remonter le moral des troupes, au front ? Eh bien, une énorme offensive a été lancée. On dit que trente et une divisions ont été envoyées contre les Autrichiens sur le front de Galicie. Les premiers comptes rendus parlent de territoire gagné, de villes prises, de prisonniers.

— Mais en quoi cela nous affecte-t-il, Alexander ? »

Zander avait l'air impatient.

« Si Kerenski parvient à obtenir un grand succès militaire, ça le renforcera et il s'attaquera à Lénine et aux bolcheviks. Si l'offensive tourne à la défaite, ce sera le moment pour *nous* d'attaquer Kerenski et le gouvernement provisoire.

— Nous ? » Le mot tomba entre eux comme un coin.

« Nous sommes des bolcheviks, et des révolutionnaires, dit doucement Zander.

— Quelle était la deuxième chose qui est arrivée ? demanda-t-elle.

— La deuxième chose », continua-t-il, et elle comprit à son tour qu'il n'y avait pas là de sécurité pour elle, « c'est que j'ai reçu une lettre de Léon. Tu te rappelles que je t'en ai parlé ? Mon demi-frère. *Mon* jumeau.

— Celui qui veut émigrer en Palestine pour créer un État juif. Ce Léon ? »

Zander acquiesça.

« Ce Léon. » Il prit une enveloppe couverte d'une demi-douzaine d'oblitérations se chevauchant et en sortit une lettre. « Je lui ai écrit quand je suis arrivé à Petrograd. Il m'a répondu aux bons soins du quartier général bolchevik à l'hôtel. Ils ont fait suivre la lettre au Vapeur. Tuohy l'a fait porter ici par quelques gardes rouges qui sont venus renforcer le contingent local.

— Et ton jumeau, ce Léon, que raconte-t-il ? »

Zander déplia la lettre et lut à haute voix :

> Zander,
> Quand tu recevras ceci, je serai, si Dieu le veut, en train de frapper aux portes de la Palestine. Je suis arrivé à convaincre mon amie d'échanger sa pharmacie du Bronx contre les plaisirs discutables de

la Terre promise. Ainsi, pour le meilleur et pour le pire, comme disent les goys en Amérique, elle est ma femme et je suis son homme, et nous sommes partis ensemble organiser une patrie pour les Juifs. Elle me dit que je suis fou et en vérité je ne suis pas sûr qu'elle ait tort – quoique je me réconforte avec l'idée que quiconque poursuit un rêve, depuis notre Moïse jusqu'à toi, Zander, doit à un certain moment avoir des doutes quant à sa santé mentale. De toute façon, je suis en route, et heureux de l'être. Si j'ai un regret, c'est à propos de notre dernière conversation – tu n'as pas oublié les « farcis » et le verre de vodka qui ne s'est pas brisé ? Plus tard, j'y ai repensé et repensé, surtout à nos derniers mots sur le pont de Brooklyn. J'ai peur de t'avoir laissé partir sans dire clairement combien de respect j'ai pour toi. C'était ce message que je voulais t'envoyer en faisant signe du bout de la jetée. J'ai essayé, devant les « farcis », de te convaincre que tu prenais le mauvais chemin. Tu n'as pas cédé. Maintenant, en regardant en arrière, et même en avant, je ne sais pas qui a raison et qui a tort, qui prend le chemin le plus difficile, ou le meilleur. Plus important, qui prend le chemin qui marchera. Puisque je l'ignore, je veux que tu saches que non seulement je t'aime comme un frère, mais que je respecte le sacré de sens moral que tu as hérité d'Abner, puisse-t-il reposer en paix, et que je lui fais confiance pour te guider – et je me rends compte que le fait que ton chemin réussisse ou échoue ne signifie rien quant à ta réussite ou ton échec à toi, Zander. Aussi : En avant, soldats juifs !

Zander ne put retenir un sourire mélancolique. « Il y a un post-scriptum. »

Comme tous ceux qui vont en Palestine, je largue mon nom ashké-naze américanisé et j'en prends un hébreu – Nachshon Ben Aminadav. Si ça t'intéresse, l'original était une forte tête qui s'est fait un nom en étant le premier à s'élancer dans la mer Rouge quand Moïse l'a écar-tée pour les enfants d'Israël, démontrant sans doute aux autres que le passage était sûr pour la circulation juive, et les incitant à s'y risquer aussi.

« C'est une bonne lettre, dit Lili de mauvais gré. Qui est cet Abner et pourquoi Léon dit-il "qu'il repose en paix" ?
— Abner était mon frère aîné. Il faut qu'il repose en paix parce qu'il a péri de la pire mort qu'un homme puisse subir. »
Lili demanda doucement : « Comment est-il mort ? »
Zander se détourna et regarda par la fenêtre. Et il lui raconta ce sa-medi de mars 1911, le samedi de l'incendie du Triangle Shirtwaist, les filles qui tombaient comme des oiseaux abattus, la terrible chevalerie de son frère Abner, le plongeon de son père vers la mort dans une cage d'ascenseur, avec sa machine à coudre sur le dos.

Ils restèrent silencieux un long moment. Zander prit plusieurs profondes inspirations et se tourna vers Lili.

« Il est très clair pour moi, dit-il avec hésitation, comme s'il tâtait le sol devant lui avec une canne avant chaque pas, que nous devons retourner à notre révolution.

— Pour notre salut, ou celui de la révolution ?

— Pour les deux, dit Zander, soudain sur un terrain plus sûr. Pour nous, parce que nous avons pris un engagement et que nous nous estimerons moins nous-mêmes et l'un l'autre si nous ne le respectons pas. Ce que nous vivons – ensemble – est fondé sur la très haute opinion que nous avons de nous-mêmes, et l'un de l'autre. Nous devons vivre selon les normes que notre amour nous impose. Alors seulement, il sera grand, et non pas un accouplement ordinaire. Et puis nous devons revenir à la révolution parce qu'il ne peut pas y avoir de révolution sans révolutionnaires. »

Elle avait cru cela autrefois, chaque mot et aussi les espaces entre les mots, mais il y avait d'autres choses à considérer. Elle avait pris la révolution comme âme sœur parce qu'elle n'avait jamais imaginé l'existence de quelqu'un comme Alexander. Elle était droguée de lui, de son corps, de son odeur, de la façon dont il avait léché les plaies qu'elle portait… « Quand Hélène faisait voile avec Pâris vers Troie. » Lili renvoya une mèche derrière son oreille. Elle savait qu'elle devait formuler cela sans erreur. Beaucoup en dépendait. « Vers Troie, vers le monde réel et les responsabilités qu'ils devraient accepter pour l'avoir modifié…

— L'avoir disloqué, corrigea Zander, mais il se repentit à l'instant de l'avoir interrompue.

— Modifié, disloqué. » Elle eut un geste de la main pour montrer que cela revenait au même. « De toute façon, Hélène a essayé de le convaincre, de convaincre Pâris, de se détourner de sa route, de s'installer sur une petite île de la mer Égée, je crois qu'elle s'appelait Pélagos, pour consacrer leurs vies à leur couple, pensant que leur union était suffisamment extraordinaire, avait atteint un degré d'intimité – tu vois où je veux en venir – tel qu'elle avait préséance sur les affaires des nations. Merde ! Je ne dis pas ça comme je le voulais. »

La regardant se débattre pour trouver ses mots, Zander sut qu'il avait eu raison à son sujet. Elle jouait avec la révolution comme un enfant joue avec un nouveau jouet. Maintenant, quelque chose de plus stimulant s'était présenté et elle voulait s'y consacrer. La révolution n'était qu'une mode, quelque chose qu'on portait autour du cou en public, comme un renard ou une écharpe tricotée main.

« Pâris n'a pas accepté la proposition d'Hélène, dit Zander avec ardeur. Je n'accepte pas la tienne. J'y retourne. »

Dans sa panique, Lili se raccrocha à l'idée que son désir à elle de ne pas revenir à la révolution l'avait forcé à prendre la position inverse. Si elle changeait d'avis, la loi des contraires le pousserait à rester. « Si tu y retournes, je veux repartir aussi », annonça-t-elle.

Mais Zander n'eut qu'un sourire très secret et dit : « Alors c'est réglé. Nous y retournons tous les deux. Ensemble. »

Et c'est ainsi que Lili découvrit qu'il n'y avait pas de loi des contraires, et pas d'issue.

La bagarre dans le sous-sol du Chien vagabond commença bien innocemment. Plusieurs sapeurs du régiment Semionovski des gardes, essayant d'impressionner les deux putains qu'ils avaient levées sur la Nevski Prospekt, commencèrent à se moquer des cosaques à propos de la taille de leurs chevaux. Une chose en amena une autre. Une bouteille s'écrasa sur le mur. Une table fut renversée. Les deux putains hurlèrent. Les autres clients du bar se précipitèrent à l'abri. Des coups furent échangés. Un couteau jeta un éclair. Un des cosaques s'effondra sur une chaise, le sang jaillissant d'une artère tranchée.

Plus tard, son corps fut ramené à la caserne, et ses possessions terrestres furent empilées sur le bureau du colonel du régiment, qui verrouilla sa porte et les examina soigneusement au cas où une bague volée ou quelques pièces d'or seraient cousues dans les plis de la cape. C'est ainsi que le colonel, un homme flétri qui avait un peu plus de cinquante ans et portait une moustache cirée épaisse de saleté, trouva la photo de la femme nue dans le livret de l'homme.

Au dos de la photo, quelqu'un qui avait beaucoup de mal à écrire avait inscrit le mot « princesse ».

CHAPITRE IX

Ce fut grâce au contingent bolchevik de Tsarskoïe Selo qu'ils parvinrent à revenir à Petrograd. Les jeunes soldats furent flattés qu'on leur demande un miracle. Ils en firent un en quelques heures : une automobile en état de marche, une Renault avec assez d'essence pour les amener à Petrograd. Le plus grand défaut de la voiture se révéla être un avantage. Les deux portes arrière ne s'ouvraient que de l'extérieur. Puisqu'ils emmenaient avec eux le jeune cadet qui avait survécu à l'attaque de la chaufferie – afin qu'il soit jugé et, nul n'en doutait un instant, exécuté –, ils purent déposer leur prisonnier, les mains liées dans le dos, sur le siège arrière et l'oublier.

Mais cela n'était pas si facile pour Zander.

Ils avaient couvert la moitié de la distance les séparant de la capitale quand Zander, regardant nerveusement le rétroviseur pour voir si quelqu'un essayait de les rattraper, aperçut le visage du cadet. Il avait de longs cheveux blonds et fins et des sourcils blonds. Il fixait le côté de la route, se mordant la lèvre inférieure si fort que du sang lui coulait sur le menton. Dans la pénombre de la chaufferie, Zander n'avait pu bien voir ses assaillants. « C'est un bébé, réalisa-t-il. Il ne s'est jamais rasé de sa vie. Il sait quel sort l'attend à Petrograd, il s'efforce de ne pas y songer – sans y parvenir. Il imagine le poteau de bois contre son dos et le peloton d'exécution aligné. Il essaie de décider s'il acceptera ou refusera le bandeau. Il voit le cercueil vide posé à côté… »

« N'y pense pas », murmura Lili, se penchant contre Zander. Une fois de plus, elle avait lu dans son esprit. Elle lui posa doucement la main sur la cuisse. « Ce qu'ils lui feront, ce n'est pas notre affaire. »

Le garçon avait dû se rendre compte qu'ils parlaient de lui, car il s'exclama :

« Ce n'était pas mon idée, je vous le jure. Je croyais qu'il voulait vous faire peur, rien de plus. » Sa lèvre inférieure tremblait si fort qu'il avait du mal à parler. « Au nom de tout – de tout ce qui est saint – oh Dieu, croyez-moi, je vous en prie.

— Arrête de pleurnicher, lui ordonna Lili. Tu étais assez homme pour en torturer un autre. Maintenant, sois assez homme pour accepter ce qui t'attend, quoi que ce soit. »

Avec un frisson, le jeune homme reprit son sang-froid. Il secoua la tête pour écarter une mèche blonde de ses yeux et, rassemblant sa dignité, dit d'une voix enfantine : « Je vous demande – je vous supplie – d'avoir la décence de m'abattre. Maintenant. Si je dois mourir, j'aime autant en finir. »

Zander se souvint des histoires à propos des soldats adolescents, au front, qui étaient soit fessés soit fusillés pour avoir désobéi aux ordres, suivant l'humeur de leurs officiers. Il contourna un nid-de-poule et arrêta sèchement, avec colère, la voiture sur le bas-côté.

« Qu'est-ce que tu fais ? » demanda Lili.

Zander ouvrit la porte arrière et sortit brutalement le garçon de l'automobile.

Le cadet dit « Merci » d'une voix faible, et se raidit pour recevoir la balle qu'il avait implorée. Il ne réalisa qu'on le libérait que lorsque Zander le fit pivoter et se mit à dénouer la corde qui lui entravait les poignets.

« Je vous remercie du fond du cœur, dit l'adolescent. Je n'oublierai jamais ce que vous faites. »

Sans le regarder, Zander se remit au volant et, faisant grincer les vitesses dans sa hâte à s'éloigner, se lança sur la route. Derrière la voiture, le nuage de poussière soulevé par les roues cacha presque le cadet, qu'on apercevait s'enfoncer dans le champ voisin comme s'il craignait que ses récents geôliers ne changent d'avis.

« Il y a assez de mort en Russie sans que j'y ajoute encore, fut la seule explication que Zander offrit à Lili.

— Je t'aime, déclara-t-elle, parce que tu n'as pas de goût pour la vengeance. »

Au début, elle refusa de le laisser entrer. « Après ce que tu as fait, tu as un sacré culot de venir ici », dit-elle d'un ton glacé.

Tuohy continua à bloquer la porte du pied et examina la moitié visible du visage d'Arishka.

« Je me suis emporté », dit-il. Cela sonnait comme une explication, pas une excuse, mais pour Tuohy les deux avaient autant de poids. « Ça ne se reproduira pas. »

À moins, pensa-t-il, que tu n'aies pris goût à ce genre de chose.

« Certainement pas, acquiesça Arishka avec un rire amer.

— Écoute, dit Tuohy, les amants sont impulsifs. La moitié du temps, ils ne savent pas ce qu'ils font.

— Les vrais amants, s'exclama-t-elle, n'obligent pas les femmes à accomplir des actes sexuels anormaux. »

Tuohy avait à lui parler de choses plus importantes et ne disposait pas de beaucoup de temps. « Arishka, ouvre la porte. » Et il lui dit ce pour quoi il était venu.

Elle prit la nouvelle avec courage. Ça ne la surprenait pas, dit-elle, les yeux secs, seul un tic à peine perceptible de la joue trahissait les émotions profondes qui la parcouraient. Elle demanda des détails et Tuohy les lui donna. Elle demanda ce qu'était devenu le corps et Tuohy le lui dit, ils avaient creusé une tombe peu profonde avec leurs mains et l'y avaient enterré. Il lui montra ses mains, paumes vers le bas, pour qu'elle voie la terre sous ses ongles. Elle les prit dans les siennes, les inspecta et, dans un geste qui n'avait rien à voir avec Tuohy, amena un de ses doigts à sa bouche pour essayer de goûter la terre du bout de la langue.

« Tu l'aimais vraiment », dit Tuohy. Il se demanda si quelqu'un essaierait de goûter la terre sur sa tombe.

« Il est mort, maintenant, fit Arishka d'une voix plate. Demain, nous serons tous morts.

— Vis pour aujourd'hui, alors », suggéra Tuohy, mais elle haussa simplement les épaules d'un air apathique, comme pour dire que la vie, en ce moment, était trop lourde à porter.

Elle offrit de lui faire à manger – la cantine bolchevik lui avait attribué du lard fumé et elle avait acheté un chou et plusieurs œufs de cane au marché noir – mais Tuohy répondit qu'on l'attendait ailleurs.

Une femme, se dit-elle. Lisant cette pensée dans ses yeux, Tuohy expliqua qu'il avait reçu pour mission d'accompagner Lénine dans un cottage de la campagne finnoise. Lénine était à bout de nerfs. Il était épuisé. Il avait vraiment besoin de repos.

« Tu reviendras ? demanda-t-elle, voulant dire à Petrograd.

— Je reviendrai », promit-il, voulant dire vers elle. Et pour la première fois, dans une longue vie de promesses faites aux femmes, il pensait ce qu'il disait.

À la porte, Tuohy se retourna. « Tu devrais pleurer. Ça te ferait du bien. »

Elle sourit à cette façon de concevoir la réaction normale des femmes à la mort d'un mari. Mais quand la porte se referma sur lui, Tuohy entendit le bruit dur et creux que fit le front d'Arishka en la heurtant.

Le colonel de cosaques encadra la photo de la princesse nue pour la protéger et l'accrocha dans ses toilettes, sur la porte. Chaque dimanche, après avoir assisté à la messe dans la chapelle de la caserne, il s'enfermait dans les toilettes et se masturbait devant la photo. Un dimanche, le colonel invita l'aumônier de la compagnie dans ses quartiers pour prendre un verre de schnaps allemand avant le repas de midi. Au second schnaps, l'aumônier s'excusa et alla aux toilettes. Le colonel rougit en se souvenant de la photo encadrée qui pendait derrière la porte. Mais, quand l'aumônier revint, il n'y fit pas allusion et, se confondant en remerciements, partit bientôt. Quand le colonel s'enferma pour se masturber, il découvrit le cadre qui pendait toujours derrière la porte, mais la photo n'y était plus.

Il joua avec l'idée de confronter l'aumônier et de l'accuser du vol. Comme toute accusation donnerait lieu à une enquête, il décida qu'il serait prudent de laisser tomber l'affaire.

Sérafima, qui décrochait le linge sec des cordes tendues dans l'entrée, aperçut par la porte ouverte l'auto qui s'arrêtait et lâcha un cri. Pieds nus, ne portant qu'une chemise sans col qui lui tombait aux genoux, brandissant à deux mains un sabre rouillé, le sergent Kirpitchnikov dévala les marches pour repousser les intrus. Alyosha Zhitkin, agitant un énorme pistolet de marine, et Vasia Maslov, avec un fusil allemand prêt à tirer, apparurent sur le palier. Mélor, qui pédalait pour actionner la roulette de dentiste, passa la tête et une baïonnette autrichienne par la porte du cabinet.

« Que se passe-t-il, femme ? cria furieusement le sergent Kirpitchnikov.

— Combien sont-ils ? » demanda Alyosha Zhitkin en armant son pistolet.

Hippolyte Evremov, son cornet acoustique enfoncé dans une oreille, se montra à la porte de la salle à manger. « Est-ce qu'elle a commencé, alors, la révolution ? » vociféra-t-il. Bien qu'il pût maintenant entendre, il gardait la voix haute par habitude.

Puis ils apparurent à la porte, Lili la première, suivie de si près par Zander qu'il sembla immédiatement évident à Appolinaria, accourue avec Ronzha sur le palier, qu'ils étaient amants, et plus encore amants très intimes.

« Comment peux-tu en être sûre ? chuchota Ronzha.

— S'ils avaient seulement fait l'amour, murmura Appolinaria en réponse, ils se toucheraient pour le faire savoir. Mais la proximité sans contact, c'est un signe de grande intimité. » Et elle ajouta : « Comme nous, mon âme. »

En l'honneur de leur retour, tout le monde contribua à la fête. Alyosha confectionna un bouillon avec quelques os de cheval, puis les enleva et ajouta des poignées de morceaux de navets, de carottes et de pommes de terre qu'il avait mis de côté. Sérafima prépara des blinis et les servit avec de la crème épaisse qu'elle avait achetée à un paysan finnois de passage à Petrograd. Vasia, les traits déformés par un demi-sourire malin, apporta deux bouteilles de vodka polonaise que la Croix-Rouge lui avait données quand il avait quitté l'hôpital. Ronzha offrit une troisième bouteille portant une étiquette finnoise que tout le monde pensa être un faux. Quand Hippolyte sortit un pot de cornichons, Ronzha, grisé par la vodka, se mit à raconter de façon décousue que Tolstoï les adorait ; il avait mis des dizaines de bocaux de cornichons, cultivés et préparés dans sa propriété de Yasnaïa Polyana, sur les étagères de son bureau à la place des livres.

Après le dîner, Sérafima, au vif déplaisir de Mélor, releva sa jupe au-dessus du genou et entonna d'une voix avinée une chanson grivoise du Caucase à propos d'une fille qui cocufiait son mari au bord de la mer. Ronzha récita un nouveau poème, qui commençait par : « Les bannières de Gengis Khan, au-dessus desquelles nul oiseau ne volait… » Quand il eut fini, Lili se leva brusquement. Croyant qu'elle allait faire un discours, Hippolyte tapa sur un verre avec son couteau.

« Mes amis, annonça Lili, moi je suis épuisée. » Elle se tourna vers Zander. « Viens au lit, mon amour. »

Le coude d'Appolinaria jaillit, touchant Ronzha entre la quatrième et la cinquième côte. « Qu'est-ce que je t'avais dit ? » murmura-t-elle triomphalement.

À l'hôtel Kshesinskaïa le lendemain matin, Lili fut accueillie à bras ouverts dans son petit bureau du grenier par la fille qui avait assuré les tâches de codage pendant son absence. « Comme je suis contente de te revoir, s'exclama-t-elle. Il y a un déluge de messages des agitateurs bolcheviks assignés à la garnison de Petrograd. Je ne peux pas suivre le rythme. »

Un regard autour de la pièce suffisait à expliquer pourquoi elle ne le pouvait pas. Des livres ouverts étaient empilés sur la table et les chaises. Une bouteille de vernis à ongles était tombée du bureau, laissant une tache rouge vif sur un livre relié de cuir et sur quelques messages. Lili respira profondément ; que cela lui plût ou non, elle était revenue à la révolution. « Ce qu'il faut, dit-elle à la fille, c'est mettre un peu d'ordre. Commençons par les livres… »

Zander se présenta au rapport dans la pièce en sous-sol qui avait été réservée à l'équipe des gardes du corps. Une quarantaine d'hommes avaient été affectés à la protection des dirigeants bolcheviks, qui consacraient tous une bonne partie de leurs heures de veille au travail de propagande parmi les ouvriers et les soldats.

Zander fut chaudement accueilli par ceux qui le connaissaient, et dévisagé avec curiosité par les autres qui avaient entendu parler de l'Américain et de la façon dont il avait frôlé la mort à Tsarskoïe Selo.

Ce matin-là, ceux qui n'étaient pas en mission déballaient et dégraissaient des fusils Mosin-Nagant, provenant d'un arsenal dont le gardien était passé aux bolcheviks.

La pièce avait une petite fenêtre haut placée, qui donnait sur la cour devant l'hôtel. Un des gardes du corps fit remarquer qu'il y avait plus de circulation que d'habitude ce matin-là ; des motos, certaines avec side-car, arrivaient en rugissant, à quelques minutes d'intervalle. « Quelque chose se prépare », constata brièvement un autre homme qui avait sur le visage des cicatrices reçues lors de grèves dans l'industrie à Tiflis.

Pendant l'après-midi, les grosses légumes bolcheviks – Trotski, Boukharine, Molotov, Zinoviev, Kamenev, Sverdlov – filèrent l'un après l'autre dans différents coins de la capitale. Le sous-sol se vida, les gardes du corps étaient chargés de les accompagner. À quatre heures, Zander fut convoqué au poste de commandement du premier étage. Staline, qui lisait un dossier de messages décodés, lui fit signe de s'approcher d'un mouvement de tête sec. « Vous avez pris votre temps pour revenir », dit-il. Il coupa court à l'explication de Zander d'un geste bizarre de son bras gauche estropié.

« Les marins menacent de venir de Kronstadt prendre d'assaut le palais de Tauride[1]. Le régiment des Mitrailleuses et les ouvriers de l'usine Poutilov sont prêts à se joindre à eux. Ils sont tous furieux des nouvelles du front – la dernière offensive s'est terminée par une autre défaite. Si le gouvernement provisoire ne sort pas la Russie de la guerre, ils pourraient essayer de porter au pouvoir quelqu'un qui le fera. » Staline tendit à Zander une enveloppe scellée. « Vous êtes supposé être une canaille imaginative. Prouvez-le. Trouvez une moto. Apportez cette lettre à Lénine avant le matin. »

Zander griffonna un bref mot pour Lili. « Je pars en mission, peut-être pour quelques jours. Pas de danger. Je pense à toi. Z. » Il le donna à Arishka en sortant. Exhibant une note que Staline avait gribouillée sur un morceau de papier – « Le porteur accomplit une mission urgente pour le Comité central bolchevik » –, il réquisitionna une moto dans la cour et s'installa

---

1 Siège du gouvernement provisoire.

dans le side-car. Le conducteur, un Ouzbek nommé Tchouvash, ancienne estafette au front, avait l'habitude d'esquiver les obus que les Allemands envoyaient sur tout ce qui bougeait. Balançant sa machine d'un côté puis de l'autre, traversant des champs sans clôture pour dépasser parfois un camion de l'armée qui se traînait pesamment sur ses roues de bois, il se dirigea vers la Finlande. La nuit tomba, mais Tchouvash ne ralentit pas l'allure, bien que l'unique phare du garde-boue avant n'éclairât rien.

Ils traversèrent la frontière finnoise après minuit, puis arrivèrent bruyamment dans le petit village de Neivola, niché dans la boucle d'une rivière au cours rapide. Tchouvash alla dormir dans une grange. Zander frappa à une demi-douzaine de portes avant que quelqu'un n'ouvre un volet à l'étage et ne l'envoie à la datcha que possédait l'ami de Lénine, Bontch-Bruyevitch ; elle se trouvait au bout du village, dit le paysan irrité, la dernière maison à droite si on suivait le chemin qui passait derrière la grange, de l'autre côté de la route.

Zander tâtonna dans le noir complet jusqu'à ce qu'il trouve la maison, et commença à en faire le tour à la recherche d'une fenêtre sans volet où il pourrait frapper. Il sentit soudain qu'on appuyait le canon d'un pistolet sur sa nuque.

« Bouge un muscle, murmura une voix familière, et je te fais sauter la tête.

— Atticus !

— Zander. Qu'est-ce que tu fais dans cet endroit abandonné de Dieu ? »

Zander raconta sa folle course depuis Petrograd et lui parla de la lettre urgente pour Lénine.

« Comment va-t-il ? demanda Zander. À Petrograd, on dit qu'il a besoin de repos. »

Tuohy eut un petit rire.

« Entre nous, c'est plus sérieux que ça.

— Que veux-tu dire ? »

Tuohy attira Zander vers la porte de derrière du petit cottage.

« Pour dire vrai, il est parfois très bizarre.

— Bizarre comment ?

— On ne peut pas savoir d'une minute à l'autre comment il va réagir. Il a l'air… embrouillé. Et il y a eu l'affaire des injections d'arsenic. »

Zander se souvint du conciliabule hâtif entre Kroupskaïa et l'homme qu'il prenait pour un docteur, à la porte de l'appartement de la sœur de Lénine. Ainsi il avait bien entendu les mots « arsenic » et « piqûre », après tout.

« On le soigne pour quelque chose de grave », dit Tuohy d'une voix neutre.

Zander sentit un frisson lui parcourir le dos ; si Lénine s'effondrait maintenant, cela mettrait la révolution en danger. Personne, pas même Trotski, ne pouvait prendre sa place.

« Grave à quel point ?

— Je ne suis pas médecin. Comment le saurais-je ? »

Tuohy réveilla Vladimir Bontch-Bruyevitch, un homme massif et gai avec une barbe noire et des lunettes à monture d'acier qu'il portait même en dormant. Vétéran de la révolution, il avait vécu un moment à Genève avec Lénine et Kroupskaïa, et était maintenant un des dirigeants de la propagande bolchevik. Il monta la mèche de la lampe à pétrole et lut la lettre que Zander avait apportée. Sa bouche béa. « Je ferais mieux de lui montrer ceci tout de suite », dit-il simplement.

Bontch-Bruyevitch grimpa l'étroit escalier de bois vers la chambre de Lénine et frappa, puis entra sans attendre de réponse. Quelques instants après, Zander et Tuohy entendirent Lénine tonner : « Je dois rentrer immédiatement. »

Zander dit : « Il me paraît assez rationnel », mais Tuohy ne fit que secouer la tête.

Tuohy arrêta une énorme Paige à sept places devant la datcha. Peu après, Lénine, les épaules voûtées, les yeux vides, franchit précipitamment la porte. Jetant à peine un coup d'œil à Zander, il rejoignit Bontch-Bruyevitch sur le siège arrière de la Paige, sortit le Browning automatique qu'il portait toujours dans sa poche et le posa sur ses genoux, l'index dans le pontet. Zander sur le siège du passager et Tuohy au volant échangèrent des regards. Il y eut une conversation à mots couverts à l'arrière, Bontch-Bruyevitch parlant le plus souvent. Comme un enfant impatient d'arriver, Lénine se penchait parfois en avant et tapait sur l'épaule de Tuohy. « Combien de temps encore ? » demandait-il. Alors qu'une aube froide, gris acier, éclairait l'horizon, Lénine parut se détendre. Il se mit à évoquer des souvenirs de son frère et de leur enfance à Simbirsk.

« On s'amusait tout le temps à jouer à la guerre », se rappela Lénine avec un sourire las. Il se frappa le genou du Browning comme s'il testait ses réflexes. « Maintenant nous y jouons vraiment. Si seulement Sacha pouvait me voir ! À cette époque, on découpait des soldats dans du carton et on les coloriait au crayon. Nous faisions les généraux plus grands, comme si la taille était l'élément le plus important pour exercer un commandement, dit-il en riant. L'armée de Sacha était toujours italienne, avec Garibaldi à sa tête. La mienne était américaine, dirigée par Grant. Quant à moi, j'étais Abraham Lincoln. »

La Paige dépassa un convoi de charrettes paysannes chargées de choux, qui se dirigeait vers Petrograd, et traversa la frontière peu après ;

les soldats de service leur firent signe de passer sans même regarder leurs papiers. « Quand nous serons au pouvoir, dit Lénine, nous abolirons toutes les frontières. Les gens seront libres d'aller et venir à volonté. Trotski parle toujours des États-Unis d'Europe. Pourquoi pas ? »

La Paige franchit bruyamment un pont de bois couvert qui enjambait une rivière boueuse, et Lénine commença à raconter ce que c'était de grandir sur les berges d'un fleuve. Son frère et lui faisaient des « tours du monde », ramant vers l'aval, explorant des affluents divers pendant presque une semaine, puis se faisaient remorquer par un vapeur pour rentrer chez eux. « La situation est devenue brûlante pour moi en 1901, et j'ai décidé qu'il me fallait un nom de guerre pour protéger ma famille, se souvint-il. J'aurais utilisé la Volga, où j'ai passé mon enfance, mais Plekhanov, une des grandes figures du socialisme russe, avait déjà adopté Volgin comme nom de plume. Aussi je me suis baptisé d'après la rivière Léna en Sibérie. »

« Ainsi, c'est par accident que nous parlons de léninisme et pas de volganisme ? » plaisanta Tuohy.

Lénine ne fut pas amusé. « Il n'y a pas d'accidents dans l'histoire, jeune homme », dit-il. Soudain, son front se plissa comme un rideau. Souffrait-il, se demanda Zander, ou pensait-il à ce qui l'attendait ? « Seuls les dirigeants peuvent analyser correctement les forces à l'œuvre, marmonna Lénine, puis exploiter ce savoir. » Ce qui était une autre façon de dire, pensa Zander, qu'un révolutionnaire était quelqu'un qui donne une poussée à l'Histoire.

CHAPITRE X

Les vieux qui jouaient aux dominos sur les quais et les paysannes qui remontaient avec leur lessive les marches allant aux canaux n'avaient jamais vu pareille armada. Elle apparut sur la Neva au milieu de la matinée, flottille de barges, de remorqueurs et de tout ce dont les marins avaient pu s'emparer. Il y avait plusieurs dizaines de voiliers non pontés, deux canots de course à huit rameurs, un cotre avec son matériel de pêche rangé, le vapeur du courrier dont la cheminée portait encore l'insigne impérial décoloré, une péniche à charbon dont la coque s'enfonçait dans l'eau aux quatre cinquièmes, et dont le pont était couvert de marins qui riaient comme des fous quand les vagues soulevées par la proue leur éclaboussaient les pieds. Même le célèbre quatre-mâts d'entraînement, avec sa sirène aux seins nus en figure de proue, avait été réquisitionné.

Se répandant dans les rues proches des quais, les marins se mirent en rangs et marchèrent sur l'hôtel Kshesinskaïa non loin de là. « Lénine ! Lénine ! Nous voulons Lénine ! » scandaient-ils. Beaucoup d'entre eux portaient un fusil et une ceinture de cartouches en bandoulière. Leurs rangs se gonflèrent d'ouvriers du district de Vyborg. Un kilomètre en avant, les soldats du régiment des Mitrailleuses, armés jusqu'aux dents et rendus furieux par des rumeurs rapportant qu'on allait les envoyer au front pour contenir la dernière avancée allemande, se déversèrent sur le pont Liteini. Venant du district de Narva, plusieurs milliers d'ouvriers de l'usine Poutilov, portant d'énormes banderoles rouges avec des slogans en lettres dorées, remontèrent Sadovaïa Prospekt. À midi, les rues, les jardins et les allées autour du quartier général bolchevik fourmillaient de soldats, de marins et d'ouvriers. Ils grimpaient aux murs et s'asseyaient dans les arbres pour mieux voir.

« Lénine ! Lénine ! Nous voulons Lénine ! » scandaient-ils.

Ils n'étaient pas d'humeur à accepter un refus.

À l'intérieur de l'hôtel Kshesinskaïa, au premier étage, Lénine faisait les cent pas devant les portes-fenêtres du balcon. Il y avait dans la pièce Trotski, Staline, Zinoviev, Kamenev, Boukharine, Molotov, Kroupskaïa, Inessa Armand, les deux sœurs de Lénine, plusieurs chefs de district des gardes rouges, ainsi qu'une douzaine de bolcheviks sans grade qui s'étaient trouvés dans l'immeuble. Zander, près de la porte, échangeait des regards soucieux avec Lili, de l'autre côté de la salle.

« Lénine ! Lénine ! Nous voulons Lénine ! » rugit de nouveau la foule.

Les traits aussi gris que de la cendre, les épaules voûtées, une main pressée sur le front pour calmer sa migraine, Lénine écarta le rideau de dentelle et regarda par la fenêtre.

« Veut-on accepter de mener tout de suite la révolution, demanda-t-il, et mettre en danger tout ce que nous avons bâti jusqu'à présent, puisque c'est trop prématuré ? Ou bien refusons-nous poliment la proposition – merci pour l'invitation, mais nous avons un engagement antérieur –, finissant ainsi dans les poubelles de l'Histoire ? »

Trotski, appuyé contre un mur, occupé à essuyer les verres de son pince-nez avec un mouchoir froissé, était partisan de chevaucher la vague.

« Ils sont au moins cinquante mille là-dehors, dit-il. Beaucoup sont armés. Un mot de vous et ils marcheront sur le palais de Tauride et arrêteront tous ceux qu'ils verront. Si vous apparaissez et proclamez un nouveau gouvernement composé de bolcheviks, il y a une bonne chance pour que ça marche.

— Quelles sont les forces qui gardent le palais de Tauride ? » demanda Staline depuis un autre mur.

Lénine s'empara de la question.

« Oui… quelles sont les forces qui gardent le palais de Tauride ? Nommez les unités qui nous suivront certainement si nous prenons le pouvoir. Dans quelles mains sont les arsenaux ? Où sont les dépôts de vivres de Petrograd ? Dans le cas d'une contre-révolution, la sécurité des ponts basculants de la Neva est-elle assurée ? Est-ce que nous avons des bases arrière sur lesquelles nous replier en cas d'échec ? »

Une poignée de gravier s'écrasa contre une fenêtre, et Lénine sursauta. Il est à court de temps, pensa Zander.

Lénine trouva une solution intermédiaire.

« S'il doit y avoir un soulèvement, annonça-t-il, la voix un peu plus aiguë que Zander ne l'avait jamais entendue, je considère comme essentiel que les soldats et les marins, les ouvriers dans la rue, aient l'impression que nous le dirigeons. Mais si un coup d'État échoue, il doit paraître que nous n'étions pas impliqués.

— Si un coup d'État échoue, commenta Trotski depuis sa place le long du mur, nos ennemis nous accuseront, que nous soyons impliqués ou non. »

Staline mâchait le tuyau d'une pipe éteinte ; il avait récemment décidé de diminuer sa consommation de cigarettes.

« De mon point de vue, dit-il, nous gagnons aussi longtemps que nous ne perdons pas. Et le gouvernement provisoire perd aussi longtemps qu'il ne gagne pas.

— Staline a raison, acquiesça Kamenev, toujours effrayé par l'action violente. Notre problème n'est pas de gagner, mais de survivre. Parce que si nous survivons, nous finirons par gagner. »

Si Lénine les entendit, il n'en donna aucun signe.

« Je vais conseiller aux manifestants de formuler leurs exigences directement auprès du gouvernement provisoire. Si Kerenski perd son sang-froid, nous remplirons le vide. Staline, prenez quelques camarades avec vous et allez dans la rue accompagner les manifestants. Ainsi nous pourrons toujours prétendre les avoir guidés si cela nous sert.

— Mais vous ne les dirigerez pas ? » dit doucement Trotski.

Lénine explosa.

« Une révolution se construit comme une montre. C'est une série de roues dentées de différentes tailles qui sont mises en mouvement par un acte délibéré. Les dents d'une roue s'engagent dans celles d'une autre, plus grande, et celle-ci en fait tourner une de taille encore supérieure. » Il engloba d'un geste les masses qui se pressaient dans les rues en dessous. « Il n'y a pas de précision là-dedans. Pas de prévisibilité. Nous ne contrôlons pas les événements. Les événements nous contrôlent. » Dans son agitation, Lénine commença à faire des phrases à demi formées. « Prudence… nous devons être… il est facile de… qui peut me dire… eh bien… » Autour de la pièce, les gens fixaient le plancher avec embarras. « Nous devons tirer le meilleur parti d'une mauvaise chose », marmonna Lénine. Il inspira par les narines et exhala, et respirer profondément parut le raffermir. Il sortit un mouchoir de la poche intérieure de sa veste et s'essuya le front. Puis il se lécha les lèvres. « Ouvrez les portes. Je vais leur parler maintenant. »

Zander regarda Lili, mais elle détourna les yeux.

Sur le balcon, Lénine plissa les paupières pour distinguer la mer des visages, et laissa le rugissement de la foule l'envelopper. Il vacilla légèrement, comme s'il en éprouvait physiquement l'effet, puis se raccrocha d'une main à la balustrade en fer forgé. Il commença à parler avant que les acclamations se soient tues, et ses premiers mots se perdirent :

« ... si je me restreins à quelques mots, j'ai été malade. » Lénine ajusta nerveusement son nœud de cravate. « Je vous salue, recommença-t-il d'une voix tendue.

— On n'entend pas, on n'entend pas, scandèrent des dizaines de marins de l'autre côté de la rue.

— Je vous salue, répéta Lénine, élevant la voix en un cri rauque, au nom des travailleurs de Petrograd. Vos réclamations – la fin de la guerre, du pain, de la terre, la liberté – ne sont que des réclamations... des réclamations. Le moment est venu pour vous de vous adresser directement aux membres du gouvernement provisoire. S'ils... s'ils ne vous donnent pas satisfaction, vous saurez, oui, vous saurez que faire. »

Les premiers rangs de la foule s'agitèrent, mal à l'aise.

« Mais que *devrions*-nous faire ? » hurla un ouvrier.

« Dites-nous quoi faire », cria un homme qui s'accrochait tant bien que mal à un arbre.

« Ne voyez-vous pas, camarades – il n'ose pas », cria un jeune mitrailleur.

« Nous oserons ! » rugit un marin de forte carrure perché sur une automobile. « Au palais de Tauride ! »

Le cri fut repris. « Au palais de Tauride ! Au palais de Tauride ! »

Un clairon de la marine porta une trompette à ses lèvres et en tira une sonnerie stridente. Les marins formèrent les rangs, vingt de front, et descendirent la rue vers le centre de la ville. Les soldats du régiment des Mitrailleuses leur emboîtèrent le pas, et derrière eux venaient les masses d'ouvriers avec leurs brassards rouges et les banderoles qui volaient au-dessus de leurs têtes. Des automitrailleuses prirent position à intervalles stratégiques. Pendant que Lénine regardait toujours de son balcon, indécis, la longue colonne serpentine des manifestants s'éloigna de l'hôtel Kshesinskaïa.

À l'intérieur du quartier général bolchevik, Staline organisa rapidement un contingent pour se joindre aux manifestants. Il comprenait Zander, Lili, plusieurs chefs de district des gardes rouges avec leurs femmes, et une fille de seize ans éblouissante, à l'air gitan, Nadejda Alliluyeva, la fille d'un vétéran du parti, Sergeï Alliluyev, qui avait une fois caché Staline quand il s'était échappé de prison et qui gardait maintenant une chambre à sa disposition à Petrograd. La rumeur voulait que Staline, dont la première femme avait été emportée par la tuberculose en 1907, eût des vues sur la jeune beauté, bien que ce fût la première fois qu'on les eût aperçus ensemble en public. « Restez en groupe, les prévint Staline, au cas où il y aurait des ennuis. Gardez vos pistolets cachés. Bon. Allons-y. »

C'était un jour splendide pour un défilé. Une brise vivifiante venait du golfe de Finlande. Des traînées de nuages traversaient le ciel à angle droit de leur marche. Les ouvriers de Poutilov se mirent à chanter *La Marseillaise* et Lili rit de la façon dont ils prononçaient les mots. Les dames se prirent par la taille et, s'alignant derrière leurs hommes, entonnèrent *L'Internationale*.

Durant le trajet, les rangs s'enflèrent, des milliers de travailleurs se joignaient à la manifestation. « Tu avais raison de vouloir qu'on revienne », cria avec excitation Lili à Zander, qui était devant elle, bras dessus bras dessous avec ses voisins. « Nous faisons l'Histoire aujourd'hui. »

Ils traversèrent le pont Troïtski et contournèrent le Champ de Mars[1], où les morts de la révolution de mars avaient été enterrés dans une fosse commune. « Restez vigilants », cria Staline quand ils tournèrent dans la rue Sadovy. Zander remarqua qu'il guettait les toits et les fenêtres hautes ; de toute évidence, Staline, vieil habitué des rues, s'attendait à des ennuis.

Les ennuis arrivèrent. Comme les Mitrailleurs atteignaient l'intersection des rues Sadovy et Apraksina, une cloche de l'église de l'Assomption à deux rues de là se mit à sonner. Presque instantanément, une longue rafale de mitrailleuse venant du palais Apraksina balaya les manifestants. Des dizaines de tireurs embusqués sur les toits ouvrirent le feu. Des femmes hurlèrent. Les soldats et les marins s'éparpillèrent dans la rue.

« La discipline avant tout », cria Staline en dégainant son pistolet.

Près de Zander, la poitrine d'un chef de district des gardes rouges explosa en projetant du sang et de la chair, et l'homme tomba face sur le pavé. En avant, les marins se mirent à tirer frénétiquement. Une automitrailleuse, sirène hurlante, remonta la rue à toute allure, arrosant les fenêtres à la mitrailleuse et écrasant les manifestants blessés sous ses roues.

C'était le cauchemar de Zander qui se réalisait. Il allait être piétiné à mort par les marins fous furieux qui le dépassaient. Il se laissait bousculer par eux, les yeux fermés, revivant sa lutte pour monter l'étroit escalier jusqu'au palier du Triangle, repoussé et emporté par les filles affolées qui descendaient. « Lili », cria-t-il, restant sur place et affrontant la vague. Puis les marins l'eurent dépassé, et il se précipita vers elle.

« À couvert ! » cria Staline. Zander saisit Lili par le bras, ainsi que sa voisine, et les entraîna vers la sécurité relative d'une entrée d'immeuble. Derrière eux, une fille trébucha et tomba, sa tête heurtant durement le trottoir. Une automitrailleuse, lâchant un jet de gaz par son tuyau d'échappement, fonça vers eux depuis l'extrémité proche de la Neva de la rue Sadovy. Zander poussa Lili et l'autre femme dans l'entrée, puis

---

1 En français dans le texte.

fit demi-tour et arracha la jeune fille du chemin de l'automitrailleuse. Pendant qu'il la portait vers l'entrée, des balles plurent autour de lui, envoyant de petits éclats contre ses jambes.

La jeune fille était inconsciente, mais ne portait pas trace de blessure. Zander l'allongea sur le sol à côté de Lili accroupie. Il releva les yeux pour voir le visage sombre de Staline qui regardait la fille derrière lui – et ce n'est qu'alors qu'il réalisa avoir sauvé la petite amie de Staline, la jeune Nadejda Alliluyeva. Staline appuya son oreille sur la poitrine de la fille. Le cœur battait. « Je n'oublierai jamais ce que vous avez fait, même si je deviens centenaire », chuchota Staline avec une violence contenue. Il tenait de sa bonne main un pistolet contre son cœur. Avec un dernier regard soucieux pour la fille inconsciente, il ressortit dans la rue et se précipita vers le palais Apraksina.

Quelques minutes après la première rafale de mitrailleuse, les restes de l'embuscade recouvraient les pavés : des chaussures, des fusils, des boîtes de cartouches, des calots de marins, des banderoles, du verre brisé, des rubans venant d'un atelier de couture pillé. Et il y avait les morts : des dizaines, peut-être des centaines de corps étalés dans des positions grotesques. Zander sortit son pistolet allemand de son étui et suivit Staline.

« Alexander ! » hurla Lili de la porte ; on aurait dit qu'elle insufflait sa vie entière dans ce cri unique. Mais plusieurs grenades qui explosaient plus loin dans la rue couvrirent sa voix pendant que Zander courait rejoindre le combat.

Les marins qui avaient pris d'assaut le palais Apraksina découvrirent une famille entière – y compris un vieil homme dans un fauteuil roulant – recroquevillée dans un salon du rez-de-chaussée. Malgré leurs protestations d'innocence, ils furent traînés dehors, alignés contre un mur et fusillés par un peloton d'exécution improvisé. D'autres marins grimpèrent l'escalier de marbre et commencèrent à enfoncer les portes, tuant tous ceux qu'ils rencontraient. Sur le toit, ils acculèrent un tireur embusqué blessé, le soulevèrent et le jetèrent par-dessus le parapet.

Contournant le corps d'un cheval mort, Zander leva les yeux et vit un homme armé d'un fusil à la fenêtre ovale d'un grenier, loin au-dessus de sa tête. Il s'agenouilla, visa et tira deux fois. L'homme se rejeta à l'intérieur. Plusieurs soldats du régiment des Mitrailleuses apparurent soudain sur un balcon deux étages plus bas. Ils portaient un corps, qu'ils lancèrent par-dessus la balustrade.

« Au-dessus de vous – un tireur embusqué », leur cria Zander.

Ils lui firent signe et bondirent dans la maison. Quelques instants plus tard, un soldat sortit la tête par la fenêtre et agita gaiement le bras vers Zander. Peu après, les autres sortirent par la porte de devant en traînant un prisonnier. C'était un vieil homme avec des favoris blancs, portant ce que Staline avait décrit comme un « costume de singe », et Zander se dit que c'était soit un majordome, soit un banquier. Une femme, sans doute la sienne, se précipita derrière lui et se jeta sur les Mitrailleurs qui la repoussèrent brutalement. Ils amenèrent le vieil homme dans la rue et le forcèrent à s'agenouiller.

« Nous devons faire des prisonniers », cria Zander. Un des Mitrailleurs appuya son pistolet contre la nuque du vieux. Zander entendit l'aboiement sec du coup de feu au moment où il détournait le regard.

La fusillade commença à diminuer, et les manifestants ressortirent des couloirs et des immeubles qu'ils avaient envahis. Un camion de l'armée remonta lentement la rue Sadovy, et les vivants soulevèrent les morts et les empilèrent. Des médecins du régiment des Mitrailleuses se penchèrent sur les blessés. Staline se planta au milieu de la rue, leva son pistolet au-dessus de sa tête, et ce qui restait du contingent bolchevik se rassembla autour de lui. Plusieurs coups de feu claquèrent dans une rue adjacente, suivis d'une longue rafale tirée par une automitrailleuse. Ensuite ce fut le silence, et les jurons furieux des marins. Fusils et mitrailleuses prêts, les manifestants reformèrent leurs rangs et repartirent vers le palais de Tauride.

Cette fois, personne ne chantait.

Zander, le pistolet pointé vers le sol, les yeux fouillant les toits, entrelaça ses doigts avec ceux de Lili.

« Alexander, je te remercie, lui dit-elle d'une voix basse.

— Pourquoi ? demanda Zander sans quitter les toits des yeux pendant qu'ils descendaient la rue.

— Je te remercie d'être resté en vie. »

L'aumônier avait un jeune frère qui travaillait pour le gouvernement provisoire dans la sous-section de propagande du ministère de l'Information publique. Ce jeune frère, qui chassait tous les jupons qu'il rencontrait, se donnait beaucoup de mal pour convaincre l'aumônier de sa piété. Celui-ci, pour sa part, prenait un certain plaisir sadique à choquer son frère avec des preuves de son attachement aux choses terrestres. Aussi, cherchant quelque chose à lui offrir pour son anniversaire, l'aumônier pensa à la photo qu'il avait chapardée sur la porte des toilettes du colonel.

Le jeune frère fit semblant d'être très embarrassé par la photo de la princesse nue. « Si c'est ton idée d'une plaisanterie, ce n'est pas drôle, dit-il. Je la brûlerai. » Il jeta la photographie de côté et, changeant de sujet avec désinvolture, raconta à son frère ce qui s'était passé le matin.

La populace, menée par les bolcheviks, avait marché sur le gouvernement provisoire. Les nerfs de Kerenski n'avaient pas craqué. Des troupes loyales au gouvernement avaient été amenées d'urgence en ville. Il y avait eu un moment de tension comme les deux côtés se faisaient face. Puis la pluie s'était mise à tomber. La populace s'était dispersée. Kerenski profiterait de la situation pour en finir une fois pour toutes avec Lénine et les bolcheviks.

Après le départ de l'aumônier, le jeune frère posa la photo debout contre une lampe, se servit un cognac et se renversa dans son siège pour siroter son verre et étudier le corps de la princesse. C'était, devait-il admettre, le cadeau le plus original qu'il eût jamais reçu de son frère.

CHAPITRE XI

Il n'y eut pas d'autopsie de l'événement ; les bolcheviks n'avaient pas eu le temps. Staline fut le premier à voir les signes. « Au plus, ce sera une question d'heures », prévint-il.

En jouant sur les passions libérées par le « soulèvement de juillet » comme il l'appelait, Kerenski remplaça le prince Lvov au poste de Premier ministre, s'installa dans les appartements privés du tsar au Palais d'Hiver et commença à orchestrer sa campagne antibolchevik. Des mandats furent lancés pour l'arrestation de Lénine et d'autres dirigeants bolcheviks, sous l'inculpation d'incitation à la rébellion armée. Les cosaques, lâchés par le nouveau Premier ministre, envahirent les bureaux de la *Pravda*, fracassèrent les presses et mirent hors d'usage le principal organe de propagande des bolcheviks. Lénine se dissimula dans l'appartement de l'ami de Staline, Sergeï Alliluyev, fit couper sa barbe et sa moustache caractéristiques – Staline lui-même maniait les ciseaux – puis fut escamoté de la ville et envoyé dans la campagne finnoise.

Zander et Lili allèrent directement au Vapeur récupérer une malle de vêtements, et le vieux chat arthritique et borgne de Lili, avant de se cacher. Ils tombèrent sur Tuohy à l'entrée. Il lisait un message que le poète Ronzha et Appolinaria avaient fixé à la porte. Ils s'étaient enfuis, écrivait Ronzha, parce que, ayant vécu dans la maison, ils craignaient d'être pris pour des bolcheviks.

L'intérieur du Vapeur sonnait creux. La plupart des chats avaient disparu, et Lili soupçonna immédiatement Mélor d'en avoir fait de la nourriture.

Tuohy entendit un raclement à l'étage. « La maison n'est pas aussi vide que vous le croyez », murmura-t-il en dégainant son pistolet et en s'avançant dans l'escalier. Zander sortit sa propre arme et le suivit.

Lili essaya de le retenir. « Laisse donc. Nous irons nous cacher dans la malle. Ce n'est pas important. » Mais quand Zander repoussa sa main et continua à monter l'escalier, elle prit son « phallus » nickelé, comme elle appelait son pistolet, dans son sac de tissu et lui emboîta le pas.

Au bout du couloir, Tuohy appuya l'oreille contre la porte de Lili. Zander arma du pouce le chien de son pistolet. D'un violent coup de pied, Tuohy ouvrit la porte et plongea dans la pièce. Lili et Zander se pressèrent derrière lui.

Otto Eppler les regarda l'un après l'autre, la bouche ouverte. Il avait apporté tous les livres et les lettres de Lili sur son lit et les examinait.

« Je pensais – c'est-à-dire, je supposais – avec tout le monde qui part –, je pensais que vous ne reviendriez pas, dit-il piteusement.

— Tu as mal calculé, dit froidement Tuohy.

— Alors, c'est toi qui as volé la lettre de Lénine dans ma chambre, dit Lili stupéfaite. Tu es le traître du Vapeur. »

Eppler s'assit lourdement sur le bord du lit, comme s'il était arrivé au bout d'un long voyage.

« J'ai... oui, j'ai pris la lettre, admit-il.

— Qui te paie ? » demanda Tuohy.

Eppler fut offensé.

« Personne ne me paie.

— Mais tu as volé la lettre et tu l'as donnée à Kerenski, dit Lili.

— Je me suis arrangé pour qu'elle tombe entre ses mains, oui.

— Mais pourquoi, Otto ? Pour qui travailles-tu ? » demanda Zander.

Lili, furieuse, s'exclama : « Au nom de quelle cause nous trahis-tu ? »

Eppler eut un sourire las.

« Au nom du bon sens, dit-il. Au nom du pur marxisme. Au nom des millions de gens qui souffriront si ce roi des communistes obtient ce qu'il veut, oui ? » Eppler s'adressait à Zander : « J'avais commencé à te le dire un soir où j'avais un peu trop bu. Tu te souviens, oui ? Votre Lénine fait prendre la mauvaise voie au communisme. Il n'en sortira rien de bon. Rien du tout. C'est un élitiste, oui ? Il crée des élites. Et lui, il... oui ? Il est l'élite du Comité central. Il ouvre le chemin, oui ? Après lui, d'autres le suivront. La dictature du prolétariat deviendra la dictature d'un seul homme.

— Il y a de la place dans les rangs du parti pour les divergences, déclara Zander, tant que nous serrons les rangs quand une décision est prise. »

Eppler haussa les épaules.

« Serrer les rangs. C'est ce que j'entends toujours, oui ? Serrer les rangs. Le communisme, mon jeune camarade, n'est pas d'un seul tenant, si fort que Lénine veuille le faire paraître.

— Mensonges ! cria Lili. Tout ce qu'il dit, ce sont des mensonges.

— Ach, ma chère, soupira Eppler, tu ne connais pas ton Spinoza. Il n'existe pas de mensonges, nous dit-il dans son *Éthique*, il n'y a que des vérités infirmes, oui ?

— C'est un traître, dit Tuohy à Zander, et il faut le traiter comme tel.

— Lequel de vous m'abattra, alors ? » demanda Eppler avec un sourire triste.

Le pistolet de Tuohy ne trembla pas.

« S'il y en a un comme lui, il y en aura d'autres. Il fait partie d'une conspiration. Il faut le remettre aux camarades pour interrogatoire.

— Les camarades, lui rappela Zander, se cachent.

— Alors, nous devons l'interroger nous-mêmes », dit Tuohy. Il s'avança d'un air menaçant vers Eppler, tournant son pistolet pour le tenir par le canon.

Tu choisis le mauvais cheval, Léon l'avait prévenu. La Russie te brisera le cœur. Pourquoi entendait-il maintenant sa voix, se demanda Zander.

Eppler dit : « Je vais vous épargner la peine, mon ami, d'interroger – quelle délicate façon de dire les choses – un vieux communiste allemand qui a une vision des choses différente de la vôtre. » Et, d'un geste fluide, il prit une petite capsule dans la poche de sa veste, la porta à sa bouche et mordit dessus.

Tuohy se précipita.

« Ach, croirais-tu… que je n'ai jamais cru que… » Eppler ferma les yeux de douleur, « ça finirait réellement, oui ? »

Zander tomba à genoux à côté de lui. « Qu'est-ce qui ne finirait pas, Otto ? »

Eppler exhala très lentement, comme un pneu crevé, et la dernière bouffée d'air à quitter ses poumons portait le mot : « la vie ».

Tuohy et Zander descendirent le corps d'Eppler dans son cabinet et le hissèrent dans le fauteuil de barbier au milieu de la pièce. Zander redressa la cravate du dentiste et lui croisa les mains sur le ventre.

« Ne perds pas de vue le fait que c'était un traître, dit Tuohy.

— C'était un idéaliste, le contredit Zander. Il voyait les choses sous un autre angle. » Il ne suivit pas ce courant de pensée plus loin ; peut-être sentait-il que le terrain était dangereux.

Tuohy le toisa. « Ortona ne t'a rien appris. » Secouant la tête de dégoût, il monta au premier, prit son sac et disparut sans un mot d'adieu.

De retour dans sa chambre, Lili enfonçait quelques vêtements, avec un revolver de marine à canon lisse et plusieurs poignées de cartouches, dans un petit panier de paille. Elle prit son service de cuillers à thé en argent massif – elles pourraient être pratiques pour faire du troc – et sa bouteille de parfum *Idéal* à demi pleine. Alors qu'elle allait partir, elle se souvint des deux esquisses d'elle, des souvenirs de Paris, l'une exécutée par un jeune peintre espagnol, l'autre par un artiste qui lui avait allongé le cou. Elle décrocha l'une du mur et prit l'autre dans un grand panier. Elle contempla les caisses en bois clouées, la fine mitrailleuse française près de la fenêtre et le samovar d'argent. Sans trace de regret, elle ramassa son panier, le vieux chat et, laissant la porte grande ouverte, tourna le dos au Vapeur.

Ce fut Lili qui trouva, d'un rapide coup de téléphone, une cachette. Quand Zander demanda où ils allaient, elle se contenta de grimacer et de répondre par ce qui semblait être un *non sequitur*. « Ne t'en fais pas, dit-elle, j'ai emporté un peu de parfum. » Mais elle insista pour faire un détour – quoique, mystérieuse de nouveau, elle ne voulût pas en dire plus.

Le détour les amena à une école primaire délabrée dépendant d'une église dans les faubourgs de la ville. Les religieuses qui s'en occupaient étaient anglaises et Lili eut du mal à se faire comprendre à la porte. « Je… comment dit-on ?... veux voir ma petite fille. » Puis une religieuse plus âgée, une femme épaisse au visage grêlé, aperçut Lili et lui fit signe d'entrer.

« Vous êtes venue chercher Ludmilla ? » demanda-t-elle en anglais et, quand elle s'aperçut que Lili ne la comprenait pas, elle se tourna vers Zander, mécontente. « Vous ne parlez pas anglais, par hasard ? » En découvrant que c'était le cas, elle eut un soupir de soulagement et lui demanda de traduire.

« Non, je ne la prendrai pas, répondit violemment Lili, ni maintenant ni jamais.

— Dites-lui que la fillette a besoin d'une mère », ordonna la religieuse à Zander sans se soucier de cacher sa désapprobation.

« Je ne peux pas être une mère », répliqua Lili. Elle en appela à Zander. « Je ne peux même pas endormir un enfant en lui chantant une berceuse. Quand j'essaie, ils se mettent toujours les mains sur les oreilles. Demande-lui si je peux voir l'enfant. Ça ne prendra qu'un moment. »

La religieuse soupira comme si elle portait le poids de la croix sur les épaules. Elle leur fit descendre un couloir jusqu'à une salle de jeu au plafond élevé. Plusieurs carreaux manquaient aux fenêtres et étaient remplacés par du carton. Deux douzaines de petites filles, portant toutes des blouses grises identiques, jouaient avec des poupées, empilaient des cubes ou dessinaient sur de grandes feuilles de papier d'emballage punaisées au mur. « Elle est là », dit la religieuse avec froideur.

Lili s'approcha d'une fillette qui coloriait le dessin qu'elle avait fait, c'était un poisson minuscule qui nageait dans un océan immense. Zander crut la reconnaître ; les yeux effrayés, le visage rond, les cheveux courts bouclés lui étaient familiers. Puis il se rappela où il l'avait déjà vue – sur une photo accrochée au mur du bureau de Lili dans le grenier.

« Voilà la gentille dame qui te rend visite de temps en temps », annonça la religieuse dans un russe hésitant.

L'enfant, qui devait avoir sept ou huit ans, ne ressemblait pas du tout à Lili. Jusqu'à ce qu'elle sourie. Alors elle se transforma magiquement en portrait de Lili tout craché : les mêmes pommettes hautes, le nez légèrement aplati, les yeux à peine bridés qui suggéraient une influence tartare dans son ascendance.

« Est-ce que vous m'avez apporté quelque chose ? demanda-t-elle innocemment.

— Ce n'est pas poli de réclamer des choses, la gronda la religieuse.

— Il n'y a pas de mal, dit vite Lili. En fait, oui. Et, dans une impulsion, elle tendit à la fillette le vieux chat arthritique.

— Qu'est-ce qu'il a à l'œil ? demanda-t-elle.

— Il est borgne de cet œil, expliqua Lili.

— Que dis-tu quand quelqu'un te fait un cadeau ? » la pressa la religieuse. Elle regardait le chat comme si elle évaluait ses possibilités culinaires.

« Je dis merci, dit gaiement l'enfant.

— C'est un très joli dessin que tu colories, remarqua Zander. C'est toi qui l'as fait ? »

Ludmilla hocha timidement la tête.

« À quoi est-ce que tu penses quand tu dessines ? demanda-t-il.

— Qui est-ce ? demanda Ludmilla à Lili dans un murmure.

— C'est mon ami. Maintenant, c'est ton ami aussi. »

Cela parut tout arranger.

« Quand je fais de l'art, expliqua sérieusement Ludmilla à Zander, je commence avec une idée. Après je trace une ligne autour.

— Je vois », dit Zander.

Une fois dehors, Lili resta silencieuse le temps de longer plusieurs pâtés d'immeubles.

« Je suppose, parvint-elle finalement à dire, que je te dois une explication.

— Tu ne me dois rien », dit abruptement Zander.

Une *sotnya* de cosaques passa au galop, soulevant de la poussière. Quand Zander regarda Lili, il vit que ses yeux étaient humides – à cause de la poussière ou de l'émotion, il ne savait pas. Il prit un ton différent.

« Tu ne me dois rien, fit-il d'une voix plus douce. Quand tu seras prête, tu me raconteras. De toute façon, ça ne changera rien.

— Je te raconterai, Alexander – mais pas maintenant. Je voulais que tu la voies. Je voulais que tu saches où elle est. Si quelque chose… quelque chose m'arrivait… je considérerais ça comme une faveur…

— Tu veux que je m'occupe d'elle.

— Je veux juste qu'il y ait quelqu'un au monde pour qui elle soit précieuse. »

Zander accepta d'un hochement de tête. « Ta fille… », il découvrit que ces mots étaient plus difficiles à prononcer qu'il ne l'aurait cru, « ta fille sera précieuse pour moi. »

Le chef de la sous-section de propagande du ministère de l'Information étudia à la loupe la photo de la princesse nue.

« Je vois ce que vous voulez dire, marmonna-t-il. Son visage est très russe, mais avec une légère trace orientale dans les yeux. Cela devrait certainement attirer un grand nombre d'hommes. Quant au corps, bien sûr, il faudra faire quelque chose…

— Cela va sans dire, acquiesça le jeune frère de l'aumônier.

— Oui, vraiment », dit le chef de la sous-section de propagande, répugnant à bouger la loupe. Il parvint enfin à relever les yeux. « Si ça marche comme je le pense, vous aurez mérité un éloge. Ce sera tout pour le moment. »

Le jeune frère de l'aumônier se glissa hors du bureau et referma sans bruit la porte derrière lui. À l'intérieur, le chef de la sous-section de propagande se pencha sur sa loupe. Il n'avait jamais auparavant eu l'occasion d'observer de si près le sexe d'une femme.

« Alors, c'est à propos de ça qu'on fait tant de bruit », dit-il à haute voix.

« Eh bien, demanda anxieusement Lili, qu'est-ce que tu en penses ?

— Ce que je pense », dit Zander en reniflant délicatement l'air et regardant autour de lui avec une nette expression de dégoût, « c'est que tu as raison. Personne ne nous trouvera ici. » Et il essaya d'en faire une plaisanterie. « Personne ne le voudrait. »

Lili grimaça aussi. « C'est foutrement abominable, hein ? »

Zander mit ses affaires dans un coin et s'assit sur le vieux matelas posé à même le plancher. « C'est mieux que d'être livrés aux bons soins de quelques ardents antibolcheviks. Je suppose qu'on s'habitue à l'odeur. »

Lili repoussa des bocaux contenant des fœtus pour faire place à son panier. Elle en sortit les deux dessins qu'on avait faits d'elle et les posa sur une autre étagère. Puis elle sortit sa bouteille de parfum *Idéal* et, déboutonnant son chemisier, s'en arrosa généreusement le cou et les seins. « Au moins, je peux t'enlever l'odeur de la tête », murmura-t-elle et, s'allongeant sur le matelas à côté de Zander, elle lui attira la tête vers sa poitrine.

Ils s'étaient terrés, grâce à l'amitié de Lili pour un médecin qui avait des sympathies secrètes pour les bolcheviks, dans une des réserves en sous-sol des six étages de l'Institut des Sciences, sur Angliskyi Prospekt. « Vous serez en sécurité ici », leur avait assuré le médecin, un tout petit homme chauve d'âge moyen avec un bec-de-lièvre. Il leur avait donné une des deux clefs qui allaient dans la serrure. « Verrouillez-la de l'intérieur. Je suis le seul qui descende ici. C'est moi le gardien des "pièces détachées" », ajouta-t-il avec une œillade rusée.

Zander avait compris ce que le médecin voulait dire par « pièces détachées » à l'instant où il avait franchi la porte. Les murs de la réserve supportaient des rangées d'étagères en bois et celles-ci étaient couvertes de bocaux d'organes conservés dans du formol, un liquide incolore contenant, comme le nez de Zander le découvrit bientôt, un fort pourcentage de formaldéhyde. Il y avait des foies, des poumons, des cœurs, des intestins et des cerveaux. Tous étaient nettement étiquetés d'une écriture gracieuse : FOIE – MÂLE DE 40 ANS, ou CERVEAU – FEMELLE DE 18 ANS. Une étagère ne contenait que des cœurs, commençant à une extrémité avec celui d'un embryon de douze semaines et se terminant près du vasistas condamné avec celui d'un mâle de quatre-vingt-quinze ans. « Au moins, nous ne serons pas seuls », plaisanta Lili, et elle rassembla plusieurs bocaux contenant des cœurs, des cerveaux, des poumons et des intestins de chats sur l'étagère la plus proche du matelas afin d'avoir ses animaux favoris près d'elle.

Très vite, Zander et Lili s'installèrent dans leurs habitudes. Dès le lever, ils se déshabillaient et se lavaient à l'unique robinet alimentant le bac à lessive. Un peu plus tard, le médecin au bec-de-lièvre arrivait avec des livres, des journaux et des rumeurs, ainsi que des restes qu'il avait réussi à chiper à l'intendance de l'Institut – une moitié de chou-fleur, quelques rondelles de concombre, des quignons de pain. Lili et Zander sortaient à tour de rôle, toujours en milieu de matinée, quand les rues grouillaient de monde et qu'ils risquaient moins d'être remarqués. Ils allaient en quête de nourriture dans les endroits de la ville où l'on faisait du marché noir ; avec un peu de chance ils pourraient tomber sur un paysan prêt à troquer un morceau de jambon fumé ou un sac de betteraves contre une des cuillers en argent de Lili.

Au début, Zander avait cru que ce cadre de vie, sans parler de l'odeur, allait tempérer son appétit, sexuel et autre. Curieusement c'est le contraire qui se produisit. Nue jusqu'à la taille et triomphant du formol grâce à de généreuses doses d'*Idéal*, Lili tenait des « conversations » aguichantes avec ses « cœurs » alignés sur les étagères. À l'un, celui du mâle de vingt-cinq ans, elle parla de l'effet qu'avait eu sur lui son pubis rasé. Elle expliqua au cœur d'un mâle de vingt-huit ans ce qui se serait passé s'il s'était moins conduit en gentleman. Elle réprimanda un mâle de cinquante-cinq ans pour l'avoir abandonnée à Venise et remercia un cœur de quarante-quatre ans de lui avoir enseigné l'art de projeter ses fantasmes sur la réalité, pendant l'amour. Elle prit sur une étagère un cœur femelle de vingt-sept ans et se rappela l'avoir entendu dire que seuls des amants pouvaient rester debout sous la pluie sans se faire mouiller.

C'était chez elle une vieille habitude que de taquiner tout nouvel amant et de le mettre à l'épreuve en lui parlant de ceux qui l'avaient précédé. Elle regarda Zander à la dérobée, guettant sa réaction. Un sourire perplexe flottait sur ses lèvres ; à ses yeux c'était… du théâtre. Ce qui ne fit que l'aiguillonner. À force de chercher, elle finit par trouver un cœur de six ans à qui elle raconta que les Chinois avaient coutume de se réchauffer la bouche avec du thé avant de caresser un partenaire. Tout en prenant le cœur d'un mâle de vingt-neuf ans et en pressant le bocal sur son sein nu, elle observait Zander du coin de l'œil en murmurant : « Tu étais mon poète. Mon poète et mon Paris. »

Est-ce qu'elle parle de la ville, se demanda Zander, ou bien de l'amant qui n'avait pas voulu s'enfuir sur l'île de Pelagos avec Hélène.

« La ville, dit Lili, qui avait deviné.

— Comment sais-tu à quoi je pensais ?

— De la même façon que tu as pénétré dans mon corps, j'ai pénétré dans ta tête. » Puis, effleurant du bout des doigts les cœurs placés derrière elle, elle ajouta : « Tu es jaloux ?

— Bien sûr que je suis jaloux, répondit-il.

— Ça ne te plaît pas que j'aie eu des amants avant toi. C'est une chose à laquelle finit par être confronté tout nouvel amant, non ? Je t'ordonne de me dire la vérité.

— Quand je t'imagine en train d'écarter les jambes pour d'autres hommes – et aussi pour des femmes – ma gorge se serre. J'ai du mal à respirer. Mais tes cœurs, comme tu les appelles, tes cœurs ont fait de toi ce que tu es. Je préfère être jaloux plutôt que tu ne sois autre que tu es. »

Lili se glissa sur ses genoux, dans ses bras. Elle lui déboutonna sa chemise et passa la main dessous pour caresser son cœur. « J'ai envie de faire l'amour, mon cœur », dit-elle à mi-voix.

Un peu plus tard, elle lui murmura à l'oreille : « Je commence à peine à m'habituer à ce miracle d'être un nous. » Et comme elle ne donnait jamais sans prendre, elle ajouta : « De tous les cœurs que j'ai connus, c'est le tien qui me déplaît le moins. »

CHAPITRE XII

Le mot d'Arishka allait directement à l'essentiel.

Atticus – j'ai reçu ta lettre – la réponse est non – à dire vrai, je ne suis même pas sûre d'apprécier la proposition – tu es trop violent pour mon goût – nous sommes des révolutionnaires parce qu'il n'y a pas d'autre moyen – nous pleurons sur chaque goutte de sang répandu – toi, le sang répandu ne fait qu'aiguiser tes appétits – tous – je parle hélas d'expérience – quant à l'amour physique, on peut me guider mais jamais me forcer – ton corps ça va – mais il y a du travail à faire sur ta tête – et aussi sur ton orthographe – salutations d'une camarade – Arishka.

Tuohy commença sa nouvelle lettre par « Chère Arishka ». Il leva les yeux vers le lac Razliv, tenant son bout de crayon au-dessus de la feuille qu'il avait arrachée au calepin de Lénine. Un moustique fit l'erreur de se poser sur le dos de son poignet. Il prit le crayon entre ses dents pour se libérer la main et l'écrasa. Puis il chassa le cadavre d'un ongle et fixa la minuscule tache de sang sur son poignet. Il devait admettre que le sang aiguisait bien ses appétits. Mais où était le mal ? Il répandait le sang sur ordre, pour une bonne cause. Ce n'était pas comme s'il sortait tuer la première personne qu'il rencontrait. Comment expliquer la différence à Arishka ? Mieux valait ne pas essayer. Il voyait à sa lettre qu'elle attendait d'être persuadée. Son *non* était en fait un *peut-être*. Pourquoi autrement lui aurait-elle dit qu'il y avait du travail à faire sur sa tête ? Sans parler de son orthographe. « Crois-moi », écrivit-il.

J'ai été heureux de recevoir une lettre de toi, même si son contenu ne m'a pas fait plaisir. Je deviens fou d'ennui ici. L. a apporté des gants pour se protéger les mains des moustiques, un truc qu'il a appris quand il a été déporté en Sibérie. Il passe ses journées à écrire, accroupi devant notre cabane. Un canot traverse le lac tous les jours avec de la nourriture, des lettres et des journaux, et emporte les messages de L. aux camarades qui ne sont pas en prison. L. est optimiste – il dit que la balance penchera de l'autre côté. Ce qui le tourmentait à Petrograd, quoi que ce soit, a disparu. Il se baigne deux fois par jour et se frotte certaines parties du corps avec de la boue. Mais il paraît alerte et en bonne santé. Il marche même mieux. Quant à nous, toi et moi, je te propose un marché. Je travaillerai sérieusement sur ma tête et mon orthographe. Toi, pour ta part, tu retireras ton « non » et m'enverras un « peut-être » de camarade. Qu'en dis-tu ?

Et il signa : « Ton camarade qui donnerait n'importe quoi pour être dans tes bras, Atticus. »

Huit jours plus tard, le canot de Razliv amena, entre autres choses, une lettre d'Arishka. Tuohy déchira l'enveloppe. Le message ne comportait qu'un seul mot : « Peut-être. »

Les pluies d'automne commencèrent sérieusement à la mi-août. Il ne se rappelait pas avoir vu de plus grosses gouttes ; elles faisaient résonner le lac comme un tambour. Les nuits devinrent rigoureuses. Lénine se mit à dormir avec un manteau et une écharpe nouée autour de la tête. Le toit de la cabane fuyait ; Tuohy n'avait pas plus tôt bouché un trou qu'un autre apparaissait. Puis, un soir, ce qu'ils craignaient tous arriva. Un chasseur pris sous la pluie battante demanda à s'abriter. Lénine enfonça ses livres dans la paille et fit semblant de dormir. Tuohy aussi ; il n'avait pas l'accent d'un paysan finnois typique. Zinoviev marmonna quelque chose comme quoi ils avaient tous trois été engagés pour couper les foins. Le chasseur les étudia tous sans ciller et ne lâcha son fusil à aucun moment. Quand la pluie s'apaisa, il partit sans un mot. Pas même un merci. Lénine décida qu'il serait trop dangereux pour eux de rester dans la cabane.

Tuohy envoya un message par le canot le lendemain. Des plans méticuleux furent dressés. Un camarade de Vyborg qui était membre d'un groupe de théâtre amateur fournit une perruque blonde à Lénine. Vasia Maslov traversa le lac à la rame afin de prendre des photos de lui avec la perruque, pour les faux papiers qui feraient du dirigeant bolchevik un travailleur de l'usine Sestroretsk de Finlande. La nouvelle carte d'identité de Lénine portait le nom de Constantin Petrovitch Ivanov. Le choix du pseudonyme le frappa comme un présage. « Si je peux présider un État des travailleurs aussi longtemps que Constantin a régné sur Rome, je mourrai heureux », dit-il.

Pendant la nuit du 21 août, guidé par un bolchevik de la région nommé Yenelianov, Lénine prit la direction de la frontière et de la Finlande.

Tuohy rentra à Petrograd. Arishka dut reconnaître son pas sur les marches, bien qu'il, ou peut-être parce qu'il les montait deux à deux. Elle ouvrit la porte avant qu'il puisse frapper. « Bonjour, Americanitz », dit-elle timidement. Elle prit ses mains dans les siennes et, dans un geste qui avait cette fois tout à voir avec Tuohy, amena un de ses doigts à sa bouche et en embrassa le bout.

Ils se tenaient autour du chevalet et étudiaient la peinture de la princesse russe avec une trace asiate dans les yeux. Dehors, derrière le palais de Tauride, plusieurs gamins torturaient des chats errants qu'ils avaient capturés dans ce but, mais les occupants de la pièce étaient trop affairés pour prêter attention aux hurlements presque humains qui sortaient de la gorge des animaux.

L'un après l'autre, les hommes autour du chevalet hochèrent la tête pour marquer leur accord. Le ministre fut le dernier à acquiescer ; c'était sa coutume de laisser ses subordonnés s'engager avant de le faire lui-même. Enfin il acquiesça aussi. « Faites-en imprimer 5 000 aussi vite que possible », ordonna-t-il, et il passa à l'article suivant de l'ordre du jour – la distribution d'une fausse lettre censée venir de la plume de V. I. Lénine, remerciant le gouvernement allemand pour le généreux soutien financier qu'il accordait à sa campagne visant à renverser le gouvernement provisoire et à sortir la Russie de la guerre.

CHAPITRE XIII

Ainsi, ils surveillaient les signes avant-coureurs – et attendaient : Lénine chez le chef communiste de la police de Helsingfors ; Staline dans l'appartement d'Alliluyev, au cœur du quartier de Rojdestvensky à Petrograd ; Trotski, qui s'était rendu afin de provoquer un procès à grand spectacle, dans la prison Kresti ; Kerenski dans la suite privée du tsar au Palais d'Hiver ; le commandant en chef Kornilov au quartier général d'état-major qui surplombait les falaises du Dniepr à Moguilev.

Le premier signe apparut vers la fin août. Kornilov, visitant Moscou pour une conférence d'État, reçut un accueil enthousiaste des foules qui jalonnaient son itinéraire. Entouré de ses gardes du corps Tekinski, Kornilov alla prier au Reliquaire de la Vierge d'Iversk, un geste qui n'échappa à l'attention de personne, puisqu'il faisait partie du rituel du sacre d'un tsar.

« Kornilov », ragea Kerenski, faisant les cent pas devant le bureau Louis XV de l'ancien tsar, « a le cœur d'un lion et la cervelle d'un mouton. Il va tout gâcher ! »

« Kornilov, écrivit Lénine aux camarades de la capitale, est exactement ce qu'il faut pour rendre la faveur populaire aux bolcheviks. Dès que la menace deviendra évidente, nous nous proposerons comme les gardiens de la révolution. »

Début septembre, Kornilov ordonna au troisième corps de cavalerie et à la division sauvage de faire route vers Petrograd. Puis il envoya un télégramme au ton cassant, qui exigeait que Kerenski et le cabinet entier démissionnent, et remettent entre ses mains toute autorité civile et militaire.

Kerenski repoussa l'ultimatum de Kornilov, le démit de son poste de commandant en chef et envoya une demi-douzaine de régiments bloquer les abords de Petrograd. Mais, ayant pris toutes les précautions appropriées, il perdit promptement son sang-froid. Soucieux de savoir si les ouvriers de la ville s'opposeraient activement à Kornilov, au cas où celui-ci entrerait dans la capitale, Kerenski invita les bolcheviks à participer à la défense de Petrograd.

Dissimulant leur sourire, les bolcheviks acceptèrent immédiatement. Trotski sortit de prison sous une caution de trois mille roubles. Vingt mille fusils furent distribués aux ouvriers – dont la plupart étaient des bolcheviks ou des sympathisants. Des voitures remplies de bolcheviks, des drapeaux rouges accrochés aux ailes, coururent toute la ville pour alerter les usines, miner les ponts et inspecter les barricades. Surtout, la milice privée des bolcheviks, la garde rouge, reçut un statut légal, vingt-cinq mille fusils et même quelques mitrailleuses.

La tentative de Kornilov de marcher sur Petrograd fit fiasco. Des cheminots bolcheviks arrachèrent des segments de voie pour empêcher les mouvements de troupes. Les télégraphistes bolcheviks désorganisèrent les communications de Kornilov. Le troisième corps de cavalerie, enlisé entre Pskov et Petrograd, abandonna la partie, arrêta son commandant – qui se suicida rapidement – et se plaça sous les ordres du Soviet de Petrograd.

Kerenski, au Palais d'Hiver, puisa dans le stock de champagne français de l'ex-tsar pour célébrer la victoire. Il se nomma chef suprême des armées et sortit de l'affaire Kornilov, du moins sur le papier, avec tous les pouvoirs d'un dictateur. Mais les bolcheviks, qui faisaient leurs célébrations avec de la vodka bon marché quand ils en trouvaient, en sortirent *armés*.

Les bolcheviks étaient les héros du jour. Des milliers de leurs candidats gagnèrent les élections aux petits Soviets qui représentaient des usines ou des unités militaires. Ces Soviets envoyèrent un nombre croissant de bolcheviks les représenter au niveau du Soviet de district. Presque en une nuit, les bolcheviks acquirent la majorité dans les Soviets de Petrograd et de Moscou, dont le rôle était déterminant. Bientôt, ils dominèrent le présidium directeur du Soviet, et Trotski reprit le poste qu'il avait occupé en 1905 – président du Soviet de Petrograd.

À la fin septembre, la balance avait complètement penché de l'autre côté. Kornilov, son visage de Kalmouk tiré et amer, fut emprisonné dans un monastère près de Bikov. Kerenski était réduit à émettre des proclamations *demandant* aux ouvriers bolcheviks de rendre les armes qu'on leur avait distribuées pendant la crise.

Lénine, flairant l'odeur du sang, s'installa dans la ville frontière finlandaise de Vyborg pour être à portée de Petrograd.

Le camion de l'armée s'arrêta à un coin de rue sur Nevski Prospekt. « Mettez-en une sur ce mur », ordonna un jeune officier.

Un vieux soldat traîna le pot de colle au pied du mur et en étala un peu sur les briques avec une brosse visqueuse. Le jeune cadet qui portait une courte épée au côté déroula l'affiche et l'aplatit sur la colle.

« Est-elle droite ? demanda-t-il.

— Quelle différence, droite ou penchée ? grogna le vieux soldat.

— Elle est droite », dit l'officier.

L'artiste de la sous-section de propagande du ministère de l'Information avait parfaitement saisi le caractère russe du visage du modèle. Les yeux étaient même légèrement bridés à l'asiate. Il avait drapé le corps d'une robe en forme de toge qui tombait d'une épaule, avait peint le personnage sur un fond bleu impérial et écrit le slogan en lettres rouge vif : les femmes de Russie disent NON au bolchevisme.

En lissant les plis avec ses paumes, le cadet s'imagina passer les mains sur le corps de la femme ; dans son esprit, il sentait ses seins sous la toge.

« Remuez-vous, dit l'officier. Nous devons en coller cinquante autres avant la fin de la journée. »

Comme une mèche qui se consume, les jours diminuaient. Il faisait sombre dès le milieu de l'après-midi, et jusqu'en pleine matinée suivante. Le ciel d'octobre, invariablement bouché de nuages, n'aidait pas les choses. Un brouillard épais et humide venait du golfe de Finlande. Et, comme si le temps n'était pas assez déprimant, il y eut une alerte aux zeppelins ; personne ne pouvait dire si on en avait réellement aperçu ou si l'on s'attendait simplement à en voir, mais, par mesure de précaution, les lampadaires à gaz furent éteints dans les rues.

Mais l'Institut Smolny, tout au bout de la ligne de tramway, à environ cinq kilomètres du Palais d'Hiver, éclatait de lumières – les gens disaient qu'à distance il ressemblait à un paquebot. Le Soviet de Petrograd avait été expulsé du palais de Tauride durant l'été pour faire place à l'Assemblée constituante, qui devait se réunir pour remplacer le gouvernement « provisoire » par un gouvernement « permanent ». Les représentants du Soviet, cherchant un endroit où poser leurs manteaux, s'étaient rapidement décidés pour Smolny, niché dans un méandre de la Neva. L'ensemble Smolny se composait d'un ancien couvent aux gracieuses coupoles bleu de fumée et de l'institut adjacent, ressemblant à une caserne, haut de trois étages et long de deux cents mètres, construit pour les filles de la noblesse. À l'intérieur, les pièces avaient conservé leurs plaques émaillées d'origine : SALLE DE CLASSE POUR FILLES N° 4 ou BUREAU DES PROFESSEURS. On les avait recouvertes par des pancartes écrites à la main : COMITÉ DES ATELIERS D'USINE ou COMITÉ CENTRAL DE L'ARMÉE, OU UNION DES SOLDATS SOCIALISTES.

Comme les bolcheviks prenaient progressivement le contrôle du Soviet de Petrograd, Smolny devint peu à peu leur place forte. La sécurité était stricte, les bolcheviks ne se rappelaient que trop bien la mise à sac de l'hôtel Kshesinskaïa. Devant l'entrée principale, quatre mitrailleuses à tir rapide, bâches enlevées et bandes de munitions en place, avaient été installées derrière des barricades de bûches. Plusieurs automitrailleuses étaient garées en évidence sous les arbres de la cour. Des gardes rouges se tenaient sur le toit, armés de petites bombes en tôle quadrillée contenant du *grübit*, qu'on disait plus puissant que la dynamite.

À toute heure, une longue queue attendait impatiemment à l'entrée. Les sentinelles les laissaient pénétrer par groupes de quatre, et Arishka et d'autres femmes les interrogeaient dans le hall, exigeant la preuve de leur identité et des explications détaillées sur ce qui les amenait dans l'immeuble, avant de leur remettre des laissez-passer.

« Voudrais-tu manger quelque chose ? murmura Tuohy dans l'oreille d'Arishka. Zander nous garde des places.

— J'ai été envoyé par les camarades de l'usine Obukhov, lui expliquait un grand ouvrier barbu. Nous avons chassé le propriétaire capitaliste et monté un comité des travailleurs pour prendre sa place. Mais nous ne savons pas trop quoi faire d'autre. »

Arishka tamponna une fiche bleue et la tendit à l'homme, qui se tenait devant elle la casquette à la main, faisant passer son poids d'une jambe sur l'autre. « Allez à la salle du Comité des ateliers d'usine au deuxième étage », lui dit-elle. « Anya », demanda-t-elle à une fille aux cheveux coupés à la garçonne, « tu peux me remplacer pendant que je fais une pause ? »

En descendant au réfectoire, Tuohy poussa Arishka dans une alcôve.

« Pas ici, Americanitz, dit-elle faiblement, mais elle n'essaya pas de se libérer. Tu m'as manqué ce matin quand je me suis réveillée, lui dit-elle. Ta place était encore chaude dans le lit.

— Il fallait que je sois à Vyborg à sept heures, répondit Tuohy, et j'avais peur de ne pas trouver de tram.

— Comment ça s'est passé ? demanda Arishka.

— Trotski était aussi brillant que d'habitude. Ça me rend nerveux quand il monte sur un podium et parle aux travailleurs pendant qu'il fait encore noir. On ne pourrait jamais stopper quelqu'un qui se serait mis dans la tête de l'abattre.

— Americanitz, je te demande d'arrêter, s'il te plaît, supplia Arishka comme Tuohy pressait contre elle un début d'érection. C'est gênant. »

Tuohy recula.

« Ça m'amuse quand tu es gênée, rit-il. Tu es très jolie quand tu rougis. Pour une bolchevik, c'est une couleur appropriée.

— Tu es impossible », constata-t-elle et, le prenant par la main, elle le tira vers l'escalier du réfectoire.

« Nous sommes là », les héla Zander par-dessus le brouhaha.

Tuohy acheta deux tickets repas pour deux roubles, et lui et Arishka prirent leur place dans la queue. Quand ils arrivèrent à l'endroit où se faisait le service, une très grosse femme avec deux dents en argent brillantes versa à la louche du *shtchi*, de la soupe aux choux, dans leurs bols d'étain. Plus loin, ils se servirent d'épaisses tranches de pain noir beurré, prirent des cuillers en bois dans un panier et se frayèrent un passage dans la foule jusqu'à la longue table où Zander et Lili leur avaient gardé des places.

« Il y a trop de bruit ici pour réfléchir », s'exclama Arishka en se glissant sur le banc à côté de Lili. En face d'elle, deux gardes rouges engloutissaient leur soupe avec un enthousiasme qui s'expliquait par plusieurs jours de jeûne.

« Alors, quelles nouvelles ? demanda Tuohy.

— Les nouvelles, répondit Zander en anglais, c'est la lettre de Lénine. »

Les camarades de Petrograd avaient reçu une lettre en clair de Lénine, qui était du côté finnois de la frontière, les pressant de lancer un soulèvement armé immédiatement. Il suffirait de prendre les immeubles importants et les ponts, argumentait Lénine, et Petrograd serait à eux. Ce à quoi Staline et les autres membres du Comité central bolchevik, consternés, avaient répliqué avec froideur : « Les camarades ont décidé que de futures lettres sur ce sujet devraient être codées. »

Être obligé de coder ses lettres ne semblait pas ralentir Lénine. « La crise est sur nous », écrivit-il dans une lettre que Lili déchiffra en employant le *Journal intime* de Tolstoï. « Il est criminel d'attendre. »

« Les chances de réussite sont de cent contre une », dit-il dans une autre lettre codée à l'aide du *Joueur* de Dostoïevski.

« Toute l'Europe est au bord de la révolution », soutenait-il dans une autre lettre encore chiffrée avec les *Mémoires écrits dans un souterrain* du même Dostoïevski, et il continuait en menaçant de démissionner du parti bolchevik et « d'en appeler à la base » si le Comité central ne voyait pas la lumière. La camarade qui transporta cette lettre cousue dans la doublure de son manteau rapporta que Lénine était plongé dans *Sur le combat de rue* de Cluseret et *De la guerre* de Von Clausewitz.

« Je suis d'accord avec lui, dit Zander. Il y a un dicton en Amérique : "Il faut battre le fer pendant qu'il est chaud." »

— Si nous attendons l'Assemblée Constituante, nous pouvons prendre le pouvoir légalement, répliqua Lili.

— Pourquoi monter un coup d'État quand on peut, avec un peu de patience, arriver au même résultat sans effusion de sang ? se risqua Arishka.

— Je suis partisan de l'action, affirma Tuohy, caressant de la main la cuisse d'Arishka sous la table.

— Tu es toujours partisan de l'action, Americanitz », remarqua-t-elle sèchement.

La journée finie, Tuohy les emmena tous boire un verre à l'Uncle Tom's Cabin[1], comme les ouvriers l'appelaient (quoique leur prononciation fît sourire ceux qui comprenaient l'anglais), un *traktir*, café de bas étage en face des portes de Smolny. Pendant que Tuohy s'ouvrait un chemin de force dans la foule pour prendre une table, un des gardes rouges qui la quittaient laissa tomber une pièce comme pourboire dans une soucoupe à thé. Un jeune serveur aux cheveux entièrement blancs se matérialisa hors de la fumée. En montrant du doigt une pancarte sur le mur qui disait : CE N'EST PAS UNE RAISON PARCE QU'UN HOMME EST OBLIGÉ DE GAGNER SA VIE EN SERVANT À TABLE QU'IL FAUT L'HUMILIER EN LUI OFFRANT UN POURBOIRE, il tendit la soucoupe au client, qui marmonna une excuse et reprit sa pièce.

« À mon avis », expliqua Tuohy pendant que le serveur déposait habilement quatre verres de thé fumant sur la table, « l'information de loin la plus utile pour un révolutionnaire, c'est que les gens sont incapables de se décider. Avec tous ces partis politiques, ces factions et ces groupes, comment pourraient-ils choisir ?

— Lénine a toujours dit que la question n'était pas d'obtenir une majorité, mais seulement de savoir quelle minorité aurait le courage d'accepter le pouvoir. » C'était Arishka.

Lili remarqua l'expression de Zander.

« Pourquoi es-tu si renfrogné ? » demanda-t-elle.

Il secoua la tête.

« N'importe qui peut faire une révolution. Le gros problème, c'est de juger quand la faire. Trop tôt et on la rate. Trop tard et on ne la dirige plus.

— Ce qui me fait peur à propos d'un coup d'État bolchevik, dit Arishka, c'est que ça finira par une guerre civile. Et une guerre civile détruira la Russie.

— Peut-être faut-il détruire la Russie, fit Tuohy, pour la sauver.

— Ce serait un crime de détruire la Russie », dit résolument Arishka.

---

1   « La Case de l'oncle Tom ».

Zander souffla sur son thé.

« Je crois que c'était Chateaubriand qui a dit que les crimes ne sont pas toujours punis dans ce monde. Mais les erreurs le sont. Ce serait une erreur de ne pas agir maintenant, comme le dit Lénine. »

Plus loin, de l'autre côté de la salle, près de la porte battante donnant sur la cuisine, quatre marins serrés autour d'une table minuscule regardaient Lili avec insistance.

« C'est elle, j'vous dis, hasarda l'un d'eux.

— Oui, il y a une ressemblance, reconnut un de ses camarades qui portait des lunettes.

— Je la reconnaîtrais n'importe où, cette salope, renchérit le premier.

— Si c'est pas elle, c'est sa jumelle, dit un troisième.

— Si c'est elle, dit le plus jeune, qui était encore un adolescent, elle a un sacré culot de venir se montrer ici.

— C'est pas parce qu'elle a été assez bête pour venir ici qu'elle doit y rester, déclara le premier marin.

— Allons-y, les gars », fit le gamin.

Les quatre matelots se frayèrent un chemin dans la cohue et s'approchèrent de Lili.

« Voilà de la compagnie », remarqua Tuohy, en s'animant ; son sang irlandais lui disait que des ennuis se préparaient.

« On peut faire quelque chose pour vous ? demanda poliment Zander.

— Ce que vous pouvez faire pour nous, déclara le premier matelot avec aplomb, c'est mettre cette salope », il regarda Lili, « dehors. Ici, c'est un endroit pour les honnêtes travailleurs et il n'y a pas de place pour les valets de ce putain de gouvernement provisoire. »

Un silence enveloppa Uncle Tom's Cabin. Zander et Tuohy se levèrent. Zander ôta ses lunettes et les glissa dans la poche de sa veste. « Vous faites une très grave erreur, camarades marins », dit-il calmement.

Tuohy fit en sorte que sa veste s'ouvre de manière à laisser entrevoir son holster.

« Si vous retourniez tous à votre table, dit-il sur un ton amical. Avant qu'on se fâche.

— Vous nous faites pas peur », contre-attaqua l'un des matelots, en saisissant par le goulot une bouteille de vin vide posée sur une table. Ceux qui se trouvaient à proximité s'empressèrent de dégager le chemin.

« Quelque chose ne va pas ? demanda Zander aux marins.

— Faites pas semblant de pas avoir vu les affiches du gouvernement, lança le jeune. Il y a sa photo dessus. Les femmes de Russie disent non au bolchevisme, c'est ça qui est écrit.

— Ma photo sur une affiche ! s'exclama Lili. Vous êtes devenus fous.

— Cette dame travaille depuis quelque temps au Comité central du parti bolchevik, expliqua Zander. Le camarade Staline la connaît personnellement. Impossible de mettre sa loyauté en doute. S'il y a une ressemblance entre elle et la photo de l'affiche, c'est une pure coïncidence.

— C'est pas une coïncidence, insista le premier matelot. C'est bien elle sur l'affiche. »

C'est Arishka qui sauva la situation. « Camarades marins, dit-elle en se levant pour aller se planter entre les matelots et ses amis. Ça fait quatre ans que je travaille pour le parti bolchevik. Il y a ici des gens qui me connaissent », ajouta-t-elle en regardant alentour pour quêter une confirmation, et plusieurs hommes hochèrent la tête.

« On se porte garants pour elle, lança un artilleur moustachu. Personne n'entre dans l'Institut Smolny sans son autorisation.

— Je connais cette femme comme étant une bolchevik sincère et honnête, poursuivit-elle. Croyez-moi, vous vous trompez si vous pensez qu'elle a fait quoi que ce soit pour aider le gouvernement provisoire.

— Peut-être que cette ressemblance est une coïncidence, dit à ses camarades le marin aux lunettes.

— Si vraiment on a fait erreur, dit le premier marin non sans réticence, allez regarder l'affiche et vous reconnaîtrez que ce n'est pas notre faute.

— Où peut-on voir cette fameuse affiche ? demanda Zander.

— Il y en a partout, dit le matelot aux lunettes. Il y en a une sur Nevski Prospekt, en face de la grande bibliothèque.

— Si on allait jeter un coup d'œil », dit Zander.

CHAPITRE XIV

Arishka retourna à son poste à l'entrée de l'Institut Smolny. Zander, Tuohy et Lili regagnèrent le centre-ville en trolleybus pour aller arpenter Nevski Pospekt. L'affiche apposée en face de la bibliothèque n'était plus là – des escadrons de bolcheviks quadrillaient Petrograd pour lacérer ou arracher systématiquement les affiches gouvernementales – mais ils en trouvèrent une encore intacte non loin de la cathédrale Notre-Dame-de-Kazan. Tuohy brûla toute l'essence de son briquet pour qu'ils puissent mieux l'examiner. Lili pâlit.

« C'est bien moi, dit-elle dans un murmure. Mais comment ? Qui pourrait avoir fait une chose pareille ? »

Zander regarda la signature de l'artiste, qui figurait en lettres minuscules dans le coin en bas à gauche. « Tsipin ? Ça vous dit quelque chose ? »

Lili secoua la tête. « Je ne connais personne de ce nom.

— Tu ne connais peut-être pas ce Tsipin, dit Tuohy, d'un air inquiet, mais lui c'est sûr qu'il te connaît. »

Tsipin vomissait dans le caniveau, devant son immeuble. « À peine tu as empoché un peu d'argent que tu vas tout claquer au Chien vagabond, lui reprocha sa petite amie d'une voix plaintive. Tu n'avais pas besoin de payer à boire à tous ceux qui se trouvaient là. Tu aurais pu penser à moi, pour une fois. J'aurais pu avoir une de ces robes de Paris que la bonne du diplomate vendait l'autre jour. » Puis elle ajouta : « Je suis fabuleuse en dentelle noire. »

Tsipin l'écarta, monta les marches du porche et pénétra dans l'immeuble. Il gravit l'escalier branlant conduisant à son atelier, tout au fond du quatrième étage. « J'y vois que dalle dans cette saleté de couloir », cria son amie, qui le suivait à tâtons. Arrivé devant sa porte, Tsipin fouilla dans ses poches et finit par en sortir une clé squelettique. Il frotta ensuite une allumette de manière à pouvoir insérer la clé dans la serrure. C'est alors qu'il vit les deux pistolets braqués sur sa tête.

— Qu'est-ce que…

— Où es-tu, chéri ? cria la fille depuis le palier du troisième étage. Dis-moi quelque chose pour que je puisse me guider à ta voix. »

L'allumette s'éteignit. Les deux pistolets se pressèrent contre la tempe de Tsipin. « Parle-lui, chuchota Tuohy.

— Je suis là-haut, dit Tsipin d'une voix mourante.

— Tu ne vas pas vomir encore ? dit la fille. Ou alors, c'est toi qui nettoieras. »

Elle arriva sur le palier du quatrième étage, à bout de souffle. « Avec l'argent que tu as claqué ce soir, tu aurais pu m'offrir une paire de chaussures italiennes, gémit-elle dans le noir. Plutôt que de m'obliger à bourrer les miennes avec du papier journal pour qu'elles m'aillent. »

Tsipin frotta une autre allumette. En voyant les deux hommes avec leur pistolet, la fille s'étrangla. « Garde ton calme, conseilla Tuohy. Pense à tes pieds. Si tu cries, tu n'auras jamais plus à t'en servir.

— Qu'est-ce que vous me voulez ? » leur demanda Tsipin, quand ils furent entrés dans l'atelier. La lumière jaune de la lampe à kérosène lui donnait un teint cireux. « Si jamais vous pensez me frapper pour avoir mon argent, sachez que j'ai tout dépensé ce soir au Chien vagabond.

— C'est la vérité, se hâta de confirmer la fille.

— L'argent que tu as dépensé ce soir, demanda Zander en détachant bien ses mots, c'est ce que tu avais touché pour l'affiche gouvernementale ?

— Vous êtes dans quel camp ? demanda Tsipin.

— Dans le camp de la vérité ? plaisanta Tuohy. Si tu réponds franchement, il ne t'arrivera rien. Si tu nous prends pour des imbéciles et que tu nous mens… » Il fit courir son index en travers de son cou.

« L'argent que tu as dépensé ce soir, répéta Zander, c'était pour l'affiche ?

— L'affiche, oui », avoua Tsipin en hochant la tête d'un air piteux. Il essayait désespérément de mettre de l'ordre dans ses idées afin de se faire une idée du camp auquel ils appartenaient et adapter ses réponses en conséquence. Mais il avait trop bu et n'arrivait même pas à se rappeler quels étaient les différents camps.

« LES FEMMES DE RUSSIE DISENT NON AU BOLCHEVISME. C'est une idée de qui ?

— C'est eux qui ont trouvé ce slogan, pas moi, parvint à articuler Tsipin. Personnellement je ne suis ni pour ni contre qui que ce soit.

— Tu n'étais pas pour renverser le tsar ? » demanda Tuohy, l'air faussement surpris.

Tsipin ne savait que dire. « Le tsar était un tyran qui a eu ce qu'il méritait.

— Nicholas était béni de Dieu, rétorqua Tuohy. Et il a été trahi par les bolcheviks.

— J'étais moins contre le tsar que contre sa femme allemande, dit Tsipin, au supplice.

— Qui a commandé cette affiche ? demanda Zander.

— Le chef de la sous-section de propagande du ministère de l'Information publique.

— Et qui as-tu pris pour modèle ? demanda encore Zander, qui attendit la réponse en retenant son souffle.

— Je ne me suis pas servi d'un modèle, dit Tsipin, tout fier.

— C'est vrai ce qu'il dit, citoyens, dit la fille.

— On t'a demandé quelque chose ? dit Tuohy.

— Tu as inventé le visage que tu as peint ? demanda Zander.

— Pas exactement. Je l'ai peint d'après une photo que m'avait donnée le chef de la sous-section de propagande. »

Une photo ? Zander et Tuohy échangèrent un regard.

« Une photo, répéta Tsipin d'une petite voix.

— Tu mens, dit Zander.

— Montre-la-leur, bonté divine, le supplia la fille. Après ils nous laisseront peut-être tranquilles. »

Tsipin sortit la photo de Lili. Tuohy eut le temps d'y jeter un bref coup d'œil avant que Zander la fourre en hâte dans sa poche.

« C'est une photo de Vasia, dit-il.

— Jamais Vasia ne vendrait ça à quelqu'un du gouvernement provisoire, dit Tuohy, intrigué.

— Si on allait demander au chef de la sous-section de propagande du ministère de l'Information publique où il a eu cette photo », proposa Zander.

Accosté dans la rue à la sortie de son ministère, le chef de la sous-section de propagande commença par nier avoir jamais eu quelque chose à voir avec l'affiche. Mais quand Zander le mit face à l'aveu de l'artiste, il expliqua qu'il avait eu la photo par l'un de ses employés dont il accepta de donner le nom et l'adresse, après avoir eu un aperçu du pistolet allemand de Tuohy douillettement niché dans son étui brassière en bois. À son tour, l'employé prit un air offusqué et innocent, jusqu'au moment où il comprit qu'il pourrait se tirer de ce mauvais pas en refilant Zander et Tuohy à son frère aîné, l'aumônier, qui lui avait offert la photo pour son quarante et unième anniversaire. L'aumônier venait juste de célébrer les obsèques d'un fonctionnaire qui, à la suite d'un pari, avait pulvérisé puis avalé d'un trait un verre à vodka, au plus fort d'une orgie tardive. « En fait, avait expliqué l'aumônier, j'avais retiré la photo de son cadre accroché derrière la porte de la salle de bains de notre colonel de régiment. » Ledit colonel, convoqué au Smolny par un visiteur prétendant représenter le comité exécutif de la Commission militaire, déclara d'abord n'avoir jamais posé les yeux sur la photo en question. Ce ne fut que lorsqu'on l'eut informé qu'on avait un besoin urgent sur le front d'un colonel de régiment correspondant à ses qualifications qu'il se rappela soudain le soldat tué dans un bar, au cours d'une rixe. Les copains du soldat s'étaient mis en colère en apprenant que leur colonel avait subtilisé quelque chose dans le livret militaire de leur camarade. « Il a eu la photo par l'intermédiaire du gros Ouzbek qui tient un étal au marché, derrière la cathédrale de Kazan, dit l'un d'eux à Zander. Ça faisait partie de la transaction – un peu de cocaïne contre la selle d'un grand-duc, dix livres anglaises et la princesse nue. » L'Ouzbek joua les idiots jusqu'au moment où il se rendit compte que ses interlocuteurs se fichaient complètement de la cocaïne. « Cette photo-là », dit-il alors. Et il donna une description du vieux qui la lui avait échangée contre un cornet acoustique en cuivre.

« Hippolyte ! s'exclama Zander.

— Quoi, ce vieux bonhomme crasseux ? » dit Tuohy.

Hippolyte, qui s'était réinstallé dans sa chambre du Vapeur avec une femme de cinquante ans qu'il disait être sa nièce, avait eu du mal à comprendre ce que racontait Zander, bien que celui-ci hurlât directement dans son cornet acoustique. Mais quand il s'aperçut que Zander le soupçonnait d'avoir volé la photographie, il déballa tout. « Voler ! Un bolchevik ne vole pas. À l'occasion je libère quelque chose des mains des exploiteurs.

— Alors, où l'as-tu eue, vieux schnock ?

— Je l'ai achetée à ce petit escroc de Melor. »

Ils attendaient le garçon de pied ferme quand il apparut dans l'encadrement de la porte d'entrée avec une cuisse de chat enveloppée dans du papier journal – sa mère, Sérafima, le sergent Kirpitchnikov, Hippolyte, la nièce d'Hippolyte, Lili, Arishka, Tuohy et Zander.

« Pourquoi vous me regardez tous comme ça, pleuricha le gamin. Je vous dis que c'est une cuisse de lapin. Je l'ai achetée à un gosse qui l'a trouvée dans le sous-sol d'un riche capitaliste qui élève des lapins.

— Et la photographie que tu m'as vendue, cria le vieil Hippolyte, en agitant son cornet acoustique devant la figure de Melor. Où l'as-tu eue ?

— Quelle photographie ? » demanda Melor.

Le sergent Kirpitchnikov défit sa ceinture et commença à la dégager des passants de son pantalon d'uniforme.

« Vous allez croire ce que dit un vieux sourd ? demanda Melor, paniqué.

— La photographie, lui rappela le sergent.

— Je n'avais pas de mauvaise intention, balbutia Melor. Je le jure. Je l'ai trouvée par hasard, comme ça, sous le lit de Vasia. Vu qu'il aime plus les garçons que les filles, je me suis dit qu'il en aurait pas vraiment besoin.

— Tu es un sale petit voleur qui vend des choses volées, hurla Hippolyte.

— Même sous le socialisme, intervint Kirpitchnikov, les enfants ont besoin d'une bonne raclée de temps en temps.

— C'est un enfant unique, intervint Sérafima. Ce que je veux dire, c'est que ce n'est qu'un enfant. »

Zander prit la ceinture des mains du sergent. « Je m'en occupe », annonça-t-il. Sur ce, il entraîna Melor au fond de la pièce, le fit se pencher et baisser son pantalon au-dessus du coffre fabriqué par le premier patron du Vapeur pour y ranger ses outils de jardinage.

Les hurlements de pure humiliation de Melor s'entendirent dans plusieurs pâtés de maisons à la ronde.

« C'est toi qui mériterais une raclée, dit Zander à Lili, une fois qu'ils furent seuls.

— Si tu le penses vraiment, pourquoi ne retires-tu pas ta ceinture pour faire un essai ?

— Si tu n'avais pas posé pour ces photos, jamais Melor n'aurait mis la main dessus et il n'y aurait pas eu d'affiche.

— Incroyable ! Quelqu'un a volé une photographie et c'est ma faute parce que c'était une photo de moi.

— Si c'était seulement une photo de toi, Melor n'aurait pas pris la peine de la voler. C'était une photo de ton con.

— Mon cul, c'est mon cul », répliqua Lili sur un ton exaspéré qui rappela à Zander Maud qui disait : « Mes dessous sont mes dessous », et il se rendit compte qu'il était allé trop loin.

« Je voulais seulement dire...

— Tu voulais seulement dire, coupa-t-elle, glaciale, que maintenant qu'on couche ensemble tu es le gardien de mon con. Malgré tous tes beaux discours, tu es comme les autres – possessif vis-à-vis d'une partie de mon corps que tu as la chance de tringler.

— Je croyais que la chance était réciproque, dit Zander avec un rire gêné.

— Ça l'était, dit Lili à mi-voix. Ça l'est. Mais moi, je ne prétends pas être la gardienne de ta queue sous prétexte que je la suce de temps à autre. Oh, Zander, pour quelle raison se dispute-t-on ? Veux-tu me le dire ?

— On se dispute, murmura-t-il, parce que j'ai eu très peur en voyant que c'était bien toi sur l'affiche. Il y a parmi nous des gens qui se sont mis dans la tête que tu étais dans l'autre camp.

— Que je sois sur l'affiche, c'est une blague. Personne ne prend ce genre de chose au sérieux. »

Mais Zander prenait la chose très au sérieux. Lorsqu'il leur eut fait part de son plan, le sergent Kirpitchnikov, se sentant en partie responsable parce qu'il vivait avec la mère de Melor, insista pour participer à son exécution. « Sois prudent, Pasha », lui cria Sérafima depuis une fenêtre en étage, au moment où ils se mettaient en route pour aller chez l'imprimeur.

« Que les capitalistes soient prudents », répliqua gaiement le sergent. Il releva le col de sa capote pour se protéger du brouillard mordant et se mit en route, encadré par Zander et Tuohy.

À part une patrouille matinale de soldats cyclistes avec leur carabine en bandoulière, ou une silhouette occasionnelle recroquevillée et à peine visible dans la brume, les rues de Petrograd étaient désertes. Les trois hommes arrivèrent dans un quartier délabré, à un long jet de pierre de Nevski Prospekt. Une lampe en fer forgé était suspendue au-dessus de l'entrée d'un vieil immeuble. Dans la cour, une sculpture en mauvais état représentant une tête de cheval occupait une niche ménagée dans le mur de l'écurie. Au moment où ils entraient dans la cour, une ambulance militaire bourrée d'affiches démarra.

« Nous cherchons Brikin, dit Zander à l'ouvrier qui se trouvait devant la porte de chargement.

— Généralement, Brikin n'arrive pas avant qu'il fasse jour », répondit l'homme en s'essuyant les mains sur son tablier taché d'encre. « C'est le patron, vous comprenez. »

Zander comptait justement que Brikin serait absent. « Nous sommes de la sous-section de propagande du ministère de l'Information publique, expliqua-t-il. On vient pour les affiches… celles qui disent : LES FEMMES DE RUSSIE DISENT *NON* AU BOLCHEVISME. »

L'homme éclata de rire, comme si Zander avait raconté une bonne blague. « Vous êtes venus pour les affiches *NON* AU BOLCHEVISME ?

— Qu'est-ce qui vous amuse tant ? demanda le sergent Kirpitchnikov.

— Ce qui m'amuse, l'ami, c'est que si chacun de vous prenait autant d'affiches que vous pourriez en soulever, il en resterait encore deux ou trois mille. »

Zander avait prévu qu'il y aurait plus d'affiches qu'ils ne pourraient en prendre. « Est-ce qu'on pourrait au moins les voir ?

— C'est pas mes oignons, dit l'homme, mais si vous venez de la part du gouvernement provisoire, moi je viens de la Lune.

— Qu'est-ce qui vous fait penser ça ? demanda le sergent d'un ton sec.

— Eh bien, primo, vous avez un petit ruban rouge sur votre revers. »

Le sergent en resta la bouche ouverte ; c'était bien vrai, il avait oublié d'enlever le ruban de son pardessus.

« Et celui-là, avec sa grande moustache, poursuivit l'ouvrier en montrant Tuohy du menton, je l'ai vu avec ce Trotski, encore hier matin.

— Assez déconné », dit Tuohy en anglais, et il glissa la main sous son dushereychka – ou réchauffeur d'âme – en peau de mouton, pour prendre son pistolet.

Zander l'arrêta. « C'est peut-être vrai que nous ne sommes pas du gouvernement provisoire, dit-il à l'ouvrier. Mais est-ce que ça change quelque chose en ce qui vous concerne ?

— En ce qui me concerne, vous pouvez très bien venir de la Lune, si vous voulez. Ces temps-ci, tout le monde vient de la Lune. Pourquoi est-ce que vous seriez différents ?

— Où sont ces affiches ? demanda le sergent Kirpitchnikov.

— Dès que vous m'aurez ligoté et menacé de votre arme, je me ferai un plaisir de vous les montrer. » Il leur tendit un morceau de corde. Tuohy haussa les épaules et lui lia les mains derrière le dos. Puis il sortit son pistolet, l'arma et le braqua sur la tête de l'homme.

— Personne n'a dit qu'il fallait l'armer », objecta l'ouvrier.

Zander hocha la tête. Tuohy abaissa le chien. » Voilà qui est plus civilisé, dit l'ouvrier. Suivez-moi. » Ils passèrent devant deux presses gigantesques qui débitaient des tracts avec un bruit à crever les tympans. « Des rotatives allemandes, hurla l'homme pour couvrir le tintamarre. Ce qui se fait de mieux en matière d'imprimerie. Équipées de cylindres courbes, si vous voyez ce que je veux dire. Ça en imprime quinze à la minute, à partir de maintenant jusqu'au Jugement dernier, à condition de les alimenter en encre et en graisse. »

Des ouvriers revêtus de blouses tachées d'encre regardèrent passer le cortège sans dire un mot. Le magasin, un hangar en brique haut de plafond, situé derrière le bâtiment principal, était rempli de ce qui ressemblait à des ballots aplatis.

« Chacun d'eux contient cent affiches, dit l'homme en montrant les paquets.

— Combien en avez-vous imprimé en tout ? demanda Zander.

— Cinq mille. On en a expédié une centaine par jour pendant trois jours. Puis deux cents par jour pendant trois jours. Il en restait donc quatre mille cent. Avant-hier, il en est parti un millier pour Moscou par le train. Ça fait qu'il y en a encore trois mille cent.

Zander regarda Tuohy. « J'ai vu des bidons d'huile de graissage dans la salle d'imprimerie. »

Quelques instants après, Tuohy et le sergent aspergeaient les ballots avec de l'huile.

« Mieux vaudrait ouvrir les fenêtres pour que la fumée s'échappe et que l'air entre, conseilla l'ouvrier.

— On dirait que vous avez déjà fait ce genre de choses », dit Pasha. Il ouvrit une fenêtre en grand, puis il donna un coup de coude dans les vitres de la deuxième pour s'apercevoir qu'elle était coincée.

« On nous a mis le feu quatre fois, annonça fièrement l'ouvrier. Une fois c'était la gauche, une fois la droite, une fois les marins de Kronstadt et une fois par accident, à la suite de l'explosion d'une lampe à gaz. »

Le sergent Kirpitchnikov frotta une allumette et l'approcha d'un ballot. Le feu prit avec un sifflement. Les flammes coururent sur les ballots, métamorphosant le magasin en un enfer. Les quatre hommes se reculèrent en hâte et sortirent. Tuohy referma la porte derrière eux.

À cet instant, trois jeunes cadets de l'école militaire apparurent devant la porte de chargement ; ils venaient chercher le lot d'affiches quotidien pour les coller sur les murs de la ville. Ils virent l'ouvrier les mains liées dans le dos, le pistolet de Tuohy et la fumée filtrant de dessous la porte du magasin. L'un d'eux tira un gros revolver de son étui et appuya sur la détente mais l'arme s'enraya. Tuohy fit feu et les cadets prirent la fuite.

« Par ici », cria Zander en se précipitant vers une autre sortie.

En se tournant pour le suivre, le sergent Kirpitchnikov se prit les pieds dans un câble électrique et, battant follement des bras, bascula dans une des rotatives allemandes. Les doigts de sa main gauche se prirent dans les rouleaux qui poussaient le papier dans le cylindre. Le sergent poussa un hurlement de douleur. D'un coup de pied, l'ouvrier ligoté arracha la fiche de la prise de courant fixée dans le mur. La presse s'arrêta dans un grondement. Zander fabriqua un tourniquet avec un morceau de tissu et le noua autour de l'avant-bras du sergent pour stopper l'hémorragie. Le sergent s'évanouit. Zander et Tuohy le soulevèrent et le transportèrent dans la rue. Tuohy arrêta la première automobile qui passait et donna l'ordre au conducteur de les emmener à l'hôpital anglo-russe, sur Nevski Prospekt. Là, après avoir posé un bref coup d'œil à la main gauche mâchurée du sergent, les médecins décidèrent de l'amputer. Alors qu'on le transportait dans la salle d'opération sur un chariot, le sergent ouvrit un œil et reconnut Zander.

« Ces enfoirés d'Allemands m'ont bien eu avec leur presse, marmonna-t-il. Maintenant il va falloir que je dise mon nom à tout le monde », ajouta-t-il, en faisant allusion au prénom « Pasha » tatoué sur le dos de sa main.

Zander alla annoncer la nouvelle à Sérafima qui, contrairement à ce à quoi on s'attendait, prit la chose calmement. « Avec une seule main valide, dit-elle d'un air pensif, il aura besoin de moi pour lui boutonner sa chemise, pas vrai ? »

CHAPITRE XV

Début novembre, Petrograd n'était qu'une mer de boue. À Smolny on posa des planches par terre à l'*intérieur*, tellement les gens en apportaient avec leurs bottes. Une seule chose pouvait mettre fin à la boue : la première forte chute de neige. On l'attendait avec presque autant d'espoir que la fin de la guerre. Tout le monde était d'accord pour dire que la guerre pourrait continuer éternellement, mais que la première neige n'était plus loin. Les vieux qui avaient des rhumatismes prétendaient sentir son humidité dans leurs articulations, sa froideur au bout de leur nez. Quand elle viendrait enfin, disaient-ils en claquant des lèvres d'anticipation, elle recouvrirait la ville d'un édredon de doux duvet blanc. Petrograd deviendrait plus calme, plus tranquille ; la détonation occasionnelle d'un fusil, quand un tireur d'élite abattrait une tourterelle assez stupide pour confondre la sciure jetée sur la chaussée avec des miettes de pain, paraîtrait aussi inoffensive qu'une branche cassant sous le poids de la neige. Les conducteurs de *droshky*, barbe et sourcils gelés, échangeraient leurs charrettes contre des traîneaux, et les traces des patins s'entrecroiseraient dans les rues de la ville. C'était sain, disaient les vieux, arquant les sourcils pour que tout le monde comprenne le double sens, quand les gens laissaient deviner d'où ils venaient[1].

Et si la première neige arrivait assez tôt et se révélait assez épaisse, ajoutaient-ils, elle pourrait même refroidir l'enthousiasme pour l'autre souci qui était indiscutablement dans l'air : la *vystuplenie*, une rébellion, un soulèvement des masses.

---

1 De Sibérie.

« Qu'est-ce que tu fais ici, toi ? » demanda Lili quand elle ouvrit la porte du Vapeur et découvrit son jumeau, Félix, se rinçant délicatement les doigts dans la fontaine de l'entrée.

« Mes mains étaient… sales », répondit-il. Sa mâchoire inférieure fut prise d'un tic et il la caressa de la paume jusqu'à ce que le spasme cesse. « J'avais besoin de les nettoyer. J'avais besoin de… », il la regarda, les yeux mi-clos, la tête penchée de côté… « te parler.

— De quoi ? » dit Lili machinalement. La dernière chose qu'elle souhaitait, c'était une autre scène avec Félix. Elle se demanda si Zander reviendrait à la maison ce soir. Elle l'avait très peu vu ces dix derniers jours. Il était toujours en mission. Il y avait un nombre infini de messages à remettre pendant que Trotski étendait ses tentacules au travers de la ville. Il fallait compter les hommes, tordre quelques bras, distribuer des armes, évaluer les humeurs, arracher des promesses à des gens qui étaient en votre faveur quand on pouvait les convaincre que la victoire était inévitable. Une fois, Zander avait même été envoyé vérifier l'épaisseur de la glace sur les canaux, pour voir si les unités de gardes rouges pourraient traverser sans utiliser les ponts, dont la plupart étaient aux mains du gouvernement.

« Lissik, Lisyok, Lilyonotchek », suppliait Félix, essuyant ses doigts sur son pantalon comme s'il les aiguisait, « est-ce que tu te réchauffes encore la bouche avec du thé avant de faire l'amour ?

— Tu as bu », dit Lili avec froideur. Elle se dirigea vers l'escalier, mais Félix se précipita pour lui barrer le chemin.

« J'ai vu l'affiche, pleurnicha-t-il. J'ai vu la courbe de tes seins sous la toge. » Il tendit la main pour toucher sa poitrine, mais elle recula.

« Si tu me touches, lui dit-elle, je crie à l'aide.

— Crie, si tu y prends plaisir. » Il se mit une main en porte-voix devant la bouche et hurla d'une voix aiguë : « Au secours ! au secours ! » Il essaya de rire, mais n'obtint qu'un feulement. « Tu vois, ma sœur, mon ombre, ma Lissik, il n'y a personne ici sauf un gamin et un vieil homme sourd. » Il s'avança et lui coinça les poignets dans le dos. Il avait le visage à quelques centimètres du sien. Son haleine sentait très fort l'ail. « Je suis venu te sauver, annonça-t-il. Un jour tu me remercieras. Oui, tu tomberas à genoux et tu chercheras une façon de montrer combien tu apprécies ce que je vais faire.

— Je n'ai pas besoin d'être sauvée, Félix.

— Il va y avoir une révolution, murmura-t-il férocement. Tout le monde en parle. Ton Lénine est revenu en secret de Finlande. Il a convoqué une réunion secrète de votre Comité central. Au début ils ont hésité. Mais ton Lénine parle bien. Il a de la faconde. Un vendeur d'élixirs dans une foire de village. *Tipyer ili nikagda*, leur a-t-il dit. *Maintenant ou jamais.*

Il les a convaincus. Un par un. Tout le monde en parle. Les bolcheviks vont essayer de prendre le pouvoir. S'ils réussissent, ils te reconnaîtront sur l'affiche et te pendront à un lampadaire. S'ils échouent, les gens de Kerenski te pendront avec les bolcheviks survivants. Tu ne vois pas, Lissik, que je suis le seul à pouvoir te sauver ? »

Lili se débattit contre sa prise, se libéra une main et chercha dans son sac en bandoulière le petit pistolet qu'elle transportait toujours. Félix regarda derrière elle et hocha la tête. Un homme s'avança et lui couvrit le nez et la bouche d'un gros tampon de coton imprégné d'éther. Félix attrapa son poignet libre et le tordit pour lui faire lâcher le pistolet. Prise de vertige, Lili parvint à presser la détente. La détonation lui parut venir d'une autre pièce, d'un autre monde même.

« Fais-moi un peu confiance », lui souffla Félix au visage comme elle s'affaissait dans les bras de l'homme au coton.

Zander, le visage couleur de cendre, apparut soudain à la table de Tuohy à la cantine. Alyosha Zhitkin, l'expert en démolition, était juste derrière lui.

« J'ai besoin de ton aide, Atticus », dit doucement Zander.

Tuohy regarda son visage et comprit que c'était urgent.

« À un de ces jours », marmonna-t-il à l'adresse de ses camarades de table, et il suivit dehors Zander et Alyosha.

Sortant de Petrograd dans la cabine d'un camion de charbon réquisitionné, Zander expliqua ce qui était arrivé.

« Comment peux-tu être sûr qu'elle a été emmenée de force ? demanda Tuohy.

— Mélor a entendu le coup de feu, répondit Zander. Il a réuni assez de courage pour jeter un coup d'œil depuis le palier. Il a vu Félix et un autre homme qui l'emportaient. Il dit qu'elle avait l'air inconsciente.

— Le gosse a peut-être tout inventé, suggéra Tuohy sans conviction.

— Nous avons trouvé son sac par terre, dit Alyosha. Et aussi une balle dans le sol. Et du coton imbibé d'éther.

— Mais pourquoi son propre frère la kidnapperait-il ? voulut savoir Tuohy.

— Sérafima m'a raconté qu'il lui empoisonnait la vie depuis des années, expliqua Alyosha. Elle dit qu'il arrivait au milieu de la nuit, ivre mort, dans sa troïka. Il réveillait tout le quartier. Il cognait à la porte jusqu'à ce qu'elle ouvre. Et puis il lui criait après et, comme ça ne marchait pas, il tombait à genoux et la suppliait.

— Qu'est-ce qu'il voulait ? demanda Tuohy.

— Il était amoureux d'elle, dit Zander. Il voulait qu'elle vienne habiter avec lui.

— Où vit-il ?

— Nous t'y amenons », dit solennellement Alyosha.

La légende locale voulait que ce soit dans le monastère, une petite merveille qui surplombait les lacs de Dudergof, à quelque vingt kilomètres au sud-ouest de Petrograd, que le faux Dimitri ait été méticuleusement préparé comme héritier du trône. Après la mort mystérieuse de Boris Godounov en 1605, les boyards avaient expédié leur prétendant à Moscou et l'avaient couronné tsar de toutes les Russies. Mais son règne ne dura pas assez longtemps pour que Dimitri apprenne à retrouver son chemin dans le Kremlin. Rendus furieux tant par son catholicisme que par ses péchés, des émeutiers prirent d'assaut le saint des saints et l'assassinèrent, puis brûlèrent son corps, chargèrent ses cendres dans un canon et les tirèrent vers la frontière polonaise.

La nuit était claire de cette blancheur particulière aux latitudes nordiques, qui donnait aux choses une apparence unidimensionnelle. Zander apercevait la silhouette du monastère alors qu'Alyosha, Tuohy, les quatre hommes qu'ils avaient amenés à l'arrière du camion et lui-même traversaient à pied la plaine sans relief ; on aurait dit une toile de fond sur un décor de film muet.

Déployés en tirailleurs, ils dépassèrent une étable pleine de chevaux, puis une dépendance qui contenait plusieurs charrues rouillées et une Velie Bitwell Six décapotée. Ils contournèrent un grand hangar ouvert. À l'intérieur, trois chevaux magnifiques attelés à la troïka piaffaient doucement. Félix gardait des chevaux harnachés nuit et jour pour pouvoir filer dans la plaine quand il avait besoin de se détendre. Accroupis au coin du hangar, Zander, Alyosha et Tuohy s'arrêtèrent pour s'orienter. À droite du monastère, ils distinguaient les silhouettes ombreuses d'hommes assis autour de plusieurs feux de camp.

« Sans doute les déserteurs qu'il a engagés pour son armée privée, chuchota Alyosha.

— Combien penses-tu qu'ils soient ?

— Difficile à dire. Une douzaine. Deux au plus. »

Le rez-de-chaussée du monastère était bouclé et sombre. Plusieurs fenêtres du premier étage étaient grandes ouvertes. Les notes de métal d'un piano mécanique et un rire indistinct d'hommes venaient de l'une d'entre elles. Alyosha s'installa dans le hangar pour fixer les mèches sur ses bâtons de dynamite pendant que Zander, accroupi au coin, surveillait le bâtiment. Il sentait battre son cœur. Sa respiration devint douloureuse.

Une porte du rez-de-chaussée s'ouvrit brutalement et un garde ivre tituba au-dehors. Il ouvrit sa braguette et se tint debout dans la nuit pendant qu'il urinait. « Ivan ! » cria-t-il de toutes ses forces. Il vacilla. « Ivan, connard, sors tenir ma queue pendant que je pisse. »

Une silhouette apparut à une fenêtre de l'étage.

« Fais-toi aider par une des putains, dit une voix.

— Ivan, chéri », cria le garde, prenant une voix aiguë pour imiter une femme irritée, « tu ne m'as encore jamais dit non. Est-ce que tu as trouvé quelqu'un d'autre, alors ? » Riant comme un fou, il retourna vers le monastère.

Alyosha rampa jusqu'à Zander et tapota sa sacoche : les bâtons de dynamite étaient prêts. Zander jeta un coup d'œil sur le monastère. « Voilà ce que nous allons faire », dit-il.

Dix minutes plus tard, le premier bâton de dynamite explosa comme Alyosha et deux des camarades de l'arrière du camion attaquaient les déserteurs autour des feux de camp. Il y eut une volée de coups de fusil, deux autres explosions, puis encore des coups de fusil et des cris : Alyosha faisait fuir les déserteurs vers l'orée du bois. Tuohy alluma une mèche et envoya un bâton de dynamite par une fenêtre du premier étage, puis courut derrière Zander qui escaladait le large escalier de pierre, le pistolet à la main, deux autres camarades avec des fusils prêts juste derrière lui. La dynamite de Tuohy n'explosa pas, mais la vue du bâton qui entrait par la fenêtre fit s'enfuir, paniqués, une demi-douzaine d'officiers de la garde et trois putains en corset hors de ce qui avait été la bibliothèque du monastère. Un des officiers de la garde, chemise déboutonnée et braguette ouverte, arracha une énorme épée de son fourreau, la brandit vers les assaillants, visa par-dessus et chargea. Un coup de fusil claqua, puis un autre, et l'officier fut projeté contre un mur, du sang jaillissant d'un trou béant dans son épaule. Les autres, stupéfaits, ivres, incapables de voir clairement, levèrent les mains en signe de reddition.

Pendant que les deux camarades et Tuohy couvraient de leurs armes les prisonniers, Zander courut de pièce en pièce, ouvrant les portes à coups de pied et criant de toute sa voix : « Où es-tu, Félix ? Si tu as touché un cheveu de sa tête, je t'arracherai les tripes. Tu m'entends, Félix ? Un cheveu de sa tête et tu es mort. »

Dans ce qui devait être la chambre de Félix, à en juger par le lit surchargé au milieu de la pièce et la demi-douzaine d'affiches de Lili accrochées aux murs, il trouva un vieil homme qui cirait les bottes des jeunes officiers. « Où est le prince ? » cria Zander, en armant le chien de son pistolet et en le pointant sur lui, mais le vieil homme ne leva même pas les yeux, aussi Zander alla-t-il voir plus loin. Donnant machinalement des coups de pied dans l'attirail que les officiers de la garde avaient dispersé dans les pièces, il retraversa le monastère vide jusqu'à l'escalier. Il trouva Tuohy debout à côté d'un officier à genoux, le pistolet armé et appuyé sur le crâne du jeune homme.

« Il l'a emmenée au Palais d'Hiver, disait l'officier. Je le jure sur la tête de ma mère. »

Une des putains blotties contre le mur gémit : « Vos Honneurs, il dit la vérité. Ils sont partis ce matin. Félix. Deux de ses amis officiers de la garde. La femme qui est sur ces affiches. » Alyosha monta l'escalier en courant, un pistolet dans une main, un bâton de dynamite dans l'autre, un fin cigare entre les lèvres. « Vous l'avez trouvée ? demanda-t-il.

— Il l'a emmenée au Palais d'Hiver », répondit Tuohy.

Alyosha regarda Zander.

« Ça va être un peu plus difficile à prendre qu'un monastère », dit-il.

CHAPITRE XVI

La nouvelle se répandit rapidement par le téléphone arabe de Smolny. Ce matin-là, Trotski avait personnellement distribué des pistolets à ses camarades du Comité central. Même le plus stupide des bolcheviks comprit ce que cela signifiait. Les préparatifs du soulèvement étaient terminés. Toutes les unités militaires et des gardes rouges étaient en place, n'attendant que le signal de Trotski pour se mettre en marche. On voyait celui-ci arpenter les longs couloirs voûtés de Smolny, les traits tirés, le col sale, les yeux presque clos d'épuisement. Pensant qu'il était peut-être devenu aveugle, les gens s'écartaient hâtivement de son chemin.

Arishka regarda Trotski s'enfoncer dans un couloir.

« As-tu reçu des nouvelles de Zander ? demanda-t-elle à Tuohy.

— Pas un mot. Il n'est pas revenu au Vapeur depuis des jours. Il est quelque part dehors… il la cherche. »

Arishka désigna le dos de Trotski du menton.

« Pourquoi ne donne-t-il pas l'ordre d'attaquer ?

— Il attend une provocation, expliqua Tuohy. Quand on lancera le coup d'État, il faut qu'il apparaisse aux masses comme un acte de légitime défense, une réaction à la contre-révolution. »

Cet après-midi-là, Smolny bourdonnait d'excitation.

« Tu es au courant de ce qui s'est passé ? lâcha Arishka. Kerenski a bougé. Si Trotski voulait une provocation, Kerenski la lui a servie sur un plateau. »

Kerenski avait déclaré « l'État d'insurrection », avait dénoncé Lénine comme criminel, ordonné l'arrestation de Trotski et des autres membres du Comité militaire révolutionnaire. Des troupes gouvernementales avaient occupé le central téléphonique, les bureaux de poste et les gares. Des cadets installaient des postes de contrôle aux principaux carrefours de la ville, arrêtant les voitures et y cherchant des armes. Les troupes loyales à Kerenski levaient tous les ponts mobiles de la Neva.

La pièce 17 à Smolny, le poste de commandement de Trotski, ressemblait à un asile d'aliénés. Des chefs militaires discutaient devant un énorme plan de la ville accroché à un mur. Quelqu'un criait dans un téléphone : « Il faut baisser les ponts à tout prix ! » Trotski se tenait à côté d'une fenêtre, dictant furieusement à une secrétaire : « À toutes les unités militaires de la garnison de Petrograd », psalmodiait-il, presque comme s'il pouvait communiquer la passion de ses paroles au texte écrit. « Ordre du jour n° 1. Le Soviet de Petrograd est en grand danger ! Vous êtes par la présente chargé de préparer votre régiment à l'action. Attendez des ordres ultérieurs. Toute temporisation ou hésitation sera considérée comme une trahison à la révolution. » Trotski attendit que la secrétaire le rattrape. « Vous avez pris ça ? Envoyez immédiatement une copie par estafette motocycliste à tous les régiments. *Moins de bruit, s'il vous plaît !* » Il s'approcha du plan, se frottant les mains par anticipation. « Envoyez le régiment Iznaïlovski à la gare de la Baltique. Que les régiments Volinski et Pavlovski marchent sur les ponts Troïtski et Liteini. Quant aux ponts Grinadierski et Sampsoniyevski… »

La voix de Trotski continua à bourdonner.

Les yeux creux, pas rasé, Zander tournait comme un papillon de nuit autour du Palais d'Hiver. Il dépassa l'Entrée du Jourdain, d'où les tsars bénissaient les eaux de la Neva chaque janvier, dépassa l'entrée Millionnaïa, gardée par plusieurs centaines de filles d'un bataillon féminin, dépassa l'entrée du Commandant, gardée par des cosaques et un détachement de l'École militaire d'Oranienbaum. Il regarda les rangées infinies de fenêtres du palais en se demandant derrière laquelle elle se trouvait, et il pensa à ses yeux ; ce n'était pas tant de leur grandeur qu'il se souvenait, mais de leur intensité. Elle avait une façon de le fixer du regard qui lui laissait l'impression qu'elle pouvait voir *en* lui. Si elle devait être tuée maintenant, juste alors que leurs espoirs les plus fous allaient se réaliser…

Les rues aux alentours du palais, du côté du canal d'Hiver et de celui de la place, regorgeaient de gardes rouges, d'ouvriers et de marins comme les bolcheviks se mettaient en position. Il y avait une odeur de détritus dans l'air ; beaucoup d'entre eux campaient dans le voisinage depuis des jours. Zander rencontra plusieurs de ses camarades de l'hôtel Kshesinskaïa au cours de son errance. Ils étaient éreintés, mais exaltés. Le palais de Tauride avait été occupé, disaient-ils. Les bureaux de poste, les gares, le central téléphonique étaient tombés entre les mains des bolcheviks sans un coup de feu. Des entrepôts pleins de nourriture étaient sous contrôle bolchevik. Partout les troupes du gouvernement se débandaient. Bien après minuit, Zander remarqua le croiseur *Aurore* en train de jeter l'ancre au milieu de la Neva, ses projecteurs fouillant le pont Nicolaïevsky et la façade du Palais d'Hiver.

Et Zander tournait toujours autour du bâtiment silencieux.

À l'aube, dans une étroite ruelle derrière la place du Palais encombrée de gardes rouges qui ouvraient des caisses de fusils, il se joignit à quelques enfants et marins qui formaient un demi-cercle autour d'un ventriloque. C'était un vétéran, mutilé de guerre, barbu, maigre, avec une oreille emportée et une jambe qui manquait au-dessus du genou. Il tenait sous l'aisselle droite une béquille faite à la main. Il avait drapé sur sa main gauche un tapis de bain orange en lambeaux, avec des brins de laine sale pendant des bords – le genre de chose qu'on pourrait trouver sur un tas d'ordures dans le caniveau après le pillage de la maison d'un capitaliste. Et c'était là, en fait, qu'il l'avait trouvé.

« Pas la peine d'être poli avec lui », recommanda le ventriloque au public en fixant le pantin de ses petits yeux ronds. « Ce n'est qu'un chat de gouttière ordinaire.

— Attention à ce que tu dis de moi, l'avertit le chat, pendant que la pomme d'Adam du ventriloque montait et descendait.

— Tu trouves que je te manque de respect ? » demanda l'homme au chat, la voix pleine de sarcasme.

Le chat tint bon. « C'est la façon dont tu dis gouttière qui m'a pris à rebrousse-poil. » Les franges au-dessus des yeux du chat furent secouées d'indignation, et il se gratta nerveusement une puce.

Le ventriloque semblait prendre un plaisir sadique à taquiner le chat.

« La description était tout à fait précise. La vérité, c'est que tu *es* un chat de gouttière.

— À cause de circonstances qu'il est hors de mes capacités de comprendre, et encore moins de contrôler », ici les marins rirent par sympathie pour le chat, « je me trouve, actuellement, passer beaucoup de mon temps sur les gouttières. C'est vrai. Je ne le nie pas. Mais le fait que je passe, euh, dirons-nous, des moments *difficiles* ne peut pas cacher ma noblesse d'esprit. »

Un des marins le hua dédaigneusement. Le chat lui jeta un mauvais regard et continua.

« Je descends d'une longue lignée de chats à pedigree. Mes racines remontent jusqu'à l'Égypte ancienne, il y a 4 000 ans.

— L'Égypte ancienne, tu dis ? » Le ventriloque secoua la tête devant cette déclaration saisissante.

« L'Égypte ancienne, exactement », insista le chat, hochant la tête avec tristesse, des larmes se formant là où ses yeux se seraient trouvés s'il en avait eu. « Nous gagnions notre pain à cette époque en éloignant les rats des greniers. Nous étions si importants que la punition pour avoir tué l'un de nous, même par accident, était la peine de mort.

— On exécutait les gens pour avoir tué un chat ? Tu espères que je vais croire ça ?

— Parfaitement. Exécution par piqûre de vipère, si tu veux connaître tous les détails répugnants. Le tueur de chat condamné était jeté dans une fosse pleine de vipères. De plus, le propriétaire du chat devait se raser les sourcils en signe de deuil.

— Si *nous* étions dans l'Égypte ancienne, et que *tu* mourrais, je devrais me raser les sourcils ?

— Les deux, exactement. »

Les marins et les enfants, pris par le dialogue, passaient de l'un à l'autre comme s'ils suivaient un match de tennis.

« Et qu'est-ce qui te fait croire que je pleurerais ta mort, demanda le ventriloque avec une politesse exagérée, surtout maintenant, quand les chats ont plus de valeur morts que vivants ? »

Le chat releva le nez, offensé.

« Plus de valeur morts ?

— Les chats morts, rappela le ventriloque au chat d'un ton mordant, peuvent être mangés.

— Mangés ! » Le chat en appela au public. « S'il parle comme ça, peut-être que lui et moi devrions aller chacun de notre côté. »

Le ventriloque pencha son unique oreille comme s'il n'avait pas bien entendu.

« Tu vas de ton côté et moi du mien ?

— Oui, exactement, déclara fièrement le chat en se redressant de toute sa taille. Je suis tout à fait capable de me débrouiller. Je n'ai pas besoin de toi. »

Le ventriloque eut un bref sourire cruel.

« Imbécile ! Sans moi, tu n'existes pas.

— Peut-être cela te donne-t-il l'impression d'être un homme entier de le penser.

— Espèce de vermine, explosa le ventriloque. Meurs ! » Et il jeta le chat dans le caniveau.

Les enfants et les marins se rapprochèrent pour fixer gravement la carcasse. Un enfant éclata en sanglots. Le ventriloque poussa le corps du bout de sa béquille.

« Hé, appela-t-il, je ne faisais que plaisanter. Relève-toi. »

Le chat ne montra aucun signe de vie.

« Tueur de chat, tueur de chat », chantèrent les enfants.

« Pourquoi ne *lui* rasons-nous pas les sourcils ? » suggéra un marin.

« Le chat n'est qu'un tapis de bain », cria le ventriloque.

Mais les marins, nerveux à l'idée d'attaquer le Palais d'Hiver, n'étaient pas d'humeur à affronter la réalité. L'un d'eux sortit une paire de ciseaux d'une boîte en bois qu'il portait à la hanche. Plusieurs autres clouèrent le soldat mutilé au mur de l'immeuble. Pendant que les enfants applaudissaient et que Zander regardait, le marin aux ciseaux s'avança et massacra les sourcils du tueur de chat.

Et Zander, sourd à toute douleur sauf à la sienne, se remit à tourner comme un papillon de nuit autour du Palais d'Hiver.

À Smolny, les rapports arrivaient régulièrement dans la pièce 17. Les marins de l'*Aurore* avaient débarqué au crépuscule et baissé le pont Nicolaïevsky. Les gardes rouges et les soldats qui attendaient sur l'île Vasilevsky l'avaient précipitamment traversé pour occuper le palais Mariinsky. Un poste de contrôle bolchevik aux limites de la ville avait arrêté une voiture qui se dirigeait vers la Finlande avec deux hommes à bord : un Suédois nommé Nobel qui avait une usine à Petrograd et un officier finnois qui s'appelait Mannerheim.

Lénine, qui était venu à pied de son appartement jusqu'à Smolny, prit Trotski à part pour discuter du titre à donner aux membres du gouvernement qu'ils formeraient dans la matinée.

« N'importe quoi sauf ministres, soupira Lénine. C'est un mot si vil. »

Trotski suggéra de les appeler commissaires du peuple.

« Commissaires du peuple, répéta Lénine en hochant la tête. Cela pourrait aller, je pense. Et le gouvernement dans son ensemble ?

— Il faut l'appeler Soviet, bien sûr, dit Trotski. Le Soviet des commissaires du peuple.

— C'est superbe, fit Lénine. Ça sent la révolution. »

Trotski secoua la tête d'émerveillement. « Qui aurait jamais cru que nous vivrions pour voir ce jour ? Le premier État communiste de la planète. »

Un des commandants de Trotski se précipita.

« Nous venons de recevoir la confirmation par téléphone, s'exclama-t-il. Kerenski a fui le Palais d'Hiver. Sa Pierce-Arrow a été repérée descendant la grand-route de Pulkovo vers Pskov.

— Et le Palais d'Hiver ? demanda Lénine. Est-il déjà tombé ? »

Trotski évita le regard de Lénine. Tout était tombé dans la ville *sauf* le Palais d'Hiver.

Lénine ferma les yeux pour contenir sa colère, mais elle déborda néanmoins. « Si nous laissons un endroit autour duquel nos ennemis peuvent se rallier, nous pouvons tout perdre, se plaignit-il. Je veux que le palais soit pris d'assaut *maintenant* ! Je ferai personnellement fusiller les commandants qui échoueront dans leur mission. Est-ce clair ? »

Des centaines de gardes rouges et de marins se dissimulaient dans les entrées d'immeubles autour de la place du Palais, attendant le commencement de l'attaque.

« Quelle heure est-il ? » demanda un jeune marin.

Un garde rouge frotta une allumette et regarda sa montre de poche. « Presque 10 heures. »

« Pourriez-vous parler plus fort s'il vous plaît ? dit une voix forte.

— Hippolyte ! » s'exclama Zander. Il tâtonna dans le noir jusqu'à ce qu'il trouve le vieil homme. « C'est moi, Alexander Til.

— Je n'entends pas un mot de ce que tu dis, cria Hippolyte. Avec toute cette excitation, j'ai perdu mon cornet acoustique. Il faudra que tu parles plus fort si tu veux que je te comprenne. »

À cet instant, une fusée violette éclata dans le ciel au-dessus du Palais d'Hiver. C'était le signal pour le croiseur *Aurore*, ancré de l'autre côté du palais, d'ouvrir le feu. Ses canons tonnèrent, et des shrapnels tombèrent en pluie sur le toit du palais. Les pièces de quinze centimètres du bastion Naryshkin de la forteresse Pierre-et-Paul se mirent aussi à tirer. Une auto-mitrailleuse géante traversa lourdement la place, parallèlement au palais, lançant des rafales sur les défenseurs. Des étincelles blanches volèrent de la façade comme les balles faisaient sauter des fragments de pierre. Des fenêtres éclatèrent. « Le combat a commencé, alors ? » cria Hippolyte. Et, pointant son fusil, il tira une fois dans la direction générale du palais.

Tout le long de ce côté de la place, les marins et les gardes rouges ouvrirent le feu. De leurs barricades de bois de chauffage, les défenseurs ripostèrent. Au bout d'un certain temps, il y eut une pause dans les tirs, comme si les deux côtés désiraient un moment de paix. De l'autre côté de la place, le portail principal s'ouvrit en grinçant et plusieurs centaines de cosaques du 14e régiment du Don sortirent à cheval.

« Préparez-vous à la contre-attaque, les gars », cria un des marins en fixant une baïonnette à son fusil.

Mais les cosaques ne contre-attaquaient pas, ils abandonnaient la défense du palais. Chevauchant par rangs de quatre, ils disparurent dans la direction de Nevski et de leurs casernes. Un hourra guttural se répercuta dans le square, et les marins et gardes rouges reprirent l'assaut. Plusieurs marins audacieux bondirent au milieu de la place et lancèrent des grenades sur les défenseurs. Un groupe de gardes rouges pliés en deux courut vers l'entrée du Commandant. « Ils posent de la dynamite », dit quelqu'un. Un moment plus tard, les gardes rouges se plaquèrent contre des portes et une explosion déchira la nuit, ouvrant un passage par l'entrée du Commandant. Quelque part à droite, une trompette émit des sons aigus. Les marins et les gardes rouges poussèrent un hourra et avancèrent. « Allons-y ! » cria un marin. Courbés, baïonnette brillant au bout du canon, les assaillants s'élancèrent vers les barricades. Une volée de balles partit du palais. Plusieurs silhouettes trébuchèrent et tombèrent en avant sur les pavés. Les attaquants se pressèrent, indécis, derrière la colonne Alexandre.

Soudain, le vieil Hippolyte s'approcha d'eux en chancelant. « Faites demi-tour, les gars, ou les cosaques tireront, délirait-il. Ça finira mal, je vous le dis. Le Petit Père leur donnera l'ordre de tirer. Il y aura du sang sur la neige… »

Alexander hurla : « On n'est pas en 1905, Hippolyte. On va gagner cette fois-ci. »

Le vieil homme ne l'entendit pas. « Les icônes ne vous protégeront pas, cria-t-il. Faites demi-tour avant qu'il… »

Une mitrailleuse toussa depuis le portail du palais. Les bras d'Hippolyte volèrent vers le ciel et il s'effondra, tête la première, en avant, vers le palais. Zander courut à l'endroit où il était tombé. « On n'est pas en 1905, cria-t-il en berçant la tête du vieil homme dans ses bras. Tu te trompes d'année.

— Il faudra que… » Hippolyte cracha un peu de sang… « tu parles plus fort si… »

Sa tête se renversa et pencha mollement de côté.

Zander l'allongea doucement sur les pavés et releva les yeux. Les marins et les gardes rouges s'étaient agenouillés en ligne irrégulière, tiraient et rechargeaient fiévreusement. Un coup de sifflet. Ils bondirent et coururent vers le palais qui se dressait à cinquante mètres. Zander sortit son pistolet du holster et se précipita derrière eux.

Les cadets qui défendaient l'entrée principale avaient disparu quand ils y arrivèrent. Poussant des cris fous, escaladant les barricades, les assaillants envahirent le couloir et le grand escalier de marbre. Zander vit devant lui la tête de Tuohy qui oscillait parmi une mer de marins. Il y avait partout des tas de fusils abandonnés, de porcelaines en pièces, de meubles brisés. Les parquets étaient couverts de rangées de matelas sales. Des monticules de mégots, de boîtes de sardines vides, de bouteilles de vin cassées s'entassaient dans les coins. Certains des gardes rouges se mirent à défoncer les caisses d'emballage avec leurs crosses. Un ouvrier passa à toute vitesse, portant une pendule de bronze. Un autre, avec une plume d'autruche plantée effrontément dans sa casquette, brandissait un chandelier en argent portant le monogramme impérial. Zander aperçut le fils de Sérafima, Mélor, qui se hâtait de partir avec une brassée de chemises de nuit en soie.

« Camarades, cria un des capitaines des gardes rouges, ne touchez à rien. Ceci est la propriété du peuple. »

Courant lourdement dans les couloirs, les marins et les gardes rouges se répandirent dans les pièces adjacentes. Alyosha Zhitkin passa au galop, sa sacoche de dynamite rebondissant sur la hanche.

« As-tu vu Lili ou Félix ? hurla Zander.

— Aucun signe d'eux, cria Alyosha en retour. Il y a des centaines de pièces… elle pourrait être dans n'importe laquelle. »

À l'intersection de deux couloirs, Zander se cogna presque contre un mur de soldats du régiment Pavlovski qui venaient de la direction opposée. « Le palais est à nous ! » cria l'un d'eux. Près de là, une grenade explosa, puis une seconde. Deux cadets, avec des casquettes à visière qui cachaient leurs yeux et leur peur, passèrent au trot en portant un des leurs qui perdait du sang par une blessure à la tête.

Zander descendit un couloir en courant et renversa une barricade de meubles dans le grand Hall blanc, qui avait servi aux Romanov de salle à manger d'apparat. Il se précipita dans le couloir Tyemny, avec ses portraits de généraux russes qui le fixaient depuis les murs, puis traversa la rotonde et le Hall Arabe pour aboutir dans la salle de Malachite dont les colonnes, les cheminées, les tables, les vases étaient tous faits de la pierre verte venue des montagnes de l'Oural.

Des marins et des gardes rouges s'entassaient dans la salle, braquant leurs fusils et leurs pistolets sur les ministres du gouvernement provisoire assis autour d'une grande table. Plusieurs tripotaient des verres de cristal dans des porte-verres en argent.

Zander aperçut Tuohy de l'autre côté de la pièce. « Aucun signe de Lili ? » cria-t-il.

Tuohy secoua la tête.

Un commandant bolchevik, Antonov-Ovseïenko, portant une veste couleur petit pois et un chapeau d'artiste à large bord, leva la main pour obtenir le silence.

« Je suis Antonov, représentant du Comité révolutionnaire militaire, cria-t-il. J'annonce que tous les membres du gouvernement provisoire sont en état d'arrestation. »

Les marins et les gardes rouges rugirent leur approbation. « Hourrah ! » lâcha un marin d'une voix rauque. Les autres reprirent l'exclamation. Elle se répandit dans le hall à côté, puis descendit les couloirs vers les grandes salles du palais des Romanov jusqu'à ce que le bâtiment entier paraisse trembler.

Zander plongea dans la foule pour retourner dans le Hall arabe, puis trouva une porte dans un mur lambrissé et monta un escalier étroit jusqu'à un autre où il visita pièce après pièce, le pistolet sorti, espérant, chaque fois qu'il ouvrait une porte, découvrir Lili derrière. Il croisa des marins qui portaient des malles de cuir, et des cadets pro-gouvernementaux au visage de bébé qui essayaient d'attirer l'attention de quelqu'un pour pouvoir se rendre. Un énorme ouvrier barbu passa lourdement avec une caisse en bois pleine de bouteilles de vin. Zander traversa une pièce carrelée avec une baignoire encastrée dans le sol. Dans un cagibi à côté, il tomba sur deux gardes rouges qui tentaient de déboulonner le grand poêle de porcelaine qui servait à chauffer l'eau du bain.

Descendant un couloir jonché de centaines de sabres de cavalerie, Zander s'arrêta à une fenêtre ouverte. Quatre marins le rejoignirent. « Regardez », dit l'un d'eux, se penchant à l'extérieur et désignant l'entrée principale du palais en dessous d'eux, « ils emmènent les ministres du gouvernement provisoire en prison. »

Un des marins mit ses mains en porte-voix et cria : « Mort aux ministres du gouvernement ! »

Des cris de « Pendez ces salauds » et « À la lanterne » montèrent de la place.

« Camarades, dit Zander, le prolétariat ne recherche pas la vengeance. » Mais sa voix manquait de conviction même à ses propres oreilles, et l'idée lui vint que si Lili était morte, lui-même rechercherait précisément la vengeance.

« Merde », marmonna un autre des marins, se détournant dégoûté de la fenêtre, « ils suppriment tout l'amusement de la révolution. »

Zander monta au dernier étage du Palais d'Hiver, où étaient logés les serviteurs, et fouilla un labyrinthe de petites pièces au plafond bas. Il n'y avait pas de pillards à cet endroit, parce que les choses qui valaient la peine d'être volées se trouvaient dans les étages inférieurs. Les murs, en fait de fines cloisons, étaient recouverts de photographies granuleuses du tsar et de la famille impériale. Au-dessus de chaque lit pendait un crucifix en métal ou en bois.

Il y eut du mouvement dans un passage. Une femme hurla, et le cri fut brutalement coupé. Zander traversa un groupe de gardes rouges pour atteindre une porte. Dans la pièce se trouvaient deux très jeunes marins, le fusil à l'épaule. En face d'eux, le dos à la fenêtre, se tenait Félix. Il avait passé le bras droit autour du cou de Lili, la maintenant contre lui comme un bouclier. Il appuyait de la main gauche un revolver de cavalerie de gros calibre sur la tempe de sa sœur.

Félix vit Zander et un rire grêle, cassant et sauvage, sembla s'arracher lui-même de sa gorge.

« Éduque-les, glapit-il. Les révolutionnaires vivent de sang. Peu importe celui de qui. Dis-leur de tirer et qu'on en finisse. Et tu pourras ajouter deux corps de plus au bûcher.

— Baissez vos fusils, camarades », ordonna Zander aux marins d'une voix altérée par la peur.

Les deux adolescents échangèrent des regards. Le canon de leurs fusils se baissa. Zander fixa Lili, puis regarda Félix.

« Si elle meurt, toi aussi », dit-il. Il fit un pas vers Félix.

« Ne t'approche pas plus, l'avertit celui-ci.

— Ne bouge pas, dit Lili. Il n'y a rien à faire.

— Que veut-il ? demanda Zander. Que veux-tu, Félix ? »

Un autre rire s'échappa de la gorge de Félix.

« Ce sont ces jeunes messieurs qui *veulent* quelque chose. Ils ne portent même pas de gants et ils veulent mettre la main sur moi. *Sur Félix Ioussoupov ! Un prince !* Je veux juste qu'on me laisse tranquille. Kerenski reviendra bientôt avec les cosaques. Il reprendra le palais, la ville, le pays ! Lénine pendra à un lampadaire convenable. Lili et moi partirons pour Paris. »

Zander fit un autre pas en avant.

« Elle ne t'aime pas, dit-il. C'est moi qu'elle aime.

— Tu mens. Lissek, dis-lui qu'il ment. »

Lili hésita. Zander hocha la tête.

« Il dit la vérité », confirma-t-elle finalement.

Zander percevait l'indécision de Félix, sentait sa haine se concentrer sur lui. Dans un moment, avec un peu de chance, le pistolet suivrait.

« Mensonges », dit faiblement Félix. « Mensonges ! » mugit-il. Et il écarta le revolver de cavalerie du crâne de Lili et le dirigea sur Zander.

Sentant l'arme quitter sa tempe, Lili baissa la tête et mordit de toutes ses forces l'avant-bras qui la retenait contre son jumeau. Félix hurla. Zander plongea en avant, attrapa son poignet et braqua l'arme vers le haut. Une détonation résonna dans la pièce. Zander enfonça son autre poing dans le visage de Félix. En un instant, les deux marins adolescents furent à ses côtés, jetant Félix au sol pendant que Lili s'arrachait à son étreinte.

« Lisyok, Lisyonish, Lilyonotchek, sanglota Félix. Ma sœur, mon ombre, ma Lichik. »

Il divaguait toujours quand les marins l'entraînèrent, les pieds raclant le sol. Sa voix flottait jusqu'à eux. « Lilyonotchek, Lili, ils me *touchent !* »

Zander gardait le bras sur les épaules tremblantes de Lili.

« C'est fini, lui dit-il.

— Et la révolution ? » parvint-elle à demander.

Zander sourit. « Ça aussi, c'est fini. Nous avons gagné. C'est le commencement du commencement. »

Lénine ne put retenir un sourire de satisfaction.

« Alors c'est vrai. Le Palais d'Hiver est tombé.

— J'étais dans la salle de malachite quand ils se sont rendus à Antonov-Ovseïenko, confirma Tuohy. Voilà la preuve ! » Il sortit de la poche de son pardessus un verre de cristal dans un porte-verre en argent qu'il avait pris sur la table couverte de feutre.

Kamenev versa, avec des éclaboussures, de la vodka dans le verre.

« Buvons à la victoire du socialisme, suggéra-t-il.

— Buvons à la victoire du prolétariat, dit Trotski.

— Buvons à la victoire de l'avant-garde du prolétariat, le Parti bolchevik, et à son chef, Vladimir Ilitch, dit Staline.

— Contentons-nous de boire », dit Lénine.

Tout le monde rit joyeusement. Une à une, chaque personne dans la pièce prit une gorgée. Staline était le dernier. « Au succès de notre révolution ! » cria-t-il, et il renversa la tête et finit la vodka. Puis il enleva le verre de son support et le jeta contre la cheminée.

Le verre rebondit plusieurs fois sans se briser, et roula dans la pièce.

Les bolcheviks fixèrent le verre intact en silence.

« Comme disent les paysans, il y a plus d'une façon de casser un œuf », fit remarquer Staline. Avec un rire brutal, il alla écraser le verre sous le talon de sa botte.

La fumée de cigarette faisait comme un brouillard dans la grande salle de bal de Smolny. À intervalles réguliers, quelqu'un montait sur le podium et demandait aux camarades de ne pas fumer. Les non-fumeurs reprirent le mot d'ordre. « Ne fumez pas, camarades », criaient-ils plaintivement. Mais les fumeurs continuaient à fumer.

Lénine se fraya un chemin jusqu'à l'estrade. Les délégués du Soviet, dont beaucoup portaient des fusils baïonnette au canon – la contre-attaque de Kerenski pouvait se produire n'importe quand –, poussèrent des rugissements de bienvenue.

« Lé-nine, Lé-nine », scandait Tuohy avec les autres. Il souleva Arishka pour qu'elle voie mieux.

Portant des vêtements râpés et un pantalon trop long pour lui, le menton mal rasé, ses petits yeux pleurant à cause de la fumée, Lénine affronta l'ovation. Elle dura plusieurs minutes.

Observant la scène depuis un coin de la salle, le bras autour de la taille de Lili, Zander pensa au chemin que Lénine avait fait en si peu de temps. Seulement huit mois et demi plus tôt, il vivait dans la pauvreté à Zurich. Maintenant il gouvernait la Russie.

Lénine agita la main devant son visage pour dissiper la fumée. Les délégués prirent le geste pour un appel au silence et se calmèrent. Lénine agrippa le bord du pupitre. Il regarda au loin par-dessus la tête de son auditoire.

« Nous allons maintenant commencer, déclara-t-il d'une voix tendue, à construire l'ordre socialiste. »

Arishka essaya de repousser la tête de Tuohy. « Assez, Americanitz. Je te demande d'arrêter. »

Mais Tuohy était plus fort qu'elle. Au bout d'un moment elle dit : « Tu me fais mal maintenant.

— Je pourrais te faire l'amour toute la nuit, gémit Tuohy en lui cédant à contrecœur.

— Tu l'as fait, dit Arishka. Il nous faut dormir un peu. » Elle se tourna pour lui présenter le dos et soupira : « Dieu merci, nous n'avons pas de révolutions tous les jours. Je ne crois pas que je survivrais à une autre. »

Ronzha finit de fixer son gros manteau sur la minuscule fenêtre du grenier et descendit de la chaise.

Ils entendaient toujours les gardes rouges tirer en l'air en passant, exultant, dans la rue étroite en dessous.

Depuis la couchette, Appolinaria dit : « Le manteau arrêtera la lumière, mais le son ? »

Ronzha secoua la tête de désespoir. « Rien ne peut arrêter le son, sauf la surdité. »

Appolinaria se serra sur l'étroite couchette, et Ronzha se glissa sous l'édredon à côté d'elle. « J'aime quand nos corps se touchent, murmura-t-elle. Et nos âmes aussi. »

Mais Ronzha avait l'esprit ailleurs.

« Le nouvel ordre mettra certainement fin à la poésie, dit-il. Nous devons tous les deux nous préparer à la possibilité qu'il mette aussi fin aux poètes.

— Tu es trop pessimiste, répondit Appolinaria. Il y a beaucoup d'idéalistes parmi les bolcheviks. L'ami de Lili, Zander, par exemple. »

Dans la rue, plusieurs gardes rouges armèrent leurs fusils et tirèrent dans la nuit. Ronzha ferma les yeux avec lassitude.

« Les idéalistes ne survivront qu'un peu plus longtemps que les poètes », dit-il.

Ils avaient prévu de faire une fête au Vapeur – des blinis, du beurre fondu, de la vodka servie à la russe dans des *kovshi*, des coupes, mais avec la mort d'Hippolyte personne n'en avait le cœur. À l'aube, Zander et Lili mirent leurs manteaux et firent une longue promenade dans la ville immobile. Ils ne parlaient ni l'un ni l'autre ; il y avait trop à dire.

Ils flânèrent sur la place du Palais d'Hiver, dépassant les sentinelles qui se chauffaient à des feux de joie. Zander lui montra l'endroit où Hippolyte était tombé. Lili remarqua un peu de sang séché sur le sol et le toucha des doigts. « Il faut trouver une photo de lui et la mettre dans un cadre doré », dit-elle doucement.

Un étalon tirant une charrette qui n'avait qu'une seule roue débou-la de l'autre bout de la place et passa devant le palais. Quelques-unes des sentinelles se jetèrent sur leur fusil, puis rirent en voyant ce dont il s'agissait. Les flancs du cheval étaient couverts d'écume et il en dégout-tait de sa bouche. Des étincelles volaient quand ses sabots et l'essieu dépourvu de roue frappaient les pavés.

« Comme c'est beau ! s'exclama Lili. C'est comme notre révolution, Alexander. Sauvage ! Primitif ! Ir-résistible ! »

Zander, luttant contre un désespoir envahissant, regarda le cheval disparaître à l'autre bout de la place.

« Qu'y a-t-il, Alexander ? demanda Lili quand elle vit son expres-sion.

— J'ai toujours détesté le bruit des sabots des chevaux », dit Zan-der. Il se crispa d'incertitude ; il ne savait pas s'il se souvenait... ou s'il anticipait.

LIVRE TROIS

Tout comme les Anglais ont un don
particulier pour l'humour, les Russes
en ont un pour la cruauté. C'est une
cruauté spéciale, de sang-froid, qui va
aux limites de l'endurance humaine...

Maxime Gorki, dans son opus-
cule de 1922, jamais publié en
Union soviétique, *À propos du paysan russe.*

POUR SE SITUER DANS LE TEMPS...

Ensuite, Petrograd entier fit la bombe. Des marins enfoncèrent les portes des caves à vin du tsar. Trotski ordonna au régiment Preobrajenski, un des plus disciplinés de la garnison de la capitale, de monter la garde devant les caves. Le régiment complet s'enivra. Le régiment Pavlovski prit position autour du palais. Il s'enivra. Des bolcheviks d'autres régiments furent amenés en camion. Ils s'enivrèrent. Des commandants de gardes rouges se chargèrent du boulot. Ils s'enivrèrent. On se passa le mot. Des foules se formèrent. Les soldats occupant les automitrailleuses qu'on envoya les disperser vacillaient de façon suspecte. Le Soviet fit murer l'entrée des caves. Les gens arrachèrent les moellons des fenêtres et rentrèrent. Lénine ordonna d'inonder les caves. Les pompiers chargés de le faire s'enivrèrent. Un commissaire extraordinaire reçut des pouvoirs spéciaux et fut dépêché sur place. Il s'enivra.

Finalement, les bolcheviks réussirent à pomper le contenu des caves dans la rivière. La Neva devint rouge de vin. Les paysans qui vendaient des choux sur les quais prirent cela pour un présage. La Neva rougirait de nouveau, dirent-ils, mais de sang cette fois.

CHAPITRE PREMIER

Sur le chemin d'Ekaterinbourg, 1918

Le train entra lentement dans le tunnel à Alataoust et s'arrêta en grinçant au milieu. Vasia Timofeïevitch Maslov grogna : « Bon Dieu, pas encore une fois », et serra son sac plein d'appareils photo sur sa poitrine dans le compartiment plongé dans un noir d'encre. Zander, tassé contre Vasia sur le banc de bois, tendit le bras dans les ténèbres pour toucher le genou de Lili, et il sentit ses doigts qui lui caressaient doucement les phalanges en réponse à son contact. Le train repartit avec une série de cahots et dans un gémissement de métal patinant sur du métal. Quelques minutes après, il émergea du tunnel dans la lumière éblouissante et acide du soleil, dépassa l'énorme pancarte, le long des rails, qui marquait le point où l'Europe finissait et où l'Asie commençait.

« A-sia-ti-ka », dit un paysan, prononçant syllabe par syllabe le mot qui figurait sur le panneau, puis il saisit le sens de ce qu'il avait lu et bondit de son siège, claquant l'un contre l'autre les talons de ses chaussures d'écorce de bouleau.

Plus loin à bord du train, d'autres reprirent le cri comme leurs compartiments arrivaient à hauteur de la pancarte. « Asiatika ! Asiatika ! »

« Je n'ai jamais mis les pieds en Asie, dit Zander à Lili. Le nom est aussi magique à mes oreilles que celui d'Amérique quand j'étais enfant.

— J'ai été élevée en Asie », répondit Lili du banc d'en face. Elle toucha la broche, avec la pierre rouge au centre, accrochée sous le premier bouton de son chemisier et forma silencieusement les mots « Mon amour ». Zander eut un sourire embarrassé et lui fit vite un signe de tête.

« Où vont vos excellences ? demanda la paysanne qui balançait sur ses genoux une grosse jarre ventrue pleine de litchis.

— Si Dieu le veut, à Ekaterinbourg, répondit Vasia.

— N'est-ce pas à Ekaterinbourg que nos nouveaux maîtres gardent le petit père *batyushka* ? »

Les yeux de Zander rencontrèrent ceux de Lili. « C'est ce qu'on raconte », dit-il à la femme et, pour décourager d'autres questions, il se détourna et regarda par la fenêtre deux enfants paysans pieds nus et une chèvre qui, l'air maussade, observaient la locomotive du haut d'une petite éminence.

À midi, le train traversa un pont à chevalets, en acier rouillé, qui enjambait une large rivière onduleuse. Les paysans se levèrent dans le compartiment bondé et ôtèrent solennellement leurs casquettes pour saluer la Mère Volga. Peu après, trois brefs sifflets de la locomotive retentirent et le train, avec un crissement métallique qui faisait passer des frissons dans le dos, s'arrêta. Un des gardes rouges longea les wagons au trot en criant : « Corvée de bois, tout le monde dehors. »

Les hommes valides, dont Zander et Vasia, s'alignèrent devant le fourgon à bétail pour recevoir des scies et des haches, puis descendirent le remblai et se mirent à attaquer les bouleaux à côté de la voie de chemin de fer. Ils coupaient les arbres en tronçons d'un mètre et les empilaient sur le wagon à plateau derrière la machine, pendant que les femmes se glissaient dans l'ombre de la forêt pour chercher des champignons. Il y eut ensuite vingt minutes d'attente pendant que le chauffeur remplissait la chaudière de bûches vertes fraîchement coupées. Lili enleva ses chaussures en secouant les pieds, noua sa jupe au-dessus des genoux, et pataugea dans un ruisseau limpide et peu profond. Sur la rive, Zander déplia sa carte et essaya de déterminer où ils étaient.

« Et si les Blancs prennent Ekaterinbourg avant notre arrivée ? cria Lili depuis le ruisseau. Et s'ils exécutent les filles, et que les Allemands se sentent insultés et attaquent ?

— Et si, et si ? » répondit Zander, et il eut soudain la vision de son père, faisant les cent pas par frustration, disant : « Et si le tsar était circoncis, ou si les Juifs ne répondaient pas à une question par une autre ? »

« Ce n'est pas une réponse », dit Lili, toujours dans le ruisseau.

Avant que Zander ne se laisse entraîner dans une discussion, il y eut trois nouveaux coups de sifflet. Il grimpa précipitamment le talus vers les voitures. Lili le suivit en marmonnant des obscénités rieuses et le train reprit son long, lent et douloureux voyage au travers de la vaste *barba*, les steppes de bouleaux qui commençaient aux abords de Moscou sous les murs vert pistache des monastères de Zagorsk et s'étendaient vers le nord et l'est aussi loin qu'on pouvait l'imaginer.

Trotski avait déchargé Zander de ses tâches de traduction au commissariat des Affaires étrangères et l'avait envoyé, avec Lili comme codeuse et Vasia comme photographe officiel, à Ekaterinbourg, à l'hôtel Ipatiev dans le centre-ville, qui servait de prison à l'ancien tsar de Russie, Nicolas II, à sa femme et à leurs cinq enfants.

En arrivant à la gare Yarovslavsky de Moscou avec des ordres de voyage prioritaires dans leurs portefeuilles et les instructions manuscrites de Trotski cousues dans la doublure de la veste de Zander, ils avaient été pris dans le chaos d'une Russie en pleine guerre civile. Il n'y avait pas d'horaires fixes pour les trains et ils durent camper sur le quai avec des centaines d'autres. « Nous n'arriverons jamais à temps », dit Lili avec angoisse après qu'ils eurent passé seize heures sur place. Elle devait crier pour se faire entendre par-dessus la voix monotone qui sortait du haut-parleur, lisant pour la douzième fois de la journée le dernier poème de Maïakovski, « Ordre n° 2 à l'Armée des Arts ».

... Camarades
donnez-nous une nouvelle forme d'art —
un art
qui arrachera la république à la boue.

Zander parla plusieurs fois au cheminot bolchevik qui dirigeait le comité chargé de la gare, mais celui-ci ne fit que hausser les épaules avec lassitude et dire qu'il ne pourrait pas fournir de train même si l'ordre prioritaire qu'on lui mettait sous les yeux avait été signé par Dieu le Père et contresigné par l'Esprit Saint.

Zander, Lili et Vasia finirent par prendre un train d'assaut et monter dans un compartiment bondé dont les fenêtres étaient clouées en position fermée et où les fumeurs, parmi lesquels Vasia, dépassaient en nombre les non-fumeurs. En un rien de temps l'air devint irrespirable, et les choses ne s'arrangèrent que lorsque Lili, les lèvres visiblement vertes, menaça de vomir sur la prochaine personne qui allumerait une cigarette. À l'extérieur, les gares défilaient, toutes remplies de masses de paysans toussant, crachant et jurant qui portaient de gros sacs de jute et se battaient pour grimper dans le train sans se soucier de savoir où il allait. Les paysans arrivaient par vagues, d'un côté puis de l'autre, comme des algues au bord de la mer. Il semblait à Zander, qui regardait du coin fenêtre, la joue pressée contre la vitre, que la population entière de la Russie était soit dans les gares en attendant des trains, soit à bord de ceux-ci.

Le leur, tiré par une locomotive qui avait l'air d'une relique du siècle précédent, était détourné sur des voies de garage pendant des heures d'affilée, et une fois même pour un jour entier ; les bolcheviks qui dirigeaient le trafic par rail en ce mois de juillet admirent plus tard qu'ils l'avaient tout simplement oublié. Parfois des trains passaient, remplis de conscrits – des avocats citadins, des propriétaires d'usine, des banquiers – entassés dans des voitures à bétail ouvertes, envoyés creuser des tranchées. Une fois, ils aperçurent le fameux train blindé de Trotski, avec ses fourgons protégés par des plaques d'acier et des mitrailleuses montées sur le toit, qui filait à toute allure. Plusieurs heures après, lors d'une longue courbe qui s'enroulait comme de la vigne au flanc d'une montagne, ils arrivèrent à un village qui fumait encore, et le mot se répandit rapidement dans les voitures que le train blindé de Trotski l'avait mitraillé pour écraser une révolte paysanne. Les volets découpés comme de la dentelle pendaient en lambeaux des *izbas* brillamment colorées ; des chevaux, des vaches, des chèvres et plusieurs humains gisaient ventre en l'air dans les chemins pleins d'ornières. Un jour, au crépuscule, Zander aperçut une unité de réquisition de chevaux, le troupeau dispersé au pied d'un monastère dévasté qui coiffait une colline arrondie recouverte de jeunes tournesols. Alors que les derniers rayons intermittents de soleil frappaient une forêt de bouleaux au loin, ils traversèrent une gare mise à sac avec trois corps pendus par le cou aux poutres. Sur la poitrine de chaque cadavre était accrochée une pancarte qui disait : MORT AUX SPÉCULATEURS. Un garde rouge myope en veste de cuir à ceinture, qui avait expulsé un paysan du compartiment la veille et pris sa place, regarda les morts par la fenêtre rayée en plissant les yeux et répéta un aphorisme stalinien qui circulait à Moscou : « Alors, il y a un peu de bruit qui vient des cellules ? La prison n'est pas une station balnéaire ! »

La dernière formule de Staline, pensa Zander, semblait être à un univers de distance de l'idéalisme de Lénine qui disait : « Nous allons maintenant commencer à construire l'ordre socialiste ! » Dans les jours d'enthousiasme qui avaient suivi la prise du pouvoir par les bolcheviks, tout, n'importe quoi, avait paru possible. Comme personne n'avait en fait construit le socialisme auparavant, les camarades débattaient de la façon de s'y prendre. Personne, pas même Lénine, ne dictait ses décisions. Tout le monde avait une opinion et l'exprimait. Des factions se formaient, se défaisaient, se reformaient comme le débat – toujours ouvert, souvent féroce – faisait rage. On votait. La majorité dirigeait. Sur la question des bordels, par exemple, la minorité voulait les fermer, mais finalement la majorité décida de les collectiviser. Il y eut un consensus général pour détruire les cimetières qui s'étendaient sur des hectares. (Des pancartes furent placées à Petrograd disant : SI VOUS VOULEZ VOS MORTS, VENEZ LES PRENDRE, et les gens tiraient des cercueils pourrissants dans les rues en cherchant frénétiquement un nouvel endroit où les enterrer.) Mais il y avait une grande variété d'opinions quant à l'usage à faire du terrain.

Une faction proposa de construire d'énormes stades, une autre recommanda d'élever des villes-satellites, une troisième suggéra de recréer les jardins de Kew de Londres à une plus grande échelle, « socialiste ».

Les plans grandioses ne manquaient pas. Quand Moscou et une série d'autres grandes villes tombèrent aux mains des révolutionnaires, quelqu'un proposa de relier les avant-postes socialistes par d'énormes zeppelins, dont chacun pourrait transporter des centaines de passagers et des milliers de tonnes de fret. Les cimetières, proposa la faction pro-zeppelins, pourraient être transformés en ports étendus pour les vaisseaux plus légers que l'air. Staline eut l'idée de mettre au travail les soldats démobilisés pour construire un métro moderne. Quelqu'un d'autre suggéra sérieusement de construire des tours pivotantes en acier et en verre au centre des villes principales. Ces structures, plus hautes que la tour Eiffel, auraient d'immenses écrans sur lesquels on projetterait des films nouveaux et des slogans socialistes. Les slogans seraient composés non par des propagandistes laborieux, mais par les poètes du pays qui, sous la conduite de Maïakovski, rempliraient des quotas de travail comme n'importe quels autres prolétaires. « Pourquoi la littérature devrait-elle rester dans son propre coin ? » déclarait Maïakovski qui, nuit après nuit, hantait des usines grises pleines de courants d'air, braillant sa poésie à des ouvriers déconcertés. « Ou elle doit apparaître dans tous les journaux, tous les jours, à toutes les pages, ou elle est totalement inutile. »

Confrontés à la perspective de construire le socialisme à partir de rien, quelques camarades perdirent leur sang-froid. Un vieux bolchevik, Teodorovitch, apprenant qu'il avait été nommé commissaire au Ravitaillement, se souvint soudain de son asthme et fila vers une station thermale de Sibérie ; il fallut le ramener de force à son bureau et aux problèmes qui s'y entassaient.

Teodorovitch avait des raisons de paniquer. La situation alimentaire était désespérée. La ration quotidienne à Petrograd avait été réduite à cent grammes de pain, et parfois une tête de hareng. Divers camarades avaient des explications variées de la pénurie. Staline voyait le sabotage au cœur du problème. Zinoviev parvint à l'ingénieuse conclusion qu'il y aurait assez de pain si seulement les tranches étaient moins épaisses ; il recommanda quelque chose appelé « tranches soviétiques ». Kamenev proposa de labourer les principales avenues de Petrograd et d'y planter des pommes de terre, mais Lénine convainquit une majorité de voter contre l'idée, suivant la théorie qu'on ne donne pas de poissons aux affamés – on leur donne des cannes à pêche.

Presque tous les problèmes soulevaient les passions, touchaient les nerfs. Y compris celui du Restaurant du Parti. Argumentant que des communistes aux responsabilités importantes manquaient souvent d'énergie pour les affronter, une poignée de camarades fit circuler une pétition demandant aux autorités d'organiser un restaurant privé, réservé aux membres du Parti, qui leur fournirait des repas nourrissants. Le temps qu'il fallut à la nouvelle pour se répandre dans Smolny, deux factions se formèrent. Tuohy, membre de la première, était très favorable à l'idée ; si l'avant-garde du prolétariat n'avait pas la force physique de diriger, disait-il en faisant passer la pétition, la classe ouvrière échouerait certainement à construire une nouvelle société. Zander eut vent du plan par Lili, qui en avait entendu parler par Arishka, et organisa promptement une pétition *contre*.

« Tu ne comprends pas ce que c'est que la Révolution si tu veux ouvrir un restaurant réservé aux membres du Parti, protesta-t-il, les yeux étrécis d'indignation. Autrefois, les classes dirigeantes disaient : "La pénurie sera divisée entre les paysans." Nous avons fait cette révolution », dans sa tête, Zander entendait la voix de son frère Abner, âpre, ardente, « pour que les pénuries soient divisées, comme le seront les surplus éventuels, également entre tous.

— Alexander a tout à fait raison, déclara nettement Lili.

— S'ils créent un restaurant pour les membres du Parti, dit Arishka avec hésitation, ça ne sera qu'un expédient temporaire – jusqu'à ce que la situation alimentaire soit réglée.

— Nous, les communistes, nous sommes au fort du combat, insista Tuohy. Notre propre restaurant, c'est bien le moins qu'on puisse nous donner.

— Nous créons un précédent, dit Zander. Si nous donnons des privilèges aux membres du Parti aujourd'hui, Dieu sait ce que nous ferons demain quand ce sera l'abondance.

— Signe ici », commanda Tuohy à Arishka.

Elle refusa d'accepter un ordre.

« Les bolcheviks ont donné le droit de vote aux femmes, observa-t-elle avec froideur. Je joins le mien à celui d'Alexander. » Et elle apposa sa signature sous celle de Lili.

Finalement, les deux pétitions arrivèrent sur le bureau de Lénine. Il soupesa les deux aspects du problème et fit pencher la balance vers ceux qui voulaient un restaurant spécial.

« La classe ouvrière ne peut pas marcher à l'avant-garde de la révolution sans ses activistes, raisonna-t-il. Et il faut veiller sur les activistes. Mon opinion est qu'il faut organiser un restaurant privé. »

Il le fut – quoique Zander, fidèle à son sens moral, refusât fermement d'y mettre les pieds.

Même après que les bolcheviks, au pouvoir depuis cinq mois, eurent transféré la capitale à Moscou et se furent installés au Kremlin, l'affaire du restaurant spécial laissa Zander visiblement déprimé. Lili, qui commençait à comprendre ses humeurs, essaya de le rassurer. « On ne peut pas établir une nouvelle société en un jour, lui dit-elle. Il faut lui donner du temps, mon amour. »

Le temps, cependant, c'était ce dont la révolution ne disposait pas. Lénine avait été obligé de signer un traité de paix humiliant avec les Allemands car, sinon, rien n'aurait empêché les hordes teutonnes de poursuivre leur avance ; les armées russes, alléchées par la perspective de distribution de terres, avaient fondu. Les premiers gardes blancs, sous le commandement de Kornilov et de Denikine, prenaient la campagne dans le Don ; leurs rangs se gonflaient quotidiennement, un assortiment de monarchistes, d'anciens officiers, d'antisocialistes vengeurs, de propriétaires fonciers et de simples aventuriers se ralliant à leur pavillon. Les cosaques d'Orenbourg se rassemblaient autour de leur ataman, et se joindraient bientôt au combat contre les bolcheviks. Une division d'élite tchèque, bloquée en Russie à la fin des hostilités, avait pris une grande partie du chemin de fer transsibérien et s'était attaquée aux bolcheviks. Des unités françaises, anglaises, américaines, canadiennes et italiennes avaient débarqué à Mourmansk ; certains voyaient la main du secrétaire d'État à la guerre anglais, un antibolchevik enragé nommé Winston Churchill, derrière l'invasion. Des éléments avancés des armées japonaises avaient atteint le rivage à Vladivostok. À Moscou, Trotski réunissait fiévreusement une armée composite de gardes rouges, de marins et d'ouvriers pour endiguer le courant, mais les perspectives de succès n'étaient pas brillantes.

Avant la révolution bolchevik, Lénine avait rappelé à la vie la notion marxiste peu connue du dépérissement de l'État ; l'armée, la police, la bureaucratie commenceraient à disparaître le jour même où les bolcheviks prendraient le pouvoir, avait-il promis. Mais une fois qu'il eut pris le pouvoir, Lénine sembla voir les choses sous un jour différent. Il parlait toujours du dépérissement de l'État, mais renvoyait l'heureux événement à un futur lointain, « quand il ne restera plus de possibilité d'exploitation sur terre ». On déployait des armées pour défendre la révolution contre ses ennemis extérieurs. Il parut donc tout à fait logique que les bolcheviks, un mois après la prise du Palais d'Hiver, s'attaquent à la question de créer une police secrète pour protéger la révolution de ses ennemis intérieurs. On entendit Trotski citer Saint-Just – « Personne ne gouverne innocemment » – en levant le doigt pour marquer son accord. Quand il vota oui, Staline marmonna que pour faire une omelette il fallait casser des œufs. (Sa plaisanterie fut accueillie par des sourires contraints ; tout

le monde savait qu'en argot russe le mot « œuf » signifie « testicule ».)
Lénine fit remarquer que, lorsqu'on abat un arbre, les copeaux volent ; sa
position était claire. Il n'y eut pas de dissentiment. C'est ainsi que naquit
la Commission extraordinaire de toutes les Russies pour la lutte envers la
contre-révolution et le sabotage. Elle fut immédiatement connue par ses
initiales russes « Tch. K. » qui se prononçaient « Tcheka ». Le Politburo
nomma Félix Edmundovitch Dzerjinski, le communiste polonais au visage farouche et aux yeux brûlants, comme premier chef de la Tcheka. Et
Lénine lui-même fit ses recommandations à Dzerjinski. « Rappelez-vous :
le bien de la révolution », dit-il, les yeux dans le vague, l'esprit passant
déjà au prochain point de l'ordre du jour, « est la loi suprême. »

Il suffisait de pointer Dzerjinski dans une direction donnée et il s'élançait. « Nous n'avons pas besoin de justice », sermonna-t-il la première
poignée de tchékistes, dont Tuohy, assemblés dans le quartier général de
la nouvelle organisation, l'immeuble des Assurances Rossiya sur la place
Loubianka à Moscou. « Ce qu'il nous faut, c'est une bataille à mort. »

Tuohy allait et venait à côté du camion de tête. « Vous ne pouvez
pas les faire charger plus vite ? » demanda-t-il à un des hommes du
prodotryad, l'équipe de réquisition de nourriture.

Le tchékiste, une nouvelle recrue avec un peu de barbe blonde sur
le menton, berçant délicatement dans ses bras une mitraillette italienne
fine comme une aiguille, héla les ouvriers qui étaient venus avec eux de
la capitale.

« Combien de temps encore, camarades ? »

— Dix sacs, quinze au plus, cria un des ouvriers en réponse. Qu'est-
ce qu'on fait des animaux ?

— On les prend, dit Tuohy à la recrue.

— On les prend », cria la recrue tchékiste aux ouvriers.

Tuohy examina les sept koulaks – les paysans relativement aisés qui
possédaient une vache ou deux et embauchaient à l'occasion des jour-
naliers pour les aider aux champs – appuyés contre le côté d'une grange. Ils paraissaient indifférents à ce qui se passait autour d'eux, roulant
d'épaisses cigarettes de leurs doigts calleux, frottant des allumettes à
la semelle de leurs bottes. Ils avaient défié un édit du Soviet leur enjoi-
gnant de remettre la plus grande partie de leur récolte à l'État. Dzerjinski avait envoyé des équipes de la Tcheka dans la campagne pour
appliquer l'édit. Tuohy dirigeait maintenant une de ces équipes – lui-
même, trois autres jeunes tchékistes, une douzaine d'ouvriers mobilisés pour l'occasion, deux automobiles, deux camions. Leur travail était
surtout de la routine. Ils s'arrêtaient dans un village, réunissaient tous

les mâles de plus de douze ans et convainquaient les paysans pauvres de dénoncer les « riches ». Après, c'était un jeu d'enfants d'amener les koulaks à révéler où ils avaient caché la récolte. Un pistolet armé pressé sur la tempe d'un fils déliait d'habitude la langue du père.

« Nous avons le blé », dit un des ouvriers, mettant un sac de toile à l'arrière du camion. Plusieurs autres tiraient cinq agneaux et deux jeunes cochons hors de la grange avec des longes, et les hissèrent dans le camion. Les derniers ouvriers sortirent d'une maison avec un baril de cornichons, un cageot de saucisses et un baquet de beurre.

De l'autre côté du ruisseau, près d'un chêne rabougri, quarante ou cinquante paysans pauvres regardaient l'opération en silence. Contre la grange, les koulaks parlaient entre eux. Ils poussèrent un grand type vers Tuohy, mais il perdit courage et retourna vers le groupe. Ils le renvoyèrent en avant. Son visage se rida jusqu'à ce que ses yeux disparaissent presque entre les replis de peau. « Camarade tchékiste », dit-il.

La moustache de Tuohy se hérissa de plaisir.

« Vous voulez me dire où il y a d'autre blé caché ?

— Vos excellences ont pris tout le blé.

— Vas-y, demande-lui », grogna un autre koulak derrière lui.

Le grand koulak rassembla son courage et fit un autre pas vers Tuohy.

« Vos excellences ont aussi pris toute la semence.

— Nous donnerons la semence aux oiseaux socialistes à Moscou », dit Tuohy. Les trois jeunes tchékistes qui gardaient les koulaks ricanèrent.

« Vos excellences, s'il n'y a pas de semence, il n'y aura pas de récolte l'année prochaine. S'il n'y a pas de récolte, vous n'aurez rien à confisquer. »

Derrière Tuohy, les ouvriers s'empilèrent dans la cabine des camions et dans une automobile, démarrèrent et partirent sur la piste de terre parallèle au ruisseau.

Un des jeunes tchékistes désigna les koulaks d'un mouvement de tête. « Qu'allons-nous faire d'eux ? »

Tuohy jeta un coup d'œil aux paysans pauvres qui regardaient la scène de l'autre côté du ruisseau. « Nous allons les faire travailler pour notre révolution. »

Un koulak plus âgé, ayant entendu, leva le menton d'un cran. « Nous ne travaillerons pas pour ceux qui confisquent notre blé. Si vous le voulez, vous devez l'acheter – et pas avec du papier sans valeur que vous imprimez comme des timbres-poste. »

Les deux camions et la voiture disparurent dans un virage. « Vous *allez* servir la révolution, dit Tuohy d'une voix dépourvue d'intonation, comme exemple pour les autres. » Il fit un signe de tête aux trois jeunes tchékistes. Celui qui berçait la mitraillette pivota jusqu'à ce que le canon se trouve pointé sur les hommes.

Le grand koulak leva les mains comme un prêtre bénissant une foule. « Vos excellences ne comprennent pas, à propos des semences », commença-t-il à dire.

Le jeune tchékiste pressa la détente.

À l'église des Endeuillés, de l'autre côté de la Moskova par rapport au Kremlin, des fidèles qui tenaient de fins cierges aux flammes vacillantes se balançaient au rythme de la musique du chœur. Des icônes chatoyaient sur les piliers de marbre. De l'encens s'élevait des encensoirs en argent agités par des ombres de prêtres en robe noire. À minuit, le métropolite à la longue barbe, en chasuble de brocart, écarta à coups d'épaule les agents de la Tcheka en veste de cuir réunis pour intimider les fidèles et, montant sur l'autel, proclama d'une voix aiguë : « Le Christ est antibolchevik ! » Ses mots résonnèrent sous les coupoles et les voûtes de l'église froide. Plusieurs tchékistes près de la porte éclatèrent de rire. Au-dessus, des cloches se mirent à sonner.

Dans le fond de l'église, derrière un pilier de marbre, Appolinaria se tourna vers Ronzha. Elle avait les joues enflammées, ses yeux brillaient dans la lumière du cierge qu'elle tenait. « Mon cœur », murmura-t-elle, « ma vie, mon amour », et elle se mit sur la pointe des pieds et lui donna le triple baiser de la Trinité, ce que Pouchkine avait appelé le « baiser de la Résurrection ».

Plus tard, retournant à pied vers la pièce humide en sous-sol qu'ils occupaient moyennant le travail de concierge de Ronzha, Appolinaria demanda :

« Crois-tu que nous vivrons pour partager un autre baiser de la Résurrection ?

— Dieu seul le sait, marmonna Ronzha, qui n'avait rien mangé depuis des jours.

— Les communistes disent qu'il n'y a pas de Dieu, remarqua amèrement Appolinaria. Peut-être ont-ils raison après tout.

— Il faut qu'il y ait un Dieu. »

La voix d'Appolinaria se teinta d'hystérie.

« Comment peux-tu en être sûr ?

— Si Dieu n'existe pas », répliqua Ronzha en citant l'Ivan Karamazov de Dostoïevski, « tout est permis. »

Pendant la Grande Guerre, il avait fait sauter des ponts, des nids de mitrailleuses, des péniches, des casernes – tout ce que les Russes en retraite ne voulaient pas voir tomber aux mains des Allemands. Il avait fait sauter des portes, la dernière fois lors de la prise du Palais d'Hiver. Une fois, il avait détruit un barrage, une autre détourné une rivière. Mais Alyosha Zhitkin, l'expert en démolition, n'avait encore jamais rien fait d'exactement semblable. Il roula quelques feuilles de tabac dans un morceau de journal, alluma son cigare et examina l'église à travers une brume de fumée. Les murs devaient faire au moins un mètre d'épaisseur. Il n'y avait pas de plans d'architecte. Il devait choisir d'instinct où placer les bâtons de dynamite. Les ouvriers qui lui avaient été assignés creusaient des trous à la base des piliers. Le problème n'était pas seulement de détruire l'église ; ça n'aurait été qu'une journée de travail comme les autres. Non. Les bolcheviks de Minsk s'étaient installés dans le presbytère à côté. Ils voulaient que l'église s'effondre sans endommager le presbytère. Dommage pour les vitraux, pensa Alyosha. Il n'avait aucun sentiment religieux, mais il respectait l'art sous toutes ses formes. Il leva les yeux et étudia la coupole. Au centre, un Christ mal nourri présidait à un panthéon de disciples admiratifs.

Quand les piliers seraient abattus, calcula Alyosha, le sourire de jugement du Christ s'effacerait de son visage, ses disciples et lui s'écraseraient sur le sol. Le problème, c'était les murs. De petites charges enfoncées tous les mètres devraient bouleverser les fondations et les faire tomber eux aussi, se dit-il.

Alyosha travailla toute la nuit pour calculer la séquence des explosions et la traduire en longueur de mèches. Dans la matinée, les gardes rouges nettoyèrent la zone. Alyosha, un cigare aux lèvres, coupa en personne les mèches et plaça les charges dans les trous préparés.

Le mot s'était répandu dans Minsk, et des centaines de gens âgés s'étaient rassemblés derrière les barrières pour voir si les bolcheviks pouvaient détruire une église vieille de sept cents ans dans le temps qu'il fallait pour dire « amen ». Plusieurs prêtres en robe noire se tenaient en groupe d'un côté, en tripotant des crucifix enrichis de joyaux. Leurs lèvres remuaient en une prière silencieuse.

Quand Alyosha estima que tout était en place, il donna quatre coups de sifflet. La trentaine d'ouvriers accroupis dans l'église frottèrent des allumettes et les protégèrent de leurs mains en coupe. Alyosha siffla encore. Les ouvriers appliquèrent la flamme aux mèches et s'enfuirent hors du bâtiment.

Les premières charges, celles posées dans les piliers, sautèrent deux minutes plus tard. Elles firent un bruit assourdi, mou, presque comme un insecte écrasé sous une chaussure. Dans un lent mouvement, le plafond s'effondra vers l'intérieur. Le dôme sembla suspendu dans l'air pendant un instant, puis disparut. Les charges des murs se mirent à exploser. Un énorme nuage de poussière et de débris s'éleva en champignon, cachant l'église. Pendant un moment angoissant, Alyosha crut pouvoir toujours distinguer le bâtiment au travers de la fumée. Les vieillards prendraient cela pour un présage, tomberaient à genoux et se signeraient avec ferveur. Les prêtres auraient des sourires de triomphe. Les bolcheviks tiendraient Alyosha pour responsable ; le représentant de la Tcheka se mettrait peut-être en tête qu'il y avait du sabotage là-dessous.

Comme ces pensées traversaient l'esprit d'Alyosha, le nuage s'éclaircit. La petite église avait été réduite à un tas de débris.

Le président du Soviet local bondit vers Alyosha pour le féliciter. « Ha ! Nous allons maintenant commencer », cria-t-il en agitant les bras comme un moulin à vent en imitant consciemment Lénine, « à construire l'ordre socialiste ! »

CHAPITRE II

Il y avait un marché paysan étendu, en pleine activité, sur une aire de terre battue à côté de la gare quand le train, parti de Moscou dix-huit jours et demi plus tôt, s'arrêta à Ekaterinbourg, capitale provinciale de quelque soixante-dix mille âmes sur le versant asiatique de l'Oural, un pays de mines. La vue des citadins relativement bien habillés se pressant autour des charrettes, des paysannes épaisses portant des bottes d'homme trop grandes, pesant méticuleusement sur d'antiques balances carottes, oignons et choux, calculant le prix sur des abaques – tout cela ramenait Zander à la confusion du « marché aux cochons » de Hester Street. Il se revoyait traverser la foule vers la charrette à bras remplie de vieilles lunettes, et y fouiller jusqu'à trouver une paire qui lui permît de voir distinctement les notes d'Engels dans son exemplaire du *Manifeste du Parti communiste*. Il se rendit compte que l'Amérique lui *manquait*, son désordre agréable, sa simplicité et son naturel, et surtout sa capacité de changement. Et il pensa, presque contre sa volonté : Si seulement la révolution s'était passée *là-bas*.

Lili remarqua son expression. « Où es-tu ? » demanda-t-elle doucement.

Zander secoua les épaules, comme s'il se débarrassait du souvenir, de la question, ou des deux à la fois, mais Lili insista.

« Où es-tu ?

— En Amérique », répondit-il avec une touche d'agressivité. Il supposait qu'elle ne comprendrait pas. « Je rêvais éveillé. Je souhaitais que les Américains se soient révoltés plutôt que les Russes. »

Lili le prit comme un rejet personnel. « Je croyais que c'était de la Russie que tu étais nostalgique. Décide-toi. »

Vasia, qui avait entendu l'échange de répliques, marmonna quelque chose comme quoi c'était la seule révolution que Zander eût à sa disposition, et qu'il ferait aussi bien d'en profiter.

« Vasia a raison, remarqua Lili. Les révolutions ne se trouvent pas sous le sabot d'un cheval. Si nous pouvons réussir celle-ci, peut-être qu'elle arrivera là-bas.

— Peut-être », dit Zander d'un ton montrant qu'il était loin d'être convaincu.

De sa démarche raide, caractéristique, Vasia s'approcha du chariot bolchevik d'agitation-propagande au bord du marché, et demanda à une jeune fille qui portait un foulard rouge sale autour du cou comment trouver l'avenue Voznesensky. La fille fit un signe du menton dans la direction générale du centre-ville en essayant de tendre un exemplaire du dernier tract de Lénine à un paysan. Celui-ci enfonça avec obstination les mains dans les poches de son pantalon et fit valoir qu'il ne savait pas lire, et qu'il choisirait Lénine en dernier si c'était le cas.

Ekaterinbourg s'était enorgueilli de son système de transports publics, mais dans les mois suivant la révolution les chevaux avaient été mangés ou réquisitionnés par la cavalerie rouge, et les trolleys, garés côte à côte dans un parc public, transformés en chambrées pour les nouvelles recrues bolcheviks. Ainsi, Zander et Lili ouvrant la marche, Vasia traînant derrière eux en prenant une photo de temps à autre, ils s'enfoncèrent tous trois dans la ville par la large avenue non pavée que les trolleys avaient descendue. Ils passèrent devant des dizaines de grands hôtels particuliers, aux façades élégantes dont les fenêtres n'avaient pas été couvertes de planches. Vingt minutes plus tard, ils tournèrent à droite dans l'avenue Voznesensky, et peu après virent la maison Ipatiev devant eux. L'immeuble à un étage, en retrait de la rue, avec une façade de stuc blanc, avait appartenu au professeur Nicolaï Ipatiev jusqu'à ce que les bolcheviks le transforment en « Maison d'activités spéciales », selon l'euphémisme qu'ils employaient dans leurs rapports officiels. Les « activités spéciales » auxquelles ils se référaient étaient l'incarcération du citoyen Nicolas Romanov, de sa femme, de leurs quatre filles adolescentes et de leur fils hémophile, avec le médecin de famille et leurs derniers serviteurs.

Quand la famille autrefois impériale fut installée, les bolcheviks érigèrent une palissade de bois près de la façade et une autre dans la cour, si bien que de la rue on ne voyait que le toit et quelques-unes des fenêtres blanchies à la chaux de l'étage.

Vasia installa son trépied au milieu de la rue et régla son appareil pour prendre une photo de la maison. À l'entrée de la palissade extérieure, un garde qui traînait paresseusement un fusil derrière lui s'avança pour voir ce qui se passait. Une douzaine d'enfants qui marchaient à peu près en formation tournèrent le coin de la rue. Ils portaient des bâtons sur l'épaule comme si c'étaient des fusils et escortaient un autre gosse qui gardait les mains dans le dos. Les enfants poussèrent leur « prisonnier » contre la palissade, puis s'alignèrent devant lui. « En joue ! » cria l'un d'eux, et ils braquèrent leurs bâtons sur le condamné. « Feu ! » cria le chef. Les autres imitèrent des coups de fusil. Le prisonnier s'effondra dans la poussière. Le soldat qui regardait depuis la porte rit. Vasia dirigea son appareil vers eux et le déclencha.

L'enfant qui avait été « exécuté » sauta sur ses pieds et se mit à brosser la poussière de ses vêtements. « La prochaine fois, dit-il d'un ton plaintif, il faut que quelqu'un d'autre fasse le tsar. »

Debout sous le soleil éclatant, Lili passa le bras sous celui de Zander.

« Ce n'est pas difficile de deviner à quoi s'attendent les gens du coin.

— Espérons que nous ne sommes pas arrivés trop tard pour influer sur la décision », répondit Zander.

Zander perçut l'hostilité dès qu'il franchit le seuil de la Pièce 3 de l'hôtel America, presque en face de la maison Ipatiev. Montrer les instructions qu'il amenait de Moscou ne fit qu'aggraver les choses.

« Pour tout dire, nous avons déjà pris notre décision », dit Alexander Beloborodov, un révolutionnaire austère qui paraissait obnubilé par le pire côté de toute situation. Âgé d'une quarantaine d'années, Beloborodov était le président du Soviet de l'Oural, et donc le communiste – ainsi que les bolcheviks se nommaient maintenant – en chef sur les lieux.

Le commissaire Iakov Iourovski, l'agent de la Tcheka responsable de la maison Ipatiev et de la famille royale, inclina sa chaise en arrière contre le mur et fixa un regard soupçonneux sur Zander. Sa moustache pendait mollement dans l'air humide. « Rien de ce que vous pourrez nous dire ne changera le fait que les Tchèques resserrent leur emprise sur Ekaterinbourg. Quand le vent souffle du bon côté, on entend leurs canons. Ça sonne comme des pets au loin. » Il claqua des lèvres devant sa plaisanterie. « Nos hommes reculent. Ce n'est qu'une question de temps avant que les Blancs ne prennent la ville. »

On frappa une seule fois à la porte. Beloborodov dit sèchement : « Entrez. » Un officier des gardes rouges, pas rasé, l'uniforme sale, entra bruyamment dans la pièce et lui tendit une note. Beloborodov la lut en fronçant les sourcils. « Permission accordée, dit-il à l'officier, à condition qu'ils fassent sauter le pont avant de se retirer. »

Quand la porte se fut refermée sur l'officier de gardes rouges, Beloborodov secoua la tête, morose. « Je ne crois pas que nous ayons le choix, dit-il à Zander. La ligne Hughes est interrompue, coupée par un raid des Blancs sur nos arrières. Votre codeuse peut chiffrer des messages de maintenant jusqu'au jour du Jugement dernier – nous n'avons aucun moyen de communiquer avec Moscou. Les instructions que vous apportez sont claires. Trotski dit ce qu'il préférerait, mais nous laisse prendre la décision finale selon la situation locale telle que nous l'évaluons. »

Iourovski se mit un doigt dans l'oreille d'un air absent et l'examina pour voir ce qu'il en avait sorti. Il eut l'air vaguement désappointé.

« Le tsar doit mourir, dit-il sans inflexion.

— Vous pourriez essayer de l'évacuer, avança Zander. Trotski considère qu'un procès public serait désirable. Le monde doit pouvoir connaître ses crimes. Ce n'est qu'alors que la sentence de mort pourra être exécutée sans que la presse étrangère nous dépeigne comme des assassins. »

Beloborodov secoua de nouveau la tête.

« Que le procès ait lieu à Ekaterinbourg ou à Moscou avec Trotski jouant au procureur, le monde appellera ça un assassinat. Il vaut mieux en finir ici que de risquer de voir Nick tomber entre les mains des Blancs et leur donner quelque chose autour de quoi se rallier. Nick mort, il ne peut pas y avoir de restauration.

— Nick et le garçon, le reprit Iourovski.

— Nick et le garçon, acquiesça Beloborodov.

— Vous allez exécuter l'enfant aussi ? demanda Zander. Même si les Blancs le reprennent, il est trop malade pour régner.

— Il n'est pas trop malade pour signer des papiers mis sous son nez, dit Beloborodov avec irritation. C'est inutile de discuter avec nous. Nous avons pris notre décision. »

Dans la rue, un cheval poussa un hennissement las. Derrière la porte, on entendit un serveur faire avancer une table roulante couverte d'assiettes. Zander hocha la tête d'un air lugubre. « Et les femmes ? »

Iourovski sortit une montre de gousset en argent et y jeta un coup d'œil. « Et les femmes ? Ce n'est pas le moment pour le sentimentalisme bourgeois. »

Zander se sentit soudain épuisé. « Puis-je m'asseoir ? »

Beloborodov désigna une chaise de la tête.

« Trotski était formel à propos des femmes, dit Zander. Alexandra est une princesse allemande de la maison de Hesse. Les Allemands ont à plusieurs reprises exprimé leur souci pour sa sécurité. Il y a une chance qu'ils considèrent l'exécution du tsar comme une affaire intérieure russe. Mais on ne peut pas savoir comment ils réagiront à l'exécution d'une princesse allemande, ou de ses filles. S'ils veulent un prétexte pour rejeter le traité de paix et nous attaquer, nous le leur donnerons. Réfléchissez soigneusement avant de nous replonger dans la guerre contre les Allemands. »

Beloborodov et Iourovski fixèrent la coupe de fruits sur la table. Zander regardait la maison Ipatiev par la fenêtre. Des taches de soleil jouaient sur les tuiles du toit. Enfin, Beloborodov parla. « Même si le pire se produit et qu'elle tombe entre les mains des Blancs, dit-il prudemment, elle ne servirait en rien leur cause. C'est une princesse allemande. Aucun Russe, blanc ou rouge, ne se ralliera à elle. »

Le visage de Iourovski se plissa de réflexion. Sa mâchoire inférieure bougea, comme il se mordait l'intérieur de la joue. « Un train part demain matin, chargé de lingots d'or venant des banques d'ici, dit-il à Beloborodov. Je suppose que nous pourrions envoyer les femmes à Perm et revoir la situation dans une semaine ou deux. »

Beloborodov se tourna vers Zander. « Nous donnerons à Trotski la moitié de ce qu'il demande. Nous évacuerons les femmes – mais pas les hommes. »

Toutes les lampes de la salle à manger du premier étage de l'hôtel America avaient été allumées, et les tables arrangées en un demi-cercle grossier. Beloborodov, Iourovski et plusieurs autres commissaires bolcheviks étaient assis derrière les tables qui faisaient face à la double porte ouvragée par laquelle l'accusé entrerait. Une vingtaine de personnes, dont Zander, Lili et Vasia, étaient assises sur des chaises disposées le long des murs. À huit heures du soir exactement – on entendait l'horloge de campagne du hall sonner – la double porte fut brutalement ouverte et Nicolas Romanov, entouré de quatre gardes, entra lentement dans la pièce.

Nicolas avait eu cinquante ans à Ekaterinbourg, mais il en paraissait au moins quinze de plus. Sa peau avait la couleur et la texture de la cire. Sa barbe bien coupée était parsemée de gris et ses yeux bleu clair assombris par des cernes foncés. Il portait une chemise kaki de soldat avec la croix de Saint-Georges sur la poche de poitrine et des taches de sueur sous les bras, un pantalon kaki et des bottes de feutre usées. Il s'approcha de ses juges d'une démarche incertaine, et s'arrêta au centre du demi-cercle. Dans son dos, les gardes fermèrent la double porte et se postèrent devant.

Beloborodov s'éclaircit la gorge.

« Nicolas Romanov, déclara-t-il, vous avez été convoqué devant le tribunal militaire extraordinaire du Soviet de l'Oural pour répondre des charges qui pèsent sur vous, à savoir : que vous avez eu des contacts secrets avec des officiers blancs qui complotaient de vous faire échapper à la garde du Soviet ; que vous vous préparez à revenir sur votre abdication et à tenter une restauration ; que vous... »

Un son léger et tremblant sortit du fond de la gorge de Nicolas :

« Vos gardes ont volé le reste de notre linge. Vos sentinelles se moquent de mes filles quand elles vont aux toilettes. Il y a des graffitis obscènes sur les murs des couloirs qu'elles empruntent. Ceci, et d'autres anomalies, doit être corrigé... immédiatement. »

Les commissaires, derrière leurs tables, échangèrent des regards. Beloborodov psalmodia : « Nicolas Romanov, que plaidez-vous ? »

Au mot « plaidez », l'ancien tsar redressa les épaules et releva le menton. Puis il inspira si fort que l'air siffla entre ses dents.

« Alors on en est arrivé là, murmura-t-il. Nous devons être jugés par des juges qui ont déjà décidé de leur verdict. »

De sa place le long du mur, Zander remarqua que les jambes de l'ancien tsar tremblaient. Beloborodov avait dû s'en apercevoir aussi, parce qu'il dit : « Une chaise pour l'accusé. » Zander se leva et apporta sa propre chaise à Nicolas Romanov. L'ancien tsar de toutes les Russies regarda le siège mais, au lieu de s'y asseoir, posa une main sur son dossier en osier pour se soutenir et se tourna vers les juges.

« Rendez votre verdict et finissons-en avec cette sale affaire de règlements de comptes. Je vous montrerai comment meurent les tsars. »

Les juges conférèrent à voix basse pendant quelques minutes. Beloborodov aurait préféré faire durer la comédie mais Iourovski, la mâchoire s'agitant avec impatience, voulait aller droit au but. Avec un haussement d'épaules, Beloborodov céda.

« Nicolas Romanov, dit-il, le tribunal militaire extraordinaire du Soviet de l'Oural vous déclare coupable des accusations portées contre vous et vous condamne à la peine capitale, verdict qui sera exécuté demain à l'aube, le 16 juillet 1918. L'audience est levée. »

La bouche de Nicolas Romanov se tordit. Comme il le voyait de profil, il fallut un moment à Zander pour réaliser que l'ancien tsar avait accueilli la sentence de mort avec un sourire de guingois.

Le soleil brillait à travers une légère brume qui voilait l'horizon. La poussière s'agitait sous la chaleur qui s'accumulait le long de la maison Ipatiev. Dans la tranquillité, un son lointain – sec, menaçant – résonna dans la cour ; ç'aurait pu être le tonnerre, mais le ciel était vide de nuages.

« Les Tchèques se rapprochent », commenta Lili à mi-voix.

Beloborodov sortit par la grande porte et rejoignit Iourovski qui distribuait des Nagant et des automatiques Browning au peloton d'exécution.

« Il tient mieux le coup que les femmes », dit Beloborodov. » Il désigna une fenêtre à barreaux au niveau du sol. « Ils le font descendre au sous-sol maintenant. Allons-y – Dieu sait comment il réagira quand ils amèneront l'enfant après lui. »

À cet instant, un cri étouffé vint de la pièce en sous-sol qui avait été choisie pour l'exécution. Puis un second cri, plus fort, et une voix d'homme rendue aiguë par la panique hurla : « *Niet !* »

Iourovski referma le barillet de son revolver, et guida Beloborodov et les gardes vers la porte de la maison.

À l'entrée principale de la palissade qui faisait écran entre la maison Ipatiev et l'avenue Voznesensky, Zander donna un coup de pied dans un caillou, soulevant un petit nuage de poussière. Lili passa le bras sous le sien.

« La décision quant au garçon est objectivement correcte. Et Trotski sera content quand il saura que nous évacuons les femmes. »

Une volée assourdie, irrégulière, de coups de pistolet sonna dans la salle du sous-sol. Une douzaine d'oiseaux posés sur le toit de la maison Ipatiev s'envolèrent. La bouche de Zander se durcit. Quelque part à l'étage une femme hurla. Le cri se transforma en sanglots. Une détonation unique se fit entendre. Puis une autre. Les sentinelles devant la palissade, qui fixaient la fenêtre à barreaux, reprirent leurs activités.

« Nous sommes des constructeurs, murmura Lili avec intensité. Mais avant de pouvoir construire, il faut détruire.

— Malheur à la révolution », dit Zander, répétant la phrase de Marat souvent citée dans les cercles bolcheviks, « qui n'a pas le courage de décapiter l'*ancien régime*[1]. » Il se détourna d'un air particulièrement absorbé.

Lili, l'observant soigneusement, n'était pas sûre qu'il fût parvenu à s'en convaincre.

Au milieu de la matinée, quand le vent tourna, le grondement de l'artillerie tchèque devint évident, et il sembla qu'Ekaterinbourg entier se dirigeait vers la gare dans l'espoir de monter dans le dernier train à partir, par la persuasion ou la corruption. Dans les avenues, la poussière soulevée par les citadins traînant d'énormes valises rendait la respiration difficile. Il y avait maintenant un tourbillon d'hommes, de femmes et d'enfants, là où le marché s'était tenu deux jours plus tôt. La gare elle-même était entourée de gardes rouges qui se servaient des baïonnettes fixées aux canons de leurs fusils pour faire reculer la foule.

---

1 En français dans le texte.

Les gens du premier rang agitaient frénétiquement des laissez-passer depuis longtemps périmés, offraient des pièces d'or, des chandeliers d'argent ou des samovars de cuivre aux soldats. Derrière eux, d'autres vagues humaines se chevauchaient, se pressaient en avant, hurlaient par-dessus la tête de ceux qui les précédaient pour demander ce qui les arrêtait.

« On ne traversera jamais cette foule, dit Lili à Zander quand ils virent la multitude devant eux.

— Nous aurions dû nous arranger pour que Beloborodov nous prenne dans sa voiture », gémit Vasial, les yeux exorbités de peur à la perspective de retomber entre les mains des Blancs. « Nous aurions dû partir hier soir au lieu d'attendre l'exécution.

— Pas de panique, dit Zander. Ils doivent permettre à ceux qui ont des laissez-passer de traverser. Venez. »

Le gémissement d'une sirène actionnée à la main parvint de l'avenue Voznesensky. Trois voitures tournèrent dans l'avenue qui menait à la gare et Zander dut écarter Lili de leur chemin. La première et la troisième étaient des conduites intérieures ouvertes dont les sièges et les marchepieds étaient bondés de gardes rouges brandissant des pistolets. La voiture du milieu, une Renault fermée, avait les fenêtres peintes, si bien qu'il était impossible de voir qui se trouvait à l'intérieur.

« Ça doit être les femmes Romanov qui vont prendre le train de Perm », dit Zander. Attrapant la main de Lili, il se précipita dans le sillage du convoi et ils purent couvrir presque cent mètres avant que la foule ne se referme. Se frayant un chemin à coups d'épaule dans la cohue, ils parvinrent finalement à atteindre l'anneau de soldats qui encerclaient la gare.

« Nous avons des places dans le train », cria Zander à un jeune officier, et il brandit les trois laissez-passer qu'ils avaient employés lors de leur voyage de dix-huit jours et demi depuis Moscou.

« Depuis minuit, répondit l'officier, les laissez-passer bleus ne sont plus valables. Seuls les rouges donnent le droit d'entrer dans la gare.

— Beloborodov nous connaît, plaida Zander. Il n'a rien dit à propos d'un changement de laissez-passer. » Mais l'officier, absorbé par une femme qui essayait de lui mettre un bébé dans les bras, ne lui prêtait plus attention.

Zander se tourna vers Lili et Vasia. « Faisons le tour et approchons la gare de l'autre côté. Avec un peu de chance, nous trouverons Beloborodov. »

Ils traversèrent la foule dans l'autre sens, contournèrent l'aire de terre battue que les paysans utilisaient comme marché, traversèrent les voies et arrivèrent du côté marchandises de la gare – pour tomber sur une autre ligne de gardes rouges. Dans leur dos, Zander vit le train sur les rails. De la fumée montait de la longue et étroite cheminée de la locomotive. De la vapeur sortait en sifflant d'une soupape près d'une roue. Derrière la machine, il y avait un wagon plat rempli de bois et deux fourgons aux portes coulissantes, avec des gardes rouges servant des mitrailleuses. Les huit voitures de passagers étaient déjà bondées de gens parvenus de quelque façon à franchir le cordon de soldats. Plusieurs personnes lançaient des valises sur le toit et grimpaient derrière elles. Vers le milieu du train, il y avait un wagon aux vitres peintes. Beloborodov, portant un uniforme kaki et des bottes de cuir lui montant aux genoux, se tenait près des marches à un bout de wagon. « Le voilà », s'exclama Zander, et il ouvrit la bouche pour crier à l'adresse du chef du Soviet de l'Oural, mais sa voix se noya dans le mugissement aigu du sifflet de la locomotive. À ce signal, Beloborodov grimpa les marches et disparut dans le wagon. Le train s'ébranla avec des secousses. Les gens de l'autre côté de la gare hurlèrent de désespoir en réalisant que le dernier train à quitter Ekaterinbourg s'en allait sans eux. Même les gardes rouges se tournèrent pour le regarder partir ; ils avaient été laissés derrière pour mener un combat d'arrière-garde contre l'avancée des Blancs.

Un terrible silence tomba sur la gare comme le train prenait de la vitesse et disparaissait dans un virage. Quelque part au loin, le canon tonna. Les gens regardèrent le ciel, espérant voir des nuages d'orage auxquels attribuer le bruit. Mais seule la chaleur alourdissait le ciel.

Zander, Lili et Vasia passèrent les trois jours suivants tapis dans l'hôtel America en écoutant le canon tchèque se rapprocher, et en essayant de trouver une façon de quitter Ekaterinbourg. Le problème était le moyen de transport. Tous les véhicules, tirés par des chevaux ou motorisés, avaient été réquisitionnés par les gardes rouges restés en arrière pour défendre la ville. Une fois, Zander suggéra qu'ils parcourent à pied les trois cent cinquante kilomètres jusqu'à Perm, mais ils apprirent que des postes de contrôle avaient été installés aux alentours d'Ekaterinbourg ; tout homme valide dépourvu d'un laissez-passer rouge tamponné par la Tcheka locale était susceptible d'être considéré comme un déserteur et abattu sur place. Quant à obtenir un laissez-passer rouge, on ne pouvait le faire que dans la Pièce 3, le bureau de la Tcheka, qui était cadenassé depuis que le dernier train pour Perm était parti avec la plupart des tchékistes d'Ekaterinbourg à bord.

Quand l'information que les premiers éclaireurs tchèques avaient déclenché des escarmouches dans les faubourgs de l'est atteignit l'hôtel, Zander décida que le moment était venu de se cacher. Portant leurs affaires et un carton rempli de boîtes de conserve qu'ils avaient récupérées dans l'office, ils descendirent une allée derrière l'hôtel America. Des centaines d'appartements et de maisons avaient été abandonnés par les résidents d'Ekaterinbourg qui craignaient d'être pris dans une bataille rue par rue, maison par maison, pour le contrôle de la ville. Pas loin de l'hôtel, au croisement des avenues Voznesensky et Asiatika, Lili repéra un appartement au dernier étage dont les volets étaient fermés. Ils brisèrent la serrure de la porte de derrière et gravirent ce qui devait avoir été l'escalier de service. Debout sur les épaules de Vasia, Zander força le vasistas au-dessus de la porte de la cuisine, sauta à terre et fit entrer les autres.

« Ça ira très bien », dit Zander en regardant dans la lumière qui filtrait par une lucarne les meubles lourds recouverts de draps. Vasia alla explorer le garde-manger et annonça qu'il avait découvert un sac d'avoine, une étagère pleine de conserves et plusieurs bouteilles de vin bulgare.

Regardant par les interstices d'un volet, Lili observait le carrefour en dessous lorsque les premiers cavaliers tchèques, armés de sabres qu'ils portaient en bandoulière, passèrent au trot. Quand elle se retourna, le sang paraissait s'être totalement retiré de son visage. Zander lut dans ses pensées. « Ils n'ont pas le temps, ni assez de main-d'œuvre pour fouiller tous les appartements d'Ekaterinbourg », la rassura-t-il. Ainsi que lui-même.

Ce jour-là passa, et le suivant, avec des volées dispersées de coups de fusil, et parfois une rafale de mitrailleuse, se répercutant dans les rues en dessous d'eux. Une fois Lili, regardant par un volet, vit une cinquantaine de gardes rouges, le cou lié par des cordes, qu'on poussait dans l'avenue. À une autre occasion, Vasia aperçut plusieurs automobiles découvertes, transportant des soldats tchèques qui tenaient haut des piques sur lesquelles étaient fichées des têtes humaines. Cette vision le déprima tant qu'il se mit à passer la plupart de son temps recroquevillé en position fœtale sur le divan d'une petite pièce près de la cuisine.

Une semaine après leur arrivée, ils se trouvèrent à court de charbon et commencèrent à briser des chaises pour alimenter le fourneau de la cuisine. Ils se rationnèrent à un repas par jour, une pâtée fabriquée en faisant cuire de l'avoine dans une casserole, en moulant les grains gonflés, puis en les passant au tamis et en ajoutant de l'eau et du vin. Zander calcula qu'à ce rythme ils auraient suffisamment de nourriture pour tenir un mois et demi, assez longtemps, il fallait l'espérer, pour qu'une contre-attaque rouge ait repris la ville. Il n'y avait absolument aucune raison, dit-il à Vasia un soir où celui-ci se plaignait amèrement d'être claquemuré, pour qu'aucun d'eux se risque dans la rue avant un bon moment.

Ce qui rendit la disparition de Vasia, quand ils la découvrirent le lendemain matin, encore plus difficile à comprendre.

CHAPITRE III

« C'est un vieux truc que j'ai appris en Sibérie », expliqua le sergent Kirpitchnikov. S'agenouillant à côté du messager adolescent qui avait ôté sa botte et sa chaussette, il cracha sur la grosse aiguille où était passé un épais fil de chanvre. Pasha désigna du moignon de sa main gauche, qu'il avait perdue quelques mois auparavant, l'énorme ampoule sur la plante du pied du jeune homme. Une poignée de tireurs d'élite attachés au train les entourèrent. Tuohy et plusieurs autres tchékistes, les jambes pendant au bord du toit du wagon de marchandises qui transportait les deux automobiles de Trotski, se mirent à chanter une chanson grivoise pour couvrir – avait moqueusement annoncé Tuohy – les cris de douleur du patient.

« Ça va faire mal, alors ? » demanda le jeune messager au sergent Kirpitchnikov.

Un des nouveaux officiers, tout frais venu de Moscou à en juger par son pantalon rouge vif, récita quelques lignes de Gogol pour taquiner le messager : « Si quelqu'un doit mourir, il mourra de toute façon. S'il doit survivre, il survivra de toute façon. »

« Procède à l'opération, Pasha, cria Tuohy du haut du wagon de marchandises. Une ampoule n'a jamais tué personne.

— Il faut passer l'aiguille et le fil de chanvre au travers de l'ampoule, comme ça », dit le sergent Kirpitchnikov. Le jeune homme grimaça et détourna la tête. « Puis on coupe le fil, comme ça. » Le sergent ouvrit la lame de son couteau de poche avec ses dents et coupa le fil avec sa main droite intacte. « Il faut s'assurer que le fil dépasse des deux côtés de l'ampoule. Ce qui se passe, c'est que le chanvre absorbe tout le pus. » Il tapota le dos du messager. « Tu peux retourner à ton unité maintenant. Demain, si tu es toujours en vie, tu pourras retirer le fil. Ce sera comme si tu n'avais jamais eu d'ampoule. »

Le train blindé de Trotski était arrivé à Sviajsk pendant une accalmie dans la bataille la nuit précédente. Ekaterinbourg était tombé aux mains des Tchèques et des gardes blancs, et Kazan, la dernière ville importante sur la rive est de la haute Volga, avait été occupé peu après. Début août 1918, la situation militaire était critique. Le front s'effondrait ; les unités rouges désertaient ou battaient en retraite au premier signe d'une poussée blanche. Si les Tchèques, qui se regroupaient autour de Kazan, réussissaient à franchir la Volga, rien ne les empêcherait de balayer la plaine ouverte jusqu'à Moscou. Et cela signifierait la fin de Lénine et de la révolution bolchevik.

Sans expérience militaire préalable, Trotski, à quarante et un ans, avait été nommé commissaire à la Guerre. Il avait équipé un train de plaques d'acier et de piles de sacs de sable, installé des tourelles de mitrailleuses sur le toit des fourgons, rempli les wagons – déjà si lourds qu'il fallait deux locomotives – avec une centaine de tireurs d'élite, un contingent de tchékistes, des munitions, un assortiment de fusils, de mitrailleuses, de grenades, de l'équipement radio, de la nourriture, du matériel médical, des automobiles pour faire des reconnaissances, de l'essence, du tabac à distribuer aux troupes et même une presse d'imprimerie, et était parti vers le front. « Ma stratégie », avait-il annoncé, empruntant la phrase de Wellington à la veille de Waterloo, « c'est un contre dix ; ma tactique, dix contre un. »

En chemin, Trotski était obligé d'envoyer des « groupes de débarquement » pour boucher des trous dans les lignes ou réprimer des révoltes locales, après quoi le train se remettait sous pression et filait vers le prochain endroit où il y avait des ennuis. À chaque aiguillage ou gare, Trotski rassemblait de nouvelles recrues bolcheviks, surtout des ouvriers portant toujours leurs vêtements civils et une étoile rouge à cinq branches cousue sur la chemise, et délivrait son discours d'encouragement. Habillé d'une veste de cuir à ceinture, d'une culotte de cheval, de bottes et d'une casquette à visière usée, il dépeignait la lutte comme une croisade, et les recrues comme « des participants à la tentative historique de créer une nouvelle société ». Pour renforcer la détermination à se battre de l'Armée rouge, il publia un avertissement : « Si un détachement quelconque bat en retraite sans ordres, le premier à être fusillé sera le commissaire politique, le suivant le commandant. La révolution, ajouta explicitement Trotski, est une grande dévoreuse d'hommes. »

Dans la voiture de commandement, à bord de son train parqué à Sviajsk, Trotski était absorbé dans les cartes, essayant d'anticiper l'endroit où tomberait le prochain coup des Blancs, quand un messager galopa le long de la voie de garage. Trotski se pencha par la fenêtre pour recueillir son rapport : les Blancs avaient traversé la Volga sur plusieurs chalands remplis de troupes et avaient débarqué dans les marécages au nord de Sviajsk. Les troupes bolcheviks qui leur faisaient face avaient abandonné leurs positions sans tirer un coup de fusil. La situation était désespérée. Si les Blancs n'étaient pas repoussés immédiatement, ils consolideraient leur tête de pont sur la rive ouest de la Volga, et la route de Moscou serait ouverte.

Trotski ordonna à tout le monde à bord du train de prendre les armes, y compris les cuisiniers et les télégraphistes. Avec les tireurs d'élite et les tchékistes en tête, Trotski les suivant dans une de ses voitures bourrée de caisses de grenades, les Rouges se ruèrent pour colmater la brèche.

Tuohy, rampant sur le ventre dans un fossé de drainage parallèle à la Volga, avait du mal à garder la tête et son fusil hors de l'eau. Il pensa à Arishka pelotonnée dans un bon lit bien sec à Moscou et désira ardemment être avec elle. Il se demanda si elle lui était fidèle. Lorsque son mari était à la guerre, elle s'était laissé séduire par Tuohy. Pourquoi agirait-elle différemment maintenant que c'était lui qui se trouvait au front ? L'idée d'Arishka ouvrant les jambes à un autre homme le déprima énormément. Si elle m'a été infidèle, décida-t-il, je traquerai l'homme et je le tuerai. « Ci-gît Atticus Tuohy, dit-il à haute voix, qui est mort en héros pendant que son épouse morganatique remontait le moral des troupes derrière les lignes. »

Il y eut des volées de coups de fusil sur la gauche comme les tireurs d'élite déversaient leurs balles sur les positions des Blancs. D'une élévation de l'autre côté d'un chemin de terre, les Blancs ripostèrent. « Est-ce que tu vois un de ces salauds ? » murmura le tchékiste qui rampait derrière Tuohy. Une mitrailleuse balaya les positions des Blancs. Le tchékiste se leva sur un genou et fit feu aveuglément. Devant eux, trois Blancs quittèrent le couvert d'une cabane à outils de paysan, et coururent vers la rivière et les chalands échoués sur la rive. Maniant fiévreusement la culasse de son Nagant, le tchékiste en abattit un, puis un second. Bondissant sur ses pieds et courant plié en deux, Tuohy se précipita vers la rive. Il l'atteignit alors que le troisième soldat blanc, poussant sur une longue perche, éloignait un radeau du bord. Les deux hommes se regardèrent un moment. Tuohy épaula son fusil, visa soigneusement et pressa la détente. Le coup ne partit pas. Il réarma et appuya sur la détente une deuxième fois, avec le même résultat. Le déclic du percuteur parut pénétrer dans le corps du soldat. Il se plia en deux, puis se redressa et pesa de nouveau sur la perche.

Derrière, près du fossé de drainage, plusieurs grenades explosèrent et le sergent Kirpitchnikov, criant d'une voix éraillée, conduisit la charge des tireurs d'élite contre les Blancs survivants. Trotski avait ordonné à ses hommes de ne pas faire de prisonniers. Comme les gardes blancs se levaient, les bras en l'air, ils étaient abattus.

Sur la rive de la Volga, Tuohy tira son lourd pistolet de son holster et, le tenant à deux mains, visa le jeune soldat sur le radeau. Il pressa doucement la détente. Le pistolet se cabra dans ses mains, lui bouchant la vue. Quand il l'abaissa, le radeau, tournoyant lentement vers l'amont dans un contre-courant, était vide.

Ce soir-là, dans une clairière proche du train blindé, Trotski réunit la compagnie bolchevik qui avait rompu les rangs et s'était enfuie à la vue des Blancs traversant la Volga sur leurs chalands. Trotski présida lui-même la cour martiale improvisée. Le commissaire politique et le commandant de la compagnie furent poussés en avant à la pointe des baïonnettes jusqu'à ce qu'ils se tiennent en face de la table de cuisine où était assis Trotski. « Vous êtes des lâches et des traîtres à la cause de la révolution, s'exclama Trotski. Vous connaissez la peine qui vous attend. Avez-vous quelque chose à me dire avant que je rende mon verdict ? »

Le commissaire, un jeune homme barbu, sérieux, d'environ vingt-cinq ans, réussit à produire un sourire triste. « Je n'ai rien à dire pour ma défense. J'étais prêt à mourir pour la révolution quand j'ai quitté la faculté de droit pour l'armée. J'y suis toujours prêt. »

Le commandant, un ancien officier tsariste qui avait dépassé la quarantaine, fit un pas vers la table.

« Je leur ai ordonné de tenir bon et de se battre, dit-il à Trotski d'une voix enrouée. Ce n'est pas ma faute s'ils n'ont pas obéi.

— Avez-vous donné l'exemple ? répliqua Trotski. Avez-vous tenu bon et vous êtes-vous battu ? »

L'ancien officier tsariste évita le regard de Trotski.

« J'aurais été seul. J'aurais été tué.

— Mieux aurait valu être tué par eux que par nous », ricana Trotski. Il éleva la voix. « Je condamne le commissaire et le commandant à la mort devant le peloton d'exécution, sentence à appliquer immédiatement. Quant aux hommes de la compagnie, j'ordonne qu'un sur dix d'entre eux soit fusillé, sentence à appliquer immédiatement. » Il agita la main vers les deux cent soixante hommes alignés devant lui. « Que nos tchékistes en comptent un sur dix et exécutent le verdict. L'audience est levée. »

Tuohy, le plus ancien tchékiste sur place, traversa la clairière, jusqu'à faire face au premier soldat du premier rang, un vétéran proche de la soixantaine avec une grande cicatrice là où aurait dû être son oreille droite. « Toi », dit Tuohy. L'homme baissa les yeux, cracha par terre et s'avança hardiment. Tuohy descendit la rangée en comptant, regardant le soulagement envahir les traits des hommes qu'il dépassait. Il dit « Toi » au onzième soldat, un adolescent de dix-sept ou dix-huit ans.

Le garçon se tourna vers sa gauche et sa droite en cherchant de l'aide, puis regarda de nouveau Tuohy.

« Pourquoi moi ? gémit-il. Je n'ai fui que parce que les autres fuyaient. Je ne veux pas mourir !

— Arrête de pleurnicher et sors du rang », ordonna Tuohy.

S'essuyant le nez du dos de la main, le garçon fit un pas mal assuré en avant et Tuohy le reconnut soudain – c'était le messager adolescent avec le fil du sergent Kirpitchnikov dans son ampoule.

Dans le silence pesant de la clairière, Tuohy continua à descendre les rangs, comptant un homme sur dix jusqu'à ce que vingt-six soldats aient été désignés pour l'exécution. Le commissaire, le commandant et eux reçurent des pelles et l'ordre de creuser une tranchée à l'orée des bois qui bordaient la clairière. Quand ils eurent fini, on leur reprit les pelles et les condamnés furent alignés, les chevilles liées, au bord de la fosse. Les tireurs d'élite mirent une mitrailleuse en position et introduisirent l'extrémité d'un chargeur dans la culasse avec un claquement métallique qui résonna dans la clairière. Quelques-uns des condamnés se mirent à pleurer. L'ancien officier tsariste fit un signe de croix sur sa poitrine. Le jeune commissaire de la compagnie redressa les épaules et prit une profonde inspiration, sa dernière.

« Il faut appliquer à une blessure gangrenée, dit Trotski à ceux qui étaient à portée de voix, un fer rouge. » Et il fit un signe de tête aux hommes servant la mitrailleuse.

Dès qu'il se mit à armer la révolution, Trotski réalisa que la nouvelle Armée rouge ne pouvait pas être commandée par des comités de soldats votant pour l'attaque ou la retraite. Pour triompher des Blancs, son armée avait désespérément besoin d'un corps d'officiers. Les seuls officiers expérimentés disponibles avaient servi sous le tsar. Finalement, Trotski permit à quelque vingt mille anciens officiers tsaristes de servir dans les rangs des Rouges, ce qui souleva beaucoup de ressentiment et une inquiétude non négligeable quant au côté où se porterait leur loyauté lorsque le combat commencerait. Trotski lui-même partageait ce souci et prit des précautions. Il fit compiler des listes des femmes et enfants des officiers tsaristes afin de décourager les défections et la trahison. Et il créa un système de commandement double, avec un commissaire politique bolchevik qui regardait par-dessus l'épaule de l'officier à tous les niveaux de l'institution militaire. Aucun ordre n'était valide à moins d'être signé par les deux, coup de génie qui donna à l'Armée rouge nouveau-née la science militaire de mener la guerre civile et l'expérience politique de défendre la révolution.

C'est ainsi que le sergent Kirpitchnikov fut détaché du train blindé et affecté comme commissaire politique au 23e bataillon de fusiliers de Petrograd, entranché sur la rive ouest de la Volga en face de Kazan.

« L'ennui, c'est que nos hommes ne sont pas assez agressifs, dit Trotski au sergent en signant son ordre de mission. Ils sont devenus prisonniers de la foi bolchevik en l'inéluctabilité historique de la victoire de notre cause ; ils pensent que tout ce qu'ils ont à faire pour gagner, c'est survivre. »

Le sergent Kirpitchnikov, qui ne saisissait que vaguement les références de Trotski à la dialectique et à l'inéluctabilité historique, comprit à son tour que le travail du commissaire était de donner aux soldats, et aux officiers qui les commandaient, un vivifiant coup de pied au cul. Dès qu'il arriva au poste de commandement des Rouges dans un manoir derrière les lignes, il poussa à l'action le commandant usé par les combats.

« Vous voulez que j'envoie des patrouilles de l'autre côté du fleuve ? demanda le commandant incrédule.

— Vous êtes prisonnier de quelque chose, répliqua fermement le sergent Kirpitchnikov. Vous pensez que tout ce que vous avez à faire pour gagner, c'est de rester assis sur votre cul. Envoyer des hommes de l'autre côté du fleuve fera croire aux Blancs que nous sommes plus forts que ce n'est le cas, puisque ce n'est pas le genre de choses que nous ferions si nous étions aussi faibles que nous le sommes vraiment. »

Le commandant suivit le conseil de son nouveau commissaire – avec des résultats stupéfiants. La première patrouille ramena deux prisonniers blancs, ce qui remonta le moral des Rouges, et un déserteur qui avait une copie d'une carte montrant les positions des Blancs sur la rive est de la Volga. Trotski étudia la carte et, concentrant ses forces, appliqua sa tactique du « dix contre un ». Une série de raids de l'autre côté du fleuve s'ensuivit, qui maintint les Blancs en déséquilibre et leur infligea des pertes, et donna aux Rouges le temps d'amener des recrues des villes.

Comme les Rouges prenaient confiance, le rythme des incursions de l'autre côté du fleuve s'accéléra. Le sergent Kirpitchnikov « chaperonnait » constamment, comme il le disait en riant, son commandant lors de ces razzias nocturnes. Des signes d'épuisement apparurent sur le visage de l'officier mais, aiguillonné par son commissaire, il continua. Un soir, après avoir pris d'assaut un avant-poste blanc installé dans un moulin, le sergent suggéra d'amener des renforts avant l'aube et de tenir la position un jour ou deux.

« Qu'en dis-tu, Dimitri ? Trotski sera très content d'avoir une tête de pont de ce côté-ci de la Volga.

« — Tu es fou, Pasha, répondit le commandant, mais pourquoi pas ? »

Comme c'était à prévoir, les Blancs réagirent violemment à la présence de Rouges de leur côté du fleuve. À l'aube, les unités du 23ᵉ au moulin se trouvèrent encerclées et dépassées en nombre. Elles repoussèrent des attaques toute cette journée, et la suivante. Ni le commandant ni le commissaire ne dormirent. Les nerfs s'usèrent. Le commandant blâma Pasha pour leur mauvaise passe. Le sergent Kirpitchnikov fit observer que sur les questions militaires il donnait des suggestions, et le commandant les ordres. Remarquant les yeux vitreux de l'officier, le sergent commença à soupçonner qu'il l'avait poussé trop loin.

Cette nuit-là, ils décidèrent de briser l'encerclement. Se servant de morceaux de sucre posés sur le sol pour représenter ses forces et celles de l'ennemi, le commandant donna ses instructions aux chefs d'unités. Il y aurait une force d'arrêt, dit-il en mettant en place un morceau de sucre, pour protéger le flanc pendant que le gros du 23ᵉ », il manœuvra d'autres morceaux de sucre, « procéderait par bonds le long d'un ravin jusqu'à la rivière. « Des questions ? » demanda-t-il en appuyant une main sur sa joue pour arrêter un tic.

Alors qu'ils partaient, le commandant, les paupières lourdes de fatigue, remarqua le paysan simple d'esprit qui vivait dans le moulin en train de récupérer les morceaux de sucre.

« Un espion ! cria-t-il. Il prend le sucre afin de reconstruire notre plan de bataille pour les Blancs.

— Dimitri, il ne prenait le sucre que pour le manger, dit le sergent Kirpitchnikov.

— Il faut le fusiller, insista le commandant, et manger immédiatement les morceaux de sucre. »

Les officiers regardèrent alternativement, ébahis, leur commandant et leur commissaire. Le sergent Kirpitchnikov accrocha le regard d'un jeune officier en pantalon rouge vif et lui fit un lourd clin d'œil. « Emmenez le paysan dehors et fusillez-le. Distribuez le sucre aux hommes. »

Le paysan, pleurnichant des choses inintelligibles, fut traîné hors de la pièce. Quelques instants plus tard, un coup de feu résonna. Le sergent Kirpitchnikov offrit ce qu'il appelait son sourire paternel au commandant. Ce n'est pas sa faute, se dit-il. Il y a une limite à ce qu'un homme peut supporter. Dès que nous serons revenus dans nos lignes, je l'enverrai prendre du repos à l'arrière.

Le sergent et le commandant sortirent. La nuit était remplie de l'odeur du thym sauvage qui poussait sur le bord du ravin. Le corps du paysan simple d'esprit gisait, tordu, sur le chemin empavé qui menait au moulin. Du sang suintait d'une vilaine blessure à la tête. Il n'était pas encore mort, mais le serait bientôt. Plusieurs des jeunes officiers se tenaient auprès du corps, mâchant vigoureusement des morceaux de sucre. Celui qui portait un pantalon rouge vif s'avança vers le sergent et le salua dans les règles. « J'ai exécuté vos ordres, camarade commissaire », dit-il.

Le sergent Kirpitchnikov regarda le corps du paysan, les mangeurs de sucre, puis le commandant épuisé et de nouveau l'officier qui avait obéi à ses instructions.

« Mais j'ai cligné de l'œil, murmura-t-il.

— Vous avez fait quoi ? demanda l'officier d'une voix étonnée.

— J'ai cligné de l'œil, beugla le sergent Kirpitchnikov, pour que vous compreniez que ce n'était pas sérieux !

— J'ai cru que c'était un tic », dit faiblement l'officier.

Autour d'eux, les autres avalèrent le reste du sucre. À leurs pieds, le paysan eut un spasme et resta immobile.

« Maintenant, les Blancs ne pourront pas connaître nos plans », dit le commandant avec satisfaction. Il eut un rire fou dans la nuit parfumée.

CHAPITRE IV

Assis derrière un bureau d'acajou poli qui avait servi, encore tout récemment, à un commissaire politique bolchevik, un colonel décharné avec un bandeau sur l'œil examinait les prises de la journée. « Je veux vous féliciter, dit-il sans montrer d'enthousiasme, fixant tour à tour chaque homme de son œil valide, d'avoir eu le bon sens d'abandonner le bolchevisme athée. La cause des Blancs vous accueille à bras ouverts. Vous comprendrez cependant qu'avant de vous accorder une amnistie sans conditions nous exigions une preuve de votre loyauté. Dans les milieux intellectuels, cela s'appelle la réciprocité. Quelque chose en échange de quelque chose, si vous voyez où je veux en venir. »

Un grand paysan au milieu de la rangée prit la parole. « On nous a dit, votre excellence, qu'on nous engagerait dans l'Armée blanche. Donnez-moi un fusil et je vous prouverai ma loyauté. »

Le colonel étouffa un bâillement. C'était sa quatrième fournée de renégats depuis le début de la semaine.

« Il n'est pas question de vous donner un fusil avant que nous soyons sûrs de la direction dans laquelle vous le pointerez.

— Alors, que devons-nous faire pour montrer notre loyauté ? demanda un autre renégat, un ouvrier.

— Laissez-vous guider par votre imagination, dit aimablement le colonel. Nous voulons des renseignements sur les Rouges. Nous voulons le détail de leur ordre de bataille. Nous voulons connaître leurs intentions. Et surtout, nous voulons des dénonciations. Plus vous dénoncerez de gros poissons, plus nous serons susceptibles de croire que vous avez changé de cœur. »

Vasia leva un doigt pour attirer l'attention du colonel. « Qu'arrivera-t-il à ceux d'entre nous qui ne réussiront pas à vous convaincre de leur loyauté ? » demanda-t-il d'une voix si basse que l'officier dut faire un effort pour l'entendre.

Les muscles faciaux du colonel travaillèrent dur pour produire un sourire las. « Nous les fusillerons », expliqua-t-il.

Ils remplirent à la pompe une baignoire d'eau, se lavèrent l'un l'autre, puis se tinrent devant une fenêtre ouverte pour laisser l'air tiède de la nuit caresser leurs corps. Quelque part dans l'avenue Voznesensky, un chien aboya vers la lune à demi pleine, mais le bruit ne fit qu'accentuer la parfaite tranquillité du soir. Au lieu d'aller dans la chambre, ils empilèrent des coussins sur le plancher près de la fenêtre ouverte et firent l'amour de façon languissante et endormie. C'était aussi éloigné de la violence que l'amour physique peut l'être.

« Il y a tellement de façons de faire l'amour, lui murmura à l'oreille Lili.

— Quand nous les aurons toutes essayées, lui répondit Zander sur le même ton, nous en inventerons de nouvelles. »

Ensuite, ils plongèrent dans un profond sommeil là où ils étaient. Voilà pourquoi, quand la porte fut arrachée de ses gonds, ni Zander ni Lili n'avait de pistolet à portée de main.

Des hommes armés envahirent l'appartement. Des lampes à gaz s'allumèrent brutalement. Des ombres dansèrent sur les murs. Lili, agrippant un drap qu'elle avait arraché à un fauteuil, fut rudement projetée contre un mur. Elle essaya de s'abriter les yeux de l'avant-bras et appela : « Alexander ! » Dans les ténèbres derrière les lampes, elle entendit quelque chose de lourd frapper quelque chose de mou, et le grognement de souffrance d'un homme. Des sous-vêtements, une jupe, une chemise, des bas et une paire de chaussures furent projetés à ses pieds depuis l'obscurité. Observée par un demi-cercle d'hommes silencieux, Lili s'habilla. Une voix incroyablement apaisante lui ordonna de se tourner et une cagoule lui fut passée sur la tête. On lui lia les poignets dans le dos avec une corde.

« Mes mains me brûlent, se plaignit-elle alors qu'on lui faisait descendre l'escalier.

— Le reste de votre corps, répliqua la voix apaisante, les suivra bientôt. »

Il y eut un court trajet en automobile, durant lequel ses ravisseurs ne prononcèrent pas un mot. Elle entendit de lourdes portes s'ouvrir et ses pas résonner dans un étroit escalier en colimaçon, puis dans des couloirs sans fin, des portes s'ouvraient devant elle et se refermaient derrière avec des déclics qui lui transperçaient le crâne. Enfin, la cagoule fut arrachée de sa tête, la corde de ses poignets coupée, une porte fut ouverte et on la força à entrer dans un espace si étroit que, quand on claqua la porte dans son dos, elle la sentit presser contre ses omoplates. Elle essaya de lever les mains pour se masser les poignets, mais il n'y avait pas assez de place pour ça. Elle réalisa qu'elle se trouvait dans l'équivalent d'un cercueil debout sur une extrémité. « Laissez-moi sortir ! » hurla-t-elle, pour regretter à l'instant d'avoir donné à ses geôliers la satisfaction de l'entendre les implorer. S'ils l'avaient mise là, raisonna-t-elle, ce n'était pas pour la laisser sortir avant qu'elle fût réduite à un état de supplication gémissante, prête à leur dire tout ce qu'ils voulaient savoir avant de l'exécuter.

Elle prit plusieurs profondes inspirations – respirer profondément lui appuyait les seins contre l'avant de sa prison – et ordonna à ses muscles de se détendre. Elle se sentait déjà les pieds lourds, mais elle n'avait aucun moyen de les soulager de son poids. Du temps passa, elle ne pouvait pas savoir combien. Si jamais je sors d'ici, jura-t-elle, je renoncerai complètement au sexe. Elle eut besoin d'uriner, mais résista pendant ce qui lui parut des heures. Il y avait des aiguilles de douleur à l'arrière de ses mollets, qui s'étendirent peu à peu dans toutes les directions jusqu'à ce qu'elle se surprît à gémir à haute voix et se rendît compte qu'elle gémissait depuis un moment. Sa vessie allait exploser et, tout d'un coup, elle ne put se retenir plus longtemps. L'urine dégoulina le long de ses jambes, remplit ses chaussures, et elle éclata en larmes d'humiliation. Elle s'arrêta de sangloter, décida de se tuer et essaya de se frapper la tête contre une paroi, mais elle disposait de si peu d'espace pour prendre de l'élan qu'elle ne récolta qu'une migraine déchirante. Une souffrance atroce lui traversa les jambes et remonta dans son dos. Elle étudia la douleur, essayant d'en définir la nature jusqu'à ce que celle-ci devînt si intense qu'elle ne pouvait plus penser clairement. La brûlure se répandit au travers de son corps comme la voix apaisante, dans l'escalier, le lui avait annoncé. Puis elle s'évanouit.

Quand Lili reprit conscience, elle était attachée sur une couchette dans une infirmerie de prison, fixant le visage ovale d'un homme d'âge moyen avec une moustache cirée qui finissait en tire-bouchon. Il avait l'air d'un médecin faisant sa visite, et elle pensa qu'elle devait lui parler de ses pieds gonflés, lui dire combien ils lui faisaient mal quand elle essayait de les changer de position dans le lit. L'homme à la moustache cirée étudiait un dossier, fredonnant en tournant les pages. Quelle que soit sa spécialité, pensa Lili, il est évidemment très compétent.

Au bout d'un moment, il baissa les yeux sur elle. « Permettez-moi, chère madame, de me présenter », dit-il doucement, et Lili reconnut instantanément la voix apaisante qu'elle avait entendue pour la première fois quand on lui faisait descendre l'escalier avec une cagoule sur la tête. « Je suis l'enquêteur Sokolov de la Section criminelle du directorat de l'Oural. Quant à vous, vous êtes Lili Mikhaïlovna Ioussoupova, une bolchevik et la sœur de Félix Ioussoupov qui a tué Raspoutine. » Lili commença à marmonner une dénégation, mais l'enquêteur la coupa sèchement.

« Nous avons récupéré vos documents de voyage dans la doublure de la veste de votre amant. Nous savons qui vous êtes. Nous savons pourquoi vous êtes venus à Ekaterinbourg – lui afin de soutenir la demande de Trotski de ramener le tsar à Moscou pour un procès public, et vous pour coder et décoder les messages qu'il aurait pu échanger avec Trotski si la ligne Hughes n'avait pas été coupée. Avec ces documents comme preuve, vous et votre ami Til auriez pu être abattus sommairement. On vous a gardés en vie tous les deux pour répondre à nos questions. Dès que je serai certain que vous n'avez plus de renseignements à me fournir, vous serez tous deux exécutés. »

Un rire âpre s'échappa de la bouche de Lili.

« Sachant cela, aucun de nous ne vous dira rien.

— Au contraire, chère madame, vous en arriverez au point où vous désirerez mourir. Votre ami Til et vous, vous me supplierez de croire que vous ne me cachez plus rien pour que je puisse vous récompenser en ordonnant votre exécution. » Sokolov fit signe à deux infirmiers portant des blouses blanches qui leur arrivaient au genou. « Donnez-lui à manger, puis ramenez-la à sa cellule, leur dit-il. Donnez-lui une dose de quarante-huit heures et dites-moi si elle est prête. »

Les pieds traînant derrière elle, Lili fut tirée dans l'étroit escalier d'acier et dans les couloirs sans fin, puis jetée de nouveau dans son espèce de placard, la porte lui appuyant sur les omoplates.

« Oh, Alexander », gémit-elle, et des larmes inondèrent ses joues et lui coulèrent dans la bouche. Elle goûta la saveur salée de son malheur, en tira d'une certaine façon du courage et fit le vœu de ne jamais dire un mot à l'enquêteur Sokolov. Ce qu'il fallait, s'ordonna-t-elle, ce n'était pas mourir vite, mais mourir en sentant qu'elle avait triomphé de l'homme à la voix infiniment apaisante. Peut-être, décida-t-elle, y a-t-il une quantité donnée de douleur dans le monde. Il s'ensuivait que, plus elle souffrirait, moins il en resterait pour Alexander. Ça avait l'air d'une idée raisonnable. Et cela lui permit, pendant ses 48 heures dans la boîte, de faire bon accueil à la douleur qui envahissait son corps, qui l'occupait comme une armée conquérante, qui consumait tout jusqu'à ce que ses pensées – son vocabulaire même – semblassent se réduire à un seul mot : souffrance.

« En avez-vous assez ? » demandait un des infirmiers. Il avait été obligé de la soutenir quand il avait ouvert la porte, parce que ses jambes enflées étaient incapables de supporter son poids. « Êtes-vous prête à parler avec l'enquêteur Sokolov ? »

Lili parvint à secouer la tête, bien qu'elle lui parût lourde sur son cou. L'infirmier l'allongea sur le sol, lui baigna le visage avec de l'eau froide et lui versa dans la gorge une louche d'une substance ressemblant à de la soupe. Il ouvrit son chemisier, appuya une oreille sur sa poitrine et écouta son cœur battre. « Vous avez déjà dépassé la moyenne », lui dit-il en la repoussant dans la boîte pour une autre période de quarante-huit heures. « Mais personne n'a jamais tenu après trois doses. »

C'était devenu une lutte, comprit Lili sans l'exprimer distinctement, entre eux et sa propre santé mentale. Si elle pouvait tenir assez longtemps, la douleur qui se resserrait sur son corps comme un étau lui ferait franchir la limite de la folie. L'enquêteur Sokolov n'obtiendrait rien d'autre d'elle que le délire d'une idiote. Elle avait déjà du mal à finir ses phrases, à organiser ses pensées, à se concentrer sur quoi que ce soit pour plus d'un moment passager.

Il y avait des millions de moments passagers dans quarante-huit heures, chacun d'eux plus douloureux que le précédent. Elle se sentait approcher du précipice. De l'humidité coulait goutte à goutte le long des moignons qui avaient été ses jambes, mais elle n'eut jamais conscience d'avoir uriné. Oh, mon Dieu, Alexander, où es-tu ? Dans son imagination, elle tendit la main vers lui. Viens, bondissons ensemble dans la folie ! Elle percevait le poids de l'ombre de Zander sur elle. Mais elle oublia alors comment il s'appelait, elle pouvait l'appeler, mais pas par son nom.

« Comment t'appelles-tu ? » hurla-t-elle dans le silence de son cercueil.

La porte s'ouvrit de nouveau. L'infirmier, la couchant sur le sol glacé, le lui rappela. « Le nom de votre ami est Alexander. Il refuse lui aussi de céder, lui murmura-t-il à l'oreille. Ses souffrances sont indescriptibles. Vous pouvez les lui épargner en acceptant de dire à l'enquêteur Sokolov ce qu'il veut savoir. Si vous aimez votre ami, laissez l'enquêteur Sokolov l'exécuter.

— Oui », murmura Lili entre ses lèvres enflées. Sa voix était méconnaissable. « Je dois tuer Alexander avant qu'il ne souffre plus encore. Amenez-moi à l'enquêteur Sokolov. »

Un silence brisé se réverbérait dans la pièce : des toux hachées, des gémissements, des soupirs, des sanglots, des conversations murmurées qui avaient l'intensité de télégrammes, le frottement des membres sur le sol de pierre quand des condamnés, hommes et femmes, se traînaient vers le baquet commun pour uriner. Il y eut même des bruits d'acte sexuel lorsque les deux membres d'un couple, la veille de leur exécution, unirent leurs corps meurtris pour la dernière fois. Dans un coin du fond de la cellule, en diagonale par rapport à l'épaisse porte de bois, Zander massait les mollets de Lili pour contenir les crampes.

« Essaie de ne pas y penser », murmura-t-il.

Lili se mordit la lèvre. « Ça revient, gémit-elle.

—Non, non. » Il la massa plus vigoureusement. « Tu es en train de te souvenir de la dernière. Essaie de détendre tes muscles.

—Ça y est », cria Lili, et Zander sentit les muscles se durcir sous ses doigts. Elle rejeta la tête en arrière et hoqueta : « Oh, oh, oh, oh, oh », puis hurla de douleur. Les autres prisonniers, absorbés dans leur propre malheur, n'y prêtèrent pas attention.

La respiration de Lili devint peu à peu plus régulière.

Zander, lui massant toujours les jambes, dit :

« Parle-moi. Ça te détournera l'esprit de tes crampes. Dis-moi ce qui t'a fait céder à Sokolov.

— Ils m'ont dit que tu souffrais affreusement. Ils m'ont dit que la seule chose qui pouvait t'épargner plus de douleur était ma coopération. Alors, ils te fusilleraient au lieu de te torturer. » Un rire sarcastique crépita au fond de la gorge de Lili. « Ça avait l'air parfaitement logique à ce moment-là. Et toi ?

— Ils m'ont laissé t'apercevoir quand ils t'ont sortie de la boîte », dit sèchement Zander (le souvenir n'était pas plaisant). « Ils m'ont dit que tu refusais de parler, qu'il fallait que je cède pour qu'ils puissent t'abattre et mettre fin à tes souffrances. J'avais l'esprit confus. Il me semblait plus important de faire cesser tes souffrances que de résister à Sokolov. »

Lili et Zander étaient enfermés, avec soixante ou soixante-dix autres prisonniers, dans une grande salle de détention à l'écart du groupe principal de cellules. Les fenêtres, haut placées dans le mur de pierre, avaient été bouchées avec des briques, et l'unique ventilation venait d'une lucarne à la vitre peinte en noir. Dans le demi-jour permanent, les prisonniers étendus dans la salle bondée n'étaient que des ombres, et seuls les bruits qui venaient d'eux les rendaient humains. Chaque jour une quinzaine de nouvelles ombres étaient jetées dans la pièce. Et chaque matin quelques ombres se levaient de leur place le long des murs et glissaient vers la porte où un garde lisait une série de noms. Une silhouette plus ombreuse que les autres dans sa robe flottante de prêtre entonnait la prière des morts pendant qu'ils quittaient ce monde crépusculaire. « *Gospodi pomiloe, Gospodi pomiloe* – Dieu aie pitié, Dieu aie pitié », psalmodiait-il d'une voix profonde, et Zander, assis dos contre un pilier, se souvenait de la scène du couronnement dans *Boris Godou-nov* avec le chœur chantant son « *Gospodi pomiloe* » désespéré. Les ordres étouffés d'un officier venaient de la cour en dessous. Puis une volée brutale de coups de fusil – le craquement de branches sèches par un jour de brouillard – résonnait dans la salle de détention, dans le crâne des ombres qui attendaient leur tour.

« J'ai perdu le camée de ta mère, disait Lili. Ils ont dû le prendre quand ils nous ont arrêtés.

— Ça n'a pas d'importance », mentit Zander. Il avait l'impression d'avoir perdu son dernier lien avec sa mère.

« J'ai toujours su que ça pourrait finir comme ça », gémit Lili au bout d'un moment. Elle tendit le bras dans la pénombre et toucha le visage de Zander du gras du pouce, sentit les contusions et l'enflure. « Mais je n'y ai jamais cru. Nous n'avons pas eu assez de temps, Alexander. »

Il rit sous cape.

« Quelque soit notre temps ensemble, ça n'aurait jamais été suffisant.

— Je regrette seulement que nous mourions ensemble. Pour des raisons égoïstes, je voulais que tu me survives. Maintenant il n'y aura personne pour s'occuper de ma fille.

— Elle doit avoir un père quelque part. »

Il y eut un silence gêné. « Elle a été conçue à Paris. » Lili hésita. « À dire vrai, je ne sais pas trop qui est le père. » Elle essaya de percer la pénombre, de distinguer les traits de Zander. « Ça pourrait être Ronzha. Ça pourrait être mon frère, Félix. » Il y eut un autre long silence. Puis Lili éclata : « Est-ce que tu me détestes, Alexander, pour avoir couché avec mon frère ? »

Près d'eux, une ombre se détacha du mur et se dirigea vers le baquet en traînant les pieds. Zander se tourna vers Lili.

« Tu es une révolutionnaire. Le chemin d'une femme vers la révolu-tion n'est pas celui d'un homme. Les femmes doivent passer par une pé-riode d'exploration sexuelle pour découvrir des choses que les hommes considèrent comme allant de soi. Je n'ai rien à te reprocher, Lissik. »

Ils continuèrent à parler à mi-voix. Le sommeil aurait pu être quel-que chose qui n'avait jamais existé. Comme la nuit s'avançait, leurs voix prirent un ton désespéré. Le temps, ils le sentaient tous les deux, leur glissait entre les doigts. Bientôt il n'en resterait plus.

« Je t'aime, Alexander, murmura Lili avec force. J'aime ton corps et j'aime ta tête et j'aime ta façon d'étrécir les yeux quand tu es irrité, et j'aime comme tu tournes ta bonne oreille quand tu n'entends pas bien, et j'aime ton bon Dieu de sens moral. » Elle sourit faiblement. « Je ne supporte pas l'idée que tu meures.

— Je t'aime aussi, dit simplement Zander. Toi tout entière. J'ai parfois le sentiment d'être toi.

— Tu verras, murmura Lili, les lèvres contre sa bonne oreille. Quand le moment viendra, je mourrai comme un homme. »

Zander frissonna. « Je me sens vieux. Vieux et fatigué. Et sans espoir. »

Ils étaient toujours profondément plongés dans leur conversation le matin suivant quand le garde franchit la porte et appela : « Lili Mikhaïlovna Ioussoupova, Alexander Yonkelevitch Til. »

À côté du pilier de pierre, Zander tendit la main et serra longuement le poignet de Lili. Puis ils se levèrent et, évitant soigneusement de marcher sur les jambes étendues des autres prisonniers, se frayèrent un chemin jusqu'à la porte. Ils passèrent devant le prêtre qui murmurait « *Gospodi pomiloe, Gospodi pomiloe* », et se placèrent au milieu de la file de gardes dans le couloir.

Lili avait toujours des ennuis avec ses pieds enflés, aussi Zander lui enserra-t-il étroitement la taille pendant qu'ils parcouraient les couloirs sans fin. Une fois encore, des portes s'ouvrirent devant eux et se fermèrent derrière. Des voix les hélèrent des cellules qui donnaient sur le couloir.

« Crachez-leur au visage », dit un prisonnier.

« La révolution triomphera ! » cria un autre.

« Tenez ouverte la porte de l'enfer – je ne serai pas loin derrière », dit une femme avec un ricanement hystérique.

Ils descendirent l'étroit escalier d'acier en colimaçon et, se penchant pour passer sous une porte basse, émergèrent dans une cour. Zander regarda autour de lui, cherchant le peloton d'exécution.

L'officier de la garde lut dans ses pensées. « On ne fusille que les bolcheviks ordinaires. Votre mort sera plus lente. » Il désigna de la tête un petit camion garé près de là.

Lili se recula. Zander plongea les yeux dans les siens, et elle détourna le regard.

« Viens, dit-il.

— Non.

— Viens, s'il te plaît. »

Elle secoua la tête.

L'officier de la garde la poussa en avant. Zander lui prit le bras et la tira vers le camion. Elle se débattit. « Qu'est-ce que tu fais ? Lâche-moi ! »

On leur mit des cagoules sur la tête. On leur attacha les mains dans le dos et ils furent brutalement poussés à l'arrière du camion. Deux gardes y montèrent après eux et le camion s'ébranla vers les faubourgs d'Ekaterinbourg. Zander, assis à côté de Lili sur le banc, percevait sa peur ; sa cuisse et son épaule tremblaient.

Une demi-heure plus tard, le camion s'arrêta avec un crissement de freins. La porte arrière s'ouvrit, et Zander et Lili furent tirés dehors. On leur ôta leurs cagoules. Zander jeta un coup d'œil à Lili. Elle secoua la tête pour écarter une mèche de ses yeux et il crut pendant un instant qu'elle serait capable de tenir le coup. Mais quand un des soldats voulut lui attraper le bras, elle se recula et un cri qui ne pouvait venir que d'un animal acculé s'échappa de ses lèvres.

Ils étaient dans un champ où passaient des rails de chemin de fer sur un haut remblai. Ekaterinbourg était de l'autre côté d'un bois ; une lointaine cloche d'église sonna l'heure. Un jeune officier, avec de longs et fins cheveux blonds et des sourcils blonds, s'avança et salua l'officier de la garde. « Nous nous chargeons d'eux à partir de maintenant », dit-il. L'officier de la garde et ses hommes eurent l'air soulagés. Ils remontèrent dans le camion, l'officier dans la cabine, les deux gardes derrière, et partirent.

Le jeune officier aux fins cheveux blonds fixa Zander, essayant d'attirer son attention. Les yeux de Zander s'ouvrirent un peu plus : il avait déjà vu cet officier quelque part.

« Allons-y », ordonna l'officier aux quatre soldats qui attendaient derrière lui. Lili se laissa mollement tomber à genoux en geignant. Deux soldats la prirent aux aisselles, la hissèrent sur ses pieds et l'entraînèrent derrière Zander.

« Aide-moi, Alexander ! » cria Lili.

Il la vit par-dessus son épaule, traînée, les chaussures griffant le sol. Il regarda l'officier qui suivait à quelques pas. Le jeune homme parut lui faire un signe de tête – ou était-ce son imagination ? Son cœur se mit à cogner dans sa poitrine.

Ils escaladèrent le talus et traversèrent les rails. Lili s'étrangla d'horreur et se serait effondrée sur le sol sans les deux soldats qui la soutenaient. Zander inspira par le nez. Il avait envie de vomir.

Dans chaque direction, aussi loin que portait l'œil, des mains pourrissantes étaient attachées aux rails. Elles avaient été coupées au poignet par les trains qui passaient, et les prisonniers, le sang jaillissant de leurs moignons, avaient descendu le talus en titubant pour saigner à mort. Il devait y avoir une centaine de corps dispersés dans les champs, tous dépourvus de mains, tous gris et blafards à cause de la perte de sang.

Un des soldats força Lili à se mettre à plat ventre. Un pied appuyé sur ses reins, il coupa la corde qui lui liait les mains et lui étira les bras par-dessus la tête de façon que ses poignets soient croisés sur le rail, les mains d'un côté, le corps sur le talus de l'autre. Une corde fut prestement passée autour de ses poignets, les fixant au rail. Puis les quatre soldats se tournèrent vers Zander. Il n'opposa aucune résistance quand ils le forcèrent à s'allonger sur le ventre et attachèrent ses poignets au rail.

Sa tête était près de celle de Lili. Il distinguait des élancements de terreur absolue dans ses pupilles, mais n'osait pas lui offrir d'espoir.

Riant entre eux, les quatre soldats vérifièrent une fois de plus les cordes, puis traversèrent les rails et disparurent de l'autre côté du remblai. « Est-ce que leurs poignets sont bien attachés ? » demanda le jeune officier. Zander entendit ses bottes chercher un point d'appui sur la pente opposée. Puis sa tête apparut par-dessus le rail. « Je vais m'en assurer », dit-il.

À côté de Zander, Lili s'enfonça le visage dans la terre pour étouffer ses sanglots.

L'officier posa un genou sur une traverse près de la tête de Zander.

« Vous me reconnaissez, mais vous ne vous rappelez pas où vous m'avez vu ? Vous m'avez sauvé la vie une fois. Vous me rameniez de Tsarskoïe Selo pour être exécuté. Vous avez arrêté la voiture, m'avez délié les poignets et laissé partir dans un champ pas très différent de celui-ci, sauf qu'il n'y avait pas de cadavres dedans. Aujourd'hui je vous sauve la vie en retour. » Il dégaina une courte épée de cérémonie et scia la corde qui liait les poignets de Zander. « Le train n'arrivera pas avant un quart d'heure. Attendez un peu pour être sûr que nous sommes partis avant de la détacher et de vous enfuir. La campagne d'ici à Perm grouille de Blancs. Si vous êtes capturés de nouveau, je ne pourrai rien faire pour vous. »

Zander parvint à dire : « Merci d'avoir pris le risque. »

L'officier haussa les épaules. « Votre révolution est un désastre pour la Russie. Il y aura des millions de morts. Devant Dieu, j'espère que vous perdrez. » Il se leva, épousseta son genou d'une main gantée et disparut de l'autre côté du remblai.

Lili se tourna lentement vers Zander. Son visage était sillonné de larmes et de poussière. Elle cracha de la terre et le fixa, sonnée. Puis un sourire tendu, de travers, laid, déforma son visage. « Quel cadeau que la vie ! » dit-elle, et elle commença à sangloter doucement.

CHAPITRE V

Zander voyait Lili s'éteindre mentalement. Les cellules de son cerveau doivent dépérir sous la tension, se dit-il. Son esprit avait tendance à vagabonder ; d'après l'expression de son visage, il était souvent vide. Elle était capable de se concentrer pour de courts moments quand il l'y poussait, mais elle ne semblait qu'attendre le pire. Il lui arrivait de s'effondrer en larmes à la vue du sang perlant d'une piqûre de moustique qu'elle avait grattée. Et quand elle commençait à sangloter, elle titubait derrière Zander pendant des heures, aveuglée par ses larmes, le corps secoué de spasmes.

Elle s'était brisée comme une vieille assiette. Et il était devenu le gardien des morceaux.

Lili était allongée, recroquevillée, derrière les haies qui bordaient un ravin où les paysans jetaient leurs ordures, remuant dans son sommeil. Zander était accroupi à côté d'elle, regardant au loin un gros prêtre barbu conduire un mulet, au travers de rangées non récoltées de seigle grouillant de souris, vers le village et l'église éventrée à son orée. Un nuage de mouches planait au-dessus de la tête du prêtre, se dispersant quand il les chassait du dos de la main, puis se regroupant à l'instant en quelque chose qui ressemblait à une auréole de saint. Le mulet se cabra, effrayé par les souris qui se faufilaient entre ses sabots, et refusa d'avancer. Le prêtre le maudit, le vouant à brûler pour l'éternité dans un enfer si chaud que le vocabulaire d'un homme éduqué peinait à le décrire. Comme le mulet ne bougeait pas, il releva sa robe, leva le pied et le frappa dans les testicules. Le mulet brama de douleur et se précipita à travers le seigle vers l'église.

Traversant les alpages au clair de lune, vivant de champignons, de racines et de ce qu'ils trouvaient dans les ruines des granges et des maisons, Zander et Lili franchirent les montagnes de l'Oural en direction de

Perm, une ville située à trois cent cinquante kilomètres d'Ekaterinbourg. Des bandes armées de Blancs, de Rouges et même de Verts – des paysans anarchistes qui combattaient contre les deux camps – rôdaient dans la campagne, tuant les humains et les animaux qu'ils rencontraient. Il ne se passait guère de nuit sans qu'ils trébuchent sur des corps gonflés et pourrissants. Ils s'étaient cachés un matin avant l'aube pour découvrir au lever du soleil qu'ils étaient au bas d'une falaise où avaient été suspendues plusieurs petites cages de bambou contenant chacune un prisonnier qu'on avait laissé mourir de soif sous les intempéries. Une autre fois, cachés dans une fondrière près d'un lac, ils virent une bande de Verts pousser huit prisonniers – il était impossible de voir si c'étaient des Rouges ou des Blancs – sur un long embarcadère au bord de l'eau, leur attacher des pierres au cou et les forcer à sauter à l'eau à la pointe des baïonnettes. « Si nous sommes en danger d'être pris, répétait encore et encore Lili, il faudra que tu m'ouvres les veines avec ce couteau rouillé que tu as trouvé », et Zander, l'aiguisant sur une pierre plate, lui promit de le faire. Au début, il n'avait accepté que pour la calmer. Mais, après avoir vu le corps d'une femme qui avait été bâillonnée, violée et étranglée, il en pensait chaque mot.

« Nous n'arriverons jamais à Perm », soupira un jour Lili, alors qu'ils cherchaient de la nourriture parmi les dépendances incendiées de ce qui avait été une ferme florissante. Tout avait été démoli autour d'eux – les poulaillers, les soues à cochons, les étables, les laiteries. Plusieurs chiens sauvages, les côtes visibles au clair de lune, hurlaient dans l'ombre d'une pile de bois d'œuvre.

Une aile exceptée, la maison de maître de la ferme, érigée sur une élévation de terrain derrière les dépendances, au bout d'une allée d'acacias, avait été rasée par le feu. En fouillant cette aile, Zander découvrit une draperie dont il fit un matelas pour Lili, qui se recroquevilla promptement dessus et sombra dans un sommeil agité. Dans les ruines calcinées du corps central de la maison, Zander trouva du halva en conserve, un bocal brisé contenant encore quelques cornichons et une boîte de métal remplie de cristaux de sel. S'installant dans un coin près de Lili, il ajouta ses trouvailles à son sac à dos improvisé, posa son couteau rouillé à portée de main et s'assoupit. La chaleur était oppressante. Deux mouches qui bourdonnaient autour de sa bonne oreille le réveillèrent, mais il les chassa de la main et, le dos appuyé au mur, glissa dans un profond sommeil.

La pointe d'un sabre qui lui chatouillait la gorge le ramena brutalement à la conscience. Ses yeux s'ouvrirent grands. Son corps se glaça. Plusieurs dizaines d'enfants à demi nus, de toutes les tailles et de tous les âges, s'étaient silencieusement entassés dans l'aile de la maison de maître. Leurs corps étaient couverts de crasse et de plaies. Les plus vieux – ils ne pouvaient pas avoir plus de douze ans – entouraient Lili et Zander, les clouant au sol avec des sabres de cavalerie si lourds que les enfants devaient les manier à deux mains.

« Des *bezprezorni*, murmura Zander. Ne bouge pas. »

Avant de quitter Moscou, ils avaient entendu parler des *bezprezorni*, les sans-foyer. Un article de la *Pravda* décrivait les milliers d'orphelins à demi morts de faim qui rôdaient dans la campagne, chassant en meutes, terrorisant les villages, volant ou tuant pour survivre, suivant leurs propres lois, les enfants plus âgés protégeant les plus jeunes. Il était même suggéré que certains d'entre eux, rendus fous par la faim, s'adonnaient au cannibalisme.

Il y eut des frottements de pieds nus comme les enfants s'écartaient pour laisser passer leur chef. Il portait un pagne et une cape de femme en fourrure jetée sur une épaule. Un faucon de chasse, avec une courte laisse attachée à une serre et un capuchon sur la tête, s'accrochait à son poignet levé. Le chef, qui n'avait sûrement pas plus de quatorze ans, examina les deux prisonniers avec de doux yeux de colombe qui ne cillaient pas, en attrapant machinalement un pou dans ses cheveux et en l'écrasant entre ses ongles. Quelque part derrière lui, un bébé éclata en pleurs. Un autre enfant se mit à lui chanter une berceuse à mi-voix. Le chef désigna de la tête le couteau rouillé de Zander. Une fillette avec des cicatrices de brûlures sur la poitrine le ramassa promptement et le glissa dans sa ceinture. Deux des enfants fouillèrent dans un sac de toile et en sortirent une longue chaîne qu'ils passèrent plusieurs fois autour des bras et des poignets de Zander avant d'en cadenasser les extrémités.

Le chef regarda Lili. « Si vous ne faites pas ce qu'on vous dit, on coupera votre ami en morceaux et on le fera cuire. » Il jeta un coup d'œil par-dessus les têtes des enfants qui l'entouraient et appela : « Amenez les bébés. »

Six fillettes, nues à part des culottes en coton déchirées, la peau couverte de couches de croûtes, traversèrent le groupe. Chacune portait un bébé dans ses bras. « Nous les avons trouvés hier, marmonna le chef, dans un village passé au fil de l'épée par les Blancs. Ils iront au ciel s'ils n'ont pas de lait. Nos filles n'ont pas de seins, mais vous si. Allaitez nos bébés et nous vous épargnerons votre ami et vous. »

Contrôlant son besoin de trembler, Lili jeta un coup d'œil à Zander. Elle commença à dire : « Je n'ai pas de… » mais le vit secouer presque imperceptiblement la tête. Les *bezprezorni* croyaient à l'évidence que toute femme avec des seins avait du lait. Lili frissonna. « Donnez-les-moi un par un », dit-elle. Elle déboutonna sa chemise et amena le premier bébé à sa poitrine.

Il plaça sa minuscule bouche sur son mamelon, mais était trop faible pour téter. Plusieurs *bezprezorni* s'accroupirent à côté de Lili pour regarder. Un enfant qui n'avait pas plus de quatre ans se mit à pleurer. Un garçon plus âgé sortit d'un sac une grosse montre de gousset en or et l'appuya sur l'oreille de l'enfant.

« Tic-tac », fit celui-ci en riant. « Tic-tac. »

Lili rendit le premier bébé à sa gardienne et se força à en accepter un second. La tête de celui-ci était couverte de plaies purulentes. Il commença à téter, et hurla parce que le sein ne donnait pas de lait, mais continua, et le mamelon de Lili s'irrita. Révulsée, elle arracha le bébé de sa poitrine. Les enfants accroupis à côté d'elle bondirent sur leurs pieds. Deux des plus âgés tendirent leurs sabres de cavalerie vers la gorge de Zander.

Avec un frémissement d'horreur, Lili ramena soigneusement l'enfant contre sa poitrine et lui offrit l'autre sein.

Au milieu de l'après-midi, chaque bébé avait tété les seins de Lili à son tour. Le chef sortit d'un sac de toile des bâtonnets de viande fumée et les distribua. Ensuite, vingt des *bezprezorni* formèrent un rond au milieu de la pièce et se mirent à jouer à *koshka-mishka*, le chat et la souris. Le but du jeu était, pour le « chat » au milieu du cercle, de le traverser et d'attraper la « souris », une fillette émaciée de huit ans qui se déplaçait en dehors de l'anneau.

Le jeu commença dans la bonne humeur. Le chat, un lourd garçon de douze ans, rebondissait contre les bras enlacés des enfants formant l'anneau. Chacun de ses essais pour passer arrachait des rires sauvages aux *bezprezorni* qui regardaient. Les rires mirent le chat en fureur, et il se jeta avec plus d'énergie contre les bras noués. Plus violemment il essayait de sortir, plus les autres riaient, jusqu'à ce que le chat baissât finalement le front et, grognant vicieusement, se lançât tête la première contre la poitrine de l'un des plus jeunes enfants de l'anneau, qui tomba en arrière avec un cri de douleur. Le chat bondit par la brèche sur le dos de la souris, lui prit les cheveux à deux mains et se mit à lui frapper la tête sur le sol en pierre.

« Pour l'amour du ciel, arrêtez-le ! hurla Lili du coin de la pièce.

— Mais ce n'est qu'un jeu », répondit le chef des *bezprezorni*, caressant les plumes de son faucon.

Les enfants accroupis le long des murs commencèrent à battre des mains en rythme. À chaque claquement, le chat frappait la tête de la souris sur le sol. Lili se détourna et ferma les yeux, mais ses larmes coulaient quand même.

Au crépuscule, les *bezprezorni* rassemblèrent leurs affaires et leurs bébés et, prenant la porte en file indienne, disparurent dans la nuit. Tenant la promesse qu'ils avaient faite à Lili, ils laissèrent derrière eux la clef du cadenas. Ils laissèrent aussi deux bébés qui étaient allés au ciel pendant la journée, et le corps de la souris étendu dans une mare de sang en train de sécher au milieu de la pièce.

Le visage noirci de boue, les membres du commando partirent deux heures après le coucher du soleil. Ils s'entassèrent tous les quatorze dans deux barques de pêche et traversèrent la rivière à la perche, plusieurs kilomètres en amont du promontoire où était installée la batterie qui commandait la Volga.

Le guide, un jeune paysan élevé sur la rive asiatique du fleuve, près de Kazan, mena le commando dans l'intérieur des terres, loin de la Volga et, contournant un champ planté de choux, se dirigea vers l'éminence à peine visible au loin. Se déplaçant dans un fossé utilisé pour prendre l'eau à la rivière quand elle était haute, ils s'approchèrent du feu de camp à la base du promontoire. Tuohy passa doucement la tête par-dessus le bord du fossé et compta les silhouettes. Il tapota l'épaule de l'homme à côté de lui et leva deux doigts. Puis il fit signe à deux des tchékistes de s'avancer. Ils tirèrent des couteaux de leur ceinture et, rampant sur le ventre, disparurent hors du fossé. Tuohy tendit l'oreille vers le feu de camp et s'efforça d'entendre. Une légère brise sifflait dans les broussailles. Une grenouille coassa. Il y eut un bruit étouffé de course sur la terre humide. Des silhouettes s'élancèrent devant le feu. Puis tout fut tranquille.

« Allons-y », murmura Tuohy et, avec ses onze hommes, il grimpa la pente vers les canons blancs à demi enterrés au-dessus de lui. Quand ils se rapprochèrent, Tuohy entendit quelqu'un laver des assiettes d'étain dans un baquet. Il tendit un doigt, envoyant un tchékiste vers le son. L'homme qui faisait la vaisselle fredonnait. Soudain le bruit cessa. Tuohy désigna de la tête la première des deux pièces d'artillerie, le canon levé visible contre le ciel nocturne. Il rampa en avant avec quelques-uns des tchékistes jusqu'à atteindre la barricade de sacs de sable et se souleva lentement pour pouvoir regarder dans la casemate.

Il y avait sept hommes à l'intérieur, quatre profondément endormis, les trois autres adossés à des caisses de munitions et jouant aux cartes à la lueur d'une lampe à huile. Tuohy redescendit dans l'ombre des sacs de sable, et attendit que les autres tchékistes aient le temps de se mettre en position autour de la deuxième casemate. Il tira son couteau de sa ceinture. Les hommes autour de lui l'imitèrent.

« Maintenant ! » chuchota-t-il. Il se jeta par-dessus la barricade et tomba à côté d'un des joueurs, lui enfonçant son couteau dans la poitrine. Autour de lui, il y eut des cris étouffés tandis que des hommes mouraient sans savoir ce qui les tuait.

Tuohy se leva et regarda dans la direction de l'autre casemate. Un tchékiste trotta vers lui et s'agenouilla sur les sacs de sable. « Elle est à nous », murmura-t-il.

Deux des tchékistes qui s'y connaissaient en pièces d'artillerie s'occupèrent d'enclouer les canons, afin qu'ils explosent au visage de qui essaierait de s'en servir. Tuohy attrapa la lanterne et marcha jusqu'au bord du promontoire. Il regarda la Volga qui s'incurvait à ses pieds, puis fit faire un grand arc à sa lampe à gaz. En dessous, sur une des quatre canonnières bolcheviks, quelqu'un renvoya le signal.

Les quatre bateaux, sous le commandement de Trotski à bord du premier, s'avancèrent dans le méandre sous le promontoire, et entrèrent dans la baie semblable à un lagon qui s'élargissait devant la ville basse et étendue de Kazan. La flottille blanche – un chaland de pétrole, deux vapeurs fluviaux équipés de mitrailleuses et de canons, une demi-douzaine de canonnières – était à l'ancre environ deux cents mètres droit devant l'armada improvisée de Trotski.

Les Rouges envoyèrent des obus éclairants derrière les vaisseaux blancs pour qu'ils se détachent sur l'horizon, et ouvrirent le feu de toutes leurs pièces. Le chaland de pétrole explosa, vomissant des flammes verdâtres dans le ciel. Un des vapeurs prit feu et se mit à couler, la poupe la première. Du promontoire, Tuohy vit de minuscules silhouettes se jeter du pont dans l'eau enflammée. Derrière une jetée sur le rivage, des mitrailleuses et des mortiers blancs ripostèrent. Une des canonnières rouges fut touchée à la poupe et tourna en rond pendant un quart d'heure jusqu'à ce que l'équipage parvînt à bricoler un gouvernail. Quand la flottille de Trotski quitta le lagon une demi-heure plus tard, tous les bateaux blancs sauf un avaient coulé ou étaient en train de sombrer.

La victoire laissa le contrôle de la rivière aux mains des Rouges, et ouvrit la voie à une attaque frontale contre les Blancs retranchés dans Kazan.

Perm, une ville de soixante mille habitants sur le versant européen de l'Oural, s'enorgueillissait d'une salle de concert dotée d'un lustre vénitien si énorme que nulle personne sensée ne se serait placée dessous. Il y avait un jardin public avec un manège de dix chevaux de bois, importé de Paris. L'entrepreneur de pompes funèbres local possédait quatre corbillards à moteur de fabrication anglaise, mais trois d'entre eux avaient été réquisitionnés par les tchékistes du secteur pour transporter des prisonniers. L'église avait un dôme plaqué or. Plusieurs des immeubles les plus hauts étaient équipés d'ascenseurs. Et certaines des rues principales avaient été pavées, mais seules celles qui l'avaient été en pierre étaient encore intactes : les pavés de bois avaient depuis long-temps été arrachés par des gens qui cherchaient à se chauffer.

À la fin d'août 1918, les rues de Perm grouillaient de réfugiés. Il y en avait tant que les soldats des postes de contrôle aux portes de la ville avaient cessé de demander des papiers et faisaient simplement si-gne de passer à tous ceux qui n'étaient pas armés. En traversant les faubourgs, Zander et Lili eurent l'impression d'être emportés par un courant. Comme la rue se rétrécissait, la foule parut s'écouler plus vite. « Dépêchez-vous, cria une femme à ses amis en dépassant Zander, ou nous allons manquer le spectacle. » Devant eux, un terrain de parade militaire entouré d'une basse palissade en bois bloquait la rue. Avant la révolution, les recrues de la guerre du tsar contre l'Allemagne avaient écrasé la plus grande partie du gazon en faisant l'exercice en rangs ser-rés. Attiré par l'excitation, Zander entraîna Lili contre la palissade. De l'autre côté du terrain de parade, près d'un mur de brique, six prêtres en robes noires avaient été attachés à des poteaux. Vingt jeunes soldats, un peloton d'exécution, se mettaient en place face à eux. L'officier qui com-mandait le peloton sortit son épée du fourreau. Un des prêtres éleva la voix. « La malédiction de Dieu est sur la tête de quiconque tue un prêtre – vous pourrirez en enfer ! »

« Préparez-vous », ordonna l'officier.

Un murmure s'éleva des centaines de personnes qui regardaient de-puis la palissade. La voisine de Zander dit : « Hier ils ont refusé de tirer, mais c'étaient tous des garçons d'ici. Alors ils ont amené des Ouzbeks aujourd'hui. »

Lili s'affaissa contre Zander. « Je ne peux plus supporter la mort », dit-elle, l'air hébété.

Zander passa le bras sur ses épaules et l'entraîna dans la foule. Plu-sieurs personnes se glissèrent rapidement à leur place le long de la pa-lissade. En tirant Lili au milieu de la foule qui se tendait pour mieux voir – un homme avait hissé son jeune fils sur ses épaules –, Zander entendit les culasses manœuvrées par les soldats.

« En joue ! » cria l'officier.

Lili arracha sa main de celle de Zander et se pressa les deux paumes sur les oreilles. Ses yeux se remplirent de larmes. Zander lui attira la tête contre sa poitrine. Elle tremblait violemment.

« Feu ! » beugla l'officier.

La volée de coups de fusil claqua au-dessus d'eux. Lili poussa un cri. Des têtes se tournèrent. « Est-elle contre l'extermination des exploi-teurs, alors ? » demanda, soupçonneux, un ouvrier.

Elle est contre la tuerie, aurait voulu dire Zander. Elle en a trop vu. La Russie en a trop vu. Mais il savait qu'il n'était pas prudent de se lancer dans une discussion : ils n'avaient pas de papiers, aucun moyen d'identification. Entraînant Lili derrière lui, il tourna le dos à l'ouvrier et se mit à chercher le bureau de la Tcheka de Perm.

Alignés par rangs de cinq entre des barrières mobiles, des centaines de réfugiés s'étaient réunis devant le quartier général de la Tcheka dans l'immeuble du bureau des Contributions, au coin des rues Pokrovskaïa et Obvinskaïa. Un tchékiste en blouson de cuir avec un holster sur la cuisse se tenait sur la plus haute marche du perron, un haut-parleur aux lèvres, et lisait le dernier édit.

« Par ordre du Soviet de Perm, psalmodia-t-il, quiconque accaparera de la nourriture sera abattu sur place. Par ordre du Soviet de Perm, quiconque portant une arme à feu sans permis sera abattu sur place. Par ordre du…

— Et les tickets de ravitaillement que vous aviez promis pour aujourd'hui ? cria un homme au tchékiste.

— Les tickets de ravitaillement, cria le tchékiste en retour, sont distribués entre 9 et 11 heures du matin.

— Je suis ici depuis l'aube, s'exclama une femme. Il y avait tellement de monde devant moi que je n'ai pas pu rentrer.

— Revenez demain à 9 heures », lui ordonna le tchékiste. Il baissa les yeux vers le papier qu'il tenait. « Par ordre du Soviet de Perm, quiconque pris à abriter un ennemi du peuple sera abattu sur place. Par ordre du Soviet de Perm… »

À l'arrière de la foule, Zander écoutait les édits avec une colère croissante. Il se rappelait la brutalité des Blancs qui les avaient faits prisonniers, Lili et lui. Il lui vint à l'esprit que des factions qui se faisaient la guerre en venaient presque toujours à se ressembler. Il eut soudain l'impulsion de partager cette pensée avec Lili ; ça lui semblait une réflexion importante. Mais un regard à son visage tourmenté le convainquit qu'elle n'était pas en état de discuter de quoi que ce fût.

« Viens. » Il l'écarta de l'immeuble. « Il y a forcément une entrée à l'arrière.

— J'en arrive au bout de mes possibilités, murmura Lili.

— Tes possibilités sont infinies », dit Zander, essayant de mettre autant de conviction que possible dans son ton. Mais il n'y croyait pas lui-même.

Soutenant Lili d'un bras autour de la taille, Zander trouva l'allée derrière la rue Pokrovskaïa. Une sentinelle unique avec un fusil rouillé se tenait à la moitié de l'allée, s'intéressant plus à flirter avec deux adolescentes qu'à disputer à Zander le droit d'être là. L'entrée arrière de l'immeuble des Contributions était gardée par une demi-douzaine d'Ouzbeks qui semblaient ne connaître qu'un mot en russe : « Niet, niet », cria l'un d'eux quand Zander essaya de pénétrer dans le bâtiment, agitant un gros pistolet allemand pour montrer qu'il ne plaisantait pas.

Derrière eux, à l'entrée de l'allée, une sirène gémit et deux voitures avec des tchékistes sur les marchepieds arrivèrent en rugissant et s'arrêtèrent devant l'immeuble. Les tchékistes descendirent et, repoussant rudement Zander et Lili, formèrent une haie jusqu'à la porte. Un des quatre corbillards anglais s'arrêta derrière les deux voitures de la Tcheka. Le commissaire Beloborodov, portant toujours sa tunique de l'armée et ses bottes de cheval, sortit du siège du passager. Il regarda d'un côté et de l'autre de l'allée, puis alla frapper deux fois sur les portes arrière du corbillard. Elles s'ouvrirent et deux Lettons traînèrent une adolescente dans l'allée. Elle saignait de plusieurs coupures au visage et à la poitrine. Son chemisier blanc, brodé, avec un col serré, était couvert de sang et déchiré à une épaule. Les Lettons la tirèrent dans l'immeuble du bureau des Contributions.

Lili approcha la bouche de l'oreille de Zander.

« Tu l'as reconnue ?

— J'aurais dû ?

— C'était la fille du tsar, Anastasia.

— Tu es sûre ? »

Lili hocha la tête.

Par-dessus la tête des tchékistes, Zander cria : « Camarade Beloborodov ! »

Beloborodov se retourna, aperçut Zander et leva la main en un salut désinvolte. « Laissez-les passer », ordonna-t-il.

Le commissaire, qui se sentait coupable de les avoir abandonnés à Ekaterinbourg, leur fournit rapidement de l'argent, des papiers d'identité, des tickets de ravitaillement et des autorisations de déplacement pour le prochain train vers l'ouest, qui devait partir cinq ou six jours plus tard. En attendant, il les installa dans une pièce au dernier étage d'un hôtel de basse catégorie en face de l'immeuble du bureau des Contributions. Comme ils avaient traversé les lignes des Blancs sans autres habits que ceux qu'ils portaient sur le dos, il leur fit livrer une malle remplie de vêtements confisqués, avec une note qui disait : « Un mendiant peut parfois avoir le choix – faites votre sélection. Avec les compliments du commissaire B. » Les vêtements avaient appartenu à des gens riches, étaient de bonne qualité, et Zander pensa qu'ils réconforteraient Lili, mais sa lèvre inférieure tremblait quand elle tint une robe devant elle, comme si la féminité appartenait à une autre vie qui ne serait plus jamais la sienne. « Pleure si ça te fait du bien », suggéra

Zander, mais elle secoua la tête violemment – beaucoup de ses gestes étaient devenus violents dernièrement – et dit d'une voix aiguë : « Si je commence, je ne pourrai pas m'arrêter. »

Lili accepta d'enfiler une chemise d'homme et un pantalon – « parce que au moins ils sont propres », dit-elle – et ils prirent un repas dans la cantine en sous-sol de l'immeuble des Contributions. Alors qu'ils le finissaient, un tchékiste entra, regarda autour de lui, vit Lili et lui donna une note qui l'invitait à monter au deuxième étage dès quelle aurait fini de manger.

« Nous avons une prisonnière et il nous faut une femme pour s'occuper d'elle pendant qu'un médecin examine ses blessures, expliqua Beloborodov quand ils arrivèrent à l'étage. J'ai pensé que votre amie pourrait nous donner un coup de main. »

Zander commença à expliquer que Lili était soumise à une grande tension, mais elle le coupa. « Je vous aiderai si je le peux », insista-t-elle auprès de Beloborodov, et elle le suivit dans un bureau intérieur, franchissant une porte gardée.

Anastasia était étendue sur un divan de cuir. Un de ses yeux était fermé à cause des coups qu'elle avait reçus. « Le docteur arrive », dit Beloborodov en laissant Lili seule avec la prisonnière.

Lili s'agenouilla à côté du divan et passa les doigts dans les cheveux bruns emmêlés d'Anastasia, coupés court aux ciseaux.

« Anastasia, murmura-t-elle, c'est Lili Mikhaïlovna. Tu ne te souviens pas de moi ? Tu es venue au domaine de mon grand-père, en été. On conduisait une charrette, accroupies comme les paysans, dans les allées entre les lilas. »

L'œil indemne d'Anastasia s'ouvrit.

« Lissik ? C'est vraiment toi ? »

Les lèvres de Lili frémirent. Elle avait peur d'éclater en larmes à nouveau.

« Qui t'a fait ça ?

— Oh, Lissik, je me suis glissée à l'écart des autres – elles sont dans un sous-sol pas loin d'ici. Mère pense que les bolcheviks nous fusilleront comme ils ont fusillé Père et notre pauvre Alexeï. J'ai flirté avec un garde et je me suis enfuie quand il s'est endormi, j'ai traversé la rivière Kama et je suis allée dans les bois. J'ai erré pendant des jours, mais les Lettons m'ont retrouvée et m'ont battue. Est-ce que je vais mourir, Lissik ? Est-ce qu'ils vont me fusiller ? »

Il y eut des pas derrière une autre porte qui donnait sur un couloir. Lili s'écarta rapidement du divan. Une clef tourna dans la serrure. La porte s'ouvrit et un homme d'âge moyen, portant une sacoche de médecin en cuir, entra. Assis au bord du divan, il prit le pouls d'Anastasia, puis déploya un grand mouchoir blanc, le posa sur la poitrine de sa patiente et mit l'oreille sur son cœur. Anastasia tourna la tête vers Lili qui, d'un doigt sur les lèvres, lui fit signe de rester tranquille. Le docteur examina les coupures et les hématomes autour des yeux d'Anastasia, sur son visage et ses épaules. Il déboutonna son chemisier et inspecta les bleus sur ses seins et ses côtes. « Est-ce que ça fait mal ? » demanda-t-il en testant chaque côte du bout des doigts. Anastasia secoua la tête. « Vous vivrez, jeune dame », annonça le médecin. Il sortit du coton et de la teinture d'iode de sa sacoche et en tamponna les coupures et les ecchymoses. Enfin il se leva. « Je vous laisse un pot d'eau de Goulard et un peu de sels de bromure, dit-il à Lili. Mélangez les deux dans un verre d'eau tiède et donnez-lui-en quatre cuillers à thé toutes les heures. Ça diminuera la douleur et la calmera. »

Il allait partir quand Anastasia s'assit sur le divan. « Merci, docteur », dit-elle d'une voix très cérémonieuse, et elle lui tendit la main droite, paume vers le bas, les longs doigts délicats pour lesquels les femmes Romanov étaient célèbres languissamment allongés. Le médecin la prit dans la sienne de mauvais gré et pencha la tête. Anastasia lui dit avec une parfaite simplicité :

« Je suis la Grande-Duchesse Anastasia, fille de Nicolas II, empereur de Russie. »

Il lui lâcha la main et recula comme si sa patiente avait une maladie contagieuse. « Je ne veux pas savoir qui vous êtes. » Il se tourna vers Lili : « Je n'ai pas entendu un mot de ce qu'elle a dit. Vous êtes témoin. Elle a de la fièvre. Pour ce que j'en sais, elle est complètement folle. » Il saisit sa sacoche et, sans un autre regard pour la fille sur le divan, sortit précipitamment de la pièce.

Quand la porte se referma derrière lui, Lili entendit la clef tourner de nouveau dans la serrure.

Beloborodov entra par la porte qui menait au bureau. Il jeta un coup d'œil à Anastasia qui, épuisée, était retombée sur le divan. « Pouvez-vous garder l'œil sur elle jusqu'à ce que nous décidions quoi en faire ? Je vous ferai relever par la femme d'un des tchékistes. »

Quand Beloborodov fut parti, Lili s'approcha d'Anastasia qui sanglotait en silence.

« Ils vont me fusiller, chuchota-t-elle. Je ne suis coupable de rien d'autre qu'être la fille du tsar.

— Peut-être vont-ils t'envoyer à Moscou et te remettre aux Allemands en échange de socialistes qui sont dans leurs prisons », dit Lili d'un air encourageant.

Anastasia eut un rire amer. « Tu crois qu'ils m'échangeraient avec les bleus que j'ai ! Tu devrais voir comment ils traitent Mère et mes sœurs. Je te dis qu'ils n'ont pas l'intention de me libérer. » Anastasia saisit l'avant-bras de Lili. « Aide-moi, Lissik. Je suis morte de peur. »

Lili la regarda et vit la terreur dans ses yeux. Elle avait l'impression étrange de regarder dans un miroir. Contrôlant ses émotions avec effort, elle se pencha et murmura à l'oreille d'Anastasia.

La femme d'un des commissaires finit par se montrer pour relever Lili. De retour dans leur chambre d'hôtel, elle raconta à Zander ce qu'Anastasia lui avait dit. Il écouta soigneusement puis annonça :

« Je parlerai à Beloborodov.

— Maintenant », insista Lili. Il y avait une trace d'hystérie dans sa voix.

« Il est tard.

— S'il te plaît. Maintenant. » Et elle ajouta très doucement : « Ils vont la fusiller. Je le sens dans mes os. »

Zander comprit que Lili revivait sa propre exécution. « Je ferai ce que je pourrai », dit-il rapidement.

Il eut du mal à joindre Beloborodov – ça lui prit presque une heure de retrouver sa trace – et, quand il fut enfin devant lui, il eut du mal à placer un mot. « Je vous en prie, ne recommencez pas avec les Allemandes. On croirait qu'il n'y a pas une guerre civile qui fait rage dehors. On croirait que les Blancs ne se rapprochent pas de Perm. On croirait que nous n'étions pas contraints de trouver des solutions à toute allure. Et quoi que vous fassiez, ne me mentionnez pas le nom de Trotski. Trotski est si occupé à jouer au héros à Kazan qu'il n'a pas le temps de répondre à nos demandes d'instructions. Qu'il aille au diable. Que les Allemandes aillent au diable. » Beloborodov baissa la voix. « Camarade Til, vous n'avez pas la moindre idée du poids que je porte sur les épaules. »

Zander parvint à dire :

« C'est une question de vie ou de mort…

— Ces temps-ci, tout est question de vie ou de mort, répliqua Beloborodov. Quelqu'un a besoin de dentifrice et c'est une question de vie ou de mort.

— Quant aux Allemandes… », persista Zander.

Beloborodov agita les mains de dégoût. « En ce qui me concerne, il n'y a pas d'Allemandes. Il y a des femmes russes, l'épouse et les filles d'un criminel russe qui a été exécuté pour ses crimes. »

Zander vit qu'il ne faisait qu'aggraver les choses. Il décida d'essayer de nouveau quand Beloborodov se serait calmé. Il se dirigeait vers la porte lorsque deux tchékistes firent irruption dans le bureau.

« Elle n'est plus là ! lâcha l'un d'eux.

— Elle s'est volatilisée », cria l'autre.

Beloborodov bondit sur ses pieds.

« Comment est-ce possible, la porte du couloir devait rester verrouillée en permanence s'il n'y avait pas de garde sur place.

— C'est l'œuvre d'un traître, hasarda le premier tchékiste. Quelqu'un a dû voler la clef à son crochet dans le bureau du devant et ouvrir la serrure.

— Qui était avec la fille ? demanda Beloborodov.

— La femme de Dmitrov, Tania, répondit le tchékiste. Elle dit qu'elle est sortie cinq minutes pour aller aux toilettes. Quand elle est revenue, la porte était ouverte et la fille n'était plus là.

— Je vais parler moi-même à cette Tania », annonça Beloborodov et, frôlant Zander, il sortit à grands pas de la pièce.

Durant les heures qui suivirent, comme des patrouilles de Lettons se déployaient en ville pour rechercher la disparue, Beloborodov interrogea tous ceux qui pouvaient avoir accès à la clef : les tchékistes qui travaillaient dans le bureau intérieur, leurs secrétaires, les messagers qui étaient venus ce jour-là et les quatre femmes, dont Lili, qui avaient tour à tour gardé Anastasia. Son enquête s'enlisa rapidement. Au moins vingt personnes auraient pu mettre la main sur la clef et ouvrir la porte du couloir pour que la fille s'échappât.

L'estomac de Zander s'était noué à la nouvelle de la disparition d'Anastasia. Si Lili était impliquée, les tchékistes ne l'écouteraient pas expliquer comment elle avait été torturée et presque exécutée par les Blancs. Courant à leur chambre, il l'avait regardée en face pour trouver un indice, mais sans succès ; ses yeux avaient une expression vide et lointaine, ses membres étaient sans ressort.

Il l'accompagna au quartier général de la Tcheka et resta tout près d'elle pendant qu'elle attendait dans le couloir, avec les autres, d'être convoquée dans le sanctuaire privé de Beloborodov. Une des femmes qui avaient relayé Lili lui sourit. Elle lui renvoya un signe de tête fatigué.

« Je vous dis que nous nous sommes déjà vues, dit plaisamment la femme. J'ai la mémoire des visages. Le vôtre m'est certainement familier.

— Tu la connais ? » demanda doucement Zander.

Lili secoua la tête. « Je ne l'ai jamais vue avant Perm. »

« Ça me reviendra », dit la femme. Elle fronça les sourcils en fixant Lili.

Celle-ci fut enfin appelée dans le bureau de Beloborodov. Elle en sortit dix minutes plus tard. « Il a dit que je pouvais retourner à l'hôtel pour le moment », expliqua-t-elle à Zander. Il lui prit le bras et ils se dirigèrent vers l'escalier.

La femme qui croyait connaître Lili les regarda partir. Elle secoua la tête, dépitée. Puis elle se figea. Ses yeux s'agrandirent, sa bouche s'ouvrit. Elle avait déjà vu Lili – sur une affiche, à Petrograd, avant la révolution ! Elle n'oublierait jamais ce visage, avec la légère touche d'Asie dans les yeux. Elle se souvenait même du slogan imprimé en travers de l'affiche, LES FEMMES DE RUSSIE DISENT *NON* AU BOLCHEVISME.

« Il faut que je voie le camarade Beloborodov immédiatement, dit-elle à un des gardes. Je sais qui a ouvert la porte à Anastasia. »

Lili était assise sur le bord du lit défait, tordant un bout de tissu entre ses doigts. Elle regardait Zander avec un calme de mauvais augure qu'on aurait presque pu prendre pour de l'abrutissement.

« Où est-elle ? murmura Zander.

— Où est qui ?

— Tu sais qui. Anastasia. Si c'est nous qui la ramenons, nous arriverons peut-être à les convaincre que tu l'as aidée à la suite de ce qui t'est arrivé, que tu n'étais pas responsable de tes actions. Pour l'amour du ciel, Lissik, il faut que tu me le dises. Où est-elle ? »

Derrière eux, ils entendirent des pieds bottés qui martelaient l'escalier en bois de l'hôtel. Zander tendit sa bonne oreille un instant, puis se tourna vers Lili, le regard horrifié. Il aurait pu être en train de voir son frère se jeter de l'immeuble en flammes.

« Pourquoi ? » implora-t-il.

Les yeux de Lili devinrent vitreux ; ils ne semblaient plus pouvoir accommoder.

Les pas atteignirent leur porte. Les muscles du visage de Lili tressautèrent et se réorganisèrent en un sourire fantasque. « Il est trop tard. Ça fait longtemps qu'il est trop tard pour moi. » Elle se mordit la lèvre inférieure. « Oh, Zander, il y a des parties de toi que je n'ai pas encore visitées ! »

Une demi-douzaine de tchékistes, dirigés par un Beloborodov agité, se précipitèrent dans la petite pièce.

« Lili Mikhaïlovna Ioussoupova, haleta Beloborodov, je vous arrête » il reprit son souffle, « je vous arrête au nom du Soviet de l'Oural pour haute trahison. »

CHAPITRE VI

Ce n'était pas un procès dans le sens habituel du terme. On ne présenta pas de preuves ; aucune n'était nécessaire. Le commissaire Beloborodov lut d'une voix sans timbre la liste des crimes que l'accusée avait reconnus, puis prononça le verdict. Zander sentit le vertige s'emparer de lui et baissa la tête entre ses genoux pour ne pas s'évanouir. Il n'entendit qu'à peine l'acte d'accusation.

« … Revenant à ses loyautés de classe, a volé la clef de la porte de son crochet au mur… a informé l'accusée Anastasia de ce qu'elle projetait… la première fois où elle fut seule, ladite Anastasia essaya d'ouvrir la porte et, la trouvant non verrouillée… ladite Lili Mikhaïlovna Ioussoupova, dont l'image est apparue sur une affiche antibolchevik largement distribuée dans les jours qui ont précédé la révolution… »

Lili, d'une pâleur mortelle, était assise sur un banc, prise en sandwich entre deux tchékistes barbus. Ses yeux examinaient les murs et le plafond de la salle d'audience improvisée ; elle aurait pu être droguée, pour le peu d'émotion qu'elle manifesta lorsque Beloborodov la condamna au « châtiment le plus sévère, sentence qui sera exécutée quand les autorités de la Tcheka de Perm le jugeront bon ».

Zander coinça Beloborodov dans le couloir hors de la salle d'audience. « Nos gens les plus importants à Moscou la connaissent personnellement », plaida-t-il. Ses paroles se précipitaient. « Elle a déjà risqué sa vie pour apporter des messages et des fonds à Lénine en Suisse. Je vous demande de me laisser câbler à Moscou… expliquer la situation… demander la clémence. » Zander devait se retenir pour ne pas saisir le commissaire aux revers et le secouer.

« Vous devez considérer ce que les Blancs lui ont fait à Ekaterinbourg. Quelque chose s'est brisé en elle. »

Beloborodov haussa impatiemment les épaules et désigna l'escalier d'un mouvement de tête fatigué. « Si la ligne Hughes fonctionne, vous pouvez essayer. Je vous donne vingt-quatre heures. Après cela, l'affaire sera entre les mains des camarades dont c'est le travail d'exécuter les sentences. »

Beloborodov griffonna une autorisation, et Zander courut, le papier serré dans la main, tout le chemin jusqu'à la gare. Il contrôla ses doigts tremblants afin d'écrire le message en capitales pour que l'employé puisse le lire sans mal. « Personnel pour le camarade Lénine », répéta l'homme dont les lunettes avaient glissé sur le nez, et il marmonna le reste du message sans montrer le moindre intérêt pour son contenu.

« C'est la meilleure des meilleures, le sel du sel de la terre. Si nous tuons nos révolutionnaires au moindre faux pas passager, qui restera pour faire la révolution ? Et enfin, personne ne devrait être exécuté deux fois. Vu ses services passés et ses souffrances récentes, mérite la clémence. Vous supplie de répondre avant l'expiration du délai limite de vingt-quatre heures. Til. »

L'employé leva les yeux vers Zander.

« Ceci passera sur la ligne d'ici une demi-heure, promit-il.

— J'attendrai la réponse.

— Vous feriez mieux de rentrer en ville et de dormir un peu, suggéra l'homme. Attendre ne fera pas arriver la réponse plus vite. Les messages arrivent ici groupés. La prochaine série est prévue pour minuit, mais ils n'auront jamais eu le temps de vous répondre à ce moment. On en attend une autre pour 8 heures du matin, et la suivante à 4 heures de l'après-midi.

— J'attendrai », insista Zander, et il s'installa sur un banc en bois dans la salle des bagages derrière le bureau de la ligne Hughes, et regarda la grosse horloge au-dessus de la porte marquer les dernières heures de la vie de Lili.

Pelotonné sous un poncho qui fuyait, dans une tranchée peu profonde en dehors de Kazan, Vasia Timofeïevitch Maslov remerciait le ciel d'être encore en vie. Il savait que cet état de grâce pouvait s'évanouir à n'importe quel moment. Les Rouges resserraient leur étau sur Kazan. Chaque jour, de nouvelles unités semblaient se mettre en place face à eux et provoquaient des escarmouches.

Trois jours de pluie constante avaient transformé la tranchée de Vasia en coulée de boue. Celle-ci avait un avantage, elle absorbait les obus de mortier des Rouges sans qu'ils puissent faire beaucoup de dégâts ; il fallait pratiquement en recevoir un sur la tête pour être tué. Mais, chaque fois que Vasia bougeait, de l'eau gargouillait dans les bottes trop grandes que les Blancs lui avaient données après sa désertion. Préoccupé par cet inconfort, il pensait de moins en moins à Zander et Lili ces jours-ci. Il regrettait de les avoir dénoncés. Mais il s'était plus ou moins convaincu que leur destin – ils avaient certainement été abattus immédiatement – était inévitable. La guerre, c'était l'enfer. La guerre civile était pire.

De l'autre côté du champ qui séparait les tranchées blanches et rouges, un clairon lança dans l'air quelques notes humides. Vasia entendit le bruit sourd et creux des mortiers rouges qui envoyaient leur ration matinale vers les lignes blanches. Courant courbé en deux, un jeune enseigne blanc portant une culotte de cheval incroyablement ajustée descendit la tranchée. « Tenez-vous prêts, ordonna l'enseigne d'une voix adolescente chargée d'excitation. Ils vont arriver d'une minute à l'autre. »

Le feu de mortier s'intensifia. Vasia fit monter une balle dans la chambre de son Nagant et se souleva pour regarder par-dessus le bord de la tranchée. Il entendit les Rouges se crier des encouragements sur un ton aigu. Ils arrivaient, déployés en tirailleurs, en lignes irrégulières, pliés en deux, piétinant dans la boue sous la pluie, les pieds s'enfonçant si profond qu'il fallait un effort pour les ressortir.

De chaque côté de Vasia, des soldats blancs appuyèrent leur fusil sur le bord mou de la tranchée et visèrent. Il tira plusieurs fois au travers de la pluie. L'odeur acide de la poudre s'insinua dans ses narines, le faisant pleurer. Un obus de mortier s'abattit sur le sol devant lui et explosa. Une averse de boue lui tomba sur la tête, l'aveuglant. Il entendit les pas lourds des soldats rouges en essayant frénétiquement de nettoyer ses yeux de la boue. Il arracha le pan de sa chemise de son pantalon, s'en servit pour s'essuyer les yeux et les leva pour voir deux Rouges massifs, les oreillettes de leurs casquettes de tissu déployées comme des ailes de guêpe, s'avancer sur lui. Vasia vit du coin de l'œil ses camarades lever les mains en signe de reddition. Instinctivement, il fit la même chose.

Les vingt-deux prisonniers blancs capturés dans l'escarmouche durent traverser les champs marécageux sous la pluie battante vers la rive de la Volga qu'on leur fit passer en bateau par petits groupes. Là, on les fit s'abriter sous des appentis jusqu'à ce que la pluie s'arrêtât à la fin de l'après-midi. Ensuite, on les mit en colonne et on leur fit descendre les mains sur la nuque un chemin boueux, puis traverser plusieurs champs pour arriver au train blindé de Trotski parqué sur une voie de garage. Un groupe de tchékistes, leur blouson de cuir déboutonné à cause de la chaleur, leur large ceinture déformée par le poids du pistolet sur la hanche, les attendait devant un fourgon transformé en cuisine mobile.

Un commissaire qui se frappait la paume avec une cravache s'avança devant les prisonniers.

« Soldats, dit-il d'une voix rauque, le vent tourne. Voici votre chance de rejoindre le côté victorieux, de participer à la glorieuse lutte pour créer un monde meilleur. Nous acceptons tous ceux qui viennent à nous, sans poser de questions. Les seuls que nous n'acceptions pas, ce sont les Rouges passés aux Blancs. Ceux-là, nous les fusillons. »

Vasia continua à regarder droit devant lui. Il n'était arrivé dans la tranchée que dix jours plus tôt et ne connaissait bien aucun des hommes qui avaient été faits prisonniers avec lui. Il y avait peu de risques qu'un des Rouges le reconnût. Il ne se souciait plus de qui gagnerait. Il n'attendait que la fin de la guerre et le jour où il pourrait retrouver ses appareils photo. Il trouverait un modèle comme Lili, quelqu'un avec la peau blanche, de longs membres, et qui avait cette façon de regarder au travers de l'objectif le monde derrière. Il installerait son trépied et étudierait son image renversée sur la plaque de verre dépoli jusqu'à...

« *Zdravstvuyte*, Vasia Timofeïevitch. »

Vasia, dans la dernière rangée de prisonniers alignés devant le commissaire, tourna la tête et regarda le tchékiste qui était arrivé dans son dos. Pendant un instant, il eut l'air d'une image brouillée sur du verre dépoli. Puis il devint distinct.

« *Zdravstvuyte*, Tuohy. »

Assis à sa table de travail au Kremlin, sous le cône de lumière jaunâtre projeté par une lampe de bureau, Lénine s'attaqua à la série de câbles fraîchement arrivés, empilés dans un panier d'osier. Il n'avait pas bien dormi depuis des mois et il sentait une autre migraine poindre. Il se mit à se masser la tempe avec l'index et le pouce. Le premier télégramme, venant d'une délégation paysanne de la ville de Yefremov, demandait l'intervention de Lénine pour obtenir une station de lutte contre les poux. La requête avait été refusée par le commissaire local qui, disaient les paysans, était né et avait grandi en ville et ne connaissait rien aux poux. Lénine jeta quelques mots sur le coin du câble. « Qu'on s'occupe de ça. Soit les poux vaincront le socialisme, soit le socialisme en finira avec les poux. »

Le deuxième câble, signé par vingt ouvriers d'un atelier de Petrograd, se plaignait de ce que le bolchevik responsable de leur usine collectivisée la menait à la faillite. Lénine écrivit : « Remplacez le responsable par quelqu'un nommé par les travailleurs. Remarquez que le prolétariat n'est pas protégé des erreurs simplement parce qu'il a fait une révolution. »

Il y avait une épaisse pile de télégrammes de femmes qui réclamaient que leurs fils soient exemptés de servir dans l'Armée rouge pour aider à la récolte. « Refusé, nota Lénine. Que les femmes cultivent pendant que les hommes se battent. »

En dernier venait une liasse de câbles de gens variés qui imploraient la grâce d'un fils ou d'un mari condamnés, pour une raison ou une autre, à mort. Lénine gardait toujours ceux-ci pour la fin. Il essayait de juger chaque cas selon ses mérites, sans se laisser influencer par le sentimentalisme. Il prit une inspiration et avait commencé à lire le premier message quand un des téléphones de son bureau sonna. Son secrétaire lui rappelait que la voiture attendait pour l'amener à l'usine nationalisée Mikhelson dans le faubourg de Serpukhovo, de l'autre côté de la Moscova. Les câbles devraient attendre.

Cette nuit-là, une gelée blanche hors de saison s'abattit sur Moscou. La température baissa soudain, et les rares personnes qui étaient dehors après la tombée de la nuit se sentirent glacées jusqu'aux os. La compagne de Lénine, Inessa Armand, voulut lui faire enfiler une paire de caoutchoucs doublés de fourrure, mais il pensa qu'il serait ridicule d'en porter en août, comme s'il y avait de la neige sur le sol. En attendant d'intervenir dans le bureau du directeur de l'usine Mikhelson, il regretta de ne pas avoir suivi son conseil. Quand ce fut à lui de parler, ses orteils étaient gourds de froid. Le discours lui-même se passa assez bien.

« Quand la bourgeoisie est au pouvoir, cria Lénine par-dessus la tête des ouvriers, elle ne donne rien aux masses laborieuses. Voyez l'Amérique. Une poignée de millionnaires la domine avec insolence, et la nation entière est en esclavage. Pour nous, il n'y a qu'un choix : la victoire ou la mort ! »

Pendant que Lénine essayait de se frayer un chemin dans la foule vers la porte, plusieurs travailleurs tentèrent de lui serrer la main. Une fille aux cheveux noirs qui s'appelait Fanny Kaplan et avait un peu moins de trente ans surgit soudain devant lui. « Pour moi, hurla-t-elle hystériquement, vous avez trahi la révolution. » Elle sortit un petit revolver et tira trois fois à bout portant.

On ramena Lénine au Kremlin en voiture, à toute vitesse. Avec l'aide de ses secrétaires, il parvint à monter jusqu'à son appartement du deuxième étage, où il s'effondra sur une chaise dans le vestibule. Le premier docteur arrivé dit que son pouls était faible mais régulier. Il put sentir sous ses doigts une balle logée dans le cou de Lénine. Le problème le plus urgent, c'était une hémorragie du poumon gauche qui poussait le cœur vers la droite. Avec du repos et des soins intensifs, dit le docteur, le dirigeant bolchevik s'en sortirait peut-être. Pour le moment, il n'y avait rien d'autre à faire qu'attendre.

L'employé de la Hughes réveilla Zander en le secouant.

« Un long câble arrive de Moscou. On l'a envoyé en dehors de la série habituelle, alors ça doit être important. C'est peut-être celui que vous attendez. »

Zander le suivit dans la salle du télégraphe, où un homme avec des écouteurs sur les oreilles copiait le texte sur un bloc-notes. Lisant pardessus son épaule, Zander se sentit envahi par une incroyable faiblesse. Il dut agripper le bord de la table pour tenir debout.

« À toutes les autorités soviétiques, disait le message, Lénine a été blessé lors d'une tentative d'assassinat. Notre réponse à la terreur blanche sera la terreur rouge. Les arrières de nos armées doivent être nettoyés des éléments blancs qui complotent contre la classe ouvrière. Faites des exécutions de masse. Cet ordre doit être appliqué sans hésitation ni indécision. »

C'était signé : « Par décision unanime du Politburo. »

Zander se fit ramener en ville par une automobile qui apportait l'ordre du Politburo au Soviet de l'Oural. Les vingt-quatre heures étaient presque écoulées et Beloborodov – qui n'avait pas encore vu le message du Politburo – fut soulagé quand il apprit que tout ce que Zander voulait de lui était une brève entrevue avec Lili. Il griffonna quelques mots sur un bout de papier et Zander se rua vers l'entrepôt, à deux rues de là, qui avait été transformé en prison. Il fut accosté devant la porte par un homme qui n'avait plus qu'un bras et un pied et lui proposait quelque chose dans de petites enveloppes. « Si vous visitez un condamné, chuinta-t-il, les tchékistes ne s'en feront pas si vous glissez ceci à votre ami. Ça rend leur travail plus facile », ajouta-t-il avec un rire dénué d'humour.

À peine conscient de ce qu'il faisait, Zander acheta un paquet.

À l'intérieur, il franchit plusieurs postes de contrôle et se trouva finalement en train de regarder par une petite fenêtre grillagée. Le peu de lumière qu'il y avait venait d'une unique ampoule, et il fallut un moment pour que ses yeux s'y accoutument. Même alors, il dut faire un effort pour apercevoir plus qu'une présence évoquée. Juste avant de la distinguer, il l'imagina – se représenta son teint cireux, ses tremblements quand elle perdait le contrôle de son corps, ses yeux enfoncés et terrifiés qui essayaient de l'imaginer, lui. Puis le visage tendu et gris d'une femme qu'il reconnaissait à peine apparut.

Elle ferma longtemps les yeux quand elle lut sur ses traits qu'il n'y aurait pas de clémence. Elle était presque folle de peur. Elle savait maintenant que ce qu'elle redoutait allait se produire. « Alors je vais mourir », dit-elle d'une voix dépourvue de couleur, d'intonation et d'espoir.

La main de Zander monta à sa gorge. Il ouvrit la bouche, mais découvrit qu'il était incapable de parler. Il était venu dire adieu, mais il ne pouvait plus rien dire. Il la fixa, gravant dans sa mémoire son image derrière le grillage, lèvres écartées, la dent de devant ébréchée, brillante de salive.

« Ma fille, murmura Lili. Tu t'occuperas d'elle ? »

Zander hocha misérablement la tête.

« Sauve Anastasia si tu peux. »

Il hocha la tête de nouveau bien que, s'il avait pu mettre les mains sur Anastasia, il l'eût sûrement dénoncée dans l'espoir de sauver Lili.

Les muscles des joues de Lili tressautèrent. Elle se mordit la lèvre inférieure, puis la relâcha. Elle enfonça ses doigts dans le grillage. « Que feras-tu sans moi ? » demanda-t-elle d'une voix presque inaudible.

Zander leva la main et toucha le bout de ses doigts. Il ferma violemment les paupières pour endiguer le flot de ses larmes, mais elles se répandirent quand même sur ses joues. Pendant un moment qui lui sembla infini, il eut l'impression de se noyer.

« Mon pauvre chéri », gémit Lili. Elle se pencha en avant et, dans un éclair de lucidité, dit : « Nous n'avions jamais cru qu'il y aurait tant de morts mais, puisque c'est le cas, il est encore plus important que la révolution réussisse. Quel terrible gâchis sinon ! »

Il ne put même pas se forcer à hocher la tête.

Un gardien ouvrit la porte dans le dos de Lili.

« Votre temps est écoulé, madame.

— Mon temps s'est écoulé », murmura Lili. Son front s'abattit sur le grillage et celui-ci s'imprima sur sa peau. « Comment est-ce que je vais faire face ? »

Zander se souvint de l'enveloppe dans sa poche. Toujours incapable de prononcer un mot, il serra le bout des doigts de Lili pour attirer son attention et lui passa le paquet à travers le grillage. Elle le cacha dans sa paume. Une mèche de cheveux se mit devant un de ses yeux. Elle n'essaya pas de l'écarter.

« Je sais ce que c'est. Les autres prisonniers rêvent tous d'en avoir. »

« Venez, madame, dit le gardien depuis la porte, ou je devrai vous y forcer. »

Zander put parler, bien que ce ne fût pas sa voix. « Ne la touchez pas ! »

Lili s'arracha lourdement de son tabouret et fixa Zander. Ses étaient écartées, comme si elle allait dire quelque chose. Elle se détou brusquement et passa la porte qui fut fermée et verrouillée derrière elle.

Les yeux de Zander pesaient toujours sur cette porte quand ils vinrent le chercher vingt minutes plus tard.

Les exécutions commencèrent, comme toujours, à l'aube, comme si la naissance du jour était, d'une certaine façon, le moment approprié pour la fin de la vie. À Moscou, au Kremlin, dans une cellule en sous-sol qui avait été utilisée au temps des tsars comme oubliette pour des serviteurs indiscrets, des femmes infidèles ou des collaborateurs dont on n'avait plus besoin, celle qui avait essayé d'assassiner Lénine, Fanny Kaplan, dut s'agenouiller au-dessus du trou des toilettes à la turque, et une balle de gros calibre lui fut tirée dans la nuque par un revolver de marine à canon lisse.

Sur la rive de la Volga, près de Kazan, trente-quatre soldats rouges qui étaient passés chez les Blancs et avaient été repris reçurent des pelles et l'ordre de creuser leurs propres tombes. Puis ils durent s'agenouiller au bord de la fosse commune de telle façon que leurs corps y tombent. Ils firent ce qu'on leur disait, comme s'ils collaboraient à leur propre exécution. Tuohy, qui s'était porté volontaire, descendit la ligne d'hommes agenouillés, « servant une balle », disait-il, « par client ». Après six coups de feu, il donnait son revolver à recharger au tchékiste qui le suivait. Celui-ci le lui rendait avec précision, le lui plaçant dans la main comme un scalpel de chirurgien, et Tuohy se retournait vers les condamnés et continuait à les exécuter.

Vasia Timofeïevitch Maslov était le quatrième avant la fin. Il entendait les détonations sourdes se rapprocher et respirait l'odeur de la terre fraîche qui attendait son cadavre. Après la trentième exécution Tuohy tendit le revolver vide au tchékiste et le reprit chargé. Il se tourna vers Vasia et arma le chien du pouce pour que sa victime entende fonctionner le mécanisme qui allait la tuer. Il appliqua le canon sur la nuque de Vasia – et attendit. Plusieurs des tchékistes qui se tenaient à côté échangèrent des regards étonnés. Vasia essaya désespérément de penser à quelqu'un qu'il eût aimé. Et Tuohy attendait toujours. « Pour l'amour du ciel, finis-en », pleura Vasia. Tuohy attendit encore. Vasia, gémissant de terreur, se rappela combien il haïssait Tuohy.

Et celui-ci, lisant dans ses pensées, pressa la détente.

À Perm, une demi-douzaine de tchékistes descendirent au sous-sol de la Maison de la Berezina, dans la rue Obvinskaïa. Les fenêtres

...mps été condamnées, et la seule lumière venait
...if dont la flamme vacillait dans le courant d'air.
...dra, veuve de Nicolas II, et ses filles Marie, Olga et
...ur des paillasses à même le sol. Devinant la présen-
...arine se leva soudain sur sa couche. Quand elle vit les
..., elle ouvrit la bouche pour hurler. Puis elle pensa aux
...t retint le cri. Tatiana, qui était allongée contre Alexandra, sent... ...re bouger et se leva aussi. Ses yeux s'élargirent de terreur. La tsarine posa un doigt sur ses lèvres pour que Tatiana n'éveille
pas les deux autres enfants. Puis elle se signa. Tatiana en fit autant d'une
main qui tremblait violemment, se retourna et s'appuya les mains sur
les oreilles alors que les tchékistes commençaient à tirer.

Deux rues plus loin, Lili Mikhaïlovna Ioussoupova attendait, avec
une centaine d'autres, dans un long couloir sombre sentant le moisi,
au dernier étage de l'entrepôt que les bolcheviks avaient transformé en
prison. Les exécutions avaient commencé à l'aube, mais il y avait tant
de prisonniers à expédier que cela continuait encore à midi. Regardant
leurs montres, les officiels de la Tcheka discutèrent brièvement et décidèrent qu'il n'y aurait pas de pause-déjeuner – ni pour les exécuteurs,
ni pour les condamnés.

Par rangs de deux les prisonniers, mains liées dans le dos, avançaient
en traînant les pieds vers les deux monte-charge au bout du long couloir.
Chaque monte-charge contenait un exécuteur de la Tcheka avec plusieurs
pistolets et une boîte en carton contenant des balles. Les deux bourreaux
étaient drogués à la cocaïne. Ils avaient les paupières mi-closes, les yeux
rouges et des mouvements languides, comme si tout se passait sous l'eau.
On disait que le plus grand des deux était humain, dans la mesure où il
expédiait ses victimes d'une seule balle dans la nuque. La rumeur courait
que l'autre exécuteur était un sadique qui vengeait un frère torturé à mort
par les Blancs. On racontait qu'il tirait parfois à côté d'une oreille avant
d'abattre le condamné ; les gardes suggéraient même qu'il lui arrivait de
tirer dans les organes génitaux des prisonnières, mais c'était considéré
comme des bruits destinés à faire peur.

Les exécutions se déroulaient à l'allure d'escargot imposée par les
deux ascenseurs qui fonctionnaient en alternance. Un exécuteur tirait un
prisonnier sur le monte-charge ouvert. Arrivé au sous-sol, il le poussait
contre un tas de sacs de sable tachés de sang et tirait. Puis il remontait
dans l'ascenseur vide pendant que l'autre descendait avec le deuxième
bourreau et un nouveau prisonnier. Pendant que les monte-charge fonctionnaient, des équipes de tchékistes chargeaient le corps de la dernière
victime sur une brouette et le charriaient jusqu'à un camion garé près
d'une porte de chargement.

Lili avait consommé la cocaïne de Zander avant de quitter sa cellule et en sentit l'effet presque immédiatement ; son corps semblait planer au-dessus de la réalité, le temps se ralentissait jusqu'à ce qu'elle crût avoir la durée d'une vie à vivre avant son exécution. Son voisin dans le couloir était un vieux Juif qui alla jusqu'à se présenter en marmonnant. Voyant ses yeux vitreux, il se détourna et se mit à psalmodier des prières en yiddish à mi-voix.

Lili relâcha le fil qui l'amarrait à la terre et laissa ses pensées dériver. Elle vit son grand-père l'encourager à manger quelque chose, mais elle ne voyait pas quoi. Elle se vit faire l'amour à quelqu'un à Paris, mais ne pouvait voir qui. Elle s'aperçut penchée sur l'organe sexuel de quelqu'un, le ramenant à la vie, mais sans voir si elle réussissait. D'autres images passaient devant ses yeux comme un film sorti de ses marques. Elle se souvint d'avoir entendu dire qu'on revivait son existence entière dans les dernières secondes de sa vie. Mais tout ce qu'elle recevait, c'étaient des fragments, les éclats d'un objet brisé en tant de pièces qu'il n'était pas question de le reconstruire.

Lili ouvrit les yeux et réalisa qu'il n'y avait que huit prisonniers devant elle. Son cœur se mit à battre plus vite. Elle essaya à nouveau de ralentir le temps, de l'arrêter complètement. Imagine qu'on s'avance jusqu'au moment de sa mort et qu'on arrête le temps, pensa-t-elle. On pourrait comprimer le reste d'une vie dans le moment qu'on vous laisse.

Le monte-charge arriva à l'étage et l'exécuteur attrapa le vieux Juif par sa chemise et le tira, trébuchant, en avant. Trois détonations remontèrent des entrailles du bâtiment par la cage d'ascenseur. Avec la part de son esprit qui était encore lucide, Lili réalisa qu'elle était tombée sur le sadique. Le monte-charge avec le vieux Juif se mit à descendre. Lili se pencha en avant et regarda sa tonsure disparaître. Elle songea à se précipiter dans le vide mais, avec tout le temps qu'elle avait devant elle, cela semblait insensé. Une autre vie s'écoula avant que le second ascenseur n'arrive. Le tchékiste, les manches roulées au coude et des gouttes de sueur brillant sur la lèvre inférieure, tendit le bras vers la chemise de Lili. Ses doigts épais s'approchaient lentement d'elle ; lentement, ils s'accrochèrent à sa chemise entre deux boutons, touchant un sein, et l'attirèrent vers le monte-charge. Les doigts toujours coincés dans sa chemise entre deux boutons, contre son sein, il plongea ses yeux injectés de sang dans ceux de Lili, aux paupières lourdes.

De quelque part en dessous vint le délicat claquement d'un unique coup de pistolet. Le temps du Juif s'était épuisé, pensa Lili. Maintenant c'est mon tour. L'ascenseur sombra sous ses pieds, comme le bourreau et sa victime, tous deux flottant sur un nuage de cocaïne, descendaient vers leur rendez-vous, l'un essayant d'accélérer le temps pour pouvoir enfin déjeuner, l'autre essayant de faire durer une éternité les moments qui lui restaient.

Léon l'avait averti que la Russie lui briserait le cœur, et elle l'avait fait. Fixant une vieille brosse que Lili avait utilisée et les cheveux noirs encore empêtrés dans les crins, Zander fut submergé par le vide de son absence. Comme son frère Abner, elle avait été réduite à une créature de son imagination.

Il ne lui restait plus que le souvenir d'elle. Il pouvait reconstruire son visage, la touche d'Asie dans ses yeux. Avec un peu d'effort, il pouvait même se convaincre qu'il sentait son corps. Mais alors son cerveau lui rappelait qu'elle n'existait qu'en lui, et les images disparaissaient aussi vite qu'elles étaient venues. Il plongeait le regard dans un vide si profond que la seule émotion appropriée était le désespoir. Ses épaules s'affaissaient sous le poids de la non-existence de Lili. Il enfonçait le visage dans le matelas sale et sanglotait ; pour elle, disparue dans la mort, et pour lui, qui se retrouvait échoué sans elle dans ce monde.

Un crépuscule qui ressemblait de façon surnaturelle à de la suie s'abattait sur Perm. Étendu tout habillé sur la couche dans la chambre au dernier étage de l'hôtel, Zander laissa la suie le recouvrir. Il crut un instant qu'elle allait l'étouffer, et il inspira par la bouche pour éviter de s'évanouir. Un bruit de frôlement vint du grenier au-dessus de sa tête, comme si des rats couraient en rond les uns autour des autres – comme si quelqu'un avait remué dans son sommeil. *Sauve Anastasia si tu peux*, lui avait-elle dit, et il s'était demandé, même alors, pourquoi Lili pensait qu'il serait en position de sauver Anastasia. Il entendit de nouveau les rats bouger là-haut. Il ouvrit les yeux, examina le plafond et remarqua pour la première fois une trappe au-dessus de la commode, dans le coin de la pièce.

Zander se leva sur un coude et écouta de sa bonne oreille. Pendant plusieurs minutes, il n'entendit rien. Puis une latte craqua, comme si un poids s'était posé dessus.

Se traitant d'imbécile, Zander alluma une bougie et grimpa sur la commode, s'accroupissant sous la trappe. Il l'ouvrit doucement de la paume et passa la tête et sa bougie dans le grenier. La flamme, prise dans un courant d'air, faillit s'éteindre puis reprit vie, révélant une jeune fille avec d'immenses yeux noirs fixés sur lui. Elle était couverte de bleus, tapie dans un coin, et essayait de reculer hors de la lumière. Elle porta une main à sa bouche pour étouffer un cri, et Zander remarqua ses doigts longs et gracieux. Il chuchota un nom.

« Anastasia ?

— Où est Lili Mikhaïlovna ? »

Pendant un court et violent moment, Zander haït Anastasia avec une intensité qui le touchait au creux du ventre. Si elle n'avait pas été là, Lili serait toujours en vie. Mais le sentiment passa. Il comprenait mieux que jamais l'instinct qui avait poussé Lili à l'aider. Il ne s'agissait pas de soutenir sa classe. Elle avait simplement atteint le point où elle ne pouvait plus supporter la souffrance, la sienne propre ou celle d'autrui. Il suffit d'une goutte en trop pour faire déborder le verre.

« Sil vous plaît, répéta Anastasia. Où est Lili Mikhaïlovna ?

— Elle est partie. Elle m'a dit de m'occuper de toi. »

Zander lui parla doucement quelques instants pour gagner sa confiance, puis l'aida à descendre du grenier dans la chambre. Ils préparèrent sa fuite dans les petites heures du matin. Se servant de ciseaux à ongles, il lui coupa les cheveux très court, comme si on l'avait traitée contre les poux ou les teignes. Alors que la forme de son crâne devenait visible, elle prenait un air presque garçonnier. Rejetant ses propres habits, elle revêtit une des jupes et chemises d'occasion de Lili. Mais quelque chose en elle exhalait la royauté.

« Ce sont tes mains qui te trahissent », décida Zander. Et il lui fit se couper les ongles très court, et les salir en les frottant contre ses semelles.

Dans les ténèbres qui précèdent l'aube, il lui donna ce qu'il pouvait d'argent, avec les papiers d'identité de Lili, son permis de voyager et ses tickets de ravitaillement. Anastasia étudia les documents et leva lentement les yeux pour rencontrer ceux de Zander. « Alors elle est morte », dit-elle d'une voix qui avait perdu sa dernière note musicale.

Zander ne la contredit pas.

Bien avant la première clarté, ils quittèrent l'hôtel, passant sur la pointe des pieds devant le réceptionniste endormi dans le hall, et se dirigèrent par des rues sombres et humides de Perm vers la gare. À deux rues de celle-ci, les soldats d'un premier poste de contrôle vérifiaient les papiers des gens qui allaient prendre le train. Zander proposa à Anastasia de l'accompagner, mais elle insista pour continuer seule. Elle s'éloigna de quelques pas, puis revint. « Ma mémoire s'efface. Il y a des moments où je ne sais plus vraiment qui je suis. Je ne parlerai jamais de vous à personne, mais je prierai pour vous, même lorsque je ne pourrai plus me souvenir de vous. Vous ne m'avez pas dit votre nom, et je ne vous le demande pas maintenant. Qui que vous soyez, je vous remercie. » Elle était sur le point de lui tendre sa main à baiser, mais elle se reprit, lui fit un sourire triste pour reconnaître son erreur, se retourna et partit vers le poste de contrôle.

Observant de loin, Zander vit un soldat avec une lanterne regarder ses papiers et lui faire signe de passer. Il traversa le même poste de contrôle et finit par trouver une place dans le train de Moscou. Il se demanda si Anastasia y était aussi.

Il ne la revit jamais.

CHAPITRE VII

L'église, dans les faubourgs de Petrograd, avait été rasée, mais l'école maternelle délabrée qui y était contiguë se trouvait toujours là, plus délabrée qu'avant si c'était possible. Les religieuses anglaises qui s'en occupaient étaient mortes de faim ; elles avaient donné aux enfants le peu de nourriture dont elles pouvaient disposer. Quelques religieuses russes les avaient remplacées.

« Alors vous voulez adopter un enfant », dit la Mère supérieure, une vieille femme fragile et émaciée.

Elle le regardait à travers des lunettes aux verres aussi épais que des vitres, et semblait pourtant ne pas le voir distinctement. Elle était assise derrière une table de cuisine ordinaire qui servait de bureau et ne paraissait pas avoir la force de se lever. Zander avait l'impression qu'elle se briserait si quelqu'un parlait trop fort près d'elle.

« Pas n'importe quel enfant. Une enfant en particulier. Elle s'appelle Ludmilla Ioussoupova. J'étais un ami… un ami très proche de sa mère.

— La mère est morte ? demanda sèchement la Mère supérieure.

— Oui. Morte. Dans la guerre civile. »

La Mère supérieure toucha un énorme crucifix noir qui pendait à son cou frêle.

« Pour la première fois dans l'histoire, l'espérance de vie des êtres humains est plus grande que celle d'un poisson rouge – cinquante ans. Mais pas en Russie. En Russie, tout le monde meurt jeune, ou souhaite avoir péri. » Elle désigna de la tête la canne de Zander. « Je vois que vous avez été blessé. Souffrez-vous ?

— Parfois. Mais les médecins m'ont dit que j'en serai moins gêné avec le temps.

— De quel côté avez-vous combattu ?

— Est-ce que ça a de l'importance ? »

Les lèvres ridées de la Mère supérieure se tordirent.

« Bien sûr que ça a de l'importance. Énormément d'importance. Un côté est pour Dieu, l'autre contre.

— Je me suis battu pour les bolcheviks », lui dit Zander. Il pensait qu'elle avait le droit de savoir. « Sur le front sud. À Tsaritsim. Sur la rivière Terek. À Novotcherkassk. À Rostov-sur-le-Don. À Yusovska. Dans le bassin du Donets. Vers la fin je me suis battu en Crimée. J'ai été blessé pendant les derniers jours de la guerre civile.

— Comment ?

— J'étais dans l'artillerie. Un obus a fait long feu, mais il y avait tellement de fumée que nous ne nous en sommes pas aperçus. Nous avons enfoncé un second obus dans la chambre, contre celui qui y était toujours. Ils ont explosé tous les deux. Les deux servants ont été réduits en cendres. Je m'en suis tiré avec des éclats dans la jambe gauche.

— Que Dieu, dans sa sagesse infinie, vous pardonne d'avoir combattu du mauvais côté, dit simplement la Mère supérieure. J'en suis incapable. Les bolcheviks sont de la fange. Ils ont détruit la Russie. Elle ne sera plus jamais pareille.

— Il y a eu beaucoup de souffrance, acquiesça Zander. Mais nous essayons de construire une société meilleure. » Il s'efforça de paraître optimiste. « Les choses s'arrangeront sûrement. »

La Mère supérieure eut un sourire désolé.

« Nous vivons des mauvais temps. Certains disent que Dieu est mort mais, bien sûr, ce n'est pas le cas. Il ne fait que nous mettre à l'épreuve.

— À propos de l'enfant.

— À propos de l'enfant. » La Mère supérieure soupira. « Peu de gens viennent adopter un enfant maintenant. Ils ont assez de mal à se nourrir eux-mêmes. »

Le soulagement se répandit sur le visage de Zander. « Alors, vous n'élèverez pas d'objection ?

— D'objections ? Ciel, non. Nous refusons des dizaines d'enfants toutes les semaines. Ils rampent dans des caves et meurent de faim. Nous pourrons en accepter donc un nouveau. »

Vingt minutes plus tard, deux religieuses amenèrent la fillette dans la pièce. Elle portait une blouse grise informe sur une robe grise informe, et des guêtres découpées dans un vieux tapis. Elle tenait un sac en papier qui contenait toutes ses possessions terrestres – plusieurs petites culottes usées, un pull qui s'effilochait aux manches, un chemisier, un crucifix en carton, une poupée bricolée, avec des cheveux en fil.

Zander la reconnut à l'instant où elle passa la porte. Elle avait grandi et minci depuis qu'il l'avait vue, et ressemblait maintenant à Lili même quand elle ne souriait pas. Il y avait ces traces évidentes d'Asie sur son visage : des pommettes hautes, le nez très légèrement aplati, les yeux foncés, tristes, à peine bridés à la tartare. La ressemblance était telle que Zander avait du mal à parler.

« Quel âge as-tu maintenant ? » lui demanda-t-il après un moment.

Ludmilla regarda la Mère supérieure, qui l'encouragea d'un signe de tête.

« Presque onze ans, dit-elle timidement.

— Est-ce que tu fais toujours de beaux dessins ?

— Les enfants n'ont pas de papier, ni de peinture », dit sèchement la Mère supérieure. Elle rappelait à Zander qu'il s'était battu du mauvais côté.

« Qu'est-ce que tu fais pendant la journée ? s'enquit Zander.

— Je prie, répondit-elle tout bas.

— Parle plus fort. Il ne va pas te mordre.

— Je prie.

— Dis au gentil monsieur pour quoi tu pries, lui ordonna la Mère supérieure.

— Je prie pour que Jésus veille sur moi. Je prie pour la paix, et aussi pour avoir de la peinture et du papier. »

Avec un effort, Zander parvint à s'agenouiller devant elle.

« J'étais un grand ami de ta mère. » Il examina le visage de la fillette et se demanda s'il ne faisait pas une erreur, s'il pourrait vivre sous le même toit que ce rappel constant de Lili. « Elle m'a demandé de m'occuper de toi. C'est ce que j'aimerais faire. Si tu veux. Est-ce que tu viendras avec moi ?

— Bien sûr qu'elle ira avec vous, dit la Mère supérieure.

— Alors ?

— Si vous voulez. »

Zander s'appuya sur sa canne pour se relever.

« Où allez-vous vivre ? demanda la Mère supérieure.

— À Moscou. Je partage un appartement avec quatre familles. Les autorités organisent un système scolaire. Ludmilla ira à l'école avec des enfants de son âge. » Il se tourna vers la fillette. « Il y aura de la peinture et du papier.

— C'est Jésus qui les a fournis ?

— L'État donne de la peinture et du papier à tous les enfants », expliqua Zander.

La Mère supérieure fronça les sourcils comme si elle doutait de sa capacité à adopter une orpheline. « S'il y a de la peinture et du papier, dit-elle à Ludmilla avec fermeté, c'est Jésus qui en est cause. L'État ne fait que prendre des choses aux petits enfants. »

Ludmilla serra plus fort son sac en papier. Zander tendit le bras et lui prit la main. Elle était froide et humide, l'idée le frappa que l'enfant était effrayée de quitter la seule vie qu'elle connût.

« Est-ce que tu aimes les chats ? demanda-t-il dans une inspiration.

— Comme animaux ou comme nourriture ?

— Comme animaux. »

Ludmilla eut un sourire lointain et infiniment triste.

« Ma mère m'a apporté un chat la dernière fois où elle est venue me voir. Il était borgne. Les gentilles sœurs l'ont cuit dès qu'elle est partie. Comme ma mère l'avait amené, j'ai reçu un morceau particulièrement gros. Ils sont doux et velus, les chats. Je crois que j'aimerais en avoir un, mais il faudrait le garder enfermé pour que personne ne puisse le faire cuire.

— Viens, dit Zander. Nous allons aller à Moscou et te chercher un chat. »

Moscou était pris dans le dégel d'après l'hiver. Les rues pavées étaient humides et glissantes, celles en terre battue spongieuses. Les gens déposaient tant de boue dans les bâtiments que le Parti communiste projetait d'organiser des potagers dans les entrées, disait la dernière blague qui circulait. Près de la gare de Kazan, des paysans fouettaient les flancs de chevaux étiques tirant des charrettes de bûches de bouleau fraîchement coupées, qu'ils échangeraient contre d'épais rideaux où l'on pouvait tailler des jupes et des chemises.

Une voiture de la Tcheka conduite par un chauffeur descendit lentement la rue Tchkalov pendant que les deux occupants du siège arrière regardaient les façades, cherchant le numéro 42. La voiture passa devant une série de boutiques dont les noms avaient été recouverts de peinture et remplacés par des chiffres, et s'arrêta devant un immeuble d'appartements datant du début du siècle et ressemblant à une forteresse.

« C'est sûrement ici, dit Arishka. C'est entre le 40 et le 44.

— Je reviendrai quand je reviendrai », dit Tuohy au conducteur.

Il se pencha par-dessus son épaule et nota le chiffre du compteur kilométrique au dos d'une enveloppe, pour que le chauffeur ne fût pas tenté de faire quelques courses de taxi en l'attendant.

« Qui cela gêne-t-il qu'il se fasse quelques à-côtés ? murmura Arishka avec irritation en sortant de la voiture.

— C'est une question de règlement, lui dit Tuohy. La voiture appartient au gouvernement. L'essence aussi. S'il veut conduire un taxi, il n'a qu'à changer de travail.

— Les temps sont durs, Americanitz.

— Ne nous disputons pas une fois de plus. »

Tuohy sortit un des cartons du coffre de l'auto et le tendit à Arishka, puis prit l'autre, plus gros, et la suivit, franchissant le portail et traversant la cour. Une flaque avec des irisations d'essence s'était formée devant la porte de service, et une planche avait été jetée en travers pour que les résidents puissent entrer et sortir sans se mouiller les pieds. Tuohy et Arishka se lancèrent dans l'étroit escalier de bois. Un enfant au nez qui coulait faillit les heurter, mais ils s'aplatirent contre le mur pour le laisser passer, et continuèrent jusqu'au quatrième étage. Tuohy frappa du coude sur la deuxième porte à gauche.

Ils entendirent des pas de l'autre côté. « Une minute », dit une femme. Elle fit jouer le verrou et entrebâilla la porte, puis l'ouvrit toute grande quand elle vit de qui il s'agissait.

« Sérafima ! s'exclama Arishka, et elle se pencha et déposa des baisers sur ses deux joues.

— Qu'est-ce qui vous a retenus ? demanda impatiemment Sérafima. Vous êtes les derniers. Êtes-vous arrivés à trouver un gâteau ?

— Tout ce qu'ils avaient à l'intendance de la Tcheka, c'étaient des biscuits. » Arishka posa son carton et en sortit un paquet. Sérafima et elle disposèrent onze biscuits sur un plat et fichèrent une allumette de cuisine dans chacun d'eux.

« S'il te plaît, Tuohy, implora Sérafima devant la porte de la chambre de Zander, pas de bagarre avec Ronzha.

— S'il ne se bagarre pas avec moi, je ne me bagarrerai pas avec lui. » Il enflamma les allumettes avec son briquet.

« Vite, avant qu'elles ne brûlent », dit Sérafima, et ils franchirent tous trois la porte en chantant : « Joyeux anniversaire, joyeux anniversaire, joyeux anniversaire Ludmilla chérie, joyeux anniversaire. » Zander, Alyosha Zhitkin, Ronzha, Appolinaria, le sergent Pasha Kirpitchnikov et Mélor se joignirent à eux, et tout le monde applaudit avec vigueur à la fin.

« Fais un vœu et souffle-les, dit Zander à Ludmilla.

— Sans cracher sur les biscuits », cria avec excitation Mélor, maintenant un adolescent costaud de quinze ans.

Ludmilla fixait les allumettes enflammées, comme hypnotisée.

« Peux-tu dire ce qu'est la flamme ? » demanda Ronzha.

Ludmilla réfléchit un instant, puis souffla les allumettes. « Peux-tu dire où est partie la flamme ? » défia-t-elle Ronzha.

Les adultes applaudirent à cette réponse.

« En fait, reconnut Ronzha, c'est une bonne réponse à la question.

— Un discours, un discours ! » cria joyeusement Mélor. Il était un peu jaloux de toute l'attention que recevait Ludmilla.

« Je ne sais pas quoi dire, dit timidement Ludmilla.

— Dis ce qui te passe par la tête, suggéra Appolinaria.

— Je suis très heureuse d'avoir onze ans. J'espère que j'aurai douze ans un jour.

— Bien sûr que tu auras douze ans, s'empressa de dire Sérafima.

— Tu vivras jusqu'à cent douze ans », beugla le sergent Kirpitchnikov.

Tuohy s'assit sur le lit à côté de Zander.

« Je t'ai apporté deux cartons de provisions – il y a du bacon, du lard, un demi-jambon fumé, une boîte ou deux de biscuits secs. Et même une paire de bouteilles de vin rouge de Géorgie et une boîte de caviar de saumon.

— Je te remercie, Atticus.

— Pas de quoi. »

Au milieu de la pièce, Ludmilla essayait un bonnet qu'Appolinaria avait tricoté avec de la laine d'un de ses vieux pulls. Ronzha jeta un coup d'œil aux deux portraits de Lili que Zander avait accrochés au mur au-dessus de son lit, puis regarda la fillette et secoua la tête. « La ressemblance est surnaturelle », dit-il à Appolinaria.

Sérafima surprit Mélor en train de fixer Appolinaria. Elle lui donna un coup de pied dans la jambe et leva un sourcil en guise d'avertissement. Il haussa les épaules et détourna le regard, mais quand Sérafima se mit à parler avec Ludmilla, il continua à observer Appolinaria du coin de l'œil.

« Puis-je lui donner mon cadeau maintenant ? » demanda Alyosha Zhitkin. Il passa dans le couloir et revint quelques minutes après, portant une petite boîte en carton avec des trous sur les côtés. Tout le monde sauf Mélor entoura Ludmilla pour la regarder l'ouvrir. Elle enleva le couvercle délicatement et ses yeux s'agrandirent. « Oh ! » dit-elle. Elle plongea les mains dans le carton et en sortit un bébé chat duveteux. Elle enfonça le nez dans sa fourrure. « Ooooooh ! dit-elle.

— C'est à toi de lui donner un nom, dit Alyosha à Ludmilla.

— Je l'appellerai… Lili », dit-elle.

Zander se détourna précipitamment, et il fallut un moment pour qu'il se sente assez maître de lui pour faire face aux autres. Il ouvrit une des bouteilles de vin géorgien de Tuohy et fit passer des gobelets de cuisine. Ronzha, qui était devenu maigre et partiellement chauve, se mit debout et leva son verre. Ses yeux étaient bordés de rouge ; à cause du manque de bois et de charbon, la pièce en sous-sol où Appolinaria et lui vivaient n'était pas chauffée, et ni l'un ni l'autre n'avait dormi une nuit entière depuis des mois.

« Je propose que nous buvions aux occupants du vieux Vapeur qui n'assistent pas à notre petite réunion, dit-il. À Hippolyte Evgenevitch, à Lili Mikhaïlovna, à Otto Eppler, à Vasia Timofeïevitch. Qu'ils reposent tous en paix.

— Je boirai à Lili et au vieil Hippolyte, dit Tuohy de l'autre bout de la pièce, mais que je sois damné si je bois aux deux autres. C'étaient des traîtres.

— Qu'est-ce qui te fait penser que Vasia était un traître ? demanda Zander.

— J'ai vu son nom sur une liste une fois, dit rapidement Tuohy. Il a été fait prisonnier alors qu'il combattait pour les Blancs à Kazan.

— Tu n'en avais jamais parlé, dit Zander étonné. Qu'est-ce qui lui est arrivé ? »

Tuohy ferma les yeux pour indiquer que ce n'était pas le genre de chose qu'on expliquait devant une fillette de onze ans.

« Tu es sûr ? demanda Zander en anglais.

— Je n'y ai pas assisté personnellement, dit Tuohy. Mais les déserteurs repris étaient toujours abattus.

— Maintenant qu'ils sont tous morts, nous pouvons sûrement, dans notre cœur, pardonner et oublier, déclara Ronzha.

— Au contraire, répliqua chaudement Tuohy, nous ne devons ni pardonner ni oublier. Leur sort doit servir de leçon à ceux qui voudraient trahir la révolution.

— Americanitz, tu avais promis. Pas devant Ludmilla, gémit Sérafima.

— Je suis d'accord avec Tuohy », dit Mélor. Il regarda Ronzha avec mépris. « Ennemi de classe un jour, ennemi de classe toujours. »

Appolinaria se pencha vers Ronzha et lui chuchota quelque chose à l'oreille, mais il la repoussa. « Ils parlent par clichés. » Il désigna Tuohy d'un mouvement de tête. « Ce n'est pas parce qu'il travaille pour la Tcheka que je ne dois pas dire ce que je pense. »

Alyosha Zhitkin essaya de changer de sujet.

« Zander, tu étais en Crimée quand les derniers Blancs ont été rejetés à la mer. Est-ce vrai que les cosaques aient abattu leurs chevaux sur le rivage avant de s'embarquer pour Constantinople ?

— Ils les ont tués, et nous les avons mangés.

— Quant à moi, j'adore le goût de la viande de cheval », dit Mélor.

Arishka murmura quelque chose à Tuohy. « S'il ne commence pas, je ne le ferai pas », dit-il. Il se tourna vers Zander. « À propos de viande de cheval, as-tu lu l'article sur la bande que nous avons prise à fabriquer des saucisses pour le marché noir ? La *Pravda* a dit qu'ils les faisaient avec de la viande de cheval, mais ce n'était pas vrai. Ils se servaient en fait de cadavres fraîchement déterrés. »

Le sergent Kirpitchnikov écarquilla les yeux et regarda Sérafima. « Où as-tu trouvé ces saucisses que nous avons mangées la semaine dernière ? »

Sérafima se couvrit la bouche des doigts. « À un coin de rue. D'un homme avec une valise.

— Je crois que je vais vomir », annonça Mélor.

Arishka tint un pull partiellement tricoté devant Ludmilla pour vérifier la taille. « Est-ce qu'on ne peut pas parler de quelque chose d'agréable pour changer ? »

Alyosha Zhitkin se tourna vers Tuohy.

« Quelles sont les dernières nouvelles économiques ?

— Ça ne sera pas agréable non plus, marmonna Ronzha à mi-voix.

— Maintenant que la guerre civile est terminée et que les interventionnistes sont tous repartis, déclara Tuohy, le Parti dit que les choses vont aller mieux.

— En fait, dit Ronzha, la situation économique est désastreuse. La production de charbon, de fer et d'acier n'est qu'une fraction de ce qu'elle était avant que les bolcheviks prennent le pouvoir. L'argent n'a plus aucune valeur. Dans certaines usines, les ouvriers sont payés avec ce qu'ils produisent – s'ils fabriquent des chaussures, ils reçoivent des chaussures, et ils doivent les troquer contre de la nourriture. Mais il n'y a pas de nourriture. Les équipes de confiscation bolcheviks ont presque tout pris aux paysans, y compris les semences ; ils ne plantent, quand ils s'en donnent la peine, que pour eux. Le typhus et le choléra sont triomphants. Des usines ferment par manque de charbon. Des ouvriers s'évanouissent de faim au travail. Il n'y a pas assez de tchékistes pour les ramener tous à la conscience à force de gifles. Il y a… combien ?… six cent mille membres du Parti bolchevik environ en Russie, mais ils sont complètement isolés du reste de la population. Si des élections libres avaient lieu demain…

— Un grand *si*, ricana Appolinaria.

— … vous, les bolcheviks, vous seriez balayés. La seule raison pour laquelle vous êtes encore au pouvoir, c'est que vous contrôlez l'armée et la police. » Les émotions longtemps contenues de Ronzha débordaient comme une rivière furieuse qui inonde ses rives. Zander, embarrassé, détourna le regard. « Mais vous ne contrôlez pas les poètes, continua Ronzha, les mains tremblantes, une brume de larmes dans les yeux, même si vous ne laissez personne les publier.

— Si tu n'es pas publié, dit Tuohy avec froideur, c'est qu'il n'y a pas de place pour la pensée négative dans la société que nous construisons.

— Ce pour quoi il n'y a pas de place dans votre société, c'est la vé-rité, dit moqueusement Ronzha. Tous ceux qui la disent sont réduits au silence.

— Les poèmes de Maïakovski sont publiés dans la *Pravda*, répliqua Tuohy. Contrairement à certains qui se prétendent poètes, il met sa poé-sie au service de la révolution.

— Pour rendre ses poèmes suffisamment simples pour les masses, déclara Ronzha, Maïakovski les a dépouillés des images qui faisaient leur force.

— Il a dépouillé ses poèmes de toute poésie, acquiesça Appolinaria. Il n'y a rien à entendre dans les silences entre ses mots. » Et, avec un sourire crispé, elle ajouta : « N'importe quel idiot sait que les slogans ne sont pas la même chose que la poésie.

— Quant à moi, annonça gaiement Mélor, j'aime mieux les slogans que la poésie. » Et il en cita un : « J'ai vu le futur et ça marche !

— Le pain, la terre, la paix… Voilà ! » tonna le sergent Kirpitch-nikov.

Ronzha agita une main dégoûtée. « Tous vos slogans ne peuvent pas déguiser le fait que vous êtes des terroristes. »

Tuohy était maintenant furieux. « Nous n'avons pas inventé la ter-reur. » Il braqua son fume-cigarette sur Ronzha comme si c'était un pis-tolet chargé.

« Nous ne faisons que ce qu'Ivan le Terrible, Pierre le Grand ou les hordes mongoles ont fait en leur temps. Nous combattons la terreur par la terreur.

— Vous êtes drogués à la terreur, répondit Ronzha. Il vous en faut votre dose quotidienne pour fonctionner. Vous ne vous en libérerez ja-mais. »

Pendant un long moment, on entendit Tuohy et Ronzha respirer lourdement, comme deux boxeurs chacun dans un coin du ring. Le ser-gent Kirpitchnikov, dans un accès d'humour inhabituel, s'exclama : « Je déclare Atticus Tuohy vainqueur par KO technique. »

Même Ronzha fut forcé de sourire.

« Bordel, poursuivit le sergent, quiconque peut parler d'Ivan le Ter-rible ou de Pierre le Grand doit vaincre.

— Qu'est-ce qu'on dit de la santé de Lénine ces temps-ci ? demanda Zander à Tuohy.

— Moins on en parle, mieux ça vaut, répondit-il en anglais.

— Qu'est-ce qu'il a dit ? voulut savoir Mélor.

— Il a dit, avança Ronzha, que le camarade Lénine souffre, comme tout le monde le sait à Moscou, de syphilis tertiaire, ce qui explique beaucoup de choses – la façon dont il marche par exemple, en tapant les pieds par terre pour savoir où ils sont d'après le bruit qu'ils font, ou bien ses soudains engouements pour une personne, un programme ou un projet grandiose, comme l'électrification de la Russie entière ou la révolution mondiale. »

L'éclat de Ronzha fut accueilli par un silence de pierre ; les adultes présents savaient qu'il était dangereux d'*entendre* de telles choses. La moustache de morse de Tuohy s'agita nerveusement. « Des gens ont été arrêtés pour en avoir dit moins », remarqua-t-il doucement.

Appolinaria se couvrit les yeux des mains. Ronzha avait l'air content de lui. « Pour une fois, dit-il, je suis parfaitement d'accord avec notre ami ici présent. Des gens *ont* été arrêtés pour en avoir dit *beaucoup* moins. »

Plus tard, après le départ de Ronzha et d'Appolinaria, Zander entraîna Tuohy dans la cuisine commune.

« C'est vrai, ce que Ronzha a dit à propos de Lénine ? chuchota-t-il.

— Plus ou moins.

— Tu ne dénonceras pas Ronzha, hein, Atticus ?

— Ce n'est pas la peine. Il a déjà un dossier épais comme ton poing. Sa langue creusera sa tombe un de ces jours.

— Combien de temps a Lénine ?

— Deux ans, trois si les piqûres d'arsenic parviennent à ralentir la détérioration.

— Évidemment, Trotski prendra sa place, dit pensivement Zander. Personne d'autre n'a son magnétisme, ni ses états de service.

— Chez nous, dit Tuohy, on parie sur Staline. Il installe tranquillement des gens à lui à tous les niveaux du Parti. Regardons les choses en face, Trotski est un naïf à côté de Staline. Staline *est* le Parti. J'ai entendu dire que ce vieux Koba[1] a même ordonné à quelques professeurs de cataloguer tout ce que Lénine a jamais écrit. Comme ça, il pourra citer l'évangile selon Lénine pour justifier n'importe quoi. »

Zander regarda par la fenêtre, qui avait toujours son double vitrage d'hiver avec des tampons de coton entre les panneaux pour absorber l'humidité. Il avait reçu une carte postale de Léon la semaine précédente ; son beau-frère était allé vivre dans un kibboutz près de Haïfa et décrivait les joies de la vie d'un paysan juif, avec une écriture minuscule qui glissait des mots dans tous les coins de la carte. Zander se demanda ce que Léon, observant les événements de l'extérieur, pensait maintenant de la révolution russe. Est-ce que les choses allaient s'arranger, comme le prétendait le Parti ? Ou les bolcheviks seraient-ils balayés par une élection libre, comme disait Ronzha ? Plus bas, dans la cour,

---

1 Surnom de Staline.

deux hommes âgés, avec des pardessus et des écharpes, installaient une table pliante dans un coin ensoleillé pour jouer aux dominos. Le chaton de Ludmilla – Zander décida qu'il ne l'appellerait jamais Lili – grattait le contenu de la boîte de terre qu'on avait déposée à son usage sous l'évier.

Le silence mit Tuohy mal à l'aise. Il s'éclaircit la gorge, mais Zander continua à regarder par la fenêtre, les yeux rétrécis, l'esprit au loin.

« Alors, comment ça va pour toi ces temps-ci ? » demanda Tuohy.

Zander se retourna vers l'intérieur de la pièce.

« Pas mal. Un des locataires avec qui on partage l'appartement travaille pour le collectif central du bois de charpente. Il est payé en paquets de chutes, et on fait la cuisine sur les braises quand on a quelque chose à cuire.

— Et ta jambe ? »

Zander se frappa la cuisse des phalanges.

« Je boiterai toute ma vie, mais je suppose que je m'en suis tiré à bon compte. » Il secoua la tête comme pour se débarrasser de pensées déplaisantes. « On dit qu'il y a eu sept millions de morts dans la guerre civile. Tant de tueries, Atticus, et pour quel résultat ?

— Les tueries font partie de l'Histoire, remarqua Tuohy.

— L'Histoire, murmura Zander, a une certaine façon de regarder par-dessus votre épaule.

— Tu commences à sonner comme Ronzha. Sans la terreur, nous n'aurions pas pu gagner.

— Chaque côté essayait de terroriser l'autre, dit Zander. Le résultat, c'est que la terreur est devenue institutionnelle. Quand quelqu'un n'est pas d'accord avec nous, nous n'essayons pas de le persuader, nous le terrorisons.

— Tu deviens mou, Zander. Tu as le cœur trop tendre, tu ne feras pas ce qui doit être fait pour amener le nouvel ordre. »

Zander eut un rire sec.

« Ce que je deviens, c'est vieux, Atticus. Je commence à me demander combien de moi-même je suis censé abandonner pour la victoire finale du socialisme. Je commence à réaliser que je devrai m'arrêter quelque part.

— Quand tu t'arrêteras, dit Tuohy avec prudence, toi et moi pourrions ne pas nous trouver du même côté. »

Zander accepta d'un lent signe de tête.

Tuohy sortit la cigarette bulgare de son embout et la passa sous le robinet pour l'éteindre, puis la jeta dans une poubelle sans couvercle. « Eh bien, dit-il d'un air abattu, personne ne peut t'accuser d'être un optimiste. »

Zander eut un sourire gêné qui n'alla pas jusqu'à ses yeux. « En Russie, un optimiste c'est quelqu'un qui n'en sait pas assez. »

Tuohy renifla. « Ci-gît Atticus Tuohy, psalmodia-t-il, taillé en pièces par un intellectuel armé d'une phrase acérée. »

Il le dit en riant. Il ne semblait pas très impressionné.

LIVRE QUATRE

Le peuple est silencieux.
Indication de mise en scène de
Pouchkine dans *Boris Godounov*.

LIVRE QUATRE

POUR SE SITUER DANS LE TEMPS...

Cinq enterrements.

Les lèvres tremblantes, les yeux fermés, la tête penchée, sa casquette d'ouvrier tirée bas sur le front, les genoux se levant et s'abaissant, les semelles frappant les pavés humides comme celles d'un clown, Vladimir Lénine titubait comme un aveugle derrière le cortège funèbre. Sa femme, Kroupskaïa, le tenait fermement par le coude, le redressant quand il paraissait sur le point de tomber, le guidant vers la niche qu'on avait préparée pour le cercueil dans le mur du Kremlin.

Inessa Armand, la maîtresse de Lénine, mince, gracieuse, aux cheveux d'or et à l'esprit libre – elle avait une fois écrit que même une passion fugace était plus poétique que les baisers d'un vulgaire couple marié –, était morte du typhus dans une ville de montagne du nord du Caucase, le 24 septembre 1920. Lénine avait envoyé un train spécial ramener le corps de la seule personne hors de sa famille proche qu'il tutoyât. On savait bien dans le Parti qu'Inessa avait été la maîtresse de Lénine, En s'assemblant pour le cortège, plusieurs camarades s'étaient approchés du Starik pour lui offrir leurs condoléances, mais c'était comme parler à un mur. Le vieil homme semblait avoir rétréci. Ses mains tremblaient. Quand il ouvrit finalement les yeux et regarda quelqu'un avec qui il avait travaillé pendant vingt ans, il ne parut pas le reconnaître.

Kroupskaïa fronça les sourcils, soucieuse. Elle désapprouvait cet étalage public d'émotion, considérait que cela manquait de tact, que c'était même antibolchevik. Cela ne ressemblait pas du tout à Vladimir Ilitch. Peut-être vieillissait-il bel et bien. Peut-être que les artères de son cerveau se calcifiaient, comme le disaient les médecins. Elle regarda par-dessus son épaule les camarades du Politburo qui les suivaient. Ils portaient tous des brassards noirs en signe de deuil. Kroupskaïa remarqua Zinoviev et

Kamenev qui échangeaient des commentaires à mi-voix. Staline se joignit à la conversation, marmonna quelque chose. Les deux autres hochèrent la tête. Elle pouvait deviner de quoi ils parlaient : le Starik ne resterait plus longtemps en ce monde, ils avaient intérêt à penser sérieusement à la succession. Si seulement elle pouvait s'assurer que Lénine reçût bien sa piqûre quotidienne d'arsenic (il en ratait quelques-unes qu'il n'arrivait pas à caser dans son emploi du temps), il vivrait peut-être plus longtemps qu'aucun d'eux ne s'y attendait. Ou ne le souhaitait.

Devant le mur du Kremlin, le cortège se déploya en demi-cercle. Quatre jeunes soldats soulevèrent le cercueil et le glissèrent dans la niche. Derrière eux, une fanfare militaire entama une lente mélodie funèbre. Se détournant de la niche, Lénine oscilla visiblement sur ses jambes. Des larmes coulaient sur ses joues. Kroupskaïa renforça son étreinte et fit signe qu'on amène leur voiture. En l'attendant, Lénine se mit à marmonner.

« Qu'as-tu dit ? » demanda Kroupskaïa.

Les membres du Politburo se tenaient autour d'eux, faisant passer leur poids d'un pied sur l'autre, examinant le sol comme s'il contenait un secret.

« À Paris, dit Lénine, Inessa avait l'habitude de jouer l'*Appassionata* de Beethoven sur cet horrible piano où manquait le *la* central. Tu te rappelles ? »

Kroupskaïa réclama de nouveau la voiture du geste. Qu'est-ce donc qui la retardait ?

« C'est un merveilleux morceau de musique, continua à divaguer Lénine. Je ne peux pas penser à une plus grande réussite humaine. J'aimerais l'écouter tous les jours. Mais je ne peux pas écouter de la musique aussi souvent. Ça me porte sur les nerfs. Ça me donne envie de dire des bêtises et de caresser la tête de ceux qui, vivant dans cet enfer, peuvent créer tant de beauté. Maintenant, il ne faut caresser la tête de personne. On pourrait se faire arracher la main d'un coup de dents. Il faut leur taper sur la tête. » Lénine éleva la voix. « Les frapper sans merci, bien qu'il aille sans dire que nous, les bolcheviks, soyons dans l'idéal opposés à l'emploi de la force. » Le Starik secoua la tête tristement. « Mieux vaut peu, mais meilleur. » Sa voix s'éteignit. « Mieux vaut peu… »

Moscou était en proie à l'hiver le plus sauvage dont on se souvînt, mais Staline, une des poignées de la bière reposant sur son épaule droite matelassée, ne sentait pas le froid. Ses joues étaient rouges d'excitation, ses yeux pleins d'éclat, presque fiévreux. Les choses allaient mieux qu'il n'avait osé l'espérer. Trotski, son rival suprême, n'était même pas venu à l'enterrement. Staline lui avait menti sur la date et Trotski, pensant qu'il n'arriverait jamais à temps, était resté à Tiflis. C'était aussi bien, pensa Staline. Comme disent les paysans : « Je préférerais donner un lavement à un cadavre que dîner avec un youtre. »

Lénine avait été malade pendant la plus grande partie de l'année 1922. Il avait subi une série d'attaques qui l'avaient laissé partiellement paralysé, ayant du mal à parler de façon cohérente. Installé dans un fauteuil roulant, il avait été expédié dans une maison de repos du gouvernement dans un village appelé Gorki. Les quelques camarades à qui on avait permis de le voir étaient revenus très affectés. L'un d'eux raconta comment il avait dit à Lénine qu'on étendait le service des trolleys jusqu'aux faubourgs prolétaires de Moscou. « *Vot ! Vot !* » cria le Starik, employant le seul mot qu'il fût capable de prononcer correctement. « C'est ça ! C'est ça ! »

Le 21 janvier 1924, la température de Lénine monta brutalement. Des convulsions suivirent. Il glissa dans le coma et mourut à 6 h 30 de l'après-midi. Son corps fut ramené à Moscou pour être exposé dans le hall des Colonnes. Pendant quatre jours glacés, des centaines de milliers de gens défilèrent silencieusement, en larmes, devant le cercueil ouvert. Aujourd'hui, le 23, on l'enterrait avec la pompe appropriée dans le mausolée temporaire en bois qui avait été érigé sur la place Rouge près des murs du Kremlin. Le corps serait embaumé plus tard et exposé dans un mausolée permanent de marbre.

Certains membres de la Vieille Garde considéraient comme inconvenante la déification du Starik ; Lénine lui-même n'aurait jamais toléré cela, murmuraient-ils. Maïakovski publia même un poème qui critiquait le principe :

Je crains que
les processions
et les mausolées,
l'adoration établie,
ne noient
dans une onction visqueuse
la simplicité de Lénine.

Eh bien, qu'ils s'inquiètent, pensait Staline. Lui, Koba, était plus proche des gens du peuple que les bolcheviks de café avec leurs pince-nez fixés sur leurs nez juifs. Il savait que les masses superstitieuses avaient besoin d'une icône devant laquelle prier. Il allait transformer Lénine en cette icône. Il nourrirait le goût russe du surnaturel. Quand le temps serait venu, il leur offrirait même une résurrection : un nouveau tsar communiste renaîtrait des cendres du tsar mort.

D'abord, il lui faudrait s'occuper du vilain petit problème du dernier testament de Lénine, une lettre que le Starik avait dictée avec difficulté, une syllabe à la fois, quelques jours avant sa mort. Kroupskaïa, la vieille chèvre, en faisait déjà circuler des copies parmi les membres du Comité central. « Staline est trop brutal, avait écrit le vieil homme. Je propose de lui retirer son poste et d'y nommer quelqu'un qui soit plus tolérant, plus loyal, plus poli et prévenant envers ses camarades. »

Staline réduirait Kroupskaïa au silence en menaçant de publier les premières lettres d'amour de Lénine à Inessa ; certaines étaient assez explicites pour faire rougir une prostituée. Si ça ne suffisait pas, il serait peut-être obligé de désigner à sa place quelqu'un d'autre comme veuve de Lénine ! Quant au testament, il l'expliquerait par le délire d'un homme qui mourait des derniers stades de la syphilis. La maladie avait attaqué l'esprit du Starik autant que son corps. Elle lui faisait imaginer des ennemis où il n'en existait aucun. Allons-nous laisser ses divagations diviser le Parti en ce moment crucial, troubler les masses alors qu'elles ont besoin qu'une main ferme tienne le gouvernail ? Et quelle main serait plus ferme que celle du secrétaire général du Parti, expérimenté et fidèle, le premier léniniste du pays ?

Il se présenterait comme l'héritier spirituel du chef disparu. La position de Staline, c'était le léninisme ! Il commencerait son discours devant le Congrès par un serment d'allégeance. Nous te jurons, camarade Lénine…

Quant à ceux, rares, qui résisteraient, il leur ferait rendre gorge.

Ronzha escalada le piédestal de la statue et hissa Appolinaria derrière lui pour qu'ils puissent mieux voir. Des masses de gens s'étendaient dans Bolshaïa Polyanka – plus qu'on ne se souvenait en avoir vu dans les rues depuis que les Moscovites étaient venus accueillir Mary Pickford et Douglas Fairbanks à la gare quatre ans plus tôt. Le cercueil de Maïakovski apparut placé sur une estrade, sur le plateau d'un camion découvert. Appolinaria ne put se retenir. « C'était un propagandiste, pas un poète. Vraiment, je ne vois pas pourquoi nous sommes venus. »

Ronzha ne put s'empêcher de sourire en voyant la couronne mortuaire posée sur le cercueil. C'était une énorme roue d'acier hérissée de marteaux, d'écrous et de boulons. L'inscription, en grosses lettres dorées sur un ruban rouge vif, était : AU POÈTE DE FER – UNE COURONNE DE FER.

« J'étais peut-être trop dur avec lui, remarqua Ronzha. Je reconnais comme un égal quiconque peut assembler un bon poème, une paire de vers réussis, même un mot ou deux dans le bon ordre. » Tandis que le camion passait à sa hauteur, il enleva sa casquette et salua le cercueil à la paysanne, s'inclinant à partir de la taille.

La veille de sa mort, à l'âge de trente-six ans, on avait entendu Vladimir Maïakovski, le poète flamboyant qui avait une fois invité le soleil à prendre le thé avec lui, s'exclamer : « Non ! Tout le monde me répond non ! Seulement non ! Non partout. » À dix heures du matin, le 14 avril 1930 dans sa chambre du passage Lioubiansky, il avait pris un pistolet dans son bureau et, le tenant de la main gauche, s'était tiré une unique balle en plein cœur. Il avait laissé un mot :

La vie et moi en avons fini
il ne servirait à rien
de recenser
les blessures mutuelles,
les torts,
et les affronts.
La meilleure chance à vous tous !

Son cercueil ouvert resta exposé trois jours à l'Union des écrivains et la moitié de Moscou, semblait-il, passa devant pour rendre hommage à l'optimiste qui avait pris la révolution bolchevik pour l'aube d'une nouvelle ère culturelle.

Lors des funérailles, le 17 avril, l'ouvrier qui conduisait le camion vers le crématorium n'avait visiblement aucune expérience des cortèges. Il allait trop vite, laissant les dizaines de milliers d'endeuillés disséminés derrière.

Regardant depuis le piédestal de la statue, Ronzha émit une interprétation. « Maïakovski a toujours été impatient. C'est ce qui le rachetait. Il est entré dans la révolution comme si c'était chez lui – faisant claquer la porte, ouvrant les fenêtres, crachant ses vers à la Whitman, ne faisant jamais de pause pour reprendre haleine, ne s'arrêtant jamais pour engranger. Eh bien, peut-être qu'il savait quelque chose après tout. » Au bout d'un moment, Ronzha ajouta : « Quand mon temps viendra, je me mettrai moi aussi au diapason des événements. »

Staline se faisait remarquer par son absence du petit groupe qui suivit le corbillard surchargé d'ornements, dépassant les stèles érodées du cimetière derrière le monastère Novodevitchy, dépassant la tombe de Gogol, celle de Tchekhov, la nouvelle stèle où était gravé « Maïakovski » jusqu'au trou rectangulaire fraîchement creusé. Il n'y eut pas de service, pas d'éloge funèbre. Des civils ressemblant à des hommes d'affaires, avec des costumes bleus, des cravates orange et des imperméables bleus à martingale descendirent le cercueil dans la fosse. Le père de la décédée, le vieux bolchevik Sergeï Alliluyev, qui avait caché Lénine dans son appartement pendant plusieurs jours en juillet 1917, ramassa une poignée de terre et la jeta sur la bière. Les autres l'imitèrent. Un homme en imperméable bleu fit un signe de tête aux fossoyeurs, et ils se mirent à combler furieusement la tombe. Ils comprenaient que, plus tôt elle serait remplie, mieux ce serait.

La version officielle, reléguée à la dernière page de la *Pravda*, disait que la seconde femme de Staline, Nadejda Alliluyeva, était morte d'une péritonite, mais tous ceux qui avaient des relations en haut lieu connaissaient la vérité. Le mariage de Staline et de Nadejda, qui avait vingt-deux ans de moins que lui, avait été orageux depuis le début. Au milieu des années vingt, après une dispute particulièrement violente, elle s'était enfuie, avec les enfants, chez ses parents à Leningrad. Mais Staline, alors le *khozaïn* ou maître incontesté – Trotski avait été chassé du Parti et du pays, et les autres vieux bolcheviks semblaient se marcher dessus pour rester dans les bonnes grâces de Staline –, la força à revenir. Au début des années trente, Nadejda se mit à étudier les fibres synthétiques à l'Académie industrielle de Moscou. Elle y entendit parler des souffrances causées par le premier plan quinquennal, lancé en 1929, de la grande famine de 1931 dont la simple évocation était un crime d'État, et surtout de la politique de collectivisation de l'agriculture inaugurée par son mari. Le Parti avait décidé de liquider les paysans relativement aisés connus sous le nom de koulaks, et d'obliger tous les autres à s'organiser en fermes collectives où, selon la théorie, ils travailleraient la terre avec l'efficacité d'ouvriers d'usine sur une chaîne. Le seul ennui était que les paysans avaient tué leur bétail, brûlé leurs récoltes et détruit leur matériel plutôt que de tout donner aux fermes collectives. Environ sept millions de paysans moururent dans la confrontation qui s'ensuivit – d'une balle dans la nuque, des conséquences de la déportation en Sibérie, ou dans la famine causée par la politique de Staline.

Nadejda, fille d'ardents révolutionnaires, souleva la question de la collectivisation, face à son mari, mais il la coupa en faisant remarquer que la place des femmes était au lit. « Je ne vois pas de quoi les paysans se plaignent, lui dit-il à une autre occasion. Chacun d'eux a droit à trois *arshins* carrés de terre – de quoi creuser une tombe ! » Et il se tapa sur les cuisses de plaisir.

Quand les classes reprirent à l'automne 1932, Nadejda découvrit que plusieurs de ses amis manquaient ; on murmurait qu'ils avaient été arrêtés pour lui avoir parlé de ces questions délicates. Les réalités politiques et la détérioration de ses rapports avec son mari plongèrent Nadejda dans une profonde dépression.

Lors d'un banquet au Kremlin qui marquait le quinzième anniversaire de la révolution bolchevique, Staline s'adressa brutalement à elle du bout de la table : « Hé, toi, prends un verre ! »

— Comment oses-tu me dire "Hé, toi !" », répliqua Nadejda, et elle quitta sèchement la fête. Cette nuit-là, le 8 octobre 1932, à Zubalovo, leur maison de famille éloignée du Kremlin de trente-cinq kilomètres, Nadejda appuya un petit automatique Walther contre sa tempe et appuya sur la détente. Elle avait trente et un ans.

La bonne la trouva le lendemain matin, dans une mare de sang. Quelqu'un réunit finalement assez de courage pour réveiller le *khozaïn*, qui dormait dans la pièce où se trouvait le téléphone, à côté de la salle à manger.

« Josef, Nadia nous a quittés. »

Avec sa mort se rompit le dernier fil qui reliait Josef Vissarionovitch Djougachvili, universellement connu sous le nom de Staline, au monde réel. Les amis de la famille – pour la plupart plus attachés à Nadejda qu'à Staline – cessèrent peu à peu de venir. Il n'y eut plus de parties turbulentes de *gorodki* sur la pelouse devant la maison, Staline plissant gaiement les yeux en visant les quilles et explosant de joie quand son œil se révélait plus aigu que celui des autres. De plus en plus morose, il se retira derrière les murs du Kremlin. Là, entouré de sycophantes, il rêvait sombrement à ses ennemis – et à ses ennemis *potentiels*. Il s'était toujours comparé à Ivan le Terrible, à moitié par plaisanterie. Maintenant il faisait remarquer, sans trace d'humour dans la voix, qu'Ivan avait été brisé par la mort de sa jeune femme et que, convaincu qu'elle avait été empoisonnée, il s'était vengé sur son entourage afin d'être sûr que le vrai coupable n'échapperait pas au châtiment.

Staline aussi croyait que sa femme avait été empoisonnée – que son esprit avait été empoisonné contre lui ! Les coupables, cette fois encore, ne devaient pas échapper au châtiment.

Ce fut à cette époque que Lady Astor, en visite privée à Moscou, demanda à Staline de cette façon désinvolte qu'avait l'aristocratie anglaise de tenter le diable : « Quand allez-vous cesser de tuer des gens ? »

L'interprète se glaça. Staline insista pour que la question soit traduite. Puis, à son tour, de la façon désinvolte qu'avaient les bolcheviks de dire la vérité comme si c'était un mensonge extravagant, il répondit : « Quand ce ne sera plus nécessaire. »

Staline arriva au hall des Colonnes dans une de ses quatre Packard blindées – deux étaient parties en avant et une suivait, si bien que d'éventuels assassins ne pouvaient jamais savoir dans laquelle il était –

quelques instants avant le moment prévu pour la fermeture du cercueil. Entouré de gardes du corps, il s'approcha de la bière. Les membres du Politburo – que Staline appelait en privé « ses chatons » – lui ouvrirent un chemin. Devant le cercueil ouvert, Staline regarda le corps. Puis, apparemment vaincu par l'émotion, il se pencha et embrassa Sergeï Kirov sur la joue. Le geste avait des connotations nettement siciliennes.

Lors du 17e Congrès du Parti, plus tôt en 1934, Kirov, le communiste en chef de Leningrad, s'était révélé être le favori du Parti, un éventuel successeur de Staline. Cette suggestion fut considérée par celui-ci comme une pure trahison. Pour aggraver les choses, Kirov était un modéré en politique et en stratégie, et de loin le meilleur orateur que le Parti eût eu depuis Trotski. Des rumeurs circulaient selon lesquelles certains délégués parlaient déjà d'évincer Staline, qui avait cinquante-cinq ans, de son poste principal, celui de secrétaire général du Parti, et de le donner au jeune homme de Leningrad, sinon à ce Congrès, du moins au suivant.

Finalement, les délégués ne trouvèrent pas le courage d'affronter Staline, mais ils firent à Kirov une telle ovation que nul n'avait plus de doute sur sa popularité.

Onze mois plus tard, Kirov marchait dans les couloirs de Smolny, le quartier général du Parti à Leningrad, quand un homme lui tira dans le dos avec un Nagant. Apprenant le meurtre, Staline se précipita de Moscou dans un train spécial pour débrouiller personnellement « la riche trame de la trahison » dans cette affaire.

« Ils me l'ont fait faire », répondit un homme de peine du Parti frustré et alcoolique, quand Staline l'interrogea lui-même à propos de l'assassinat. « Ils m'ont fait faire du tir pendant des mois. Ils m'ont dit que... »

Son emploi du mot « ils » fournit à Staline le prétexte dont il avait besoin pour lancer une purge qui faisait ressembler Ivan le Terrible à un dignitaire de l'Église. Avant la fin de la semaine, trente-sept « gardes blancs » de Leningrad, y compris l'infortuné Nikolaïev, avaient été condamnés à mort pour des actions terroristes contre des officiels du régime soviétique. À Moscou, trente-trois autres victimes les rejoignirent. Dans le mois, Zinoviev et Kamenev, deux vieux bolcheviks qui avaient pris part à la révolution d'Octobre et plus tard aidé Staline à s'emparer du pouvoir, furent condamnés à des peines de prison pour avoir encouragé la terreur. On les refit passer en jugement par la suite, sous des accusations plus graves, et on les exécuta. Graduellement, la vague d'arrestations s'étendit sur le pays ; rien qu'à Leningrad, environ trente mille personnes furent arrêtées dans les quelques mois qui suivirent le meurtre de Kirov.

Chaque arrestation produisait des aveux, et chaque aveu déclenchait une nouvelle spirale d'arrestations. Avant d'en avoir fini, Staline aurait balayé la Vieille garde presque jusqu'au dernier homme. Des centaines de milliers de personnes seraient fusillées. Des milliers seraient envoyées dans les camps de Sibérie. Seule une poignée en reviendrait. La Grande Purge, comme on l'appela, ne s'épuisa que parce que les prisons ne pouvaient contenir plus de monde. Mais à ce moment, devait avoir calculé le patron, les traîtres qui avaient empoisonné l'esprit de Nadejda contre son mari auraient été victimes de cette orgie de châtiment.

Pendant que les fourgons à bétail tiraient les prisonniers vers l'« Asiatika » et l'Est, un refrain de quatre lignes circulait. On ne le chantait pas, on le murmurait seulement.

> *Hé, des tomates fraîches,*
> *Hé, vous voulez un concombre ?*
> *Staline a tué Kirov,*
> *Il l'a eu dans le couloir.*

CHAPITRE PREMIER

Moscou, 1935

Des cristaux de neige agglomérée étaient tombés en flottant comme de minuscules parachutes pendant la plus grande partie de la journée, recouvrant les rues d'une couverture blanche, formant des amoncellements gracieux le long des façades, étouffant le chuintement de l'outil qui enfonçait des étançons d'acier rouillé dans les fondations de l'immeuble en construction en face de l'arrêt du trolley. Ayant sur la tête la casquette bordée de « fourrure de Staline » (autrement dit pas de fourrure du tout) que Ludmilla lui avait donnée pour son quarante-troisième anniversaire, Zander boitait le long du caniveau, là où la neige avait été tassée par les voitures du gouvernement et les piétons. Ils avaient de la chance de vivre dans la rue Petrovska, une des rares parties de Moscou qui aurait pu être transplantée du Vieux Saint-Pétersbourg. Des deux côtés de la rue, les maisons avaient des entrées sculptées et de larges baies avec des rideaux de dentelle. À l'intérieur, il y avait de hauts plafonds au *bel étage*[1], des cheminées en état de marche partout et des portes qui coulissaient silencieusement dans les murs.

C'était Ludmilla qui avait trouvé l'appartement. « Zander, tu ne vas pas y croire ! » avait-elle crié, hors d'haleine, étant venue en courant de son école à l'heure du déjeuner pour s'assurer qu'il s'en occuperait immédiatement, et elle avait décrit les deux pièces que les parents de sa meilleure amie venaient de quitter. Le père, professeur de français à l'université, avait été interrogé par le NKVD. Comprenant que c'était un avertissement, il avait décidé de retourner à Frounzé et d'accepter une place de guide dans un musée local.

---

1 En francais dans le texte.

Zander et Ludmilla avaient perdu leur vieil appartement de la rue Tchkalov depuis des mois, quand l'immeuble avait été condamné à être détruit pour faire place à un nouvel hôpital. Ils avaient réparti leurs meubles entre leurs amis – le sofa chez Tuohy et Arishka, le bureau américain à cylindre chez le sergent Kirpitchnikov et Sérafima, l'armoire à glace chez Ronzha et Appolinaria, les quatre chaises de cuisine et la table de bridge pliante chez Alyosha Zhitkin, le grand miroir au cadre doré chez la maîtresse occasionnelle de Zander, une actrice de cinéma qui s'appelait Masha – et ils vivaient comme des Gitans, une semaine avec « table de bridge pliante » – ils s'étaient mis à se référer aux gens d'après les meubles qu'ils gardaient –, deux semaines avec « armoire à glace », deux jours avec « bureau à cylindre » parce que ni Zander ni Ludmilla ne pouvaient supporter longtemps Mélor. Étant tombé par hasard sur l'appartement de la rue Petrovska, Zander s'était donné la peine de remplir les formulaires appropriés en trois exemplaires, et de les soumettre à l'employé approprié du bureau approprié, mais il ne pensait pas avoir la moindre chance de succès. Ludmilla – derrière le dos de Zander – demanda à Tuohy de faire jouer son influence. Un coup de téléphone de lui, et l'appartement était à eux.

En tapant des pieds pour en faire tomber la neige, Zander ouvrit la porte d'entrée avec sa clef et regarda dans la caisse de bois sous la fente à courrier. Comme d'habitude, il y avait plusieurs livres pour le vieux Juif du rez-de-chaussée. Des Juifs religieux déposaient des livres sur le pas de la porte comme des orphelins abandonnés ou, quand ils étaient assez fins, les glissaient dans la fente, sachant que le vieux Juif considérait tout livre contenant le nom de Dieu comme sacré et devant être préservé de la destruction. Zander s'était amusé une fois à compter les étagères et avait estimé qu'il y avait à peu près douze mille volumes stockés dans la maison – dans le sous-sol derrière le récipient à charbon, le long d'un des murs du couloir qui menait à leur porte, le long du couloir au bout duquel se trouvaient les toilettes communes, sous l'évier de la cuisine, dans les placards, sans parler de la chambre du vieil homme, où son étroit lit de bois paraissait menacé par les piles de livres qui le surplombaient de tous côtés. Les voisins qui vivaient au-dessus supportaient la manie du vieillard parce que, avec autant de livres sur place, ils pouvaient en faucher autant qu'ils le voulaient pour allumer leur feu, ou mettre des volumes entiers dans leurs poêles carrelés quand il était impossible de trouver du charbon.

Zander remarqua plusieurs lettres dans la boîte. Il feuilleta les enveloppes et en trouva une qui lui était adressée. Elle ne portait pas de timbre, ce qui voulait dire qu'elle avait été déposée par quelqu'un. L'écriture était penchée et hardie, Zander ne la reconnut pas. Il la leva vers l'ampoule au-dessus de sa tête et vit ce qui semblait être une feuille de papier rayée de bleu. Il y avait des mots écrits dessus, mais il ne pouvait pas les distinguer à travers l'enveloppe.

« C'est toi, Alexander ? » Ludmilla se penchait sur la rampe du premier étage. « Dépêche-toi. J'ai un million de choses à te dire. Je vois que tu n'as pas trouvé de légumes. » Elle referma la porte de l'appartement derrière lui et l'aida à ôter son manteau.

« Je veux que tu sois le premier à le savoir, dit-elle, les yeux profondément sérieux.

— À savoir quoi ?

— Voilà, dit-elle, en venant comme toujours directement au fait. Encore une fois, je ne suis plus amoureuse. Je me rends compte que j'avais dit que celui-là était différent, et il l'était, je te le jure. Mais j'ai découvert qu'il a dénoncé le professeur de dessin myope qui avait fait cette plaisanterie sur le perroquet – tu te souviens, celle à propos de l'homme qui perd son perroquet et téléphone au NKVD pour dire que le perroquet a disparu, et que lui ne partageait aucune de ses opinions. De toute façon, j'ai trouvé que c'était moche et j'ai rompu avec lui, mais je vais prendre le deuil pendant au moins une semaine. Je serai probablement invivable. J'ai entendu une autre plaisanterie aujourd'hui.

— Baisse la voix, l'avertit Zander.

— Le vieil homme est à demi sourd. Même s'il ne l'était pas, il ne comprendrait pas de quoi je parle. Les seules choses qui l'intéressent, ce sont les cosaques, les pogroms et les livres avec le nom de Dieu dedans. Je vois que tu en as trouvé d'autres en bas. Tiens, donne-m'en un pour allumer le feu ce soir. »

Zander accrocha son chapeau à une patère de l'entrée, et suivit Ludmilla dans la pièce qui servait de salon et de chambre pour lui. Le vieux chat arthritique de Ludmilla était roulé en boule dans un panier d'osier, profondément endormi.

« À propos de la plaisanterie. » Ludmilla commença à rire. Zander sourit de la voir ainsi. Quand elle était excitée ou heureuse, les traces de Lili sur son visage devenaient évidentes. D'une certaine façon, il ne se lassait jamais de la regarder, quelle que fût son humeur. C'était hier, lui semblait-il, qu'il la hissait sur ses épaules pour apercevoir les stars américaines Fairbanks et Pickford par-dessus les têtes. Comme le temps vous glissait entre les doigts. « C'est comme ça », disait Ludmilla. « Un homme dit à un autre qu'un avion qui transportait le Politburo entier s'est écrasé. Le deuxième demande si quelqu'un a été sauvé. Le premier répond : La Russie. » Voyant que Zander ne réagissait pas, elle dit : « Tu ne comprends pas ? L'avion qui transportait le Politburo s'est écrasé et la *Russie* a été sauvée ! »

— Je voudrais vraiment que tu ne répètes pas de pareilles histoires. Je voudrais que tu ne les écoutes même pas. »

Ludmilla se jeta sur le tapis à côté du panier d'osier et commença à caresser le chat, qui ne bougea pas d'un poil.

« Tu m'inquiètes, Alexander. Tu appréciais une bonne blague de temps en temps.

— Les temps ont changé.

— Personne ne peut t'accuser, *toi*, de ne pas aimer le pouvoir soviétique.

— Maintenant, ça ne suffit pas d'aimer le pouvoir soviétique. Il faut qu'il vous aime.

— Ce qui a changé, Alexander, c'est toi, dit doucement Ludmilla. Est-ce que tu connais les vers d'Akhmatova ? » Et, chassant une mèche de ses yeux – le geste de Lili ! – elle récita :

… des visages s'effondrent,
… la peur regarde par les yeux des gens.

Voyant combien il était sombre, elle changea abruptement de sujet. « Qu'y a-t-il dans la lettre ? » demanda-t-elle en désignant de la tête l'enveloppe dans la main de Zander.

Il la déchira et regarda la signature au bas de la page.

« Ça vient de l'armoire à glace.

— Un jour tu vas avoir des ennuis, à utiliser des noms de code, le taquina-t-elle. On va croire que tu es un réseau d'espions à toi tout seul ou quelque chose comme ça. »

Zander lut la lettre. « C'est une invitation », dit-il. Les yeux de Ludmilla brillèrent ; elle adorait Ronzha et aimait l'entendre réciter ses nouveaux poèmes. Mais Zander étouffa vite son enthousiasme. « Tu n'es pas invitée.

— Qu'est-ce que tu veux dire, je ne suis pas invitée ? »

Zander haussa les épaules. « Il semble que seul le vieil équipage du Vapeur soit invité. Appolinaria dit spécifiquement de ne pas t'emmener. »

Ludmilla fit la moue. « Ce n'est pas très gentil de sa part. »

Zander était intrigué par l'invitation. Il semblait clair que Ronzha allait réciter un nouveau poème, selon la référence d'Appolinaria, à des « premiers auditeurs ». Puisqu'on avait invité Tuohy, maintenant un des sous-directeurs du NKVD affecté au projet favori de Staline, la construction d'un système de métro splendide sous les rues de Moscou, le nouveau poème de Ronzha ne pouvait pas être subversif. La loi stipulait que quiconque entendait une remarque antisoviétique devait dénoncer « l'ennemi du peuple » ou subir la même peine que lui. Le plus vraisemblable, réfléchit Zander en allant jusqu'au bout de la ligne de trolleys, puis en marchant le long de sept pâtés de maisons jusqu'à l'immeuble d'avant-guerre en bois où vivaient Ronzha et Appolinaria, était que le poète se fût finalement laissé convaincre de composer « l'Ode à Staline » obligatoire, qu'on attendait des écrivains s'ils espéraient publier autre chose. Jusqu'à maintenant, Ronzha avait résisté. Il arrivait à grappiller quelques roubles ici et là en traduisant des poèmes français ou italiens, ou en écrivant à l'occasion un récit de voyage pour un journal désireux de faire passer la censure au texte. Pour le reste, Appolinaria et lui mendiaient ou empruntaient ce qu'ils pouvaient à leurs amis, se limitaient à un repas frugal par jour et attendaient l'apocalypse sous le porche arrière enclos qui avait été transformé en pièce, les fentes entre les planches bouchées avec du papier journal et une couverture de l'armée clouée sur la porte pour arrêter les courants d'air glacés.

« Pour l'amour du ciel, entre vite », s'exclama Appolinaria, écartant la couverture pour que Zander puisse passer dessous et entrer dans la pièce. Elle claqua la porte derrière lui et laissa retomber la couverture. « Voilà, tout le monde est arrivé », annonça-t-elle à la cantonade.

Zander laissa tomber son manteau sur la pile qui se trouvait dans un coin et fit le tour de la pièce en serrant des mains.

« Atticus. Comment vont les tunnels ? Alyosha. Pasha. Sérafima. Mélor, tu as l'air en forme.

— Je me sens en forme », répliqua Mélor sur la défensive, comme s'il y avait eu une allusion sous-jacente dans la formule de Zander.

Sérafima fit de la place sur le lit à côté d'elle pour Zander. « Il va se passer quelque chose de très spécial, murmura-t-elle. Ils ont même organisé un dîner. »

Appolinaria, qui avait disparu dans la cuisine commune, ouvrit la porte du pied et entra avec un plateau débordant de nourriture. Ronzha la suivait, tenant par le goulot deux bouteilles de vodka et deux de vin géorgien. Tout le monde poussa des oh et des ah. « Qui est mort ? » demanda Mélor.

Ronzha, qui portait une veste de soirée élimée en velours noir, un pantalon noir et un nœud papillon étroit d'un noir brillant, fit un signe de tête à Zander et annonça avec un sourire décidé : « Personne n'est mort... pour l'instant. Ceci est une Cène. » Zander pensa qu'il avait l'air encore plus frêle que la dernière fois où il l'avait vu. Ses cheveux s'étaient raréfiés et avaient blanchi. La peau était lâche sur le dessus de ses mains lorsqu'il versa la vodka.

Vêtue d'une robe de velours noir qui lui descendait à la cheville, qui avait peut-être été à sa taille et pourrait le redevenir si elle mangeait régulièrement, Appolinaria se mit à offrir à la ronde des *zakouski* – de petits rectangles de pain noir avec des morceaux de hareng de la Baltique et des oignons –, des *piroshki* miniature farcis de légumes et de minuscules cornichons aigres-doux.

« Il n'y en a pas beaucoup, s'excusa-t-elle, mais de nos jours une quantité suffisante, c'est déjà une fête.

— Le hareng est une nourriture céleste, dit Sérafima en faisant claquer ses lèvres et en se resservant avec enthousiasme.

— Où as-tu trouvé tout ça ? demanda Alyosha Zhitkin en roulant des feuilles de tabac dans un morceau de papier journal.

— Chacun sait que, métaphysiquement parlant, Moscou se trouve en contrebas du reste du pays, répondit Ronzha. Les choses ont une tendance naturelle à s'écouler vers Moscou. »

Les yeux de Tuohy s'étrécirent imperceptiblement.

« Je croyais que c'était une soirée entre amis.

— C'est une soirée entre amis, dit Ronzha. J'ai composé une ode. Une ode à Staline, pour être précis. Appolinaria a essayé de m'en dissuader, mais je l'ai fait quand même. J'ai pensé que ce serait approprié si ceux d'entre vous qui ont accueilli la révolution avec de si grands espoirs au Vapeur devenaient mes premiers auditeurs.

— Il ne suffira pas de la lire à haute voix, nota Tuohy. Il faudra que tu la publies. »

La lumière qui brillait dans les yeux d'Appolinaria devint une flamme. « Je ne pense pas que quiconque voudra publier l'ode à Staline de Ronzha. Du point de vue de la poésie pure, elle n'est pas si bonne que ça. »

Mélor, qui portait une veste croisée à fines rayures et une cravate nouée serré contre le bouton de son col, remarqua :

« Si tu étais malin, tu l'aurais écrite il y a des années.

— Un poème, répondit avec soin Ronzha, n'émerge que lorsqu'il ne peut plus s'empêcher de naître. Celui-ci a eu une longue gestation.

— Je suppose », dit Appolinaria avec le genre de solennité affligée qu'on réserve d'habitude aux éloges funèbres, « que nous pourrions aussi bien en finir. » Elle s'assit sur une chaise de cuisine au dos brisé, le corps droit, les yeux fixés sur un horizon distant, au-delà des murs de la petite pièce.

Ronzha se mit une paire de lunettes sur le nez et sortit une feuille de papier de sa poche de poitrine. Même avec ses verres, il devait la tenir à bout de bras pour distinguer les mots. « Écoutez », ordonna-t-il, regardant un instant Appolinaria. Il parut perdre courage. Le regard de celle-ci se posa sur lui, elle accommoda et le réconforta d'un signe de tête. Il baissa les yeux sur sa page et commença à lire lentement et distinctement.

Nous vivons, sourds à la terre que nous foulons,
Nul ne perçoit nos discours à dix pas.
On n'entend que le montagnard du Kremlin,
L'assassin, le tueur de paysans.
Ses doigts sont gras comme des larves
Et les mots, lourds comme du plomb, tombent de ses lèvres.
Ses moustaches de cafard rient,
Et la tige de ses bottes brille.
Autour de lui, un ramassis de chefs au cou flexible —
Demi-hommes serviles avec quoi il joue.
Ils piaulent, ronronnent ou geignent,
Lui jacasse et pointe le doigt,
Forgeant une par une ses lois, pour les jeter
Comme des massues à la tête, à l'œil ou à l'aine.
Et chaque meurtre est une fête
Qui enfle de plaisir la large poitrine de l'Ossète.

Tuohy bondit sur ses pieds à la fin du poème. « J'espère que tu sais ce que tu fais », gronda-t-il. Il se mit à jeter les manteaux de côté et d'autre, cherchant le sien dans la pile sur le sol.

Mélor regardait Ronzha avec suspicion. Il comprenait que quelque chose de spectaculaire s'était produit, mais il ne savait pas quoi au juste. Sérafima vit le doute dans ses yeux.

« Tu ne vois pas de qui il parlait ? "Le montagnard du Kremlin… l'assassin, le tueur de paysans !"

— Pour l'amour du ciel, ne répète pas ce foutu poème. Ils t'accuseront de le *répandre* », siffla le sergent Kirpitchnikov.

Sérafima en appela à Appolinaria. « Comment as-tu pu nous mettre en danger comme ça ? Après tout ce que nous avons vécu ensemble ? »

Ronzha replia sa feuille de papier et la remit dans sa poche. Zander remarqua que ses mains tremblaient. « Nous ne vous avons pas mis en danger », dit-il à Sérafima – mais Zander eut l'étrange sentiment que les mots lui étaient destinés. « Tout ce que vous avez à faire, c'est suivre la lettre de la loi – dénoncer le poète pour son crime haineux, la composition d'un poème médiocre. Identifier un autre ennemi du peuple tapi dans les rangs de l'intelligentsia. Les autorités ont l'expérience de telles affaires. Elles feront des investigations pour voir si le poème était fatal, s'il mettait en péril la vie de notre montagnard du Kremlin. »

Mélor commença à saisir ce qui s'était passé.

« Je te dénoncerai ! éclata-t-il. Ton poème sur le camarade Staline est un blasphème. De plus, tu n'aurais pas osé le lire à haute voix si tu n'étais pas protégé en haut lieu.

— Voilà une pensée rapide, l'encouragea Ronzha. Retourner les rochers de la trahison pour chercher les vers de la conspiration. »

Alyosha Zhitkin éteignit son cigare dans une soucoupe et se leva.

« Tu as décidé de te suicider, dit-il d'une voix égale. Ceci était ta façon de le faire. Nous devrons tous te dénoncer pour nous protéger.

— Vous devrez tous faire un choix », acquiesça Ronzha.

Zander fut le dernier à partir. Comme la porte se fermait derrière Alyosha, il essaya de se lever. Il avait été si tendu, assis sans un mouvement, que le genou de sa mauvaise jambe s'était bloqué. Il le massa un moment et, se tenant à la tête du lit, se hissa debout. De l'autre côté de la pièce, Appolinaria s'effondra en sanglots. Ronzha passa un bras autour de ses épaules et lui murmura à l'oreille. « C'est fini, l'entendit dire Zander. Nous les avons tous battus. »

Zander se glissa dans son manteau. Il hésita devant la couverture qui protégeait la porte. Ronzha leva les yeux. Leurs regards se rencontrèrent. « C'était bien de ta part de ne pas inviter Ludmilla. »

Ronzha hocha la tête.

Zander examina le poète, étudia ses traits délicats, les fines lignes qui partaient du coin des yeux, son nez de faucon, ses yeux enfoncés et leurs mouchetures de souffrance, les mèches non peignées qui partaient de son crâne dans toutes les directions. Bizarrement, il avait l'air parfaitement sain d'esprit.

Appolinaria s'essuya les yeux sur le velours de sa manche. « Merci d'être venu », dit-elle à Zander.

Comme celui-ci repoussait du bras la couverture, Ronzha s'écria : « Je devais prendre position ou me donner à eux morceau par morceau. Tu peux sûrement comprendre ça. »

« Tu as conscience, bien sûr, qu'il est complètement fou.

— S'il est fou, c'est d'une folie divine. » Zander releva son col et le serra contre son cou pour se protéger du froid mordant. « Il y a peut-être un enfer pour les poètes, mais il n'y brûlera pas. »

Au bout d'un moment, Tuohy demanda : « Est-ce que je marche trop vite pour toi ?

— Un peu. »

Tuohy ralentit son allure et se concentra sur le crissement de ses chaussures comprimant la neige gelée. Il jeta un coup d'œil par-dessus son épaule pour s'assurer que sa voiture suivait. Elle rampait derrière eux, serrant le trottoir, à une distance discrète. Il regarda Zander. « Je veux être sûr que tu ne feras rien d'idiot. »

Zander haussa vaguement les épaules.

« Écoute, dit Tuohy. Tu ne lui dois rien du tout. C'est un salaud de nous avoir fait ça. Il mérite tout ce qui risque de lui arriver, ne serait-ce que pour ça.

— Atticus, il n'a fait que lire un poème ! Ce n'est pas comme s'il avait lancé une bombe sur la voiture de Staline ou dévoilé des secrets d'État – à moins que tu ne considères qu'appeler Staline un tueur de paysans trahit un secret d'État. »

Tuohy secoua sombrement la tête.

« Je ne vois pas pourquoi tu parles de ça comme s'il y avait un choix à faire. Mélor va certainement le dénoncer. Pasha aussi ; c'est un homme loyal et il reconnaît une remarque antisoviétique quand il en entend une. Alyosha et Sérafima le dénonceront pour se protéger.

— Et toi aussi ?

— Bordel, oui ! » Tuohy se vida les poumons dans une bouffée exaspérée. « Si je ne le faisais pas, on écrirait sur ma tombe : "Ci-gît Atticus Tuohy, un con qui n'a pas survécu pour combattre un jour de plus !" »

Zander s'en prit à lui.

« Chaque fois que nous abandonnons un morceau de nous-mêmes, nous disons le faire pour pouvoir vivre et combattre un jour de plus. C'est une excuse très pratique. Nous vivons. Mais, d'une façon ou d'une autre, nous n'en venons jamais à combattre un jour de plus. Bon Dieu, Atticus, j'ai un instinct de conservation aussi vigoureux que celui du voisin. Mais il faut que je tire un trait quelque part ; à un certain point, je dois défendre ce qui subsiste de moi.

— Tirer un trait, c'est un luxe qu'on ne peut pas se permettre en Russie si on veut rester en vie, dit doucement Tuohy.

— Nous n'avons pas fait la révolution afin de tuer des gens pour un poème, insista Zander.

— Rappelle-toi que notre révolution, c'est la seule chose qu'il y ait ici, dit Tuohy avec entêtement.

— Et quelle chose ! Regarde autour de toi, Atticus. Des gens sont escamotés tous les jours. Des livres disparaissent des étagères. Des portraits disparaissent des murs, laissant des marques claires là où ils avaient été accrochés pendant des années. Des photos disparaissent des albums. De vieilles lettres disparaissent des tiroirs – nous ne les gardons pas de peur que leur auteur ait pris Staline à rebrousse-poil. On détruit les listes d'invités au moment où le dernier passe la porte. » Zander rejeta la tête en arrière, inspira profondément et prit plaisir à la brûlure glacée dans sa gorge et ses poumons. « Même si je le voulais, je ne vois pas comment je pourrais dénoncer Ronzha. C'est peut-être le père de Ludmilla. »

Tuohy s'arrêta net. « C'est Lili qui te l'a dit ? »

Zander hocha la tête.

« Elle a eu une liaison avec lui à Paris.

— Alors, c'est pour ça qu'elle les a pris au Vapeur. Elle protégeait le père de son enfant. » Tuohy réfléchit un moment. « Ça ne change rien, à mon avis. » Il regarda sa montre et fit signe à son chauffeur. « Je t'ai attendu dehors en souvenir du bon vieux temps.

— J'apprécie, Atticus.

— Pense à ce que j'ai dit. »

La voiture s'arrêta et le conducteur descendit pour ouvrir la portière arrière. Tuohy le désigna des yeux.

« Ça t'ennuie si on ne se serre pas la main ?

— Je comprends.

— Je considérerais comme une faveur que tu ne mentionnes cette conversation à personne.

— Compte sur moi.

— À un de ces jours », dit Tuohy. Se tournant vers l'autre, il se glissa sur le siège arrière. La portière claqua derrière lui. Un moment plus tard, la voiture se dégagea du trottoir et disparut dans la rue couverte de neige.

Zander ne rentra pas directement chez lui. Il changea de trolley en haut de la rue Gorki et descendit à la gare de Biélorussie pour gagner les nouveaux immeubles qui s'élevaient derrière à deux rues de distance. Les cent derniers mètres n'étaient pas encore pavés et il dut franchir la tranchée de l'égout sur une planche comme un funambule. De l'autre côté de la porte d'entrée, le gardien de nuit était effondré sur son bureau, une bouteille de vin bon marché et un verre sale près de sa tête.

Zander le dépassa sans faire de bruit, grimpa au deuxième étage et appuya sur la sonnette de la porte au bout du couloir. Après un moment, il vit de la lumière sous la porte, puis il entendit Masha s'approcher. « Qui est-ce ? » demanda-t-elle, et Zander sentit la peur qui lui épaississait la voix. Il put distinguer le bruit de sa respiration quand elle appuya l'oreille au chambranle en attendant une réponse. Les gens *écoutaient* maintenant avec intensité, réalisa Zander. Des Russes en parfaite santé avec une vision de dix dixièmes avaient acquis les capacités auditives des aveugles. Après minuit, ils pouvaient entendre le léger crissement des freins, entendre le portier de nuit ouvrir la porte d'entrée, entendre des chaussures aux semelles épaisses sur les marches de ciment, des phalanges qui frappaient à une porte deux étages plus bas, des adieux murmurés, les doux sanglots de ceux qui restaient derrière ; au matin, ils pouvaient entendre le silence là où des gens auraient dû bâiller, péter ou tirer la chaîne après avoir pissé pour la première fois de la journée.

« C'est moi », marmonna Zander, les lèvres pressées contre la porte.

Masha décrocha la chaîne de sécurité et ouvrit sèchement la porte. « Tu aurais pu téléphoner avant, lui reprocha-t-elle dans un murmure brutal. Tu m'as presque fait avoir une crise cardiaque. » Elle ferma vite la porte derrière lui, furieuse – et en même temps soulagée.

Ils s'étaient rencontrés deux étés plus tôt alors que Masha, une actrice de cinéma assez connue, tournait dans un studio à Alma Ata où Zander, en congé de son travail de traducteur pour l'agence de presse soviétique Tass, était venu sous-titrer un film américain afin de ramasser un peu d'argent supplémentaire. Un article qu'avait lu Zander prétendait qu'elle était si sûre d'elle qu'elle pouvait convaincre les oiseaux de descendre des arbres et de venir lui manger dans la main. En réalité, en tant qu'être, elle était une collection de phobies. Elle avait différentes signatures pour différentes occasions et, pour une raison inexpliquée, s'attachait à ne jamais manger de nourriture qui fît le moindre bruit quand on mâchait. Elle s'était juré de traverser la vie sans porter de lunettes ou allaiter un bébé, et y avait réussi jusqu'à présent. À vingt-huit ans, elle avait déjà peur d'être sur la mauvaise pente et dépensait beaucoup d'énergie en allant à la pêche aux compliments, et en les rejetant parce qu'ils étaient insuffisants. Elle était incroyablement vague quant à son histoire personnelle ; elle n'admit jamais connaître personne, y compris un homme que Zander découvrit plus tard être son père.

Mais ses phobies disparaissaient à l'instant où une caméra était braquée sur elle. Son corps avait tendance à être maladroit dans la vie réelle ; à l'écran, elle glissait plus qu'elle ne bougeait. En la regardant dans un film, Zander pensa qu'elle avait les yeux d'une biche prête à bondir au craquement d'une brindille.

Elle avait été secouée de le voir arriver sans prévenir, tard dans la nuit, et il fallut tous les artifices de Zander pour la calmer.

« Si tu veux faire l'amour », cracha-t-elle en resserrant la ceinture de son *khalat* matelassé, un peignoir de Boukhara avec de longues manches de soie vivement colorée, « c'est hors de question. J'ai mes règles.

— Ce n'est pas pour cela que je suis venu.

— Tu m'as vraiment fait peur. » Elle se ficha une cigarette russe entre les lèvres et l'alluma avec le plus petit briquet que Zander eût jamais vu. « J'ai arrêté de fumer des cigarettes américaines, expliqua-t-elle derrière un nuage de fumée. On ne peut pas être trop prudent ces temps-ci. *Pourquoi* es-tu venu ?

— Je vais peut-être avoir des ennuis », dit prudemment Zander.

Le sang parut se retirer du visage de Masha. Elle se laissa tomber dans un fauteuil, ses yeux de biche élargis pour saisir le danger.

« Est-ce que quelqu'un t'a vu entrer dans l'immeuble ?

— Le portier était KO à son bureau. »

Masha tira plusieurs bouffées nerveuses de sa cigarette.

« Je savais que cette histoire, Trotski qui t'a donné l'argent pour revenir en Russie par bateau, te rattraperait un jour. Ils vont te faire passer pour le membre d'un réseau trotskiste conspirant contre Staline. Tu avoueras des choses incroyables. Oh mon Dieu, Zander, tous ceux qui avaient quelque chose à voir avec toi seront traînés là-dedans. Ils ne croiront jamais qu'on aimait seulement baiser.

— J'ai trouvé un moyen de les convaincre, dit Zander. C'est pour ça que je suis venu. »

Masha se pencha en avant.

« Comment ?

— Je veux que tu m'écrives une lettre de rupture. Date-la de quand tu es partie pour tourner en extérieur à Leningrad il y a trois mois. Je te dirai ce qu'il faut écrire – quelque chose comme quoi tu as décidé que je n'étais pas aussi ardent que je le devrais à propos du communisme ou de la direction du camarade Staline. Je mettrai la lettre dans mon bureau. Si je suis arrêté, ils la trouveront sûrement. Ça te donnera un rôle à jouer s'ils viennent te poser des questions. Par mesure de précaution, je t'écrirai une lettre qui prétendra être une réponse à la tienne. Je dirai quelque chose à propos de la naïveté de ta dévotion à Staline. S'il est le génie que tu dis, comment se fait-il qu'il y ait si peu de nourriture, ce genre de chose. Nous choisirons soigneusement les expressions pour que ça ne soit pas suffisant pour mériter une dénonciation, juste assez pour te décrocher de l'hameçon.

— Ça ne serait pas mieux si je disais que je ne te connais pas ?

— Nous avons été vus ensemble.

— Tu crois vraiment que les lettres marcheront ?

— Je crois qu'elles t'aideront. Oui. » Zander hésita. « Masha, j'ai besoin d'un service en échange. »

Ses yeux cillèrent quand elle entendit craquer la brindille.

« As-tu toujours cet appartement à Alma Ata ? »

Masha porta un doigt à sa bouche et commença à en ronger l'ongle.

« Tu m'as dit une fois que tu aurais voulu qu'une fille s'en occupe, mais que tu craignais d'avoir l'air d'une capitaliste si quelqu'un s'en occupait à temps plein.

« — Tu as une mémoire phénoménale, dit doucement Masha.

— Je crois que je connais quelqu'un qui serait parfait pour ça. Elle a besoin de s'éloigner de Moscou. Écoute, Masha, je vais te protéger. Et tu la protégeras. Tu n'auras pas à la payer, on ne pourra pas t'accuser d'exploiter quelqu'un. Tu peux lui prêter l'appartement sans en parler à personne. Elle s'en occupera en échange, et fera quelques recherches pour une thèse d'art à côté. » Zander semblait même parler tout seul. « Quelqu'un pourrait disparaître pendant plusieurs années comme ça. La recherche prendra longtemps. Plus longtemps ça durera, mieux ça vaudra. »

Il pensa partir au travail en laissant un mot à Ludmilla ; comme ça elle ne pourrait pas lui tirer les vers du nez, lui en faire dire plus qu'il ne voulait. Mais il finit par abandonner cette idée. Il valait mieux l'affronter en personne, et essayer de la persuader sans tout révéler.

Il n'avait pas fermé l'œil de la nuit, mais ne se sentait pas le moins du monde fatigué. Il se doucha, se rasa, changea de vêtements, fit un ersatz de café après avoir entrebâillé la porte de Ludmilla, espérant que l'arôme la réveillerait plus tôt que d'habitude. Elle entra dans sa chambre, pieds nus, enveloppée dans le vieux peignoir de Zander, passant les doigts dans ses cheveux qui lui descendaient à l'épaule pour les démêler.

« À ton avis, Alexander, est-ce que la fin justifie les moyens ? » fit-elle d'une voix ensommeillée. Elle se pelotonna dans un fauteuil, les pieds sous elle, avec une expression si complètement innocente qu'elle avait l'air d'une enfant demandant à quelqu'un de lui expliquer pourquoi le ciel est bleu.

« Ça dépend, répondit-il évasivement.

— De quoi ?

— Ça dépend de quelles fins et de quels moyens tu parles. Pour avoir un sens, la question devrait être formulée différemment. Est-ce qu'une fin donnée justifie des moyens donnés ? »

Ludmilla prit le temps d'y réfléchir. Elle secoua pensivement la tête. « Ça ne marche pas. Dans le monde réel, on doit parfois juger un moyen particulier sans savoir avec certitude quelle fin en découlera. Ce qui me ramène à la question du début. D'un point de vue théorique, est-ce que les fins justifient en général les moyens ? »

Zander haussa les épaules avec impatience.

« D'un point de vue théorique, je suppose qu'on devrait dire que parfois oui et parfois non. Pourquoi demandes-tu cela ?

— C'est arrivé à la réunion du Komsomol de l'académie hier soir. » Ludmilla éclata de rire. « Plus tard, au moment des questions et des réponses, quelqu'un a voulu savoir comment il se faisait que tous les saboteurs et les espions qu'on fusille en ce moment avaient invariablement atteint des postes importants avant que leurs activités soient découvertes. L'instructrice a bafouillé quelques minutes, puis a dit que les saboteurs et les espions n'avaient ni saboté ni espionné, mais avaient fait leur travail aussi bien que possible afin de s'infiltrer dans des positions élevées pour pouvoir saboter et espionner. J'arrivais à peine à ne pas rire tout haut. Le garçon qui avait posé la question a levé la main de nouveau. Si les gens qui avaient été fusillés pour sabotage et espionnage n'avaient en réalité ni saboté ni espionné, pourquoi les avait-on fusillés ? demanda-t-il. Cette fois-ci, l'instructrice est devenue violette. On les avait fusillés, dit-elle, parce que le Parti avait estimé qu'ils étaient *capables* de saboter et d'espionner, et qu'en être capable et le faire réellement, c'était la même chose. » Ludmilla se frotta le coin des yeux. « Ils sont complètement fous, non ? » Sans attendre une réponse, elle demanda : « Comment cela s'est-il passé chez Ronzha hier soir ? » Elle essaya sans succès de retenir un bâillement. « Excuse-moi.

— En fait, je voulais te parler de ce qui est arrivé chez Ronzha. »

Quelque chose dans sa voix devait l'avoir alertée, car elle s'éveilla à l'instant. « Je suis tout ouïe.

— C'est comme ça », dit Zander, empruntant la phrase d'introduction favorite de Ludmilla, et sans être trop précis il lui expliqua que Ronzha avait lu à haute voix un poème qui serait certainement considéré comme antisoviétique.

Ludmilla, se redressant dans son fauteuil, voulut des détails. Zander refusa de les lui donner. Elle se mit en colère et l'accusa de la traiter comme un bébé.

« Crois-moi, je te dis ce que tu as besoin de savoir, maintint-il.

— Est-ce que Mélor était là ? »

Zander hocha la tête.

Les yeux de Ludmilla s'étrécirent, accentuant leur caractère oriental. Elle commençait à reconstruire le puzzle.

« Ce petit sagouin va probablement le dénoncer.

— Mélor le fera, et Atticus, et les autres aussi, pour se protéger.

— Et toi, Alexander ? Que vas-tu faire ?

— Je vais faire ce que j'aurais dû faire il y a longtemps. Je vais faire ce que Ronzha voulait que je fasse en m'invitant à écouter son poème en premier – en me demandant de lui donner vie en l'interprétant. Je retournerai là où se trouve le meilleur en chacun de nous, là où se fait la différence entre le bon et le mauvais.

— Je hais Ronzha de t'avoir mis dans cette position », dit Ludmilla avec véhémence.

Zander approcha une chaise près d'elle et s'assit. Leurs genoux se touchaient presque. Il parla d'une voix qui dépassait à peine le chuchotement. « Ronzha ne m'a rien fait. Tu dois le comprendre. C'est moi qui me fais ça. Ronzha m'a rappelé quelque chose que j'avais oublié – qu'il y a encore des choix à faire dans notre monde soviétique. J'ai fait le mien. La lecture de son poème par Ronzha était un genre de poésie en soi-même. Il démontrait que la Russie est devenue un pays où tout le monde veut désespérément devenir complice plutôt que victime. Tout le monde sauf lui. Et maintenant moi. Et, peut-être, s'il résiste et moi aussi, quelque chose changera. Peut-être que d'autres résisteront, refuseront de jouer le jeu, refuseront de devenir complices. Sans complices, il n'y aura pas de montagnard du Kremlin, et pas de victimes. »

Des larmes jaillirent des yeux de Ludmilla. Elle se força à ne pas les laisser passer dans sa voix. « Je ne peux pas vivre sans toi, Alexander. As-tu pensé à ça ? »

Il se pencha et lui prit les mains. Elles étaient froides, moites, les mains de quelqu'un qui faisait l'expérience de la mort.

« Toute la nuit, je n'ai pas pensé à grand-chose d'autre, lui dit-il. Il y a longtemps, ta mère a compris qu'elle pouvait être soit complice, soit victime. Elle était terrifiée à l'idée de mourir, mais elle s'est forcée à faire le choix quand même. Je n'ai jamais été capable de lui dire combien je l'admirais. Je l'ai vue avant son... exécution, mais je ne pouvais pas parler... comme toi maintenant... j'avais l'impression que mes émotions m'étouffaient... je suis ses traces. » Sa voix devint plus intense. « La Russie s'est tapie, s'est enfoncé la tête dans le sol, est devenue une racine. Mon rôle est de nourrir cette racine avec des actes. Et je te supplie de m'aider.

— Comment puis-je t'aider ? parvint-elle à dire.

— Tu peux m'aider en étant la fille de ta mère. Tu peux m'aider en partant pour qu'ils ne puissent pas m'atteindre à travers toi.

— Partir ! Où ? »

Zander lui parla de l'appartement à Alma Ata, de « miroir au cadre doré ». Personne ne poserait de questions à une jeune femme qui s'occuperait d'un appartement et ferait des recherches sur l'art de l'Asie centrale. Si quelqu'un se donnait la peine de vérifier son nom de famille, rien ne la relierait à un ennemi du peuple, à Moscou, appelé Til. Ils n'étaient pas liés par le sang. Ils l'étaient par des choses plus profondes dont les autorités ne savaient rien.

Ludmilla s'agenouilla à côté du panier d'osier et gratta le menton du vieux chat. Elle en fut récompensée par un ronronnement venu du fond de la gorge. Elle leva les yeux vers Zander.

« Si tu résistes, pourquoi ne puis-je pas le faire avec toi ? »

— Tu résistes en t'en allant. Tu frappes un coup contre une révolution qui a perdu sa voie.

— Et quand dois-je partir ?

— Aujourd'hui. Ce matin. Maintenant !

— Que va-t-il arriver à Ronzha ? »

Zander se contenta de la regarder, la réponse était évidente.

Elle enfouit son visage dans le pelage du chat, qui étouffa sa voix quand elle parla. « Lili est trop vieille pour voyager. Qu'est-ce qu'elle va devenir s'ils t'arrêtent ? »

Pour la première fois en quinze ans, Zander appela le chat par son nom. « Lili devra résister aussi. »

Ludmilla éclata :

« Quand je pense que j'avais une autre blague toute prête pour toi ce matin ! »

— Raconte-la quand même », dit doucement Zander.

Ludmilla sourit au travers de ses larmes. Elle ne pouvait pas élever la voix au-dessus d'un murmure. « J'ai lu dans le journal de la jeunesse que le ministre de la Culture a ordonné la formation de quatuors de dix personnes. C'est vrai, je te le jure. Tout ce qui est soviétique doit être plus grand pour être meilleur. *Des quatuors de dix personnes !* »

Ni l'un ni l'autre ne pouvaient rire.

Quand il s'y forçait, Zander pouvait être méthodique. Ludmilla partie – il avait arrêté un taxi, mis ses deux valises dans le coffre et l'avait envoyée, pâle mais les yeux secs, à la gare – il se mit à détruire toute trace d'elle qui aurait pu aider le NKVD à la débusquer. Il examina plusieurs albums de photos et des enveloppes pleines de clichés, et brûla toutes les épreuves de Ludmilla, y compris celles où elle était enfant. Il se débarrassa de toutes les lettres et cartes postales qu'il lui avait écrites au cours des années – elles étaient attachées avec un ruban jaune dans une boîte à chaussures sous son lit – et les rares qu'elle lui avait envoyées. Il brûla ses cahiers pleins d'algèbre et de théorie marxiste. Il brûla ses bulletins de notes. Il cacha ses livres dans le sous-sol sous une pile de volumes contenant le nom de Dieu. Il brûla sa grammaire et son dictionnaire anglais. Il brûla les deux exemplaires du magazine *Life* qu'elle avait obtenus l'été où elle avait travaillé à temps partiel comme guide touristique. Il brûla son calendrier avec des notes dans les marges – « anniversaire de Z » ou « première lecture de R ». Il brûla même sa collection de talons de billets de théâtre. Pendant qu'il faisait tout cela, il préparait ce qu'il leur dirait. Elle était tombée amoureuse d'un garçon. Il y avait eu une dispute. Elle avait fait ses valises et était partie avec lui. Non, il n'avait pas la moindre idée de qui était le garçon. Non, il ne savait pas où ils étaient allés. Qu'ils essayent de lui arracher un autre mot sur ce sujet !

Zander garda le plus dur pour la fin. Il prit une cuillerée de mort-aux-rats couleur rouille dans la boîte sur une étagère de la salle de bains, la mélangea avec du vieux riz et du poisson et mit la boulette dans le plat à côté du panier du vieux chat. Celui-ci suivait ses gestes sans ciller. Zander sentait l'intensité de son regard, et il lui vint à l'esprit que le chat comprenait ce qui se passait. Eh bien, il avait eu une longue vie, c'était plus que ne pouvaient alors en espérer la plupart des gens.

Il prit un trolley vers le centre-ville au milieu de la matinée et se dirigea vers son bureau. Il travaillait depuis huit ans pour la Telegrafnoe Agentsvo Sovietskogo Soyuza, connue sous le nom de Tass, l'agence de presse soviétique mise en place peu après la révolution. Il y avait trois versions de Tass : le Tass vert, avec des nouvelles soigneusement filtrées destinées à la consommation du public ; le Tass blanc, composé d'informations intérieures et extérieures plus précises, et qui était distribué quotidiennement aux ministères et à divers fonctionnaires du Parti ; et le Tass rouge, imprimé sur du papier rouge et remis tous les jours aux échelons supérieurs du gouvernement et du Parti. Le travail de Zander consistait à lire le *New York Times* et le *Times* de Londres qui arrivaient par la valise diplomatique, et à traduire et résumer les articles les plus importants pour les inclure dans le Tass rouge.

Les cinq hommes et les deux femmes avec qui il partageait un bureau lugubre et fonctionnel levèrent les yeux quand il entra. Plusieurs firent des remarques enjouées sur ses horaires de banquier, et Zander en conclut que personne n'était encore venu poser de questions tendancieuses sur lui. L'idée le frappa quand il s'assit à sa table et ouvrit le dernier exemplaire du *Times*, qu'il n'avait pas encore coupé les ponts. Il pouvait encore griffonner une dénonciation du poète en une ligne et la glisser dans la boîte aux lettres du hall. Ils lui en voudraient de l'avoir envoyée par la poste au lieu de téléphoner, mais il se serait dégagé de l'hameçon. Et où serait le mal ? Il ne ferait que leur dire ce qu'ils savaient déjà. Ronzha ne saurait jamais qui l'avait dénoncé – et qui ne l'avait pas fait. Ludmilla, avec un sourire allant d'une oreille à l'autre, reviendrait au galop d'Asie centrale avec un article ridicule découpé dans un journal, où l'on apprendrait comment le commissaire soviétique à la Santé avait déclaré que l'appendice était un « élément bourgeois atavique » que tout communiste devrait se faire enlever, ou une autre sottise du même genre. Il entendait presque le rire de dérision de Ludmilla rebondir dans la pièce. Avec un peu de chance, le chat aurait ignoré la boulette de riz et de poisson dans son plat et serait toujours vivant. Et Zander, comme disait Tuohy, pourrait vivre pour combattre un jour de plus.

Ça avait l'air si simple, si logique, que le doute se mit à lui torturer le crâne. Faisait-il une imbécillité ? Ce n'était pas comme s'il pouvait sauver Ronzha en ne le dénonçant pas. Ronzha était condamné ; il avait été condamné depuis le jour où les bolcheviks avaient pris le pouvoir. Si un arbrisseau ne penche pas au vent, il se brise. Des gens comme lui n'avaient jamais donné sa chance au communisme. Une image du poète lui vint à l'esprit. Zander se souvenait de lui en train de fixer le miroir brisé au Chien vagabond un soir avant la révolution et annonçant, avec prétention et suffisance : « Si ça n'amène que sept ans de malheur, nous aurons de la chance. » Quand on y réfléchissait, c'était bien un ennemi du peuple !

Heureusement pour Zander, il s'en était aperçu à temps. Il résiste-rait quand il aurait une chance de changer quelque chose, quand son sacrifice personnel se justifierait par sa contribution à la cause du com-munisme. Ne pas dénoncer Ronzha, c'était du pur sentimentalisme. Comment disait Lénine ? Le sentimentalisme était un aussi grand crime que la lâcheté.

Zander sortit une feuille de papier de son tiroir. Il n'avait jamais écrit de dénonciation auparavant. Il examina le plafond, réfléchissant à la bonne façon de la composer.

Sa collègue de la table à côté, une grosse femme d'environ trente-cinq ans qui baissait la tête et regardait par-dessus ses lunettes cerclées d'or quand elle parlait à quelqu'un, lui tira le coude. « Je crois que j'ai trouvé quelque chose pour le Tass rouge de demain », dit-elle à voix basse. Elle lui tendit un article qu'elle avait découpé dans un des jour-naux de Berlin qu'elle lisait régulièrement. « Tu la reconnais ? »

Au milieu de l'article, il y avait une mauvaise photo d'une jeune femme maigre avec un visage étroit et des yeux sombres, obsédants. Zander pouvait encore entendre la voix de cette femme lui disant : « Ma santé mentale me glisse entre les doigts comme de l'eau... Je prierai pour vous, même après que je ne pourrai plus me souvenir de vous. »

C'était, sans aucun doute, Anastasia qui le fixait sur le journal alle-mand.

« Quelle histoire incroyable, disait sa collègue. La femme prétend être Anastasia, la fille de l'ancien tsar Nicolas, qui est mort pendant la guerre civile. Elle dit qu'elle s'est enfuie de Russie après que son père a été fusillé. Elle a passé des années à entrer dans des asiles de fous en Al-lemagne et à en ressortir. Certains disent que c'est de l'imposture. Mais elle parle russe, et semble connaître des détails intimes sur la vie de la famille royale – des surnoms, des choses comme ça. Ça ne peut pas être vrai, n'est-ce pas ? C'est forcément un complot capitaliste pour mettre la main sur les richesses que le tsar a déposées dans des banques suisses. Pourtant, je suppose que nous devrions distribuer l'article. Qu'en penses-tu, Alexander ? Alexander ? Tu n'as pas entendu un mot de ce que j'ai dit. »

C'était un autre poème, alors ; dans le moment entre la faiblesse de Zander et la rédaction de la dénonciation, Lili était parvenue à lui envoyer un message du passé. Essayer de sauver la vie d'Anastasia avait aussi été un geste désespérément sentimental ; elle n'avait qu'une chance sur un million de s'en sortir vivante. Et pourtant elle était là, en Allemagne, témoignant par son existence – peu importait que certains ne la croient pas – que le refus de Lili de devenir complice avait été le bon choix après tout.

Zander froissa la feuille de papier sur son bureau. Comme c'était facile de rejoindre les complices du monde entier afin de sauver sa propre peau. Il avait raison depuis le début ; s'il était désespérément sentimental, c'était au moins au service d'une noble cause.

Quand il rentra rue Petrovska ce soir-là, Zander apporta au Juif trois livres en yiddish qui avaient été glissés dans la fente pendant la journée. Le vieil homme mit ses lunettes et regarda les pages de garde. L'un avait été imprimé à Varsovie deux ans avant le tournant du siècle, le second à Cracovie en 1883, le troisième à Prague en 1888. Le dernier portait une inscription en yiddish. « Pour Jonathan », disait une écriture élégante. « Rappelle-toi : si tu as des ennuis, fais-en usage. » C'était signé : « De ton père, Prague, le 10 octobre 1888. »

« Si tu as des ennuis ! » répéta le vieux Juif, secouant la tête et se tirant la barbe. « Oy, ils ne savaient pas ce que le mot veut dire. *Nous* avons des ennuis ! Mais il n'est pas si évident d'en faire usage. » Il leva le bras pour déposer les livres sur une pile qui penchait déjà de façon précaire au-dessus de son lit. « C'était le temps, marmonna-t-il, où les gens pouvaient additionner deux et deux et trouver quatre. Si, grâce à Dieu, cela arrivait ici, si les gens additionnaient deux et deux et trouvaient quatre, tout s'effondrerait sur leur tête. Pompéi ne serait rien en comparaison. » L'idée sembla l'amuser et il eut un sourire polisson qui paraissait bizarrement déplacé dans la topographie érodée de son visage.

Dans sa chambre à l'étage, Zander jeta un coup d'œil au chat ; il était parfaitement immobile dans son panier. La boulette de riz et de poisson avait disparu. Il jeta une serviette sur le corps du chat, sortit une petite valise en carton du placard et se mit à la remplir de choses qui lui seraient utiles, à supposer qu'ils le laissent les garder.

Il y mit deux paires de chaussettes de laine, des sous-vêtements, une chemise de rechange, une serviette, un morceau de savon, un paquet de poudre dentifrice et une brosse à dents. Ça n'aurait servi à rien de prendre un rasoir ; ils vous enlevaient ce genre de chose immédiatement pour que vous ne puissiez pas vous suicider avant qu'ils soient prêts à vous tuer. Il fit des yeux le tour de la pièce. Il était heureux d'avoir pensé à donner à Ludmilla les deux petits portraits de Lili qui avaient été faits pendant l'année qu'elle avait passée à Paris. Il glissa dans la poche de sa veste une photo de Lili, prise devant le mur du Kremlin. Il ne pensait pas qu'ils vous laissaient garder quoi que ce soit qui puisse vous rappeler le monde réel, mais on ne savait jamais, aussi prit-il la photo quand même.

Zander n'avait pas dormi depuis trente-six heures. Il éteignit la lumière, ôta ses bottines et se mit au lit tout habillé. La tête lui tournait, tant d'images se disputaient son attention. Elles s'organiseraient en un fil central, il le savait, et ce fil deviendrait un rêve lorsqu'il s'endormirait. Mais une partie de son cerveau resterait en alerte, se tendant pour saisir le plus faible grincement de freins, le pas de chaussures à semelles épaisses sur le tapis élimé de l'escalier, des phalanges frappant à sa porte...

Ronhza avait passé la matinée à déposer chez des amis des liasses de poèmes et de lettres pour les mettre en sécurité. Dans l'après-midi, il emmena Appolinaria visiter la librairie de quartier qu'il avait hantée dans sa jeunesse. Ils restaient bras dessus bras dessous et employaient l'imparfait, comme si le souvenir était leur seul réconfort.

« Je pensais à la première fois où j'ai réuni assez de courage pour t'embrasser, lui dit Ronzha à un moment. Tu as détourné la tête et dit : "Je ne vis pas dans mes lèvres. Qui m'embrasse passe à côté de moi."

— Je n'avais aucune expérience des aspects physiques de l'amour, se rappela Appolinaria. Tu m'as fait voir les choses différemment. »

Passant devant la statue de Pouchkine, Ronzha dit d'une voix rêveuse : « D'un point de vue moral, c'était assez facile d'être poète en Russie. L'État – que ce soit le tsar ou les commissaires du peuple – pèse tant sur nous qu'il devient l'ennemi manifeste. Ça a toujours été nous contre eux. »

Dans la soirée, ils retournèrent au porche enclos et remplirent deux sacs de toile de vêtements de rechange et d'articles de toilette. Appolinaria ajouta dans le sien un mince volume des premières poésies de Ronzha dont le titre était *Visions*, des aiguilles à tricoter et de la laine. Ronzha hésita longtemps avant de choisir quelque chose dans les étagères bricolées débordant de livres. Il adorait Gogol qui avait pu écrire : « Soudain on pouvait voir jusqu'aux confins de la terre. » Il admirait

Pasternak, Tsvetaïeva et Akhmatova, surtout Akhmatova. Ses doigts caressaient le dos des livres qu'il s'attendait à ne jamais revoir. « Dante, Marlowe, Milton, Defoe, Byron, Kipling avaient une chose en commun – c'étaient tous des espions ! » Il prit un recueil de Baudelaire, l'ouvrit au hasard et lut plusieurs vers.

« Baudelaire croyait que chaque poème lui coûtait un orgasme, dit-il.

— Ça n'a jamais été ton problème », répliqua-t-elle.

Ronzha acquiesça de la tête. « Et Marvell croyait que chaque orgasme lui coûtait un jour de vie. » Il eut un maigre sourire. « C'est peut-être pour cela que je suis destiné à mourir jeune. »

Appolinaria détourna les yeux ; elle ne voulait pas qu'il vît ses larmes.

Ronzha décida finalement quel livre il emporterait – un recueil de poèmes de Pouchkine. Il était assez petit pour être glissé dans la poche de sa veste, assez beau pour lui couper le souffle et assez dense pour nourrir ses pensées pendant le temps qui lui restait à vivre. C'était la répugnance de Pouchkine à se prononcer sur des sujets solennels qui attirait maintenant Ronzha vers sa poésie. » Contrairement aux apparences, dit-il à Appolinaria en feuilletant les pages, la vie a été ma préoccupation principale, pas la littérature. » D'une voix angoissée, il ajouta : « Mais la vie doit être vécue fidèlement à l'idéal poétique. Tu comprends ? »

Appolinaria traversa la pièce d'un bond et l'enlaça. « Tu n'as pas besoin de te justifier devant moi. »

Son manteau drapé sur les épaules, Ronzha s'installa sur le lit à côté de sa femme pour attendre. Appolinaria se tenait très droite. Ronzha était courbé comme une parenthèse, perdu dans ses pensées. Très bientôt, il le savait, les messagers de mort apporteraient une invitation qui n'aurait pas de sens caché dans les espaces entre les mots.

CHAPITRE II

Ce matin-là, le bouclier du tunnel était en train de s'enfoncer dans du calcaire mou comme une éponge lorsqu'il rencontra une rivière souterraine. Il n'y eut pas d'avertissement. Une minute, tout se passait comme prévu ; le contremaître de service avait même téléphoné pour dire qu'il comptait remplir son quota. La suivante, des jets d'eau glacée jaillirent au travers des joints, inondant la section du tunnel derrière le bouclier et noyant trente-sept des quarante-quatre hommes qui s'y trouvaient. Les ingénieurs mirent rapidement un autre compresseur en service, augmentant la pression dans le tunnel jusqu'à 2,5 kg / cm2, deux fois la normale, et les pompes commencèrent à gagner sur l'eau. Mais les sept survivants, ainsi que les dix-sept hommes envoyés combattre l'inondation, eurent des crampes d'estomac alors que des bulles d'azote se formaient dans leur sang. Les ingénieurs demandèrent la permission de les évacuer, mais le responsable du projet de métro de Moscou, un corpulent mineur ukrainien de quarante et un ans nommé Nikita Khrouchtchev, refusa. « C'est le deuxième incident en trois jours, dit-il, furieux. Chaque fois que ces salauds se mouillent les pieds, ils veulent qu'on leur tienne la main. » Khrouchtchev pointa un index épais vers Tuohy. « Il y a des saboteurs dans le tunnel, déguisés en ingénieurs. Descendez là-bas et démêlez-moi ça. Je veux que chaque équipe avance d'un mètre entier. Un centimètre de moins sera considéré comme du sabotage ! »

Tuohy était le plus ancien du NKVD affecté au projet de métro. On lui avait assigné ce travail à cause de son bref passage à l'école des Mines et de son expérience lors du creusement du premier tunnel de métro de New York des années auparavant. En théorie, il était censé inspecter le front du tunnel et pouvoir dire d'un coup d'œil qui traînait les pieds.

En réalité, ce n'était pas ce que Tuohy savait sur les tunnels qui comptait, c'était ce qu'il savait sur les gens.

Et ce qu'il savait sur eux, c'était qu'ils étaient hypnotisés par la peur de voir leur nom apparaître sur la liste qui passait sur le bureau de Staline tous les soirs, celle qu'il regardait en suçant sa pipe, barrant très occasionnellement le nom de quelqu'un qu'il voulait épargner, puis « cachetant » la liste avec son initiale apposée dans le coin supérieur droit.

Le lendemain à l'aube, tous ceux dont le nom figurait sur la liste étaient fusillés.

Avant la mort de Kirov, la terreur en Russie soviétique avait en grande partie été dirigée contre de vrais ennemis : les koulaks, les mencheviks, les réformistes, les propriétaires terriens, les capitalistes – en bref, des gens qui auraient renversé le régime s'ils en avaient eu le pouvoir. Depuis la mort de Kirov, la terreur était devenue plus aveugle, frappant des vétérans bolcheviks, des fonctionnaires qui devaient leur avancement à Trotski, des révolutionnaires qui avaient connu le patron dans ses jours subalternes, beaucoup de parents de Nadejda, des gens qui avaient commis l'erreur de prendre la défense d'autres victimes de la purge et, à l'occasion, n'importe qui simplement parce que le NKVD, comme s'appelait maintenant la Tcheka, avait besoin de remplir un quota. Une fois, un typographe fut arrêté pour avoir fait une faute en imprimant un discours de Staline dans la *Pravda*.

La folie avait une méthode. Les gens qui échappaient à la purge se reprochaient des trahisons imaginaires et retournaient au travail plus ardents qu'auparavant pour cacher leur sentiment de culpabilité.

Portant une paire de cuissardes de pêcheur, Tuohy pataugea dans l'eau qui lui montait au genou jusqu'à la plate-forme de bois qui servait de poste de commandement avancé aux ingénieurs. L'un d'eux, un barbu d'âge moyen, au nom distinctement juif, étala un plan humide sur la table. « Il y a une couche d'argile du jurassique juste au-dessus du calcaire, cria-t-il par-dessus le martèlement des compresseurs. Notre bouclier a apparemment percé dans une rivière souterraine, la détournant vers cette couche d'argile. » Il désignait d'un doigt boueux un plan en coupe du tunnel.

« L'argile gonfle, cria un deuxième ingénieur. Si nous ne maintenons pas la pression au front du tunnel, elle écrasera l'armature extérieure. Les étais casseront comme des allumettes.

— Je ne vois pas où est le problème », répliqua Tuohy avec impatience. Les ampoules électriques pendues au-dessus faiblirent un moment, et tout le monde leva les yeux vers elles. Puis elles reprirent de la force et les yeux revinrent sur le plan. « Augmentez encore plus la pression si vous le devez, ordonna Tuohy, et maintenez-la jusqu'à ce que l'avant du tunnel soit vide d'eau et que les hommes aient renforcé l'armature avec du ciment.

— Il faut vingt-quatre heures pour que le ciment prenne », cria l'ingénieur juif. Il avait la voix rauque à force de hurler toute la journée. « Les hommes qui travaillent là-dedans seront morts à ce moment.

— Vous avez une alternative à offrir ? » cria Tuohy.

Les deux ingénieurs se regardèrent, puis baissèrent les yeux sur le plan.

« Le camarade Khrouchtchev est furieux de ce retard, hurla Tuohy. En supposant que vous puissiez évacuer l'eau et étayer l'armature avec du ciment, de combien aurez-vous avancé avec cette équipe ?

— Peut-être un demi-mètre, cria l'ingénieur juif. Peut-être moins.

— Alors l'équipe suivante devra avancer d'un mètre et demi pour que vous remplissiez votre quota.

— C'est impossible dans ces conditions, hurla l'ingénieur juif.

— Vous pouvez avancer d'un mètre et demi si vous prenez plus de risques.

— Il y a des limites à ce que nous pouvons faire, cria le deuxième ingénieur.

— Le camarade Staline a décidé de montrer au monde ce que peuvent accomplir le travail socialiste et la technologie socialiste, beugla Tuohy en retour. Ne restez pas là à me dire qu'il y a des limites à ce que vous pouvez faire. Si vous n'êtes pas capables de remplir le quota, nous trouverons des ingénieurs qui le sont. »

Tuohy était en train d'inspecter l'avant du tunnel le lendemain matin quand on commença à faire sortir les travailleurs qui s'étaient trouvés dans la section de haute pression. Les quatorze premiers furent portés sur des planches, morts. On voyait à leurs membres tordus qu'ils n'étaient pas partis sans souffrances. Huit autres ouvriers sortirent sur des civières, gémissant de douleur, haletant pour ne pas suffoquer. Seuls deux hommes, les vêtements maculés de boue et de vomi, parvinrent à marcher seuls.

Revenu au quartier général de campagne du NKVD, près du bureau de Khrouchtchev, Tuohy dicta son rapport. Il y avait eu sabotage, c'était évident. D'abord, on n'aurait jamais dû laisser entrer l'eau ; une fois à l'intérieur, on aurait dû la pomper plus rapidement. Si les étais de bois avaient été capables de résister à l'argile qui gonflait, les hommes n'auraient pas été obligés de renforcer l'armature avec du ciment. Un des deux ingénieurs de cette équipe essayait évidemment de saboter le projet de métro. Il prenait sans doute ses ordres du Haut Commandement allemand. Un mandat fut émis pour son arrestation immédiate. Tuohy voulait ses aveux sur son bureau d'ici vingt-quatre heures.

Une jeune recrue du NKVD, récemment transférée à Moscou d'Ukraine et avide de faire ses preuves, demanda à Tuohy lequel des deux ingénieurs il fallait accuser de sabotage.

« L'un ou l'autre, répondit-il. Ça n'a pas d'importance. Ils sont tous les deux coupables de quelque chose. Celui que nous n'arrêtons pas travaillera d'autant plus dur pour nous convaincre de son innocence. »

La recrue se dirigea vers la porte pour exécuter l'ordre. Tuohy le rappela. « À la réflexion, arrêtez le Juif. Selon toutes probabilités, c'est le plus coupable des deux. »

Le visage de Tuohy s'était arrondi avec les années – comme son estomac. Il approchait maintenant de son quarante-cinquième anniversaire, s'était mis à se faire une raie de côté plutôt qu'au milieu et à ramener ses cheveux en arrière pour couvrir une zone chauve. Le rouge de ses cheveux et la rouille de sa moustache de morse s'étaient atténués, paraissaient moins flamboyants, mais son nez était toujours à l'affût d'une femelle. Il avait plus que sa part de liaisons, les femmes repoussaient rarement l'occasion de coucher avec un tchékiste.

Si Arishka était au courant de ses escapades, elle n'en parlait pas, discrétion que Tuohy appréciait. Étant donné la minceur des murs de l'immeuble neuf où ils habitaient, ç'aurait été comme diffuser à la radio leurs problèmes personnels.

À part l'épaisseur des murs, Tuohy et Arishka vivaient extrêmement bien selon les standards soviétiques. Ils disposaient d'un appartement de soixante-cinq mètres carrés pour eux seuls, d'une voiture avec chauffeur à leur disposition, avaient accès au magasin réservé à la Tcheka et droit à des vacances gratuites trois semaines par an dans une maison de la Tcheka sur la mer Noire. Si Tuohy s'élevait assez dans la hiérarchie, il pouvait espérer une datcha dans une forêt de bouleaux près de la Moscova, à côté de la capitale.

Tuohy laissa au concierge ses cuissardes pour qu'il les lave et les fasse sécher dans la chaufferie quand il revint chez lui du chantier.

La pancarte « en panne » était de nouveau apposée sur l'ascenseur – depuis qu'ils avaient emménagé, il avait plus souvent été en panne qu'en état de marche – et il dut monter lourdement les cinq étages, ce qui n'améliora pas son humeur. Il entendit la machine à coudre d'Arishka quand il ouvrit la porte. Le bruit s'arrêta soudain et Arishka apparut à la porte de la chambre. Elle avait l'air plus lugubre que Tuohy se rappelait l'avoir jamais vue.

« J'ai essayé de te joindre partout, dit-elle. Où te cachais-tu ?

— J'étais dans le tunnel, j'inspectais les dommages causés par l'inondation d'hier.

— Ton assistant a dit que tu avais quitté l'endroit à quatre heures. Il est huit heures moins cinq. »

Tuohy nota mentalement de dire un mot à son assistant. « Je me suis arrêté au quartier général pour prendre de nouvelles directives. Pourquoi cette inquisition ? »

Arishka baissa la voix.

« Pourquoi n'admets-tu pas que tu étais avec une de tes maîtresses ? Ça ne me fait rien.

— Si ça ne te fait rien, pourquoi amener ça sur le tapis ? »

Arishka rentra dans la pièce.

« Je suis tombée sur Sérafima à la poste centrale ce matin, dit-elle par-dessus son épaule. Nous étions venues payer le téléphone. Elle m'a raconté ce qui s'est passé chez Ronzha l'autre soir. Je comprends maintenant pourquoi il ne m'a pas invitée – il voulait me protéger. Il savait que je ne le dénoncerais pas et que j'aurais des ennuis. Americanitz, comment as-tu pu faire ça ? »

Tuohy desserra sa cravate et défit son bouton de col ; il décida qu'il saurait que le socialisme était finalement arrivé en Russie quand il trouverait une blanchisserie capable de faire les cols sans y mettre d'amidon.

« Ne gaspille pas tes larmes sur Ronzha, dit-il. Il savait ce qu'il faisait. »

Arishka devint agressive.

« Je ne gaspille pas mes larmes sur Ronzha. Je les gaspille sur Alexander. Je les gaspille sur toi et moi. Je suis allée rue Petrovska aujourd'hui. L'appartement était vide. Des hommes en costume bleu jetaient les derniers des livres du vieux Juif dans un camion. Ils les transportaient dans une brouette – tous ces livres avec le nom de Dieu !

— Tu n'as posé de questions à personne sur Zander ? éclata Tuohy.

— Je ne suis pas idiote. De toute façon, ce n'était pas la peine. »

Tuohy eut un soupir de soulagement.

« Zander a été ramassé avant-hier soir. Ils cherchent toujours Ludmilla.

— Tu ne peux pas dire un mot en sa faveur ? Mon Dieu, Americanitz, c'est ton plus vieil ami. Tu sais que ce n'est pas un ennemi du peuple. Mais que devient ce pays ? Il boite encore avec du shrapnell dans la jambe qu'il a reçu durant la guerre civile !

— Baisse la voix.

— J'ai baissé la voix pendant quinze ans ! répliqua Arishka. Tout le monde a baissé la voix pendant quinze ans. On croirait que l'État s'effondrerait si quelqu'un l'élevait. »

Elle soupira et se laissa tomber dans un fauteuil. Sa colère s'était épuisée d'un coup ; maintenant il ne restait plus rien qu'un sédiment de tristesse. Elle leva les yeux vers Tuohy.

« Je te quitte, Americanitz. Je ne peux pas en supporter plus. »

Au cours des années, elle avait menacé de le quitter une demi-douzaine de fois. Il était toujours parvenu à la convaincre de ne pas le faire. Mais maintenant il sentait lui aussi que le lien s'était rompu. Ils avaient depuis longtemps épuisé les réserves d'affection qui leur restaient.

« Y a-t-il un autre homme ? demanda Tuohy. Non que cela fasse une différence, mais je suis curieux. »

Arishka secoua rapidement la tête. Non, dit-elle, il n'y avait pas d'autre homme dans sa vie, seulement le vide de leur relation.

Ils se conduisirent tous deux de façon civilisée. Tuohy l'aida à empaqueter sa collection de disques 78 tours, et la laissa généreusement prendre le Victrola fabriqué en Allemagne qui aurait rapporté une petite fortune au marché noir. Il descendit ses paquets, ses valises, le Victrola et la machine à coudre jusqu'à un taxi, et s'approcha du conducteur pour lui donner dix roubles et l'ordre d'emmener Arishka où elle voudrait. Quand le taxi démarra, elle détourna le visage pour que Tuohy ne soit pas blessé par son absence de larmes. Le lendemain matin, il fit circuler le bruit qu'elle était allée à Leningrad prendre soin de sa mère malade ; il ne voulait pas que les gens croient qu'elle avait été arrêtée.

Plus tard dans la journée, au bureau, un de ses assistants prit Tuohy à part et lui tendit un dossier jaune. Il contenait des copies photographiques de la carte d'identité d'un journaliste nommé Lifshits, Arkady Eremeïevitch, quarante-sept ans, de sa carte du Parti n° Z 345233, d'un permis de résider à Moscou, et d'une lettre d'introduction au directeur de la *Komsomolskaïa Pravda* venant du directeur d'un journal local de Kiev. Il y avait aussi une photo granuleuse montrant un homme mince au visage soucieux qui avait l'air de souffrir de crampes d'estomac.

« Vous êtes sûr que c'est lui ? » demanda Tuohy.

L'assistant hocha la tête.

« Ils se rencontrent à l'heure du déjeuner deux ou trois fois par semaine depuis des mois. J'ai aussi retrouvé le taxi avec le numéro que vous m'avez donné. Il l'a déposée rue Gorki, juste après la place Maïakovski. Le camarade Lifshits partage un appartement avec deux autres couples juste au coin de la rue.

— Pourquoi fallait-il que ce soit un Juif ? » grogna Tuohy. Il examina la photo de son rival.

« Il y a autre chose, dit l'assistant. Le directeur du journal de Kiev qui a signé la lettre de recommandation a été exécuté pour avoir fait partie d'un réseau trotskiste essayant de détacher l'Ukraine de l'Union soviétique.

— Ce qui fait de Lifshits un membre d'un réseau trotskiste essayant de détacher l'Ukraine de l'Union soviétique. »

L'assistant de Tuohy sourit.

Tuohy lui rendit son sourire.

« Ramassez-le dans la rue, ordonna-t-il. Pour ses collègues de bureau ou ses colocataires, il doit simplement avoir disparu. Donnez-lui le choix. Il peut avouer faire partie d'un réseau trotskiste qui a l'ordre d'infiltrer nos journaux, ou il peut rejoindre les ouvriers de choc qui construisent le socialisme dans la tête du tunnel. L'un ou l'autre. »

Arishka était déjà à la table de coin dans le salon particulier quand Tuohy arriva. Elle avait l'air tendue.

« C'est gentil de ta part d'être venu, Americanitz, dit-elle quand il se glissa sur le siège en face d'elle.

— Je voudrais que tu arrêtes de m'appeler comme ça en public. Tu as déjà commandé ? »

Elle secoua la tête. « Commande pour moi. »

Tuohy jeta un coup d'œil sur le menu, puis fit signe au serveur.

« Deux numéros 7 pour commencer. Comme plat, nous prendrons tous les deux le numéro 37.

— Il n'y a pas de numéro 37 aujourd'hui », dit le serveur, un vieil homme mal rasé avec des taches de sauce sur sa veste noire de soirée fripée. Il sourit, montrant deux dents en argent.

« 41 alors, mais sans les brocolis pour moi.

— Il n'y a pas de 41 non plus, et pas de brocolis de toute façon. »

Tuohy se fatigua du jeu.

« Que suggérez-vous ? demanda-t-il sarcastiquement.

— 110.

— 110, alors. Pour deux. Et une bouteille de vin de Géorgie.

— Comment va la construction du métro ? demanda Arishka d'un ton léger.

— Merveilleusement, dit Tuohy avec enthousiasme. Nous prouvons que le travail socialiste peut faire tout ce que font les capitalistes. Et le faire mieux. La première section de la ligne entrera en service avant l'été. Les stations auront l'air de musées. Les métros de New York, de Londres et de Paris ressembleront à des toilettes publiques en comparaison. »

Le vieux serveur revint en traînant les pieds, avec la bouteille qu'il déboucha difficilement et posa au milieu de la table. Tuohy remplit le verre d'Arishka et le sien.

« À toutes les bonnes années que nous avons eues, dit-elle en levant son verre.

— Aux bonnes années », acquiesça Tuohy. Il se demandait quand elle en viendrait à Lifshits.

Plus tard, dans la rue, il demanda :

« Je peux te déposer quelque part ?

— J'aime autant marcher », dit Arishka. Elle glissa le bras sous le sien. « Accompagne-moi. Ça te fera du bien de respirer un peu d'air frais. »

Pendant un moment, elle ne dit rien. Tuohy la comprenait assez pour savoir qu'elle rassemblait son courage. Enfin elle se lança.

« Americanitz, je ne t'ai jamais demandé de faveur professionnelle auparavant…

— Arrête de m'appeler Americanitz. Si je peux t'aider, j'essaierai. »

Arishka hocha la tête, l'air préoccupé.

« La famille avec qui je vis a un ami, un journaliste de la *Komsomols-kaïa Pravda*, membre du Parti depuis quatorze ans, un honnête bolchevik, le genre d'homme qui te plairait immédiatement. Un homme droit, pas tortueux comme certains. Il y aura une semaine demain… »

Elle se mordit la lèvre inférieure.

« Que s'est-il passé il y aura une semaine demain ? demanda Tuohy.

— C'est ça le problème. Personne ne sait ce qui est arrivé. Il a quitté son bureau à sept heures et on ne l'a jamais revu. Nous avons vérifié dans les hôpitaux. Nous avons signalé sa disparition à la milice locale. Ils n'ont rien trouvé. Il semble avoir disparu de la face de la terre !

— Est-ce qu'il avait une petite amie ? Quelqu'un avec qui il aurait pu s'enfuir ? »

Arishka secoua la tête impatiemment.

« Y a-t-il quelque chose dans son passé ? Des relations qui auraient pu le compromettre ? »

Elle resta silencieuse un moment. Puis, d'une toute petite voix, elle dit :

« C'était le protégé d'un directeur de journal de Kiev qui a été fusillé pour trotskisme. » Et elle ajouta avec véhémence : « Cet ami, il crachait sur Trotski ! Du sommet de la tête au bout des orteils, il était stalinien. Quand on imprimait un discours de Staline dans la *Pravda*, il le lisait mot à mot. Quelquefois il soulignait des phrases entières. La veille de sa disparition, il a lu l'*Histoire du Parti communiste* de Staline jusqu'à deux heures du matin. Le livre est toujours ouvert sur la table de nuit à côté de son lit, si tu ne me crois pas. »

Tuohy se retint de lui demander comment elle savait qu'il lisait au lit à deux heures du matin. Il sortit un stylo et un morceau de papier.

« Donne-moi son nom.

— Lifshits. Arkady Eremeïevitch Lifshits.

— Je vais voir ce que je trouverai. »

Arishka l'embrassa sur la joue. « Je te remercie, Amer… » Elle se reprit. « Je te remercie. Je te remercie du fond du cœur. »

L'alarme fut déclenchée à midi vingt. Khrouchtchev revint en courant de sa pause-déjeuner. « Qu'est-ce que c'est que cette histoire d'incendie dans le tunnel ? Dès que je tourne le dos, un saboteur quelconque en profite ! »

Il n'y avait que peu de détails. Tuohy fut envoyé enquêter. Dans une section avancée du tunnel, le contremaître de l'équipe et plusieurs ingénieurs, le visage noir de suie, lui expliquèrent la situation. Un feu avait éclaté dans le caisson. Il s'était étendu rapidement à cause de l'air comprimé, riche en oxygène. Le contremaître avait réduit la pression de sa propre initiative. Mais alors, du côté du bouclier, du limon et une sorte de vase brune s'étaient déversés dans le tunnel. Douze hommes étaient morts d'inhalation de fumée dans l'incendie, trois autres avaient été enterrés vivants dans le limon. Dans la panique les survivants s'étaient enfuis du caisson.

Tuohy distinguait les survivants dans un coin sombre du tunnel où on n'avait pas installé d'ampoules électriques. Plusieurs toussaient, pliés en deux.

Il donna ses ordres. Le contremaître devait être arrêté pour avoir diminué la pression sans autorisation ; il avait probablement allumé le feu lui-même afin d'avoir une excuse pour baisser les compresseurs et laisser pénétrer le limon. La seule véritable question était de savoir pour qui il travaillait. Le Haut Commandement allemand ? Les Japonais ? Les Services secrets anglais ? Un réseau trotskiste ? Tuohy voulait des aveux sur son bureau avant la fin de la journée.

Quant aux ouvriers qui avaient fui le caisson, ils pouvaient y retourner et redoubler d'efforts pour atteindre le quota de progression d'un mètre, ou affronter des accusations similaires. Les compresseurs devaient être remis en marche immédiatement, la pression devait être amenée à 2,5 kg. Il fallait saturer la terre autour du bouclier, par des tuyaux perforés, de silicate de soude et de chlorure de calcium. Les produits chimiques coaguleraient la boue, prévenant d'autres fuites. Les travailleurs pourraient alors évacuer le limon qui s'était accumulé dans le caisson et continuer à creuser.

Un des hommes de Tuohy emmena le contremaître. Le second, celui qui était avide de faire ses preuves, s'approcha des ouvriers et leur fit un petit discours. « Pour le camarade Staline, pour la cause du socialisme, retournons là-dedans et montrons au monde ce que le prolétariat peut faire ! » cria-t-il.

Aucun des survivants ne bougea. « Le caisson est rempli de fumée, marmonna l'un d'eux. Il faudra des heures pour l'évacuer. Quiconque y rentre maintenant n'a pas une chance.

— Si la fumée ne nous a pas, ce sera la pression, grogna un autre.

— Augmenter la pression a sans doute fait repartir le feu, dit un troisième. Le caisson est un piège mortel. »

Tuohy traita leur refus de retourner au travail comme une mutinerie. Les rescapés furent menottés deux par deux. Gardés par des soldats du NKVD en uniforme, armés de mitraillettes, on les emmena hors du tunnel pour les interroger et les châtier.

Au quartier général, Khrouchtchev, furieux du retard, ordonna qu'une équipe de réserve se mette au travail.

Plus tard, Tuohy vit par hasard une liste des hommes qui étaient morts d'inhalation de fumée ou avaient été enterrés vivants sous le limon. Il y avait parmi eux un Lifshits, Arkady Eremeïevitch.

Cet après-midi-là, Tuohy appela Arishka à son bureau. « À propos de cet ami à toi... »

Il eut l'impression d'entendre Arishka retenir sa respiration au bout du fil.

« Tu as appris quelque chose ?

— Je n'ai trouvé aucune trace de lui », dit Tuohy. Il eut un rire léger. « Il réapparaîtra probablement dans un jour ou deux, expliquant qu'il était parti en mission secrète pour la *Komsomolskaïa Pravda*. »

Arishka était assez désespérée pour se raccrocher à n'importe quel fétu. « Tu crois vraiment ?

— J'en suis sûr. »

« Ci-gît Atticus Tuohy, se dit-il après avoir raccroché, qui, sur son lit de mort, put dire honnêtement qu'il n'avait pas d'ennemis – il les avait tués tous ! »

CHAPITRE III

Zander était devenu expert dans l'art de tuer le temps. Il avait appris à étirer la moindre activité jusqu'à une demi-heure plus ou moins plaisante. Plier sa couverture, retourner sa paillasse, balayer sa cellule, nettoyer son vase de nuit, faire sa « promenade » – quatre pas dans un sens, quatre dans l'autre, recommencer jusqu'à ce que sa jambe lui fasse mal –, cela pouvait remplir une matinée entière. Il consacrait une heure agréable à chasser les morpions sur son pubis et à les écraser de l'ongle contre le mur. Il se réservait un temps donné, d'habitude après le déjeuner, pour revisiter le passé. Allongé sur le dos, il fermait les yeux, évoquait un événement en particulier et le reconstruisait jusqu'au plus minuscule détail. Il revivait le pogrom pendant lequel Adler fut aspergé de pétrole que les cosaques enflammèrent, le passage par Ellis Island, le départ pour la Russie, Léon faisant des signes du bout de la jetée. Et, encore et encore, des scènes d'amour avec Lili. Il avait passé l'après-midi précédent et toute la journée à observer un double courant de fourmis qui allaient de la fenêtre chaulée, haut dans le mur, à la lourde porte de métal munie d'un judas et revenaient en sens inverse. Les gardes devaient l'avoir vu à quatre pattes par le judas, car l'un d'eux arriva avec du DDT avant le repas du soir et extermina toute la fourmilière.

Zander réagit comme si l'un de ses proches était mort et plongea dans une dépression aussi profonde que celle qu'il avait connue le jour de son arrestation. La disparition des fourmis lui donna à penser que la sienne pourrait être arrangée avec aussi peu de peine, et que les gens qui s'en occuperaient y penseraient comme à un travail sanitaire.

Il décida d'en parler avec son voisin, un stratège militaire qui avait commis le crime de dire que, dans l'éventualité probable d'une attaque allemande, l'Armée rouge pourrait devoir reculer devant l'ennemi techniquement supérieur et laisser les vastes espaces de la Russie absorber l'assaut. « POURQUOI AS-TU ÉTÉ ENFERMÉ ? » avait tapé Zander sur le mur le jour où il avait « rencontré » le stratège. Les prisonniers employaient un code simple qui divisait l'alphabet en vingt-cinq cases, un carré de cinq de côté, et tapaient les deux chiffres qui correspondaient à une lettre donnée.

« ANTIFASCISME PRÉCOCE », s'était-il entendu répondre. Et son voisin avait ajouté, de façon caractéristique : « UNE TRANSGRESSION QUE DÉPASSE SEULEMENT L'ÉJACULATION PRÉCOCE, HA HA HA. »

Zander sortit son « clou à taper » de la tinette et commença : « TU ES LÀ ?

— OÙ POURRAIS-JE ÊTRE ? HA HA.

— MA CELLULE A ÉTÉ ENVAHIE PAR DES FOURMIS MAIS ILS LES ONT TUÉES.

— JE SENS LE DDT D'ICI. IL N'Y A AUCUNE SOCIÉTÉ PLUS SOCIALISTE QU'UNE FOURMILIÈRE. DÉNONCE LES TUEURS DE FOURMIS POUR AVOIR SABOTÉ LA COLLECTIVITÉ ULTIME. LES GARDES RECEVAIENT PROBABLEMENT LEURS ORDRES DU HAUT COMMANDEMENT ALLEMAND QUI VOULAIT DÉTACHER LA FOURMILIÈRE DE L'UNION SOVIÉTIQUE. CERTAINES FOURMIS POUVAIENT SOUFFRIR DE TENDANCES SÉCESSIONNISTES MAIS LA FOURMILIÈRE DANS SON ENSEMBLE ÉTAIT FERVEMMENT STALINIENNE. LA DESTRUCTION DE LA FOURMILIÈRE ENTIÈRE SERVIRA POURTANT DE LEÇON AUX FOURMIS QUI ABRITENT D'AUTRES SÉCESSIONNISTES EN LEUR SEIN. LA MORT DES ÉPANDEURS DE DDT SERVIRA DE LEÇON AUX AUTRES GARDES ÉMARGEANT SUR LA FEUILLE DE PAIE DES ALLEMANDS. BREF, TOUS LES GENS CONCERNÉS ÉTAIENT COUPABLES DE QUELQUE CHOSE. HA HA HA.

— COMMENT PROGRESSENT TES AVEUX ? répondit Zander.

— NOUS Y TRAVAILLONS. CHAQUE FOIS QUE JE TRÉBUCHE SUR UNE DATE OU UN DÉTAIL ILS ME MONTRENT UNE PHOTO DE MON FILS DE TREIZE ANS ET ME RAPPELLENT QUE SELON LA LOI SOVIÉTIQUE LA PEINE DE MORT PEUT S'APPLIQUER À TOUTE PERSONNE AU-DESSUS DE DOUZE ANS. JE REDOUBLE D'EFFORTS. ET TOI ?

— JE CONTINUE À LEUR DIRE LA VÉRITÉ.

— LES SEULES VÉRITÉS QU'ILS VEUILLENT SONT CELLES QU'ILS PEUVENT UTILISER. HA. »

Zander commença à répondre, mais son voisin l'interrompit. « LE CHARIOT ARRIVE. QUEL VIN CROIS-TU QU'ILS SERVENT CE SOIR ? HA HA. »

Zander appuya sa bonne oreille contre la porte. Il entendit le chariot arriver devant sa cellule. La « boîte aux lettres » en bas de sa porte s'ouvrit et une assiette de métal contenant une soupe de chou aqueuse y fut poussée. Bizarrement, le clapet ne se referma pas comme il le faisait d'habitude. Zander se pencha jusqu'à ce que sa tempe touche le sol et regarda par l'orifice. Il vit deux des roues caoutchoutées du chariot et les bottines aux semelles épaisses de l'homme qui le poussait. Celui-ci parut se baisser et quelque chose fut poussé par la fente qui se referma ensuite.

Zander se pencha et ramassa – un livre ! Même en le tenant dans ses mains, il avait du mal à y croire. Pendant un court instant, il se demanda si on avait glissé le livre dans la fente parce qu'il contenait le nom sacré de Dieu, et s'il était censé le transmettre au vieux Juif. Puis il se rappela où il était.

Il n'avait pas posé les yeux sur un livre durant les sept semaines et les quatre jours qui s'étaient écoulés depuis son arrestation. Les seules choses imprimées qu'il eût vues étaient les feuilles dactylographiées résumant son interrogatoire précédent qu'il devait signer au début de chaque séance. Il ouvrit le livre à la page de garde et fit un effort pour déchiffrer les caractères à travers ses lunettes. Le peu de lumière sale qui filtrait durant la journée par la fenêtre blanchie avait disparu. Zander regarda l'ampoule nue qui pendait au-dessus de sa tête au milieu de la cellule. Elle semblait moins brillante que d'habitude, comme si elle était branchée sur un rhéostat que quelqu'un avait baissé. Même en se tenant directement dessous, il avait du mal à distinguer ce qui était écrit. Les lettres nageaient devant ses yeux. Il enleva ses lunettes, frotta soigneusement les verres sur sa manche et les remit, faisant attention à ne pas irriter la cicatrice derrière son oreille. Il n'arrivait toujours pas à voir clairement. Ses yeux s'étaient affaiblis dans la pénombre constante de sa cellule, il n'y avait pas de doute. Il traîna la tinette sous l'ampoule et monta dessus pour s'approcher de la lumière. Avec un effort immense, il parvint à lire quelques lettres « t-h-e v-e-n-t-u-r-e f t-u-m s-a-w... »

The Adventures of Tom Sawyer de Mark Twain ! Et le livre – l'ultime moyen de tuer le temps – était en anglais ! Le cœur de Zander bondit contre ses côtes ; il avait l'impression que sa poitrine allait exploser. Pris de vertige, il vacilla sur la tinette et dut écarter les bras comme un funambule pour garder l'équilibre. Il ouvrit le livre à la première page et le tint à bout de bras au-dessus de sa tête pour qu'il reçoive autant de lumière que possible. Les lèvres de Zander remuaient pendant qu'il lisait. Puis les caractères se brouillèrent. La voix dans sa tête se tut. Il leva les yeux et regarda de nouveau l'ampoule. Imaginait-il des choses ? Ou était-elle moins brillante qu'avant ?

« ILS M'ONT DONNÉ UN LIVRE, tapa avec excitation Zander à son voisin.

— MÉFIE-TOI DES BOLCHEVIKS AVEC DES CADEAUX », répondit l'ami qu'il n'avait jamais vu. Et il ajouta : « MÊME SANS. HA HA HA. »

Lors d'un voyage vers le passé, Zander revécut son arrestation. Il s'était finalement assoupi sur son lit quand il entendit dehors ce qui semblait être un faible bruit de boîte de vitesses. Est-ce que le conducteur obéissait à des ordres en produisant ce bruit ? Si l'opération se déroulait trop silencieusement, les autres gens qui vivaient dans l'immeuble ou aux alentours ne manqueraient-ils pas leur ration nocturne de terreur ? Dans les ténèbres – les aiguilles lumineuses du réveil sur la table de nuit indiquaient 2 h 25 – Zander bondit de son lit et, écartant le rideau, regarda dans la rue. Une limousine noir mat, quatre portes, avec un fin panache de fumée sortant du pot d'échappement, s'était arrêtée devant la maison. Mais personne n'en était sorti. Zander crut voir remuer les rideaux de dentelle d'une fenêtre en face ; du haut en bas de la rue Petrovska, des dizaines de personnes, des centaines même, devaient guetter la voiture.

À 2 h 50, un camion municipal de livraison de pain descendit lentement la rue et s'arrêta derrière la limousine. Comme sur un signal, dix hommes qui portaient des feutres mous à large bord se déversèrent de la limousine et du camion de pain. L'écho creux des portes claquées se répercuta dans la rue enneigée. En bas, un poing ganté frappa à la porte. Zander entendit le vieux Juif jurer. « Foutus cosaques », marmonnait-il d'une voix râpeuse qui ne contenait que de l'exaspération. « Vous pressez pas. »

Zander s'assit sur le lit et commença à lacer ses bottines. C'était bizarre, pensa-t-il, comme on pouvait attendre son arrestation avec la certitude inflexible qu'elle était inévitable, et être surpris lorsqu'elle se produisait. De tous les gens qui vivent rue Petrovska pourquoi moi ? Il se dit qu'il devait y en avoir des dizaines tout aussi coupables. Il se reprit avec un sourire amer : oui, il y en avait des dizaines, et ils étaient tout aussi innocents.

Zander entendit des pas lourds dans l'escalier. Il y eut un instant de silence, puis un seul coup sec à sa porte. Il inspira profondément, marcha jusqu'à la porte, tira le loquet et l'ouvrit.

« Alexander Til ? »

Zander hocha la tête. Il aurait voulu avoir préparé un petit discours, une brillante riposte qui eût humilié ces serviteurs de l'État. Mais, même s'il avait préparé quelque chose, il n'aurait pas été capable de le dire. Son cœur battait follement. Il avait très peur.

« Selon un mandat émis par le procureur général du Soviet de Moscou », récita un des hommes du NKVD d'une voix absolument sans timbre, « vous êtes en état d'arrestation.

— Sous quelle accusation ? » parvint à demander Zander, mais ils passèrent devant lui comme s'il n'existait pas et se déployèrent dans la petite pièce. Pendant l'heure suivante, Zander fut complètement ignoré ; il aurait pu descendre l'escalier et franchir la porte, personne n'y aurait prêté attention. Les agents se mirent à fouiller l'appartement par équipes de deux. Chaque livre fut secoué de façon que le moindre papier qui aurait été glissé entre les pages en tombe. Les gommes furent enlevées des crayons. Le chat mort fut ôté de son panier et celui-ci fouillé. Les tiroirs furent renversés. La doublure des vestes et des manteaux fut arrachée, et le matelas entaillé. L'oreiller fut déchiré et les plumes versées dans un sac en papier pour être examinées plus tard, plusieurs s'échappèrent et flottèrent dans l'air. Les lames du plancher furent soulevées, le papier peint décollé. Dans les toilettes, la lampe au plafond et le réservoir de la chasse d'eau furent fouillés. Un agent enfila de longs gants de caoutchouc et commença à trier le contenu de la poubelle. Les photos qui restaient dans l'album de Zander furent décollées au cas où elles cacheraient des inscriptions secrètes. Tout ce qui pouvait servir à l'enquête – photos, lettres manuscrites (y compris celle de Masha rompant leur liaison), même une pile de factures impayées – fut jeté dans une valise en carton. Quand les agents parurent prêts à partir, Zander commença à enfiler un manteau dont l'ourlet tombait jusqu'à terre, mais un des hommes du NKVD lui fit signe d'un doigt comme à un enfant. « Vous n'aurez pas besoin de ça là où vous allez », dit-il. Il ordonna d'un geste à Zander de tendre les poignets et lui passa habilement les menottes.

Pris en sandwich entre les agents, dont l'un portait la valise pleine de photos et de lettres, Zander descendit en boitant l'escalier vers le camion de pain. Pour la seconde fois de sa vie, il sentit l'attraction gravitationnelle de la terre à travers ses semelles. Il ne remarqua pas le froid, bien que la température fût tombée au-dessous de zéro. Les deux portes arrière furent ouvertes et Zander, avec une poussée serviable d'un de ses gardiens, monta dans le camion et s'assit sur un banc de bois. Quatre agents s'empilèrent à l'intérieur, deux l'encadrant, deux en face. Le camion de pain démarra.

Pendant la traversée des rues désertes de Moscou, le camion dérapa, fit un tête-à-queue et ses roues arrière heurtèrent le trottoir ; même à ce moment, personne ne dit mot. Vingt minutes plus tard il s'arrêta. Zander entendit ce qui paraissait être d'énormes portes qu'on ouvrait. Le camion avança de nouveau, puis fit demi-tour et recula. De nouvelles portes s'ouvrirent. Le camion continuait à reculer. Des portes claquaient après son passage. Enfin il s'arrêta. Un des hommes assis à côté de Zander désigna de la tête les portes arrière. Zander sauta à terre, faisant porter son poids sur sa bonne jambe. L'agent qui tenait la valise en carton lui prit fermement l'avant-bras et lui fit descendre quelques marches, traverser une porte et suivre un long couloir jusqu'à une pièce nue brillamment éclairée. Il sortit une petite clef de la poche de son manteau et ouvrit les menottes. Zander se frotta les poignets.

« Déshabillez-vous, ordonna l'homme. Pliez vos vêtements sur le sol. »

La pièce n'était pas chauffée. Zander hésita.

« Combien de temps devrai-je attendre ?

— Déshabillez-vous, répéta l'homme sur le même ton. Pliez vos vêtements sur le sol. Exécution. »

Zander ôta ses chaussures et ses chaussettes et se déshabilla, plia ses vêtements et se tint sur la pile pour que ses pieds ne gèlent pas.

Au bout d'un moment, une porte s'ouvrit et deux hommes portant des blouses blanches entrèrent. Ils étaient tous deux très jeunes. L'un avait une lampe de poche. « Penchez-vous, écartez les fesses », ordonna celui à la lampe.

Ils examinèrent méthodiquement son corps, regardant dans tout orifice où une pilule de poison ou une lame de rasoir pourrait être cachée. Un garde en uniforme entra, portant ce qui semblait être un pyjama gris. « Vous mettrez votre caleçon, votre maillot de corps, vos chaussettes, vos chaussures sans les lacets, et ceci », dit-il en jetant le pyjama aux pieds de Zander.

Le pantalon n'avait pas de ceinture et Zander dut le tenir d'une main pour qu'il ne tombe pas à terre. Il suivit le garde d'un pas traînant, les pieds nageant dans ses bottines sans lacets, le long d'un couloir bien éclairé. Ils montèrent ensuite un large escalier, dépassèrent un poste de contrôle où un autre garde en uniforme enregistrait tous ceux qui passaient dans un sens ou l'autre, puis longèrent un long bloc cellulaire jusqu'à un cachot situé tout au bout.

L'affreux cliquetis métallique de la lourde porte qui se refermait sur lui secoua Zander jusqu'au tréfonds. Il s'était durci pour faire face à l'arrestation, il avait résolu, advienne que pourra, d'affronter ses geôliers avec dignité. Mais, debout au milieu de la froide cellule étroite, avec une cuiller de métal dans un bol gras, en métal aussi, et des tinettes pour toute compagnie, il se sentait accablé par son isolement. Il était arrivé en Russie, comme il l'avait dit au garçonnet juif à l'angle d'Essex Street et Hester Street à New York, prêt à verser son sang pour le socialisme. Maintenant, tenant son pantalon de pyjama pour l'empêcher de tomber, il ne doutait aucunement d'avoir fait une terrible erreur. Le vieil Hippolyte, Otto Eppler, Lili, Vasia – ils avaient disparu. Ronzha pouvait être dans la cellule voisine, pour ce qu'il en savait. Toutes ces souffrances, tout ce sang répandu, et pour quoi ?

Zander regarda avec amertume les murs de sa cellule. Une fine pellicule de moisissure recouvrait les pierres. Peut-être que Ronzha était bien dans la cellule voisine. Zander ressentait une impulsion irrésistible de lui parler, de lui dire qu'il comprenait ce que le poète avait voulu lui apprendre en le soumettant à cette épreuve. Il se traîna jusqu'au coin de la cellule, prit la cuiller et se mit à taper des nombres sur le mur. Le vieil alphabet des prisons lui revenait facilement ; cela aurait pu être une autre langue étrangère qu'il parlait couramment. Un 4, puis un 1, pour Q. Un 5 et un 4 pour U. Un 4 et un 2 pour I. « QUI ? »

Pendant un long moment, il n'y eut pas de réponse. Juste à l'instant où Zander concluait que la cellule devait être vide, il entendit un martèlement distant. Il appuya sa bonne oreille contre la moisissure et compta les coups. Ils donnaient : « NICOLAS SALMANOVITCH ROUBASHOV. »

Zander ne put retenir un ricanement qui sonna de façon anormale dans la petite cellule. Roubashov était un célèbre bolchevik de la Vieille Garde dont la photo avait été publiée cent fois dans la *Pravda*. Il avait aidé Staline à parvenir où il se trouvait. Durant ses beaux jours, Roubashov avait purgé sa part de révolutionnaires, tant qu'il en tirait profit. « BIEN FAIT POUR VOUS », tapa Zander en retour. « POURQUOI ÊTES-VOUS ICI ? »

Zander entendit Roubashov commencer à répondre ; il se servait sans doute de la monture métallique de son pince-nez. « DIVERGENCES POLITIQUES. »

« BRAVO », répliqua Zander. « LES LOUPS S'ENTRE-DÉVORENT. » Et il se détourna avec l'impression d'avoir survécu à un moment de folie. Peut-être y avait-il quelque chose à espérer après tout.

L'interrogateur aux lèvres minces qui s'était présenté la première fois comme le camarade Zhilov ouvrit le dossier et fit passer le résumé dactylographié de la séance précédente à Zander. Zhilov décapuchonna un stylo à plume et le posa sur le bureau près des feuilles. Puis il se croisa les mains derrière la nuque, se pencha en arrière et examina son prisonnier avec les yeux patients de qui savait comment les choses finiraient, mais ignorait quand.

Zander se pencha, prit les feuillets et essaya de distinguer les caractères. Il secoua finalement la tête.

« Je ne peux pas les signer, dit-il à Zhilov.

— Pourquoi pas ? »

Zander dirigea sa bonne oreille vers Zhilov pour saisir ses questions.

« Je ne peux pas signer quelque chose que je ne peux pas lire.

— Vos yeux ont faibli, remarqua Zhilov. Qu'avez-vous fait pour les fatiguer ?

— Comme si vous ne le saviez pas. »

Zhilov sortit une loupe de son tiroir et la tendit à Zander. Grâce à elle, il put déchiffrer les deux pages et signer au bas de chacune.

« Nous nous étions arrêtés hier », dit Zhilov en mettant les feuilles signées dans le dossier et en rangeant celui-ci dans le tiroir supérieur, « alors que vous alliez expliquer votre relation avec Trotski à New York.

— Je n'avais pas de relation avec Trotski à New York.

— D'après la déposition du camarade Tuohy, vous vous êtes rendu à plusieurs reprises dans le quartier où vivait Trotski pour lui parler.

— Je n'y suis pas allé *plusieurs* fois. *Une* seule.

— Une. Plusieurs. Ça revient au même. Vous ne niez pas avoir pris l'initiative de la rencontre ?

— Il était normal pour moi de vouloir rencontrer le célèbre Trotski.

— De quoi avez-vous parlé ? »

Zander se massa le front du pouce et de l'index. Il sentait venir une autre de ses terribles migraines. Demain, il ferait réellement un effort pour ne pas lire dans sa cellule quel que soit le livre qu'ils glisseraient par la fente. Cela abîmait vraiment ses yeux. « Trotski, je m'en souviens, m'a conseillé de me laisser pousser la barbe. » Il tâta sa propre barbe de sept semaines du bout des doigts. C'était la première fois qu'il la laissait pousser depuis New York. « Trotski m'a expliqué que je pourrais me déguiser simplement en la rasant.

— Vous vous attendez à ce que nous croyions, dit le camarade Zhilov d'un ton sarcastique, que tout ce que Trotski, le révolutionnaire mondialement connu, avait à vous dire était de vous laisser pousser la barbe ?

— Nous ne pouvions guère comploter contre Staline parce que les bolcheviks n'avaient pas encore pris le pouvoir en Russie, répondit Zander aussi sarcastiquement.

— Je dois à nouveau vous avertir de vous contenter de répondre à mes questions. S'il vous plaît. Le même Trotski qui, selon vous, vous a conseillé de vous laisser pousser la barbe vous a plus tard offert de l'argent pour payer votre voyage en Russie. Il vous a fourni une lettre d'introduction personnelle pour le camarade Staline à Petrograd. Et il vous a donné le nom et l'adresse d'un homme qui pourrait vous faire de faux papiers pour que vous puissiez quitter le pays. Vous a-t-il tiré au sort pour tout cela ? »

Zander se souvint de la scène dans le bureau en sous-sol de St Mark's Place.

« Le camarade Tuohy a gagné la loterie.

— Si le camarade Tuohy a gagné, comment se fait-il que Trotski *vous* ait fourni les moyens de revenir en Russie ?

— Je suppose qu'il a été influencé par le fait que mon grand-père a été un célèbre révolutionnaire.

— Cela n'avait rien à voir avec son désir de placer des gens qui lui seraient loyaux à des postes clefs ?

— Ma loyauté », dit Zander avec fatigue (ils avaient parlé du même sujet la semaine précédente), « a toujours été pour le Parti et la révolution. Jamais pour une personne en particulier. »

L'interrogateur laissa un sifflement de satisfaction s'échapper par l'espace entre ses dents.

« Maintenant nous arrivons à quelque chose. Vous admettez que vous n'avez jamais été loyal à quelqu'un en particulier. Ce qui signifie que vous n'avez jamais été loyal au camarade Staline, bien qu'il incarne le Parti. Ce qui explique comment vous avez pu entendre un saboteur intellectuel lire une attaque méprisable contre le camarade Staline – une attaque destinée, sans l'ombre d'un doute, à être un cri de ralliement, un hymne même, pour les éléments antisoviétiques parmi nous – sans le rapporter aux autorités compétentes.

— Ce que j'ai entendu, insista Zander, c'était un poème composé par un homme à bout de ressources qui voulait forcer le système à le tuer. Depuis quand écouter un poème est-il une violation de la loi soviétique ?

— Laissez-moi vous rappeler une fois encore, dit patiemment le camarade Zhilov, que je pose les questions et que vous y répondez. Pas l'inverse. Vous espérez sérieusement nous faire croire qu'au moment où vous avez entendu ce poème séditieux, vous n'étiez pas en contact avec le centre de sabotage trotskiste opérant à Moscou ?

— S'il existe réellement un tel centre, je n'étais certainement pas en contact avec.

— Passons, dit l'interrogateur, à votre mission à Ekaterinbourg pendant la guerre civile. Qui vous a choisi pour cela ? »

Zander se gratta le crâne. Il ramena une touffe de cheveux entre ses doigts. L'interrogateur, serviable, poussa un cendrier vers lui et Zander l'y déposa.

« Mes instructions, mon autorisation de voyage, étaient signées par le camarade Trotski, admit-il.

— Ainsi, une fois encore, nous vous voyons obéir aux directives de Trotski. Et vous voudriez nous faire croire que ce n'est qu'une coïncidence.

— À l'époque où Trotski a signé mes instructions, il était commissaire à la Guerre. Il donnait des ordres à des milliers de gens, et personne ne les considérait comme des traîtres parce qu'ils y obéissaient. Ils auraient été pris pour des traîtres et fusillés s'ils ne l'avaient pas fait !

— Vous avez été accompagné à Ekaterinbourg par une employée du chiffre nommée Lili Mikhaïlovna, la jumelle du prince Ioussoupov », continua doucement l'interrogateur. Il prit une photo sous son buvard et la leva. Zander se pencha et plissa les yeux. Il réalisa que c'était sa photo de Lili, prise devant le mur du Kremlin avant leur départ pour Ekaterinbourg. Il tendit la main, mais le camarade Zhilov glissa de nouveau le cliché sous le buvard. « Vous étiez intime avec cette femme. Vous ne le niez pas ? »

Zander ne répondit rien.

« Est-ce la même Lili Mikhaïlovna qui a été fusillée comme ennemie du peuple pour avoir organisé l'évasion d'un prisonnier important ? »

De nouveau, Zander resta silencieux. Comment aurait-il pu, dix-sept ans après les faits, expliquer les souffrances de Lili durant la guerre civile, leur quasi-exécution qui l'avait tant affectée, sa rébellion contre la tuerie qui l'avait amenée à sauver la première personne à sa portée.

« Voulez-vous que je répète la question ? »

Zander secoua la tête.

« Lili Mikhaïlovna a été fusillée pour avoir aidé quelqu'un d'autre à échapper au peloton. Mais je ne vois pas le rapport entre quelque chose qui s'est passé il y a dix-sept ans au summum d'une terrible guerre civile et la lecture d'un poème maintenant.

— Il y a un rapport entre les deux faits, insista l'interrogateur. Il ne nous reste qu'à découvrir ce que c'est en travaillant ensemble. »

« COMMENT ÇA S'EST PASSÉ HIER SOIR ? tapa le voisin de Zander le lendemain matin.

— COMME D'HABITUDE. JE NE LEUR DONNE TOUJOURS PAS LES VÉRITÉS DONT ILS ONT BESOIN. ET TOI ?

— JE CONTINUE À ME TROMPER DANS LES DÉTAILS DE MES RENCONTRES AVEC LES AGENTS DU SERVICE SECRET ANGLAIS. ALORS ILS M'ONT ÉCRASÉ LES COUILLES AVEC DES PINCES. JE LES AI ABONDAMMENT REMERCIÉS DE LEUR AIDE. LA DOULEUR EST UN GRAND STIMULANT DE LA MÉMOIRE. HA HA HA HA. »

CHAPITRE IV

Ils avaient confisqué son recueil de Pouchkine le jour de son arrestation, mais il se souvenait de certains passages. « Staline ne peut pas être un génie », marmonna-t-il. Il avait les lèvres enflées, deux ou trois de ses dents branlaient, c'était douloureux de parler, mais il lui fallait absolument les aiguillonner.

« Comment ça ? » demanda l'interrogateur aux yeux injectés de sang, au teint si plombé qu'il paraissait avoir été enfermé plus longtemps que la majorité de ses prisonniers. L'autre interrogateur, celui aux phalanges calleuses, et qui louchait, n'était pas dans la pièce pour l'instant.

Ronzha eut un hoquet de souffrance. Ils l'avaient mis nu et enveloppé comme une momie égyptienne dans de la toile humide, puis recouvert de chaudes couvertures. En séchant, la toile se resserrait sur son corps comme un étau. Au début, il avait l'impression que quelqu'un le serrait dans ses bras. Puis cela commençait à faire mal. Finalement, la douleur devenait intolérable, surtout au niveau des côtes, dont la plupart étaient fêlées ou brisées. Il hurlait tant qu'il pouvait respirer, puis s'évanouissait.

« Comment ça ? » répéta l'interrogateur. Il dévoila deux rangées de dents pourrissantes dans un sourire encourageant.

L'homme aux phalanges calleuses revint dans la pièce en boutonnant sa braguette. Ronzha se souvint de sa source ; il citait la pièce en vers de Pouchkine, *Mozart et Salieri*, dans l'épisode où Mozart, refusant de croire que Salieri veuille l'empoisonner, dit : « Le génie et le crime sont incompatibles. »

« Staline ne peut pas être un génie, dit lentement Ronzha, parce que le génie et le crime sont incompatibles.

— Que dit-il maintenant ? demanda Phalanges-Calleuses.

— À sa manière d'intellectuel décadent, il accuse le phare du communisme international, le camarade Staline, d'être un criminel. »

Phalanges-Calleuses eut un profond rot de déplaisir et donna une gifle désinvolte à Ronzha. Le crâne du poète vint heurter le mur de pierre. Des éclairs de lumière passèrent devant ses yeux et il crut un instant que la pièce avait explosé. La souffrance était intense… submergeait la pensée… son cerveau ne produisait plus d'idées… pas assez d'air… tout était vide… la douleur diminuait… il lui faudrait émigrer… les poètes étaient devenus des émigrés intérieurs… ils erraient dans le labyrinthe de la littérature, où le pouvoir soviétique ne pouvait pas les suivre… Pouchkine l'y attendrait quelque part… Pouchkine le protégerait…

Ils lui firent reprendre conscience en lui jetant un seau d'eau glacée au visage. Pendant un long moment, Ronzha fut certain d'être mort. L'idée lui vint graduellement qu'il était seulement mouillé. Il réalisa péniblement où il se trouvait, et enfin qui il était.

Les jours avaient fini par se ressembler parce qu'ils se suivaient. Mais il avait du mal à se rappeler l'ordre des événements. Avait-il été torturé avant son arrestation, ou après ? À quel moment l'avaient-ils réveillé en lui jetant un seau d'eau au visage, avant ou après qu'il eut perdu conscience ? Était-il de quelque façon parvenu à lire son poème sur Staline avant de l'avoir écrit ? Cela le gênait de poser la question. Ils le prendraient pour un imbécile ou, pire, un fou. Il savait bien qu'il n'était pas fou. Il avait seulement perdu le contact avec le déroulement des choses, c'était comme si un homme dépourvu de la perception de la profondeur regardait un paysage.

Yeux-Injectés-de-Sang joua les infirmiers et aida Ronzha à enfiler ses vêtements. Ce fut long. Enfiler son pantalon de pyjama une jambe après l'autre, le remonter, boutonner la veste, tout cela exigeait une grande concentration de leur part à tous deux. Alors que Phalanges-Calleuses infligeait de la souffrance, Yeux-Injectés-de-Sang se donnait beaucoup de mal pour l'éviter. Ronzha y avait longuement réfléchi. Il avait décidé à la fin qu'ils avaient dû commencer leur carrière sur une sorte de terrain médian, puis s'étaient éloignés l'un de l'autre de façon à se compléter. Ils étaient devenus, pour ainsi dire, des amants qui fonctionnaient efficacement parce qu'ils approchaient un problème par les deux extrémités du spectre.

Yeux-Injectés-de-Sang assit doucement Ronzha sur une chaise de bois et lui tendit une confession dactylographiée. Pendant que Ronzha la lisait, il dévissa le capuchon d'un stylo et l'enfonça sur l'autre bout. « Vous n'avez qu'à signer et tous vos ennuis seront finis, dit-il à Ronzha d'une voix presque caressante. Il y aura un procès où vous pourrez confirmer vos aveux. Puis vous partirez en Asie centrale pour cinq ans tout au plus. Après tout, ce n'était qu'un poème. »

Ronzha savait qu'Yeux-Injectés-de-Sang mentait comme l'arracheur de dents dont les siennes auraient eu besoin. Ils l'avaient sérieusement abîmé. Il n'était pas question de le montrer pour des aveux publics. Quand il aurait signé, on l'emmènerait au sous-sol, où les murs étaient si épais qu'ils assourdissaient les coups de pistolet tirés dans la nuque. Ronzha avait plus d'une fois été tenté de leur céder, tenté de mettre fin à son exil du labyrinthe de la littérature. Mais il s'était toujours repris au dernier moment. Un poète ne vivait pas au présent. Il vivait dans l'éternité. Il était responsable devant les poètes qui l'avaient précédé et ceux qui le suivraient. Pour lui, c'était comme si les poètes de tous les temps venaient de la même substance, de la même semence. Il ne devait surtout pas les trahir en signant une fausse confession. Même cette époque dépourvue de poésie devait en avoir sa part, un homme qu'on ne pouvait forcer dans le moule socialiste, qui ne s'inclinait pas devant le montagnard du Kremlin et les demi-hommes qui se pressaient autour de lui. Son seul espoir de libération, il le savait, c'était de pousser ses tortionnaires à le tuer accidentellement.

Ronzha tendit la main vers le stylo. Yeux-Injectés-de-Sang le lui plaça vivement dans la paume. Ronzha aplatit la confession sur le bureau, se pencha dessus avec peine et griffonna une signature au bas de la page.

Phalanges-Calleuses et Yeux-Injectés-de-Sang échangèrent des regards de triomphe. Phalanges-Calleuses saisit la feuille.

« Il a signé Franz Kafka.

— Qui est ce type, Franz Kafka ? demanda Yeux-Injectés-de-Sang, mécontent.

— C'est peut-être un autre conspirateur, suggéra Phalanges-Calleuses avec un grognement.

— Vous éprouvez ma patience, dit Yeux-Injectés-de-Sang. Je vous le demande de nouveau : qui est Franz Kafka ? »

Ronzha eut un rire mêlé de toux. Phalanges-Calleuses s'approcha de la chaise et frappa le poète à l'estomac, lui coupant respiration et rire. Ronzha se plia en deux.

« Nous voulons savoir qui est ce Franz Kafka », dit Phalanges-Calleuses.

Yeux-Injectés-de-Sang agita un doigt comme un maître d'école irrité. « Quelle est la connexion de Kafka avec le mouvement trotskiste antisoviétique ? » Voyant que Ronzha ne répondait pas, il haussa les épaules à l'adresse de Phalanges-Calleuses, qui gifla brutalement le poète.

D'autres coups suivirent. Ronzha recommença à s'enfoncer dans les ténèbres. Il ne ressentait pas d'inconfort exagéré, il était anesthésié. Les questions lui tombaient dans l'oreille comme des gouttes d'eau.

Le père de Hamlet était mort de gouttes de poison dans l'oreille. Avec un peu de chance, il en serait de même pour lui.

« Dis-nous qui est Franz Kafka.

— Un bolchevik haut placé qui a écrit le poème que tu as lu ?

— Kafka, c'est un nom qui sonne tout à fait étranger.

— Ce Kafka est-il ton contact avec le Haut Commandement allemand ?

— Un Juif allemand qui fait directement son rapport à Hitler ? »

Avant de perdre totalement conscience, Ronzha entendit Yeux-Injectés-de-Sang dire à Phalanges-Calleuses : « Nous devons trouver qui est ce Franz Kafka ou nous allons avoir beaucoup d'ennuis. »

Quand il revint à lui, il était étendu sur sa paillasse dans la cellule commune. Mme Zubina était penchée sur lui, le visage plein de souci, et essuyait le sang séché avec un morceau de soie qu'elle avait arraché à sa combinaison et humecté de salive. Elle portait sur les épaules une grosse couverture de l'armée drapée comme un châle par-dessus sa mince robe d'été au tissu imprimé de jonquilles. Elle avait été ramassée dans la rue en août, et oubliée là depuis. Elle n'avait jamais été accusée d'aucun crime, jamais été convoquée pour interrogatoire – et, à part la couverture qu'on lui avait donnée le jour de son arrivée, n'avait pas reçu de vêtements d'hiver quand la saison avait changé. C'était comme si elle avait cessé d'exister. Mme Zubina, qui devait avoir près de soixante-dix ans, réprimandait le poète. « Soyez raisonnable. » Sa voix évoquait un roucoulement de pigeon. « Signez ce qu'ils veulent. »

Ronzha essaya de bouger les lèvres, mais elles étaient trop enflées. Il pensa à Appolinaria. Ses yeux s'emplirent de larmes. Soyez raisonnable, conseillait Mme Zubina. Il se souvenait d'un personnage appelé Niejdanov – dans *Terres vierges* de Tourgueniev – qui expliquait son suicide imminent en disant : « Je ne pouvais pas me raisonner. »

« Moi aussi », parvint à marmonner Ronzha comme un ventriloque, sans remuer les lèvres.

« Vous aussi quoi ? » demanda Mme Zubina. Elle se posa un doigt sur les lèvres. « Peu importe. Gardez vos forces. Ne parlez pas. Écoutez. »

Ronzha écouta le silence. Il y avait un bourdonnement continu dans son oreille, là où Phalanges-Calleuses l'avait frappé plus fort que d'habitude. Il essaya de le chasser par un effort de volonté, de l'éliminer comme un bruit parasite sur un poste de radio, mais il ne voulait pas disparaître. Il avait désespérément besoin de silence. Il lui fallait entendre la poésie dans les silences entre les mots, mais les silences lui glissaient entre les doigts, et la poésie avec eux. Bientôt ils seraient tous deux hors de sa portée.

Ce qui sauvait tout dans la cellule commune, c'était une vie culturelle relativement riche. À midi, le garde ouvrait la porte et jetait à l'intérieur une pile de papier hygiénique – des pages arrachées à des livres confisqués – et les prisonniers se réunissaient vite au milieu de la cellule pour comparer leurs feuilles. Avec un peu de chance, ils trouvaient quatre ou cinq pages consécutives du même livre et organisaient une « lecture » après le déjeuner. Au milieu de l'après-midi, les pensionnaires écoutaient tous la conférence quotidienne, qui avait lieu dans le coin de Ronzha pour qu'il puisse y assister. Deux semaines plus tôt, il y avait eu une brillante communication sur le plancton par un célèbre biologiste marin. La veille, un expert en fossiles, ancien conservateur du musée d'Histoire naturelle de Moscou, avait présenté des arguments à l'appui de sa thèse d'après laquelle la terre subissait un cataclysme périodique qui détruisait des espèces entières tous les vingt-six millions d'années.

« Peut-être que ça explique ce qui se passe en Russie », s'était écrié, excité, un comédien de radio juif bien connu. « Les vingt-six millions d'années dont vous parlez doivent se terminer actuellement. Staline ne fait que l'œuvre de la nature. Cette fois-ci, l'espèce à détruire est évidemment la race humaine. »

Ce même soir, le comédien avait été appelé pour interrogatoire. « Gardez ma paillasse au chaud, avait-il murmuré théâtralement en se dirigeant vers la porte. Je vais avertir les autorités à propos de cette affaire de vingt-six millions d'années. » Il avait laissé ses joues s'affaisser dans un désespoir simulé. « C'est bien ma chance de naître alors qu'on attend un cataclysme. »

Quand Ronzha se réveilla le lendemain matin, la paillasse du comédien était vide. Il ne revint jamais dans la cellule.

Deux nuits plus tard, les interrogateurs s'occupèrent à nouveau de Ronzha. « Dieu vous bénisse », murmura Mme Zubina en aidant le poète à se lever.

« Puisque tout est permis, je ne crois plus que Dieu existe, lui dit Ronzha de sa voix de ventriloque. Mais que Dieu vous bénisse aussi. »

Se frayant pas à pas un chemin entre les paillasses, le poète se dirigea vers la porte. Mme Zubina le rattrapa.

« La terreur m'a enlevé mon fils, murmura-t-elle avec insistance. Je vous supplie de me laisser vous adopter.

— Non, répondit le poète.

— Mais pourquoi ?

« — Je ne veux pas que vous perdiez un deuxième fils », dit Ronzha. Il lui prit la main et la baisa de ses lèvres enflées.

Dans la salle d'interrogatoire, Phalanges-Calleuses enfilait une paire de gants de chirurgien couleur chair. « Mal aux mains ? » demanda Ronzha avec sollicitude.

Phalanges-Calleuses lui jeta un regard menaçant.

« Il essaie seulement de te provoquer », l'avertit son collègue.

Yeux-Injectés-de-Sang fit signe à Ronzha de s'asseoir sur la chaise de bois au milieu de la pièce. Le poète, qui portait une veste de prison à longues manches par-dessus sa chemise, frissonna involontairement. La veille au soir, Mᵐᵉ Zubina lui avait posé les lèvres sur le front comme s'il était un bébé et lui avait annoncé qu'il avait de la fièvre, mais Yeux-Injectés-de-Sang prit son tremblement pour un signe de peur. Il tira sa chaise en face de Ronzha.

« Écoutez, commença-t-il. Et si nous faisions un compromis ? Yegor et moi, il faut qu'on ait un résultat à montrer pour nos peines ou ils nous accuseront de manquer de vigilance, peut-être même de couvrir une conspiration. »

Ronzha frissonna de nouveau, et Yeux-Injectés-de-Sang crut arriver à quelque chose.

« Et si nous laissions tomber l'accusation d'avoir été réellement en contact avec le centre trotskiste ? Et si nous disions que lire ce poème, c'était votre façon d'essayer de toucher d'autres gens qui pensaient comme vous ? En d'autres termes, c'était la première étape d'une conspiration. Vous n'avez pas vraiment comploté avec qui que ce soit. Vous essayiez seulement d'en trouver d'autres avec qui comploter, espérant peut-être, disons, espérant, si vous étiez assez nombreux, offrir vos services au centre trotskiste. Comme aucun sabotage n'a été commis en fait, vous vous en tirerez avec un coup sur les doigts. Qu'est-ce que vous en dites ?

— Puis-je vous poser une question ? demanda Ronzha de sa voix râpeuse de ventriloque.

— Posez. Posez.

— J'ai entendu dire que le corps de Lénine, dans le mausolée, avait été remplacé par un mannequin de cire parce que l'embaumement n'empêchait pas la syphilis de gâter son cadavre. Je voudrais savoir si c'est vrai. »

Yeux-Injectés-de-Sang se leva et recula sa chaise pour faire de la place à son collègue. Phalanges-Calleuses s'approcha de Ronzha et le mesura des yeux comme un tailleur pouvait le faire d'un client. Puis il frappa. Le coup atterrit sur le nez du poète, brisant l'os, écrasant le cartilage, avec un bruit écœurant. La tête de Ronzha fut projetée en arrière. Sa chaise se renversa. Son crâne heurta le sol de pierre. Il toussa du sang.

Phalanges-Calleuses releva la chaise et, tenant Ronzha à bout de bras pour éviter de se tacher de sang, l'y rassit.

« Tu l'as frappé trop fort, dit Yeux-Injectés-de-Sang, soucieux. Ses yeux n'accommodent plus.

— Je l'ai frappé comme je le fais toujours, protesta Phalanges-Calleuses.

— Vous m'entendez ? » demanda Yeux-Injectés-de-Sang au poète. Il lui agita une main devant le visage.

Ronzha pouvait distinguer une voix à travers un brouillard de douleur, mais elle semblait venir de l'autre côté d'une rivière. Avait-il finalement traversé le Styx ? Si c'était le cas, il ne restait plus qu'une petite partie du voyage. Le temps était venu, se dit-il, de réfléchir à ses derniers mots. Ses pensées se tournèrent vers Pouchkine. Il était tombé sous la balle tirée par D'Anthès. Dans la bibliothèque sombre de la petite maison sur le canal Moïka, il avait hurlé de souffrance pendant une journée entière et la moitié de la suivante. Un moment avant de mourir, Pouchkine avait ouvert les yeux. « Adieu mes amis… la vie est finie ! »

Ronzha voulait faire mieux.

Soudain, le poète eut désespérément peur de ne pas finir le voyage. Il avait besoin de plus d'aide. Bien que ce fût extrêmement douloureux, il essaya de bouger les lèvres. « L'identification de la moralité… avec un chef unique, que ce soit Hitler ou Staline, est une régression, une régression à l'infant… l'infantile… l'infantilisme », dit-il.

Il ferma les yeux et attendit le coup. Celui-ci le toucha au-dessus de l'œil droit. Ronzha se sentit projeté en arrière. Le bourdonnement dans son oreille devint un rugissement. Il se tenait sur l'autre rive du Styx, juste sous une chute d'eau. Il sentit son cœur s'arrêter brutalement de battre. Il força la phrase de Gogol à passer ses lèvres mortes.

« *Soudain on pouvait voir jusqu'aux confins de la terre.* »

CHAPITRE V

Les deux hommes qui vinrent au théâtre étaient si bien habillés que Masha les prit pour des producteurs. Ils plièrent soigneusement leurs manteaux sur des sièges de la douzième rangée et s'assirent dans la salle vide pour regarder la répétition.

« Tu en fais trop, Masha », dit le metteur en scène, au premier rang. C'était un jeune homme vif qui portait des lunettes spéciales aux verres teintés, même à l'intérieur. « Tu dois garder à l'esprit que tu viens juste de le rencontrer.

— Je croyais qu'il fallait lui faire comprendre que j'étais intéressée », répondit Masha. Elle faisait face au metteur en scène, les mains sur les hanches, et regardait les deux producteurs du coin de l'œil. Ce n'était pas son imagination, ils semblaient tous deux lui consacrer beaucoup d'attention.

« Tu peux lui faire comprendre que tu es intéressée, mais pas sans *exigence*, le contraire de *bon marché*, si tu vois ce que je veux dire. L'idée, c'est de projeter la confiance en elle-même de la nouvelle femme soviétique sans perdre sa modestie fondamentale. Reprends à partir du moment où Evgueny voudrait savoir si sa demande d'inscription au Parti a été examinée. »

Masha se mit sur le nez les lunettes qui allaient avec le rôle et fit face à l'acteur qui jouait Evgueny.

« Je suis désolé de vous déranger, commença-t-il.

— Vous ne me dérangez pas », répliqua Masha avec vivacité. Elle essaya de donner à sa voix un ton plus impersonnel et professionnel qu'avant. « Je suis ici pour ça.

— Je me demandais, continua Evgueny avec l'hésitation appropriée, si ma demande d'inscription au Parti a déjà été examinée.

— Quel est votre nom ? s'enquit Masha avec un léger soupçon d'agacement dans la voix.

— Kotin. Evgueny Sergueïevitch Kotin. »

Masha permit à ses yeux de s'ouvrir un peu plus grands.

« L'aviateur ? Celui qui a atterri près du brise-glace bloqué dans l'Arctique ? »

Evgueny eut un sourire modeste.

« Je me disais que vous m'étiez familier ! J'ai vu votre photo dans la *Pravda*. » Elle laissa une note d'excitation sensuelle se glisser dans sa voix. « Celle où le camarade Staline vous épingle une médaille sur la poitrine. » Ici, elle puisa dans son registre rauque ; si les deux producteurs avaient en vue un rôle de cinéma pour elle, ils ne pourraient qu'être impressionnés. « Dites-moi quelque chose. Comment est-il *vraiment* ? »

Evgueny réfléchit un moment avant de répondre.

« Il vous regarde droit dans les yeux. Sa poignée de main est ferme, honnête, directe – celle d'un travailleur. Il m'a posé des questions sur mon avion – son équipement de navigation, les patins spéciaux que j'ai employés pour atterrir sur la banquise, les performances du carburant à haut indice d'octane à basse température – cela montrait qu'il était expert dans les aspects techniques de l'aviation. Je vais vous dire quelque chose que je n'ai jamais dit à personne – je dors mieux depuis que j'ai rencontré le camarade Staline. Notre pays est entre de bonnes mains. »

« C'est meilleur, cria le metteur en scène. C'est bien meilleur. » Plus tard, les deux producteurs, le manteau plié sur le bras, vinrent dans la loge de Masha. La porte était ouverte, mais ils frappèrent quand même. « Entrez donc », dit Masha. Elle essaya de montrer qu'elle était intéressée, mais non sans exigence…

L'un des hommes resta à la porte. L'autre, avec un sourire poli, s'approcha et lui montra une carte. Masha supposa qu'il voulait se présenter comme membre de l'Union soviétique des producteurs. Puis elle aperçut les lettres NKVD. Sa première pensée cohérente fut de remercier Dieu d'être assise. La seconde, qu'elle devait les convaincre de son innocence. « Je vous le jure sur une pile de bibles, lâcha-t-elle… Je ne crois pas en Dieu moi-même, balbutia-t-elle hâtivement. Les bibles, ce n'était qu'une façon de parler. Mais je vous jure que c'était une plaisanterie. Je vois maintenant, à la lumière du jour, que c'était peut-être de mauvais goût. »

L'homme qui lui avait montré sa carte demanda : « Qu'est-ce qui était une plaisanterie ? »

— La chansonnette que j'ai chantée à la fête hier soir. J'avais beaucoup bu…

— Quelle chansonnette ? »

Masha prit une profonde inspiration. Ils savaient évidemment tout, ou ils ne seraient pas là. Ils la testaient. La meilleure tactique était de tout leur dire et de les convaincre de son honnêteté. Quelle petite idiote elle faisait. Elle avait bu, mais n'était pas saoule. Elle se mettait en valeur devant le scénariste qui lui avait demandé si elle avait jamais joué un rôle de chanteuse. En réponse, elle s'était renversée à la Marlene Dietrich sur un piano, le bras rejeté en arrière pour faire saillir ses seins contre la soie de son chemisier, et avait chanté deux vers connus sous le nom de « spleen de Moscou ».

Le NKVD est à court de colle
Je n'ai pas de courrier depuis des semaines.

Chacun avait trouvé cela très comique sur le moment. Maintenant, ça semblait avoir perdu toute drôlerie.

L'homme qui s'était posté à la porte avança dans la loge.

« Elle croit que nous sommes venus à cause de la chanson qu'elle a chantée hier soir, dit-il à son collègue.

— Ce n'est pas la raison, lui assura le premier. Ce n'est pas ça du tout.

— Nous acceptons la plaisanterie comme tout le monde », affirma celui qui se trouvait près de la porte.

Masha se renfonça sur sa chaise.

« Pourquoi êtes-vous ici ?

— Nous croyons savoir que vous étiez intime avec un homme qui travaillait il y a peu encore pour Tass. Son nom est Alexander Til. »

Masha leur offrit son sourire le plus innocent.

« Alexander et moi avons rompu il y a des mois !

— Mais vous le connaissiez ? »

Elle hocha faiblement la tête.

« Je crains que nous ne devions vous inviter à venir avec nous. Nous voulons vous poser quelques questions sur lui.

— Suis-je arrêtée ?

— Disons que vous êtes retenue, répondit l'homme à la porte. Si vous répondez honnêtement, si vous éclaircissez tout malentendu, vous serez de retour chez vous en un rien de temps. »

À leur bureau, les deux hommes du NKVD accrochèrent leurs manteaux et celui de Masha à des cintres de bois qu'ils pendirent derrière la porte, puis la soumirent à un torrent sans fin de tasses de café et de questions. Où exactement avait-elle rencontré Til ? De quoi parlait-il ? Qui étaient ses amis ? Quelle était sa relation avec sa belle-fille ? Qui était assez proche de sa belle-fille pour la cacher ?

À un moment, celui qui remplissait sans arrêt de café la tasse de Masha demanda si Til était « normal ».

« Normal de quelle façon ?

— Normal sexuellement. »

Masha détourna les yeux pour manifester la modestie fondamentale de la nouvelle femme soviétique. « Oui », dit-elle d'une voix presque inaudible.

Pendant tout l'après-midi, elle se tint à l'histoire que Zander et elle avaient mise au point.

« Je lui ai écrit cette lettre parce que je ne voulais pas affronter la douleur de rompre avec lui de vive voix », leur dit-elle. De nouveau, elle laissa sa voix glisser dans son registre rauque ; elle savait que la plupart des hommes la trouvaient irrésistible. « J'étais attirée par lui, je l'admets, parce que je pensais que c'était un révolutionnaire honnête, un véritable homme du Parti. Quand j'ai découvert qu'il n'était pas aussi ardent que je le croyais, j'ai mis fin à notre liaison. »

Un des hommes du NKVD plongea la main dans un classeur et en sortit une feuille de papier qu'il lui montra.

« Est-ce la lettre en question ?

— C'est ça ! » s'écria Masha, excitée. Elle permit à des intonations de vulnérabilité de poindre dans sa voix. « C'est ma lettre. Je la reconnaîtrais n'importe où. Maintenant que j'y pense, il m'a même répondu. »

L'agent sortit aussi cette lettre-là. « Nous avons pris la liberté de fouiller votre appartement avant de venir au théâtre. »

Il commençait à faire sombre dehors. L'un des deux hommes se leva et alluma la lampe du plafond. Puis il dit quelque chose qui fit passer un frisson de terreur dans le dos de Masha : il la tutoya.

« Tu n'es pas d'une grande aide, se plaignit-il d'une voix aiguë.

— Je pense que le mieux, c'est que tu passes la nuit ici, dit l'autre. Dors là-dessus. Tu feras peut-être mieux demain. »

Passer la nuit au centre de détention du NKVD, c'était suivre les règles appliquées aux prisonniers. Deux soldats du NKVD en uniforme escortèrent Masha jusqu'à un vestiaire avec des bancs de bois longs et bas et des patères de métal.

« Déshabille-toi », ordonna l'un d'eux.

Les deux soldats restaient là, la regardant de façon obscène avec des sourires stupides sur leurs larges visages de paysans. « Qu'est-ce que tu attends ? demanda l'autre.

— J'attends que vous vous conduisiez en gentlemen et que vous sortiez.

— Si tu ne veux pas te déshabiller, nous le ferons, l'avertit celui qui avait le plus large sourire.

— Vous n'oseriez pas », dit Masha en reculant. Les deux soldats s'avancèrent vers elle. « D'accord, d'accord », s'écria-t-elle en levant une main, paume vers eux. Furieuse d'être ainsi humiliée, elle leur tourna le dos et commença à enlever ses vêtements.

« Sous la douche », ordonna l'un des soldats.

Se couvrant les seins d'une main et le pubis de l'autre, elle s'avança, pieds nus, entre les gardes et entra par une porte voûtée dans une grande pièce froide carrelée de blanc où une douzaine de pommes de douche sortaient des murs. Un des soldats lui lança une barre de savon marron foncé qui sentait le goudron. Masha dut exposer ses seins et son pubis pour l'attraper. Les soldats rirent gaiement. Des larmes ruisselaient sur le visage de Masha.

« Arrête de pleurnicher », lui ordonna un des gardes, désignant une pomme de douche de la tête.

Masha essaya le robinet de gauche. Rien ne sortit du tuyau.

« Il n'y a que de l'eau froide », dit l'autre garde, et ils rirent tous deux devant son expression. « Le froid est bon pour les seins, ajouta-t-il. Ça les met au garde-à-vous. »

De retour dans le vestiaire, Masha y trouva un barbu en blouse blanche qui l'attendait. Une cigarette imbibée de salive pendait de ses lèvres. Il avait sur la main droite un gant transparent et tenait une lampe électrique de l'autre.

« Tournez-vous et saisissez vos chevilles sans plier les genoux », ordonna-t-il d'une voix ennuyée.

Masha comprit instantanément ce qu'il avait en tête. Elle recula jusqu'à se trouver adossée au mur glacé. « Jamais, dit-elle dans un murmure furieux. Plutôt mourir. »

L'infirmier fit signe aux deux soldats de l'aider. Ils s'approchèrent de part et d'autre de Masha. « S'il vous plaît », gémit-elle alors qu'ils lui attrapaient les poignets. Un instant après, elle était pliée en deux. L'infirmier lui écarta les jambes d'un coup de pied et, se mettant sur un genou, lui inséra brutalement un doigt dans l'anus, puis deux dans le vagin. Masha s'étrangla sur un cri et vomit sur le plancher devant elle.

« Elle est propre », dit l'infirmier.

Plus tard, les deux soldats lui donnèrent une robe de coton sombre qui puait le désinfectant, une paire de pantoufles ouvertes au talon et une vieille couverture de l'armée qui sentait le vomi. Ils firent un inventaire méticuleux de ses habits – « Un soutien-gorge en dentelle rose, un slip en coton, rose, avec des initiales brodées » – et insistèrent pour qu'elle le signe. Ils secouèrent son portefeuille, répandant le contenu sur le sol, et le consignèrent sur un formulaire. Puis ils lui firent descendre un couloir, traînant les pieds entre eux dans les mules, avec la robe qui sentait le désinfectant, jusqu'à une pièce minuscule contenant un seau hygiénique et rien d'autre. Le seau était plein. « Dors bien », dit un des gardes avec un rire en refermant la porte sur elle.

« Pour l'amour du ciel, revenez ! » hurla Masha vers la porte bouclée, et elle la frappa du plat de la main jusqu'à ce que son poignet lui fît mal. S'enveloppant dans la couverture malodorante, elle se laissa glisser sur le sol dans un coin de la pièce obscure et pleura toutes les larmes de son corps.

Elle essaya de dormir, mais l'odeur du seau et de la couverture et les pensées qui lui traversaient la tête la tinrent en éveil. Au milieu de la nuit, une lourde porte claqua près de sa cellule. Au bout d'un moment, elle entendit distinctement quelqu'un taper sur le mur, mais elle n'avait aucune idée de ce que cela signifiait et ne répondit pas.

Le matin, les deux mêmes gardes en uniforme lui rendirent ses habits, insistèrent pour qu'elle vérifie que tout était là et lui firent signer un reçu. Ils lui permirent de s'habiller seule et la conduisirent au travers des couloirs jusqu'au bureau où l'attendaient les deux hommes du NKVD. L'un lui offrit poliment une chaise, l'autre lui donna une tasse de café fumant et un petit pain.

« Du sucre ? demanda-t-il.

— Deux morceaux.

— Pardonnez-moi de les prendre avec les doigts. » Il mit deux morceaux de sucre dans sa tasse. Elle remua le café avec une petite cuiller et, quand il eut un peu refroidi, commença à le siroter. Les deux agents du NKVD ne la pressèrent pas. Quand elle eut fini, l'un d'eux lui enleva la tasse et la soucoupe.

« Merci, dit-elle.

— Ce n'est qu'une tasse de café », répondit-il avec un sourire aimable.

L'autre homme, assis derrière le bureau, s'éclaircit la gorge.

« Avez-vous », il la vouvoyait de nouveau, « pensé durant la nuit à quelque chose d'autre que vous pourriez vouloir nous dire sur Alexander Til ?

— En fait », répondit Masha, tentant en vain d'empêcher sa voix de prendre un timbre trop « facile », « oui. »

Ludmilla pouvait distinguer par la fenêtre au-dessus de l'évier piqueté de la cuisine la chaîne de montagnes qui dominait la ville d'Alma Ata. Les sommets étaient couverts de neige douze mois par an. Le paysan qui lui vendait du koumis, du lait de jument fermenté, prétendait qu'on pouvait voir la Chine du plus haut pic de la plus haute montagne. Ludmilla se souvint d'une phrase de Gogol que Ronzha aimait réciter :

Soudain on pouvait voir jusqu'aux confins de la terre. Si seulement elle pouvait *aller* jusqu'aux confins de la terre ! Ça ne ferait sans doute aucune différence. Il y aurait là des gens prêts à vous dénoncer, et la police prête à vous arrêter. Dans ce petit jeu de la vie, décida-t-elle, il n'y avait pas de gagnants, seulement des joueurs.

Elle ouvrit l'étroite porte de la cuisinière et y jeta une demi-pelletée de charbon, puis ajouta une pincée de sel à la soupe de têtes de hareng qui mijotait sur le fourneau. Il lui vint à l'idée, pas pour la première fois, que faire la cuisine pour soi seule était une des choses les plus déprimantes qui soient. Après la soupe, elle mangerait les harengs, qu'elle avait fait mariner dans du vinaigre doux, avec un genre de kasha fait de riz non décortiqué. Ce n'était pas appétissant du tout.

Ludmilla se trouvait à Alma Ata, dans l'appartement de Masha, depuis soixante-six jours, ce qui donnait neuf semaines et demie, ce qui faisait une semaine de plus que deux mois. Si on avait insisté, elle aurait même pu dire le nombre d'heures. Et presque aucune d'elles ne se passait sans quelle eût une conversation imaginaire avec Alexander. « C'est comme ça », commençait-elle et, dans son esprit, elle le voyait pencher la tête pour diriger sa bonne oreille vers elle. « Si tous nos dirigeants qui font les plans travaillent pour les Allemands, comme le dit Staline, pourquoi Hitler a-t-il besoin de milliers d'espions pour découvrir nos plans ? » Et elle imaginait Zander fronçant les sourcils et disant : « J'espère au nom du ciel que tu ne poses pas ce genre de question à d'autres gens. » Et elle se plaignait : « Mais tu ne m'as pas répondu ! » Et il secouait la tête : « La réponse est évidente. »

Ludmilla retirait les têtes de hareng de la soupe quand elle entendit un bruit de course dans l'escalier. Sa première pensée fut qu'il s'agissait de Vanka, le fils adolescent du couple du premier étage, qui montait lui dire d'allumer la radio sur telle ou telle fréquence, qu'on jouait quelque chose de Prokofiev ou de Stravinsky. Puis elle entendit un poing heurter lourdement la porte et sut que ce n'était pas Vanka, il frappait toujours des phalanges, trois coups légers, et ensuite trois autres.

« C'est comme ça », dit-elle à voix haute, essayant de contrôler la peur qui lui montait à la gorge et la serrait tant qu'il lui devint soudain difficile de respirer. « Je n'ai aucune raison de m'alarmer. Tout ce qui s'est passé, c'est que la Russie est une loterie et que mon numéro est sorti. »

Celui qui était à la porte, quel qu'il fût, frappa de nouveau. Ludmilla alla ouvrir d'un pas décidé.

Arishka avait consacré des heures à faire ce paquet, comme les précédents. Elle l'avait pesé plusieurs fois pour être sûre qu'il ne dépassait pas le poids autorisé, fût-ce d'une plume. Elle avait vérifié chaque élément sur la liste ronéotypée, en les mettant dedans : une chemise de laine, deux paires de chaussettes de laine, une paire de chaussures, un maillot de corps, une brosse à dents, cinq savons, une livre de saucisses, une de fromage, une miche de pain ne devant pas dépasser une demi-livre, une livre de pommes. Elle savait qu'Arkady ne fumait pas, mais elle avait ajouté cent grammes de tabac, des allumettes et du papier à cigarettes dans l'idée qu'il pourrait faire du troc avec d'autres prisonniers.

Maintenant, le paquet serré contre la poitrine, elle attendait avec des centaines d'autres femmes devant la prison Boutyrskaïa dans la rue Novosloboskaïa, dans la partie nord du centre de Moscou. Un vent glacé soufflait ce matin-là, et les femmes s'étaient toutes mis des foulards sur la tête. Le déploiement de couleurs et de textures contrastait vivement avec le gris de la journée et la tristesse de ce qui les amenait. Elles attendaient patiemment, en silence, dans la queue qui serpentait le long des murs de brique crénelés, passait sous une porte voûtée, puis traversait une cour au sol de ciment vers une porte verte surmontée d'une pancarte où on lisait « RENSEIGNEMENTS ».

La plupart des femmes gardaient la tête baissée sous leurs foulards et les yeux fixés sur les pieds de la personne qui les précédait. Parfois, pourtant, les yeux d'Arishka rencontraient ceux d'une autre femme, et il y avait cet éclair de sympathie qui passe entre de complets étrangers partageant la même douleur.

Arishka faisait la queue depuis presque deux heures quand elle remarqua une femme en avant qui la fixait. Elle hocha légèrement la tête. La femme quitta sa place pour rejoindre Arishka.

« Pour l'amour du ciel, ne dis surtout pas à Pasha que tu m'as vue ici, murmura Sérafima Federovna.

— Bien sûr que non », chuchota Arishka en retour. Elle désigna de la tête le paquet que tenait Sérafima. « Pour qui est-ce ? »

Sérafima répondit dans un murmure encore plus bas : « Pour Zander. Il est ici depuis deux mois maintenant. Tout ça à cause d'un poème. C'était antisoviétique et tout ça, mais je pense que l'auteur devrait être puni, pas l'auditeur. Je veux dire, on peut toujours empêcher les gens d'écrire, mais comment les empêcher d'entendre quand on ne sait pas d'avance de quoi il s'agit ? Quand je dis ça à Pasha, il est furieux. Il dit que les femmes ne devraient pas mettre leur nez dans les affaires qui ne les concernent pas. » Sérafima jeta un regard sur le paquet d'Arishka. « Pour qui fais-tu la queue ?

— Un ami. » Arishka eut un sourire triste. « Il a disparu il y a un mois. J'espère contre tout espoir que c'est une erreur. » Elle se mit à sangloter très doucement. « Le pire, c'est que personne ne veut me dire où il est. Alors je vais de prison en prison et je laisse un paquet à son nom dans chacune. J'en fais une nouvelle chaque fois que je peux prendre un jour de congé. J'ai déjà fait Lefortovo et la Loubianka.

— Ton ex ne peut pas t'aider ? demanda Sérafima, toujours pratique.

— Il a essayé, mais il n'a rien découvert.

— Avec un peu de chance, il est peut-être ici à Boutyrskaïa, dit Sérafima avec espoir. Peut-être que Zander et lui sont compagnons de cellule. »

Au milieu de l'après-midi, Arishka et Sérafima entrèrent dans le bureau de renseignements. Deux femmes se tenaient derrière le comptoir, pesant chaque paquet sur une balance de boucher pendue par une chaîne au plafond, puis notant méticuleusement dans un énorme registre le nom du donateur et celui du destinataire. Elles écrivaient toutes deux à la façon des gens qui ont appris peu auparavant. Leurs plumes grattaient malaisément la page, puis restaient en l'air pendant que la femme examinait ce qu'elle avait écrit à la recherche d'erreurs.

L'une d'elles pesa le paquet de Sérafima et inscrivit les notes appropriées dans le registre. L'autre prit le colis d'Arishka et chercha le nom qu'il portait sur un livre dactylographié. « Nous n'avons pas de Lifshits, Arkady Eremeïevitch, ici », dit-elle à Arishka en lui rendant le paquet.

Arishka le repoussa. « Pourriez-vous le prendre quand même, juste au cas où ? »

La femme secoua la tête avec colère, refusant le paquet. « Nous n'acceptons de colis que pour les prisonniers enregistrés sur la liste. » Elle dirigea son regard derrière Arishka et dit : « Suivante. »

Arishka ne bougea pas.

« S'il vous plaît, insista-t-elle. On a accepté mon colis à Lefortovo et à la Loubianka, et ils n'avaient pas son nom non plus.

— C'est hors de question », dit la femme, têtue.

Dans son désespoir, Arishka éleva la voix. « Je me mets à genoux. Je vous en supplie, d'une femme à une autre. En quoi cela vous gênerait-il de prendre mon paquet ? »

L'autre greffière, derrière le comptoir, posa la main sur le téléphone.

« Viens », supplia Sérafima. Elle passa son bras sous celui d'Arishka et l'entraîna vers la porte.

« Sortez-la d'ici avant que j'appelle la garde », ordonna la femme qui tenait le combiné. Elle faisait penser à un policier caressant la crosse de son pistolet.

« Tu devrais considérer que c'est une bonne nouvelle, dit Sérafima à Arishka en traversant la cour. Ça veut dire qu'il n'est pas ici. »

Arishka eut un cri à peine contenu : « Oh, Arkady, où es-tu ? »

Des dizaines de femmes dans la queue, entendant son exclamation de douleur, levèrent les yeux sans bouger la tête.

« Soyez forte, dit l'une d'elles alors que Sérafima poussait Arishka devant elle.

— Ayez la foi.

— Ne faites pas d'enfants ! »

Penché par-dessus la rambarde du dernier balcon du Bolchoï – les sièges étaient placés si haut que les habitués appelaient cette section « le paradis » –, Alyosha Zhitkin regardait les musiciens prendre place sur scène. Il y eut un mouvement de foule quand Staline apparut dans la loge impériale. Plusieurs centaines de personnes, à l'orchestre, se tournèrent vers lui et se mirent à applaudir, mais Staline fit cesser l'ovation d'un geste de bonne humeur.

En dessous, sur scène, le premier violon tourna le dos au public et donna le *la* à l'orchestre. Les plus proches de lui, les violonistes, reprirent la note. Puis les violoncelles. Puis les contrebasses. En un moment le *la*, gonflé comme une montgolfière, ricochait autour de l'orchestre. Que se passerait-il, se demanda Alyosha, si l'instrument du premier violon était désaccordé ? Quelqu'un se lèverait-il pour le lui dire ? Ou l'orchestre entier s'accorderait-il sur une fausse note ? Le premier violon qui donnerait un faux *la* serait-il considéré comme un saboteur musical ?

Il y eut des applaudissements clairsemés pendant que le chef d'orchestre poussait le soliste vers le piano dans un fauteuil roulant en osier. Les lumières baissèrent. Staline, caché dans les ombres au fond de la loge impériale, ralluma sa pipe. Sur scène, le pianiste réchauffa longtemps ses mains entre ses cuisses paralysées, puis les leva lentement jusqu'à ce que ses doigts soient étendus au-dessus du clavier. Alyosha se demanda si les histoires qui couraient à son propos étaient vraies. La rumeur voulait qu'il eût été arrêté après que le frère de sa femme eut tenté de convaincre des délégués au 17e Congrès du Parti de chasser Staline et de confier son poste de Secrétaire général du Parti à Kirov, qu'il eût été rendu infirme par les interrogateurs du NKVD et n'eût été sauvé que parce que Staline avait un jour demandé, nonchalamment, un disque de lui.

Après le concert, Alyosha se glissa dans un trolley bondé qui allait vers le boulevard circulaire, puis fit à pied le kilomètre qui le séparait de chez lui.

Le froid était encore vif la nuit, mais le tranchant de l'hiver s'était émoussé. Bientôt les premiers bourgeons apparaîtraient sur les arbres qui n'avaient pas été abattus comme bois de chauffage et, si Moscou ne subissait pas de gelées tardives, ils finiraient par s'épanouir. En tournant le dernier coin de rue, Alyosha fut agacé de remarquer une lumière à la fenêtre de sa chambre ; le prix de l'électricité étant ce qu'il était, il s'assurait toujours de tout éteindre quand il s'en allait. Il s'arrêta dans l'entrée de l'immeuble pour rouler un cigare et l'alluma au mégot qu'il avait à la bouche. Puis, l'esprit vide, il monta l'escalier jusqu'au deuxième étage et entra dans sa chambre.

Aucun des deux hommes qui l'attendaient ne se leva. L'un d'eux tendit une carte et quand Alyosha, sourcils froncés, l'eut regardée, il désigna une chaise de la tête.

« Cela vous ennuierait-il que j'accroche d'abord mon manteau ? demanda Alyosha.

— Posez-le sur le dossier d'une chaise, ordonna l'autre membre du NKVD, au visage bouffi. Vous en aurez peut-être encore besoin avant la fin de la nuit. »

Alyosha tourna le dos aux deux hommes et prit délibérément son temps pour pendre son manteau dans le placard. Quand il s'assit finalement, ce fut sur une chaise qu'il tira lui-même, pas sur celle que les gens du NKVD lui avaient préparée.

Le second policier était plus jeune que le premier, et ses courtes mains trapues rappelèrent à Alyosha un vers du poème de Ronzha : *Ses doigts sont gras comme des larves*. L'agent tira une enveloppe gouvernementale marron de sa poche de poitrine avec ses doigts gras, y prit deux feuilles dactylographiées et les tendit à Alyosha.

« Vous voulez que je les lise ?

— Nous voulons que vous les signiez. Si vous pensez devoir les lire avant, nous ne ferons pas d'objection. »

Alyosha étudia soigneusement les deux pages, puis leva les yeux.

« Il n'y a pas un seul mot de vrai là-dedans. Pas un.

— Nous ne vous aurions pas demandé de les signer si ce n'était pas vrai », dit le plus jeune.

Alyosha secoua la tête. Le cigare dansa sur sa lèvre inférieure.

« Je ne l'ai jamais vu rencontrer », ici, Alyosha nomma un membre éminent du Politburo qui avait peu de temps auparavant été exécuté comme espion allemand, « au fond d'un café.

— Vous ne pouvez pas être certain que votre ami Til ne l'a pas rencontré », dit l'agent au visage rouge.

Alyosha haussa les épaules.

« Comment diable pourrais-je être sûr qu'il ne rencontrait pas quelqu'un ?

— Alors il aurait pu le rencontrer ?

— Il aurait pu. Mais je ne l'ai pas vu le faire. »

L'agent rubicond essaya une nouvelle approche.

« Vous avez fait votre devoir quand le poème antisoviétique a été lu. Til ne l'a pas fait. Pourquoi ne tirez-vous pas la conclusion convenable de son comportement ?

— J'ai dénoncé le poète parce que son poème était antisoviétique. Si je savais que Til a commis un acte antisoviétique, je le dénoncerais aussi. Mais je refuse d'inventer. Tout ceci », Alyosha frappa les deux feuilles dactylographiées du dos de la main, « c'est des conneries. Je ne l'ai jamais vu parler à cet homme. Et il n'a jamais essayé de m'entraîner dans une conspiration. Il n'a jamais rien dit de ce que vous prétendez. Pas à moi. »

Le plus jeune des deux agents jaillit de sa chaise et alla regarder par la fenêtre. Celui au visage bouffi respira bruyamment plusieurs fois par les narines. « Vous avez un dossier vierge, dit-il en pesant ses mots. Personne ne vous accuse de quoi que ce soit. Mais votre Parti vous demande de signer un morceau de papier dont il a besoin. La Russie est entourée d'ennemis. Nous devons faire des exemples pour décourager les traîtres avant qu'ils aient la possibilité de trahir le pays et le Parti. »

Le plus jeune s'approcha de l'interrupteur, éteignit et ralluma plusieurs fois le plafonnier. Puis il retourna à la fenêtre, se mit les mains en coupe autour du visage et essaya de percer la nuit. La toux distante de plusieurs moteurs qui démarraient vint de la rue.

« Nous avons des moyens de faire signer aux gens ce que nous voulons qu'ils signent », dit à Alyosha l'homme au visage rouge.

Alyosha se leva. « Très bien. Allons-y. »

Les deux hommes du NKVD échangèrent un regard. Le plus jeune s'approcha d'Alyosha, lui fit négligemment sauter le cigare de la bouche et faire demi-tour, le poussa brutalement contre le mur. Il lui écarta les jambes d'un coup de pied et le fouilla. « Il n'est pas armé », dit-il à son collègue.

Il arracha le manteau d'Alyosha du placard, l'examina aussi, et le lui lança. Puis il sortit une paire de menottes, les ouvrit et les tendit en avant.

Alyosha parut perdre courage. « Puis-je voir de nouveau ces papiers ? » demanda-t-il.

Le jeune agent renifla de mépris et plongea la main dans sa poche de poitrine. « Vous épargnez à tout le monde beaucoup de... » Avant qu'il puisse finir sa phrase, Alyosha s'avança et le frappa à l'estomac de toute sa force, puis le repoussa violemment contre le deuxième agent qui s'accrocha au dossier d'une chaise pour ne pas tomber. Alyosha se précipita dans l'escalier et se glissa par la porte qui menait par un long couloir sombre à l'allée de derrière. Il entendit crier les deux hommes du NKVD dans l'immeuble alors qu'il ouvrait la porte extérieure et s'élançait dans la nuit.

Il n'avait guère le choix. Signer un faux évident était hors de question. Et il n'allait pas se laisser arrêter. Ce qui limitait ses possibilités à la brasserie. Dans un passé depuis longtemps oublié, c'était un bijou d'église, construite pour honorer une impératrice ou une autre, avec une haute coupole centrale décorée du Jésus le plus bienveillant qu'Alyosha eût jamais vu. Tout de suite après la révolution, les icônes avaient été jetées sur un feu de joie dans le patio entouré de murs qui se trouvait derrière l'église, et le bâtiment avait été transformé en brasserie. Au lieu d'encens, il sentait maintenant le houblon et la levure.

Le gardien de nuit fut surpris de voir Alyosha arriver si tôt.

« Je croyais que vous n'alliez pas la faire sauter avant après-demain ?

— On a accéléré le programme, lui dit Alyosha. Les grues seront disponibles plus tôt, alors on pourra déblayer les débris et poser les fondations d'autant plus tôt.

— Eh bien, puisque c'est vous », répondit le gardien, et il ouvrit la porte de la palissade de bois qui avait été érigée autour de l'église.

Alyosha renvoya le vieil homme chez lui et cadenassa la porte de la palissade de l'intérieur. Debout juste en dessous du Jésus bienveillant, il prépara un cigare, l'alluma, et se mit à dérouler des longueurs de fil électrique de la bobine et à les mettre en place sur le sol. L'art de détruire les églises avait changé depuis le temps où il plaçait des bâtons de dynamite et coupait des mèches pour qu'ils explosent suivant la bonne cadence. Maintenant, l'explosif se présentait en paquets rectangulaires. Chacun d'eux avait deux terminaux. On fixait les paquets à la base des piliers de soutènement et on les reliait à une console centrale équipée d'une batterie et d'un minuteur. On pouvait faire sauter toutes les charges ensemble, ou suivant un rythme déterminé, et prévoir un délai pour que celui qui poussait l'interrupteur ait le temps d'allumer un cigare, de sortir tranquillement de l'église et de tourner le coin avant la première explosion.

Il fallut à Alyosha près de deux heures pour connecter les paquets d'explosif à la console, et une autre demi-heure pour vérifier les terminaux. Toutes les charges devaient sauter au même instant, et il régla le délai à zéro. Il roulait le reste de son tabac bulgare dans un morceau de papier journal quand il entendit le beuglement d'un porte-voix, quelque part derrière la palissade.

« Zhitkin, cria une voix qu'Alyosha crut reconnaître, vous avez une minute pour sortir les mains en l'air. »

Alyosha appuya le bout de son nouveau cigare contre ce qui restait de l'ancien, entre ses lèvres. Il jeta le mégot et fit tourner la fumée dans sa bouche pendant un instant délicieux.

« Il vous reste trente secondes », avertit l'homme au porte-voix.

Alyosha exhala et regarda à travers la fumée le Jésus bienveillant, les bras étendus comme s'il flottait vers le bas ; derrière lui, la coupole s'arrondissait comme un parachute. La bouche de Jésus, remarqua Alyosha, semblait étirée en un léger sourire compatissant. C'était curieux qu'il n'eût jamais remarqué cette expression auparavant. Jésus souriait de si haut qu'il paraissait être au paradis.

De l'extérieur vint le bruit de masses frappant les gonds rouillés de la porte de la palissade. Un instant plus tard, elle fut ouverte à coups d'épaule et un groupe de soldats du NKVD, fusils épaulés, se précipitèrent vers l'église. Derrière eux venaient les deux agents du NKVD qu'il avait rencontrés plus tôt. Tous deux tenaient des pistolets.

« Vous auriez dû signer quand vous en aviez la possibilité », cria dans l'église celui qui avait le visage rubicond. Plusieurs soldats s'agenouillèrent et visèrent Alyosha.

Accroupi à côté de la console, celui-ci s'offrit une dernière bouffée de cigare en fermant le contact qui ferait s'écraser à terre le seul paradis qu'il connaîtrait jamais.

CHAPITRE VI

Zander avait passé deux semaines entières sans interrogatoire, sans mettre le pied hors de sa cellule, sans entendre le son d'une voix humaine, sans contact humain à part ses conversations avec le prisonnier de la cellule d'à côté.

« COMMENT VONT TES YEUX ? tapa son voisin un matin.

— PLUS MAL. J'AI DES ÉCLAIRS DE DOULEUR DANS LA PUPILLE. QUOI DE NOUVEAU À TON PROCÈS ? »

Le voisin tapa : « MA FAMILLE ÉTAIT LA. TOUT LE MONDE A L'AIR SI NORMAL. MÊME MOI. LE PROCUREUR VISHINSKY M'A DEMANDÉ SI J'AVAIS ÉTÉ MALTRAITÉ PAR MES INTERROGATEURS. J'AI DIT QUE C'ÉTAIT MOI QUI LES AVAIS MALTRAITÉS PENDANT DEUX MOIS ET DEMI EN REFUSANT D'AVOUER. » Il y eut une pause. « AU MOINS MON FILS SAURA QUE J'AI TENU UN CERTAIN TEMPS. »

Zander essaya de réconforter son voisin.

« SI LE PROCÈS SE PASSE BIEN, LES SENTENCES SERONT PEUT-ÊTRE CLÉMENTES.

— JE N'AI AUCUNE ILLUSION. LES PRISONS SONT BONDÉES, LES CIMETIÈRES À MOITIÉ PLEINS SEULEMENT. HA HA HA. »

Bien qu'il ne voulût pas donner à ses geôliers la satisfaction de le voir l'admettre, son interrogatoire quotidien manquait beaucoup à Zander. Cela donnait un rythme aux journées, lui offrait quelque chose à attendre. Garder sa présence d'esprit en faisant de l'escrime contre son interrogateur était devenu pour lui un exercice utile, l'équivalent mental de la longue marche qu'il se forçait à faire dans sa cellule tous les matins. Sans les séances nocturnes, les jours, les heures, se traînaient ; même avec beaucoup d'ingéniosité, on ne pouvait pas tuer la totalité du temps.

Physiquement, Zander se détériorait rapidement. Ses cheveux tombaient par grosses touffes. Un fin duvet se mit à pousser sur les parties chauves de son crâne. Il souffrait de migraines permanentes, de vertiges occasionnels qui se transformaient en nausées et, une fois, en vomissements. Ils continuaient à glisser des livres par la fente, et son voisin l'avertissait régulièrement qu'ils voulaient de toute évidence lui ruiner la vue. Zander résistait pendant de longues périodes, mais le temps lui pesait lourdement sur les épaules, et il finissait par céder, grimpait sur la tinette et, tenant le livre à bout de bras, peinait pour distinguer dans la pâle lumière de l'ampoule à demi électrifiée les mots brouillés qui dansaient sur la page.

Un matin, Zander s'éveilla avec une migraine particulièrement douloureuse. L'homme qui poussait le chariot prit l'assiette en métal du petit déjeuner par la fente et s'éloigna dans le couloir ; Zander, avec un jour entier qui s'étendait devant lui, se mit à faire les cent pas entre les murs de sa cellule, les comptant, décidé, quelle que fût la douleur dans sa mauvaise jambe, à faire quatre kilomètres pleins avant le déjeuner, décidé aussi à passer la journée sans se fatiguer les yeux en lisant le livre qu'on lui avait glissé ce matin-là. Il fut soudain interrompu par le bruit caractéristique d'un des verrous de sa porte qu'on ouvrait. Le second fut ouvert aussi. Un jeune garde au visage frais, que Zander n'avait encore jamais vu, lui fit signe du seuil.

Un élancement de panique traversa le cœur de Zander et il eut un hoquet involontaire. Les interrogatoires avaient lieu la nuit. Les exécutions se déroulaient le matin. S'étaient-ils fatigués du jeu et avaient-ils décidé d'en finir ?

Il chercha un indice sur le visage du garde, mais n'en trouva pas. Au bout du long couloir, Zander, traînant les pieds dans ses bottines sans lacets, retenant son pantalon de pyjama, fut dirigé vers la gauche, et il sentit un poids soudain sur sa poitrine, un durcissement des artères, un flot de sang qui les traversait. Pour les interrogatoires, on lui avait toujours fait prendre à droite. Ils arrivèrent à une porte vitrée. Un garde qui se trouvait de l'autre côté l'ouvrit, la verrouilla derrière eux et nota leur passage sur son registre. Ils descendirent un escalier de métal qui rappela à Zander celui de l'école primaire n° 160, au coin de Suffolk Street et Rivington Street à Manhattan ; il pouvait presque entendre Léon dire : « Tirons-nous d'ici, Zander – ils arrachent les amygdales des gosses ! »

Deux étages plus bas, le garde lui fit franchir une porte, puis le guida dans un labyrinthe de couloirs bien éclairés jusqu'à une autre porte à côté de laquelle il y avait un banc de bois. Il fit signe à Zander de s'asseoir et se plaça face à lui, dos au mur. Le battement du cœur de Zander redevint graduellement normal. Ils ne devaient pas vouloir le fusiller après tout. Du moins pas ce matin.

Quelques minutes après, un prisonnier portant le pantalon et la veste de pyjama gris sous une blouse froissée qui avait été blanche arriva en hâte de l'autre bout du couloir. Voyant Zander sur le banc, il fit quelque chose qui parut tout à fait miraculeux à celui-ci : il lui parla directement. Ce qu'il dit était encore plus stupéfiant.

« Désolé de vous avoir fait attendre. Si vous voulez passer dans mon bureau... »

Zander regarda le garde, qui lui donna l'autorisation d'un signe de tête. Il suivit l'homme dans la pièce, prenant soin de laisser la porte entrebâillée. Regardant autour de lui, il réalisa qu'il se trouvait dans un genre de cabinet médical. Le plancher et les murs étaient impeccables. L'homme le fit asseoir sur un siège pourvu d'un haut dossier droit et, ouvrant une grosse armoire, se mit à poser sur la table ce qui semblait être des instruments d'opticien.

« Je vais contrôler votre vue, dit-il. Vous pouvez avoir confiance en moi. J'ai étudié à Berlin avant la Grande Guerre, et j'ai pratiqué à Moscou jusqu'à... disons que j'ai pratiqué à Moscou de nombreuses années. »

Le docteur eut du mal à lui replier les paupières avec le pouce. Chaque fois qu'il essayait, la tête de son patient sautait de côté : Zander se souvenait du médecin allemand alcoolique qui relevait la paupière de sa mère avec un crochet et annonçait qu'il avait découvert des traces de trachome. À force d'insistance, le docteur parvint à examiner les yeux de Zander.

« Souffrez-vous de migraines ? demanda-t-il à un moment. De vertiges ? De douleurs intermittentes à la rétine ? Hummm ! Ça ne me surprend pas. Vos yeux montrent de nets signes de déficience en vitamines. Quand votre vue a-t-elle été contrôlée pour la dernière fois ? »

Zander répondit qu'il s'était fait faire de nouvelles lunettes environ trois ans plus tôt.

« Vos yeux se sont beaucoup abîmés depuis », remarqua le docteur. Il posa les lunettes de Zander sur le nez de celui-ci et accrocha au mur un tableau optique. « Couvrez-vous un œil et lisez la ligne du milieu », lui ordonna-t-il.

Zander se pencha en avant et essaya de forcer ses yeux à accommoder. « Je ne peux pas. »

Le médecin plaça deux verres dans un objet qui ressemblait à une paire de jumelles et le mit à la place des lunettes de Zander.

« Essayez maintenant de lire la ligne du milieu.

— C'est mieux, mais toujours brouillé. »

L'homme changea les lentilles. La bouche de Zander s'ouvrit sous le choc de la découverte et il épela les lettres avec excitation. « R-S-P-F-I ! »

« Quand aurai-je de nouvelles lunettes ? demanda Zander avant de quitter le bureau.

— Je ne suis autorisé qu'à prescrire, répondit le médecin. C'est le travail d'un autre de vous fournir les verres eux-mêmes. » Serrant le coude de Zander, il chuchota avec intensité : « Mon nom est Evpraksein. Konstantin Evpraksein. Répétez-le.

— Konstantin Evpraksein.

— Si vous sortez d'ici, j'ai une femme, une vieille mère, deux filles. » Evpraksein murmura une adresse et la fit répéter à Zander. « Embrassez-les pour moi. Rien d'autre. Dites juste que je suis vivant. Dites juste que je pense à elles.

— Si je sors d'ici, je le ferai. »

« OÙ ÉTAIS-TU CE MATIN ? tapa sur le mur le voisin de Zander dans l'après-midi.

— ON M'A FAIT PASSER UN EXAMEN DES YEUX.

— HA HA HA. TRÈS DRÔLE. SANS BLAGUE, OÙ ÉTAIS-TU ? JE ME SUIS FAIT DU SOUCI.

— UN EXAMEN DES YEUX. VRAIMENT. COMMENT S'EST PASSÉE LA MATINÉE AU PROCÈS ?

— J'AI ÉTÉ SUPERBE. J'AI ADMIS AVOIR RENCONTRÉ DES AGENTS JAPONAIS À STOCKHOLM BIEN QUE JE N'Y SOIS JAMAIS ALLÉ DE MA VIE. J'AI DÉCRIT LE RESTAURANT JUSQU'À LA COULEUR DE LA NAPPE. MON INTERROGATEUR RAYONNAIT DE FIERTÉ. LE PROCUREUR VISHINSKY M'A DEMANDÉ COMMENT J'AVAIS PU TRAHIR MON PAYS. J'AI RÉPONDU QUE GRÂCE À LA DIRECTION INSPIRÉE DE STALINE NOUS AVIONS UNE NOUVELLE RUSSIE MAIS HÉLAS PAS ENCORE DE NOUVEAUX RUSSES. HA HA.

— TU DEVRAIS RÉSISTER À LA TENTATION DE PLAISANTER AU TRIBUNAL, ÇA NE T'AMÈNERA QUE DES ENNUIS.

— QU'EST-CE QUE J'AI MAINTENANT ? HA HA HA HA HA HA HA HA HA HA. »

Le rire maniaque de son voisin résonnait encore à l'oreille de Zander quand les interrogatoires reprirent ce soir-là. En passant la porte de la pièce où se déroulait la séance, il fut stupéfait de voir Mélor lever les yeux sur lui derrière le bureau.

« Mélor ! Qu'est-ce que tu fais ici ? » Puis Zander comprit. « Sérafima disait que tu faisais quelque chose d'important, mais elle n'a jamais précisé quoi. Maintenant je vois pourquoi elle était si vague.

— Asseyez-vous », ordonna Mélor à Zander avec un bref geste de la main. Il était vêtu d'un épais complet bleu avec des revers étroits et portait une cravate orange. Il avait le menton mal rasé et empestait l'eau de Cologne. Zander se demanda s'il en gardait une bouteille dans un tiroir pour se rafraîchir entre deux prisonniers. Il se demanda si cela l'aidait. Un couteau, une fourchette et une cuiller enveloppés dans un morceau de tissu étaient soigneusement posés sur un coin du bureau ;

comme tous les interrogateurs, Mélor prenait ses repas à la cantine de la prison parce que c'était gratuit, mais apparemment il ne pensait pas que les couverts y étaient propres.

« Qu'est-il arrivé à mon ancien interrogateur ? demanda Zander.

— Le camarade Zhilov, lui apprit Mélor d'un air satisfait, a été arrêté pour avoir fait partie d'une conspiration trotskiste antisoviétique. Son échec à obtenir vos aveux l'a trahi.

— Ça te met dans une position difficile », dit Zander. Il savourait déjà le jeu de ping-pong de l'interrogatoire. Le temps passait sans qu'il s'en aperçoive. « Si je continue à nier toute relation avec le fameux centre trotskiste, ajouta-t-il avec un sourire innocent, ils en concluront sans doute que tu fais toi aussi partie de la conspiration. »

Mélor lui rendit son sourire, quoiqu'il n'y eût aucune trace d'innocence sur son visage empâté.

« Au contraire, l'arrestation de mon prédécesseur *vous* met dans une position difficile. Nous comprenons tous deux que, pour ma propre sécurité, je ne peux pas échouer.

— Qu'est-ce que tu vas faire, me tabasser ? » dit Zander avec un ricanement.

Mélor repoussa sa chaise et sortit un épais dossier d'un tiroir bas.

« Nous ne sommes pas des brutes, affirma-t-il en l'ouvrant sur le bureau. Nous sommes des psychologues. Comme des prêtres, nous recherchons les leviers psychologiques qui vous amèneront à avouer les crimes que vous avez commis, ou êtes capable de commettre.

— Tu es malade, lui dit Zander. Toi et ceux qui te ressemblent, vous envoyez à la mort des dizaines de milliers d'innocents. »

Mélor sourit de nouveau. Il avait l'air très sûr de lui.

« Vous me parlez de dizaines de milliers. Chaque année depuis les débuts de l'Histoire, des millions de gens ont péri dans des guerres impérialistes, des épidémies et des famines. Ils étaient innocents aussi, mais personne n'a perdu le sommeil à cause de l'injustice qu'ils ont subie. Nous, les staliniens, nous nous proposons de réordonner le monde, d'éliminer les guerres, les épidémies et les famines. Si, ce faisant, nous devons liquider une paysannerie parasite, qu'il en soit ainsi. Nous ne sommes pas des femmes. » Il pointa un doigt sur Zander. « Vous auriez dû rester à New York. La révolution n'est pas faite pour les gens aux nerfs fragiles.

— Ou qui ont des scrupules. »

Mélor ricana. « L'individu n'est rien. Le Parti est tout. La fin justifie les moyens. Ceci est indiscutable. »

Zander se renfonça sur sa chaise.

« Quand tu étais enfant, je t'ai demandé une fois ce que tu voulais être quand tu serais grand. Je me souviens que tu as répondu : "Je veux qu'on me prenne au sérieux." Au moins, tu te prends au sérieux.

— J'ai aussi mes souvenirs du Vapeur, répliqua Mélor. Vous étiez plein de vous-même à cette époque, l'idéaliste qui revenait chez lui mener le bon combat. Mais quand nous étions occupés à prendre d'assaut le Palais d'Hiver, vous couriez dans les salles comme un chien en chaleur cherchant sa femelle. Je vous l'accorderai, si je me suis porté volontaire pour vous interroger, ce n'est pas seulement parce que le cas est important, que votre nom est Til et que les gens s'intéresseront à votre sort. Je me suis porté volontaire parce qu'il y a des comptes à régler. Je ne vous en veux pas de la correction que vous m'avez donnée avec la ceinture de Pasha à l'occasion de la photo. Vous m'aviez pris honnêtement. Mais je vous en veux de ne pas avoir dénoncé Ronzha. Même aujourd'hui, des gens murmurent que cette ordure, ce rebut, est un héros, un grand poète. Je sais bien que non. Il n'a jamais été digne de me cirer les chaussures. C'est pour cela que j'ai besoin de vos aveux. Pour dévoiler Ronzha. Mais je vais trop vite. Pour le moment, prenons les choses dans l'ordre logique. » Mélor tira trois feuilles dactylographiées du dossier et les tendit à Zander par-dessus le bureau. « Lisez-les, ordonna-t-il.

— Je ne peux pas. Ma vue a faibli.

— J'allais oublier les lunettes. » Mélor sortit un étui d'un tiroir, y prit une paire de lunettes neuve aux verres ronds cerclés d'acier et les donna à Zander. « Voyez si celles-ci sont meilleures que celles que vous portez. »

Zander hésita. Il entendait dans son esprit l'avertissement du prisonnier de la cellule voisine : « Méfie-toi des bolcheviks avec des cadeaux. »

« Prenez-les, insista Mélor. Elles ne vous mordront pas. »

Zander enleva ses vieilles lunettes et mit les autres sur ses oreilles. Et, en un instant, le monde devint distinct. L'effet fut magique. Même sa migraine parut diminuer. Il ramassa les pages et regarda la signature sur la troisième. Puis il revint en arrière et commença à lire la première. Il se demanda comment Tuohy avait pu signer un tel paquet de mensonges.

« Vous pouvez voir que les preuves contre vous sont écrasantes, remarqua Mélor.

— Bien entendu, rien de ceci n'est vrai, dit Zander. Je n'ai jamais rencontré… » Il donna le nom du membre du Politburo qui avait été exécuté peu auparavant pour avoir fait partie d'une conspiration trotskiste. « Je suis allé dans le restaurant en question, mais il y a des années, pour célébrer le mariage d'Atticus avec Arishka. Tu étais là aussi. Cette affaire à propos de Ronzha est complètement folle. Et quant à une tentative de ma part d'entraîner Atticus dans un complot pour assassiner Staline, c'est sa parole contre la mienne. Et je le nie.

— Vous ne niez pas avoir employé le nom de code "armoire à glace" pour vous référer au traître décédé Ronzha ? »

Zander détourna le regard et respira doucement un moment. Il enleva les lunettes et se massa les paupières du pouce et de l'auriculaire.

« Alors Ronzha est mort. » Il ouvrit les yeux et regarda Mélor. « Ça ne me surprend pas. Lire son poème était une forme de suicide.

— Vous ne niez pas avoir employé le nom de code "table de bridge pliante" pour vous référer au saboteur décédé Alyosha Zhitkin ?

— Alyosha est mort, alors ?

— Confronté à l'arrestation pour activités antisoviétiques, il s'est suicidé, ce qui prouve sa culpabilité. Vous ne niez pas avoir employé le nom de code "miroir en pied" pour vous référer à votre maîtresse, l'actrice connue sous son nom de scène de Masha ?

— Je peux expliquer ces noms de code, dit Zander, exaspéré. Quand nous avons perdu notre appartement de la rue Tchkalov, nous avons dû laisser notre mobilier chez des amis. En manière de plaisanterie, Ludmilla et moi avons commencé à appeler chacun selon le meuble qu'il nous gardait. Bon Dieu, nous parlions même de ta mère et de Pasha comme de "bureau américain à cylindre" !

— J'ai déjà rempli les documents appropriés, dit calmement Mélor. On demandera au sergent Kirpitchnikov la signification de "bureau américain à cylindre".

— Pasha est ton beau-père !

— Si mon bras droit était coupable d'activités antisoviétiques », répondit Mélor, de nouveau, il eut ce sourire dont l'humour n'était pas la cause, « je le trancherais.

— Je suppose que tu le ferais. »

Mélor tendit la main, paume en l'air.

« Les lunettes, s'il vous plaît.

— Je ne peux pas les garder ?

— Quand vous aurez signé vos aveux. Pas avant. »

« COMMENT ÉTAIT LE PROCÈS HIER ? tapa sur le mur Zander quand on l'eut ramené dans sa cellule après la séance avec Mélor.

— HA HA HA HA HA HA HA HA HA HA HA HA HA HA HA HA.

— ÇA VA BIEN ?

— HA HA HA HA HA HA HA HA HA HA HA HA HA HA HA HA HA HA. »

Mélor lui tendit ses lunettes par-dessus le bureau. Zander les mit et, à travers le brouillard de sa migraine, commença à lire la confession du sergent Kirpitchnikov.

« Ceci est un mensonge, marmonna-t-il, fatigué. Ceci aussi. » Et encore : « Ceci aussi. Comment pourrais-je avoir assisté à une réunion stratégique secrète du centre trotskiste à Petrograd, alors que ce mois-là je traduisais un film à Alma Ata ?

— Il est toujours possible que la mémoire du sergent l'ait trahi, qu'il se soit trompé de date. Personne n'est parfait.

— Je nie tout cela », dit Zander d'une voix basse. Il leva la main vers son front et essaya en le massant de faire disparaître la douleur, mais elle persista.

« Les lunettes, s'il vous plaît », dit Mélor en tendant la main.

« AUJOURD'HUI, tapa le voisin de Zander, ILS SONT ALLÉS TROP LOIN.

— EXPLIQUE.

— J'ADMETS ÊTRE UN ESPION. J'ADMETS ÊTRE UN AGENT DU CAPITAL INTERNATIONAL PRÉPARANT L'EFFONDREMENT DU PREMIER PARADIS OUVRIER DU MONDE. MAIS VISHINSKY EXAGÈRE QUAND IL M'ACCUSE PUBLIQUEMENT DE COMPLOTER EN FAVEUR DE HITLER ET DE L'ALLEMAGNE. JE SUIS, APRÈS TOUT, JUIF. »

Zander répondit : « AU CONTRAIRE, TU DEVRAIS L'ADMETTRE, ACCUSATION SI RIDICULE QU'ELLE SAPERA LA CRÉDIBILITÉ DE TES AVEUX. »

Il y eut une longue pause : « JE N'AVAIS PAS PENSÉ À ÇA. »

« Avant que le criminel aliéné Ronzha ne meure, dit Mélor à Zander une nuit, il a identifié un co-conspirateur. Malheureusement, les deux hommes qui s'occupaient de l'interrogatoire étaient des agents trotskistes infiltrés dans le NKVD afin de saboter l'enquête et de couvrir les vrais criminels. Quand ils ont vu que le poète allait coopérer, ils l'ont battu à mort. Même alors, il a essayé de désigner l'homme qui servait de lien entre lui et le centre trotskiste. Les deux interrogateurs prétendaient qu'il avait dit que cet homme se nommait Kafka, mais c'était un mensonge transparent. Sous interrogatoire, ils ont avoué que l'intermédiaire identifié par le criminel Ronzha dans son dernier souffle s'appelait Til. » Mélor poussa une unique feuille sur le bureau, avec l'étui à lunettes. « Voyez vous-même. »

Zander ne doutait pas un instant que la confession des deux interrogateurs le nommât, mais il mit néanmoins les lunettes afin de disposer de quelques précieux moments où tout serait distinct.

« J'AI SUIVI TA SUGGESTION, J'AI ADMIS FAIRE MON RAPPORT DIRECTEMENT À HITLER, J'AI MÊME DÉCRIT SA MOUSTACHE.

— QUELLE A ÉTÉ LA RÉACTION ?

— MON FILS A CRIÉ QUE J'ÉTAIS LA LIE DE LA TERRE.

— JE SUIS DÉSOLÉ SI JE T'AI DONNÉ UN MAUVAIS CONSEIL.

— PAS TA FAUTE. JE VOIS MAINTENANT QU'IL N'Y A RIEN QUE JE PUISSE DIRE QU'ILS NE CROIRONT PAS. HA. DEMAIN JE VAIS PRÉTENDRE ÊTRE NÉ D'UNE VIERGE. À LA RÉFLEXION, JE NE DEVRAIS PEUT-ÊTRE PAS. JE NE VEUX PAS ATTIRER D'ENNUIS À MA VIEILLE MÈRE. HA HA HA HA HA HA. »

Zander commença à remarquer les premiers légers signes d'impatience chez son interlocuteur. Il se demanda si l'on avait donné une date limite à Mélor pour obtenir ses aveux.

« Vous n'aurez pas besoin de vous torturer la cervelle pour savoir quoi avouer, lui assura Mélor une nuit. Je vous aiderai pour les détails. » Il fit glisser plusieurs pages dactylographiées sur le bureau, ainsi que l'étui à lunettes.

Zander mit les lunettes et prit son temps, lisant soigneusement, relisant même des passages quand Mélor le laissait faire.

« Alors vous avez eu Appolinaria aussi, dit-il en arrivant à la signature au bas des aveux. C'est bien d'elle d'avoir signé juste pour pouvoir rejoindre Ronzha.

— C'est une ordure, comme lui, éclata Mélor. Ils me révoltent tous les deux. » Il se calma avec effort. « J'ai une seconde confession à vous montrer ce soir. » Il poussa un autre papier sur le bureau.

Zander le lut en diagonale. « Les inventions habituelles... encore des mensonges. Qui a écrit ça ? »

Il sauta à la fin. La signature était celle de Masha. Zander regarda Mélor. Il espérait que ses yeux étaient inscrutables. Il espérait que Masha avait respecté sa part du marché. Il espérait devant Dieu qu'ils n'avaient pas mis les mains sur Ludmilla.

« VISHINSKY A DEMANDÉ LA PEINE DE MORT POUR TOUS LES ACCUSÉS. LE PUBLIC, Y COMPRIS MON FILS, A REPRIS LE CRI : MORT AUX TRAÎTRES TROTSKISTES ! JE ME DONNERAIS DES COUPS DE PIED POUR AVOIR MAL ÉLEVÉ LE GOSSE.

— CE N'EST PAS FACILE D'ÉLEVER DES ENFANTS EN RUSSIE.

— ÇA NE DEVRAIT PAS ÊTRE TROP DIFFICILE. NOUS VIVONS DANS UN PAYS OÙ IL EST DUR DE MAL FAIRE. PRESQUE TOUT EST INTERDIT ET CE QUI N'EST PAS INTERDIT EST OBLIGATOIRE. HA HA. »

Vingt minutes plus tard, le voisin de Zander reprit la conversation :
« HA HA HA HA. »

Zander était maintenant certain qu'on avait imposé une date limite à Mélor. Les séances duraient plus longtemps chaque fois ; il ne rentrait dans sa cellule qu'à l'aube. Mélor revenait encore et encore sur les indices, comme s'il plantait des clous dans un cercueil. Il y avait l'association de Zander avec Trotski. Il y avait une déclaration sous serment signée par quelqu'un qui disait avoir été présent à Ekaterinbourg au procès de Nicolas II, accusant Til d'avoir trahi ses sympathies quand il s'était avancé et avait donné sa propre chaise au monarque accusé. Il y avait l'affaire de l'exécution de Lili. Il y avait sa non-dénonciation de Ronzha quand celui-ci avait essayé de rallier des antistaliniens avec son poème subversif. Il y avait les aveux. Bien sûr, un détail ou deux pouvaient être contradictoires, mais ils tendaient tous vers la même conclusion. Zander et Ronzha avaient été membres d'un centre trotskiste, le poème de Ronzha faisait partie d'un plan destiné à identifier des gens ayant les mêmes idées pour les rallier à la conspiration trotskiste.

Zander essayait de se défendre logiquement. « Si j'avais réellement été membre d'un centre trotskiste, je me serais précipité pour dénoncer Ronzha dès que j'aurais réalisé que les autres l'avaient fait. »

Mélor rejeta cette explication d'un geste de la main.

« Pourquoi le protégez-vous ? » demanda-t-il avec une passion que Zander ne lui avait pas encore vue. « Je peux vous affirmer que c'était un pervers, un membre décadent de la vieille intelligentsia. »

Mélor s'était rendu compte très tôt que le seul crime dans la vie était de se faire prendre. Il avait vendu plusieurs des chats de la princesse au marché noir, avait employé l'argent à acheter des saucisses, et Sérafima s'était émerveillée de son intelligence quand il avait dit les avoir trouvées dans une poubelle derrière la maison d'un Juif riche. Il se serait tiré aussi du vol de la photo de Lili nue, si cet imbécile de vieil Hippolyte n'était pas allé l'échanger contre un cornet acoustique. Mélor était même sorti de la prise du Palais d'Hiver avec un sac plein de butin sans que personne le sût, et avait été traité en héros parce qu'il se trouvait là au bon moment de l'Histoire.

Mélor avait passionnément aimé le Vapeur. Il en avait exploré chaque recoin, depuis l'espace où on pouvait ramper sous le porche de derrière jusqu'aux endroits secrets où des chauves-souris pendaient la tête en bas dans le grenier. Un des grands charmes du Vapeur était que, la nuit, ses poutres craquaient comme celles d'un voilier en mer. Mélor attribuait ces bruits à des fantômes.

Un soir, il avait pris quelques gorgées à la bouteille de vodka que cachait Pasha. Se sentant plus aventureux que de coutume, il s'était posté derrière le trou espion du mur de la salle de bains du rez-de-chaussée. Accroupi dans l'espace étroit sous l'escalier, à côté des serpillières et des balais, une couverture drapée sur les épaules, il attendit que quelqu'un apparaisse dans son champ de vision limité. Il entendit soudain du bois craquer. Un fantôme descendait l'escalier au-dessus de sa tête. Il appliqua l'œil sur le trou. La porte de la salle de bains s'ouvrit, la lampe électrique sur le mur d'en face s'alluma. Il entendit quelqu'un enfourner du bois dans le poêle qui chauffait l'eau. Quelqu'un devait se déshabiller. Puis Appolinaria apparut devant ses yeux. Elle était nue et portait un petit seau en bois plein d'eau chaude qu'elle versa dans la baignoire en cuivre, puis se retourna pour le remplir de nouveau à la grande bassine sur le poêle.

Appolinaria bougeait comme une ballerine, posant d'abord les orteils à chaque pas puis glissant sur ses talons. Ses cheveux, qu'elle portait toujours en tresses enroulées de façon savante autour de sa tête, tombaient librement ; Mélor remarqua avec stupéfaction qu'ils lui arrivaient presque à la taille. Il respirait par grandes bouffées silencieuses.

Ayant rempli la baignoire de plusieurs seaux d'eau tiède, Appolinaria se regarda dans le miroir qui pendait à un clou au-dessus du trou espion. Le cœur de Mélor se mit à battre si fort dans sa poitrine qu'il craignit d'être découvert ; le sergent Kirpitchnikov entendrait les cris d'effroi d'Appolinaria, l'arracherait du placard et le battrait jusqu'à l'inconscience avec sa ceinture de l'armée. Mais il ne laisserait pas échapper un son, parce qu'il savait maintenant de quoi Appolinaria avait l'air nue.

Appolinaria recula, fronça les sourcils vers son reflet dans le miroir, puis se détourna et entra dans la baignoire. Elle s'agenouilla et commença à éponger son cou et ses seins plats. Mélor passa les doigts entre les boutons de sa chemise de nuit et tripota son érection.

Il entendit un autre fantôme descendre l'escalier au-dessus de sa tête. Puis quelqu'un frappa doucement à la porte de la salle de bains. Appolinaria devait s'y attendre, parce qu'elle bondit vers la porte, ouvrit le loquet et sauta de nouveau dans la baignoire. En un instant, Ronzha, nu, osseux, tout en angles où Appolinaria était tout en courbes, versa un autre seau d'eau chaude dans le bac et y monta. Elle lui tourna le dos. Il lui prit les cheveux d'une main et se mit à l'éponger de l'autre. Puis il se pencha contre elle et pressa ses lèvres sur sa nuque. Sa main droite passa par-dessus l'épaule d'Appolinaria et commença à caresser ses mamelons minuscules, presque invisibles, avec l'éponge humide.

Dans le placard, derrière le trou, Mélor poussa son érection contre le mur dans une douleur délicieuse, puis bascula sur ses talons et respira profondément, bouche ouverte pour ne faire aucun bruit. Il se pencha et regarda de nouveau. Il les vit parler avec animation. L'œil contre le trou, Mélor ne pouvait pas entendre à travers l'épais mur de bois ce qu'ils disaient. Quand il mettait l'oreille contre le trou, il distinguait leurs paroles – mais il ne voyait pas les seins d'Appolinaria. Aussi se mit-il à alterner, dix secondes pour l'œil, dix secondes pour l'oreille.

« … Avant qu'il soit trop tard, plaidait-elle à voix basse.

— C'est hors de question, répondit Ronzha, tendu. Je ne pourrais jamais écrire de poésie hors de Russie.

— Si les bolcheviks prennent le pouvoir, ils en viendront finalement à tuer leurs poètes.

— Quel honneur que de vivre dans un pays où on prend les poètes assez au sérieux pour les… »

Mélor remit l'œil au trou. Ils continuaient à parler sans bruit, une des mains d'Appolinaria légèrement posée sur l'épaule osseuse de Ronzha, une des siennes couvrant un sein. Mélor écouta de nouveau.

« … Moscou au moins, insista-t-elle.

— Voyons d'abord ce qui se passe.

— Peut-être que Kerenski les balaiera. Alors nous pourrons vivre en paix.

— Si Kerenski gagne, nous devrons la protéger comme elle nous a protégés toutes ces… »

Mélor regarda. Elle était maintenant appuyée contre lui, les bras autour de son cou, lui embrassant l'oreille, ou lui parlant, il n'en était pas sûr. Il écouta de nouveau.

« … Elle et toi à Paris ?

— Moins que rien. » Il était agacé. « Nous avons été amants un moment. Puis le moment a passé. »

Mélor regarda à nouveau et observa les deux silhouettes dans la minuscule baignoire de cuivre. Ronzha tourna la tête. Il paraissait regarder directement dans l'œil de Mélor qui, effrayé, il s'écarta brusquement du mur. Sa tête heurta le manche d'un balai, l'envoyant contre l'escalier avec un bruit mat. Mélor ne fit plus un geste. Il entendit jouer la porte de la salle de bains. Un instant plus tard, Ronzha, enveloppé dans une grande serviette, ouvrait sèchement la porte du placard. Il vit le trou espion et regarda Mélor avec colère. Les rides autour de ses yeux se détendirent graduellement.

« Va dans ta chambre, dit-il finalement.

— Vous n'allez pas le dire à Pasha ? » murmura Mélor.

Ronzha secoua la tête.

« Vous n'allez pas me battre ? »

Ronzha secoua encore la tête. « Tous les garçons font un jour ou l'autre ce que tu as fait. Ne recommence pas. »

Quand Mélor repensa à l'incident plus tard, il comprit que ç'avait été un moment déterminant dans sa vie. Il s'était toujours demandé ce que se faisaient les membres des classes supérieures qui poussait le sergent Kirpitchnikov à les décrire comme décadents. Maintenant il pensait savoir. La découverte se mêlait d'un sentiment d'humiliation intense. Ronzha l'avait attrapé en train de les espionner, mais il n'avait pas pris l'enfant assez au sérieux pour le punir. C'était cet aspect de l'affaire qui troublait le plus Mélor.

Être pris au sérieux devint son obsession.

Zander entendit une porte de métal se fermer près de lui. Cela signifiait que son voisin était retourné dans sa cellule. Les sentences devaient avoir été rendues cet après-midi, mais il n'osait pas demander, il avait peur de savoir.

Il lui fallait dire quelque chose.

« ILS M'EMMÈNERONT POUR INTERROGATOIRE DANS QUELQUES MINUTES.

— AU CAS OÙ TU SERAIS CURIEUX, ILS M'ONT DONNÉ UN CS. »

« CS » signifiait « châtiment le plus sévère ». Son voisin avait été condamné à mort.

« JE SUIS TERRIBLEMENT DÉSOLÉ, tapa Zander. QUAND ?

— À L'AUBE, TU SERAS SANS DOUTE EN CONFÉRENCE, HA. JE SUPPOSE QUE C'EST NOTRE DERNIÈRE CONVERSATION.

— PARS AVEC ÉLÉGANCE SI TU PEUX.

— L'ÉLÉGANCE NE ME PARAÎT SOUDAIN PLUS IMPORTANT. J'AI L'INTENTION DE CRIER VIVE STALINE QUAND ILS TIRERONT, JUSTE AU CAS OÙ ÇA POURRAIT AIDER MA FAMILLE. » Il fit une pause. Puis : « JE LES ENTENDS VENIR TE CHERCHER. ADIEU POUR TOUJOURS. TAPONS-NOUS L'UN À L'AUTRE DANS L'AUTRE MONDE. HA. DERNIER CONSEIL D'UN ANTIFASCISTE PRÉCOCE. QUOI QUE TU FASSES. » Les gardes ouvraient maintenant les loquets de la porte de Zander, et son voisin se mit à taper furieusement – « NE LE FAIS PAS PRÉCOCEMENT. HA HA HA HA HA HA HA HA HA HA. »

« Vous avez l'air préoccupé, remarqua Mélor alors que Zander s'asseyait.

— Je suis en deuil.

— Quelqu'un de ma connaissance ? »

Zander essaya de distinguer clairement Mélor. En vain. Il avait derrière chaque paupière une douleur qui refusait de disparaître.

« Je suis en deuil de la Russie.

— Très mélodramatique, dit Mélor sarcastique. Commençons donc par le commencement. » Il ouvrit l'épais dossier sur son bureau et en sortit une page titrée « Chronologie ». « Vous avez d'abord été remarqué par le criminel Trotski à New York en 1917… » Sa voix devint un bourdonnement. L'esprit de Zander vagabondait. Il imaginait son voisin arpentant sa cellule, attendant les premières lueurs de l'aube. « … retourné en Russie sur le même bateau que le criminel Trotski… » Ses pensées revinrent à Ekaterinbourg, et il se demanda comment Lili avait passé sa dernière nuit sur terre. « … Suivant des ordres directs du criminel Trotski, vous vous êtes rendu à Ekaterinbourg… » Zander se souvint du train qui jaillissait hors du tunnel et de l'énorme pancarte ASIATIKA, et de tout le monde qui applaudissait et criait bravo ; à ce moment, ils avaient eu l'impression de conquérir un nouveau continent. « … A trahi son Parti en aidant une prisonnière importante… »

Mélor cessait de lire pour avancer des interprétations que Zander déniait, puis revenait à son texte. Une douleur lancinante traversait le front de Zander. Il essaya de fermer les yeux, mais cela ne semblait que faire plus mal. La nuit s'écoulait. Des papiers furent glissés sur le bureau, avec les lunettes magiques.

« Mensonges, dit Zander, épuisé. Rien que des mensonges. »

Soudain, Mélor regarda sa montre, se leva, éteignit le plafonnier et la lampe de bureau, et ouvrit les volets d'acier de l'unique fenêtre pour révéler les premières traînées grises dans le ciel encore lourd de nuit.

Le pas d'hommes marchant sur du ciment vint de la cour six étages plus bas. Mélor, à la fenêtre, écoutait. Zander, sur sa chaise, aussi. Une porte métallique s'ouvrit. Un officier aboya un ordre inintelligible. Une voix hystérique hurla : « Vive… » Le cri fut coupé par une volée si synchronisée qu'il ne semblait y avoir qu'un seul coup de feu. Mélor referma les volets de métal et la fenêtre, ralluma les lampes.

« À qui croyez-vous qu'il souhaitait longue vie ? » demanda Mélor, se rasseyant. Il haussa les épaules. « Trotski, sans doute. Où en étions-nous ? »

Zander aurait voulu crier que le fusillé souhaitait longue vie à Staline, mais l'idée paraissait ridicule. Mélor ne le croirait jamais. Zander avait l'impression de perdre contact avec la réalité. Ce n'était pas seulement ses yeux, mais aussi son esprit qui avait du mal à y voir clair.

« Lisez ceci », ordonna Mélor, poussant une autre feuille vers Zander, avec les lunettes.

Zander mit les lunettes et vit immédiatement que ce n'était pas d'autres aveux. C'était un verdict. On condamnait quelqu'un à vingt-cinq ans de travaux forcés. Il chercha le nom de l'accusé. Et le trouva.

Masha n'avait pas respecté sa part du marché. Ils avaient dépisté Ludmilla.

« Elle a été arrêtée dans un appartement d'Alma Ata, disait Mélor. Ce sera une vieille femme quand elle sortira. En supposant qu'elle soit toujours en vie.

— Le verdict est-il déjà rendu ?

— Le procès est prévu pour demain. Des circonstances atténuantes peuvent encore modifier le résultat. »

Il se pencha, reprit la sentence de Ludmilla et donna un autre papier à Zander. « Je soussigné, Alexander Til, confesse librement avoir commis les crimes suivants, commença-t-il. D'abord, avoir été membre d'un cercle trotskiste antisoviétique dont le but était d'organiser l'assassinat du Secrétaire général Staline et la chute de l'Ordre socialiste... »

« Vous êtes un homme intelligent », dit doucement Mélor de l'autre côté du bureau. Ses sourcils, dans sa concentration, avaient pris la forme d'arcs de cercle. « Quelle différence cela fait-il si vous reconnaissez des accusations imprécises ? Dans votre cœur, vous savez que vous avez eu des pensées de traître, posé des questions de traître. Vous serez soulagé d'un grand poids quand vous avouerez, puisque vous êtes coupable de quelque chose.

— Qu'arrivera-t-il à Ludmilla ?

— Nous la rejetterons dans la mare. Nous ne nous intéressons qu'aux gros poissons. »

Zander frotta de la paume le duvet qui lui poussait sur le crâne. « Que m'arrivera-t-il ? »

Une fois de plus, les traits de Mélor formèrent ce sourire si particulier. « Le châtiment », dit-il avec une conviction évidente. Zander réalisa que seul un idiot aurait mis en doute la sincérité de Mélor, « est rédempteur. Ceux qui commettent des crimes doivent être punis. L'absence d'un châtiment approprié peut être humiliante. »

Mélor ôta le capuchon d'un stylo et le posa sur le bureau devant Zander.

« Bien sûr, vous pourrez conserver les lunettes après avoir signé », lui rappela-t-il.

Zander prit le stylo pour renoncer à ce qui restait de lui-même.

On envisagea un procès public. Le nom de Til était connu dans les cercles révolutionnaires ; le procès de son petit-fils attirerait l'attention.

Son sort servirait d'exemple à d'autres. À la fin, les gens haut placés abandonnèrent l'idée. Ils n'étaient pas certains de pouvoir compter sur lui pour coopérer, pour répéter ses aveux en public. La décision fut prise de publier sa confession et de se débarrasser de lui en privé.

Le procès dura quatre minutes. Même ainsi, c'était long. Les trois hommes en uniforme assis derrière la table se passèrent le texte des aveux, puis rapprochèrent leurs têtes et parlèrent à voix basse. Debout, les poignets menottés devant lui, Zander fixait la grande hélice de bois du ventilateur qui remuait l'air au-dessus de sa tête.

« Je ne vois pas quel choix nous avons, entendit-il un juge dire.

— Nous sommes tous d'accord ? » demanda un autre.

Trois crayons jaunes furent levés, gomme en haut. Le juge du milieu regarda Zander pour la première fois.

« En accord avec les résolutions appropriées du Comité central et les articles appropriés du Code pénal, spécifiquement la loi du 1er décembre 1934, le tribunal spécial du NKVD vous condamne par la présente au châtiment le plus sévère. »

Les gardes qui se tenaient derrière Zander lui prirent les coudes, mais il se libéra. S'il en était capable, il voulait partir avec style.

Staline regarda les aiguilles ouvragées de la pendule sur la cheminée. Il n'était pas tout à fait 23 h 30. L'ambassadeur anglais était attendu à minuit. C'était un de ces diplomates de la vieille école qui se montraient vêtus de costumes rayés de Savile Row, une chaîne en or outrageusement discrète barrant le gilet, attachée sans aucun doute à un chronomètre Patek Philippe. Il y aurait quelques minutes de conversation, durant lesquelles l'ambassadeur indiquerait négligemment qu'il venait d'une vieille famille. Comme si tout le monde ne venait pas de vieilles familles ! Même lui, Soso Vissarionovitch Djougachvili, venait d'une vieille famille, bien que son père n'eût rien été de plus qu'un cordonnier de Gori qui avait rejoint son créateur dans une rixe d'ivrognes. Ce qui rendait vieille une vieille famille, c'est que certains de ses membres, au fil des générations, gardaient des archives. Vieille famille mon cul, pensa-t-il.

Le secrétaire de Staline frappa à la porte et passa la tête dans la pièce. Un télégramme était arrivé de l'ambassadeur soviétique à Berlin. « Urgent pour Staline. 7 mars 1936. Le chancelier Hitler a informé le Reichstag qu'il rejette les clauses du *diktat* de Versailles qui prévoient une zone démilitarisée du côté allemand de la frontière franco-allemande. On rapporte que des troupes allemandes ont occupé les villes principales de la région du Rhin. » Staline tira impatiemment sur sa cigarette. Les Français avaient-ils bougé ? demanda-t-il au secrétaire. Non. Ils avaient annulé les permissions et mis en alerte les unités de frontière. Mais ils n'avaient ni mobilisé ni déployé de troupes.

Staline sentait que Herr Hitler était plus malin que quiconque ne le croyait. Hitler comprenait la psychologie. Il percevait les faiblesses essentielles des pays capitalistes. Il employait ce que les paysans appelaient la « tactique du salami » ; il prenait ce qu'il voulait, un morceau à la fois. La région du Rhin était la première bouchée. S'il s'en tirait, et Staline pensait que c'était probable, Hitler se jetterait sur un autre morceau de choix – la terre des Sudètes, peut-être, ou une tranche de Pologne. Son appétit l'amènerait inévitablement à la frontière soviétique. Et alors ce serait la guerre. Les démocraties occidentales, et surtout l'Anglais Churchill, resteraient tranquilles et savoureraient le spectacle de l'Union soviétique et de l'Allemagne se prenant mutuellement à la gorge. Elles pourraient même aider le côté perdant afin de prolonger le bain de sang. Tous ces beaux discours d'alliance destinée à arrêter Hitler ! La France barricadée derrière sa ligne Maginot, l'Angleterre barricadée derrière sa Manche, l'Amérique barricadée derrière son impénétrable naïveté – aucune ne lèverait un doigt pour aider la Russie. Les paysans avaient un dicton : « Personne ne gémit quand la dent d'autrui lui fait mal. »

Staline avait encore le temps de renforcer l'Union soviétique avant que Hitler se tourne vers l'Est. Tous ceux qui pourraient s'attaquer à lui au premier revers devaient être éliminés. Les rangs du Parti devaient être purgés, purifiés. L'armée devait être nettoyée parce que ce n'était pas encore l'armée de Staline, c'était encore celle de Trotski. Quand Hitler frapperait, il ne devait pas rester de conspirateurs dans le pays. Pas un. Alors la Russie pourrait affronter les Allemands comme Alexandre Nevski avait fait face aux Chevaliers Teutoniques – rassemblée. Les paysans disaient qu'un attelage est aussi fort que le plus faible de ses chevaux ; il leur arrivait d'abattre celui qui traînait pour relever la moyenne.

Staline, lui aussi, abattrait les traînards pour élever la moyenne nationale.

Il savait que la Russie n'était pas seulement pleine de traînards, mais aussi d'ennemis déclarés du peuple ; des centaines de lettres arrivaient chaque jour au Kremlin, maudissant Staline, maudissant sa mère pour l'avoir porté, maudissant son père pour avoir fourni la semence, maudissant le sol qu'il foulait, menaçant sa vie, précisant qu'il brûlerait dans un enfer éternel quand tout serait fini. Eh bien lui, Staline, allait enterrer les haineux et les traînards ; il les enterrerait et danserait sur leurs tombes pour tasser la terre recouvrant leurs corps pourrissants.

Le secrétaire de Staline hésitait à la porte. « Le Secrétaire général souhaite-t-il cacheter la liste avant ou après la visite de l'ambassadeur anglais ?

— Je vais en finir avec ça d'abord », répondit Staline. Le secrétaire lui tendit un porte-documents contenant plusieurs pages dactylographiées. Staline le posa sur le dessus de verre du bureau, mit ses lunettes et alluma la lampe. Il se souvint d'un autre dicton paysan : « L'endroit le plus sombre d'une pièce, c'est sous une lampe. » Eh bien, il aimait les endroits sombres. Ils le mettaient à l'aise.

Il ouvrit le porte-documents et commença à lire la liste. Il reconnaissait beaucoup de noms. Ce soir, par exemple, le deuxième lui disait quelque chose. N'était-ce pas le second secrétaire régional du Parti qui avait été grossier avec lui lors d'un dîner en 1926 ? Et ce nom-ci. C'était quelqu'un que Staline se rappelait du temps de Tiflis, un organisateur local du Parti, déjà vaniteux, homme à femmes qui passait la moitié de ses journées à en recruter dans les rangs du Parti et l'autre à les séduire. Eh bien, il l'avait cherché.

Les yeux de Staline descendirent la colonne de gauche, remontèrent celle du milieu, descendirent celle de droite. C'était un travail ennuyeux, mais il mettait un point d'honneur à lire chaque nom avant de signer de son initiale le coin supérieur droit de la page. Il reconnut quelqu'un d'autre, un homme de Kirov qui avait parlé contre lui dans les vestiaires durant le 17e Congrès du Parti, puis l'avait porté aux nues en public. Un autre nom en haut de la deuxième page lui parut familier. Il y avait eu deux frères, l'un s'appelait Konstantin, l'autre, plus jeune, soit Pavel soit Petr ; les deux travaillaient au secrétariat de Trotski au début des années vingt. Seul Konstantin était sur la liste ce soir. Il fallait qu'il prenne note de demander ce qu'était devenu l'autre frère. Si Konstantin était un traître, l'autre était certainement coupable aussi. Même si ce n'était pas le cas, il rejoindrait peut-être les antistaliniens pour venger son frère.

Au milieu de la dernière colonne de la dernière page, Staline reconnut un autre nom, Alexander Til. Il leva les yeux, regarda hors des ténèbres de la lampe de bureau. C'était Til, des balles pleuvant autour de lui, qui avait écarté Nadejda du chemin d'une automitrailleuse quand le cortège bolchevik était tombé dans une embuscade, en juillet, avant la révolution. Staline avait craint qu'elle fût morte jusqu'à ce qu'il posât l'oreille sur sa poitrine et entendît son cœur battre. Il se souvenait d'avoir regardé ce Til et d'avoir dit : « Ce que vous avez fait, je ne l'oublierai jamais, même si je deviens centenaire. »

Plus tard, d'autres avaient empoisonné Nadejda, l'avaient tournée contre son mari légitime, l'avaient amenée à la mort, mais Til avait risqué sa vie pour la sauver. Qu'il en soit ainsi. Staline prit un stylo rempli d'encre rouge et barra proprement le nom de Til. Puis il griffonna dans la marge : « Un patriote – comment son nom est-il arrivé ici ? Revoir le dossier entier. »

Staline finit la liste, signa chaque page de son initiale et rendit le porte-documents à son secrétaire. Il entendit des voix dans l'antichambre. Ce devait être l'ambassadeur anglais venu parler du mouvement de Hitler dans la région du Rhin et de sécurité collective. Staline éteignit sa cigarette et rangea le cendrier dans un tiroir de son bureau, puis bourra une pipe et l'alluma. Il savait que fumer la pipe donnait à un homme l'air réfléchi, patient. Il boutonna le col de sa tunique et se leva. Il était heureux d'avoir mis les bottes équipées de talonnettes. Il tenait à regarder ses visiteurs dans les yeux, et détestait devoir lever les siens.

On frappa à la porte. Tirant sur sa pipe, envoyant un nuage de fumée odorante rouler dans l'air, il dit aimablement : « Entrez. »

CHAPITRE VII

Cinq enterrements de plus (sans corps)

Appolinaria était penchée au-dessus du poêlon posé sur l'unique feu du réchaud à gaz, mélangeant des oignons émincés et des champignons séchés dans un reste de riz, et parlant à la casserole. Ses longs cheveux, qu'on avait coupés en prison à cause de la teigne, repoussaient couleur d'étain. « Qu'en penses-tu ? » demanda-t-elle à la casserole, et elle cessa d'en remuer le contenu pour saisir la réponse. Elle en entendit une qui la fit rire. « J'avais oublié la femme de Tolstoï. On dit qu'elle a recopié *Guerre et Paix* à la main sept fois, mais c'était un jeu d'enfant comparé à ce que je fais. Sonya n'a que *recopié Guerre et Paix*, mon cœur. Elle ne l'a pas appris par cœur. Tu vois la différence ? J'ai engrangé ton œuvre dans mon crâne. Trois cent trente-deux poèmes complets, sans compter les variantes, version un, version deux, ce genre de choses. Et puis il y a les fragments, les poèmes que tu as commencés et jamais finis, ceux que tu as finis et jamais commencés. Alexander vient après le déjeuner pour la cérémonie. Si tu décides de lui parler, sois poli. Il t'a dénoncé, mais seulement après ta mort. »

« Es-tu sûre de vouloir faire ça ? » fut la première chose que dit Zander en arrivant. Monter l'escalier lui avait coupé le souffle. Il posa la question avant de dire bonjour, comment vas-tu.

« Tu n'as pas l'air bien », remarqua Appolinaria. Elle poussa une chaise vers lui.

« C'est mon bronzage de prison. On dit qu'il faut un an pour s'en débarrasser.

— Je veux le faire, annonça Appolinaria. Ronzha n'est pas contre l'idée. Il pense, comme moi, que nous devons célébrer sa mort par une cérémonie. Puisqu'ils ne m'ont pas donné son corps pour l'enterrer, je dois improviser. » Elle eut un sourire triste. « J'ai raisonné ainsi. Je deviens folle depuis qu'on m'a libérée. Je me torture la cervelle mais je n'arrive pas à comprendre pourquoi ils m'ont laissée partir. C'était peut-être une erreur. Et je déciderai peut-être de me tuer. Si ses poèmes n'existent que dans mon cerveau, et nulle part ailleurs, ça me donnera une raison de rester en vie. De rester saine d'esprit, même. »

Il y avait, Zander devait l'admettre, un genre de logique démente dans son projet. Dès qu'il eut repris ses forces, ils tirèrent ensemble la malle de sous le lit et Zander, perché sur la chaise de la cuisine, tendit à Appolinaria les boîtes de carton rangées en haut du placard. Elle avait passé des semaines à reprendre les papiers aux amis de confiance disséminés dans Moscou chez qui Ronzha les avait laissés. Elle ouvrit la malle et les cartons et empila les papiers – des liasses venant de carnets de notes, du papier à lettres à en-tête volé dans des hôtels parisiens, des serviettes de table, des billets de théâtre, des cartes de visite, tous portant les poèmes de Ronzha, de son écriture fine et penchée – sur le sol, devant le poêle de porcelaine d'où partait un tuyau qui s'inclinait vers le mur et s'enfonçait dans la cheminée. Zander froissa quelques papiers et les jeta dans le poêle. S'agenouillant à côté, il ouvrit une petite grille et enflamma une allumette. Il leva les yeux vers Appolinaria pour voir si elle avait changé d'avis. Elle se mordait les lèvres, sanglotait et hochait la tête. « Pour l'amour du ciel, allume, allume ! »

Zander appliqua l'allumette aux papiers entassés. Des flammes apparurent. Appolinaria s'installa par terre à côté de lui et, ensemble, ils se mirent à nourrir le feu avec la production artistique de Ronzha des vingt-deux dernières années. La pièce devint chaude. Zander ôta sa veste. Appolinaria ouvrit une fenêtre. Les piles de papier sur le sol diminuaient. Zander lut le premier vers d'un poème avant de le brûler. Appolinaria ferma les yeux, rejeta la tête en arrière et récita le reste du poème, précisant même l'endroit où Ronzha avait été incapable de choisir entre deux verbes.

Au milieu de l'après-midi, Zander brûla la dernière page – une feuille vierge arrachée à un guide touristique anglais de la Suisse et titrée : « Personal Notes » ; Ronzha y avait écrit : « Le seul Paradis, c'est le Paradis perdu – Proust. »

Quand le poêle se fut refroidi, Zander ouvrit une grille et, se servant de ses mains en coupe, poussa les cendres dans une urne de terre à large bouche, qui avait été lavée mais sentait encore les cornichons. Appolinaria la scella avec un bouchon de cire. « Ses poèmes tournent dans mon cerveau comme des galaxies, dit-elle. J'ai le vertige. »

Zander enfila sa veste et aida Appolinaria à mettre un manteau de coton. Il plaça l'urne sous son bras et ils quittèrent ensemble l'appartement. Ils allèrent jusqu'à la station de trolleys quatre rues plus loin, descendirent au terminus et s'enfoncèrent dans les champs labourés. Zander, avec sa boiterie, réglait l'allure ; Appolinaria ralentissait le pas pour rester à sa hauteur. C'était dimanche et il n'y avait pas de circulation sur la route. Ils marchaient sans se parler. Quand ils ne virent plus aucun signe de civilisation, ils prirent un chemin de terre qui s'enfonçait dans une forêt de bouleaux. Celle-ci se terminait brutalement au bord d'une pente abrupte qui descendait vers la Moscova. « C'est un aussi bon endroit qu'ailleurs », dit Appolinaria.

Zander lui tendit l'urne. Elle la déboucha et en sortit une poignée de cendres. « Des cendres aux cendres, de la poussière à la poussière, ou quoi que ce soit », marmonna-t-elle. Ses yeux étaient humides. Elle regarda les nuages d'un blanc brillant poussés dans le ciel par un fort vent qu'on ne sentait pas au niveau du sol. « Ronzha très cher, cria-t-elle, si tu nous regardes d'une table de coin de quelque Chien vagabond céleste, considère ceci comme un acte d'amour. » Et elle se mit à jeter les cendres en l'air, poignée par poignée, jusqu'à ce que l'urne soit vide et que la vue sur la rivière soit obscurcie par le nuage de fragments qui descendait.

« Maintenant, il est mort, annonça calmement Appolinaria quand elle eut lancé les dernières cendres. Maintenant je peux commencer à le pleurer comme il le faut. »

Plusieurs jours après, Zander eut du mal à trouver la bonne porte dans une entrée sombre. Il voyait l'éclat blanc des plaques portant les noms, mais ne pouvait pas les lire, même avec ses nouvelles lunettes. Il était sur le point d'abandonner ses recherches et de revenir le lendemain matin lorsqu'une femme ouvrit sa porte pour déposer dehors une poubelle munie d'un couvercle. Elle sursauta en voyant quelqu'un dans l'entrée.

« Je cherche l'appartement des Evpraksein », lui dit Zander.

Elle le jaugea du regard et décida qu'elle n'était pas concernée. « Au premier étage, la deuxième porte à droite. » Elle referma sa porte avant que Zander ait eu le temps de la remercier.

Il trouva la porte et y frappa doucement. Au bout d'un moment il frappa de nouveau. Il entendit un léger bruit de pas à l'intérieur. Il frappa une troisième fois. La porte s'entrebâilla autant que le permettait la chaîne de sécurité. L'œil d'une vieille femme apparut. Elle avait le regard très vif.

« Vous ne me connaissez pas, dit doucement Zander, mais j'ai un message pour vous de Konstantin Evpraksein. Vous devez être sa mère. »

La femme ricana. « Je suis sa femme, pas sa mère.

— Excusez-moi. J'ai cru… je veux dire…

— J'ai un miroir. Je sais de quoi j'ai l'air, répliqua-t-elle sèchement. C'est une erreur naturelle. » Elle ferma la porte, décrocha la chaîne et la rouvrit en grand. Zander entra dans une grande pièce remplie de meubles. Il y avait quatre lits, deux tables, huit chaises en osier, deux fauteuils, plusieurs petites tables, un sofa avec un haut dossier incurvé, deux buffets et une armoire. Toutes les surfaces planes étaient couvertes de lampes, de serre-livres, de bougeoirs, de samovars, de cadres en écaille de tortue dépourvus de photos, de cendriers et de presse-papiers en verre contenant des scènes rurales. C'était, réalisa Zander, comme si le contenu d'une maison entière avait été entassé dans cet espace.

La porte se referma derrière lui et il se retrouva face à quatre femmes. Deux d'entre elles avaient environ vingt-cinq ans, mais on ne pouvait deviner leur âge que d'après la façon dont elles étaient habillées. D'après leurs visages, d'après leur posture, elles auraient pu avoir le double. Les deux autres paraissaient avoir soixante-dix ans. Celle qui était enveloppée dans un châle les avait. C'était la mère d'Evpraksein. L'autre, celle qui avait ouvert la porte, devait avoir à peu près l'âge de son mari, mais la Russie faisait vieillir prématurément les gens à cette époque.

« Mon nom, commença Zander, est Alexander Til. J'étais, il y a peu encore, en prison…

— Vous étiez en prison, l'interrompit avec méfiance la femme d'Evpraksein, et ils vous ont laissé sortir ?

— Cela arrive parfois. » Zander fut balayé par une vague de culpabilité à l'idée d'être vivant ; même lui ne pouvait pas expliquer pourquoi cela s'était terminé ainsi. « Quand j'étais dedans, on m'a fait passer une visite ophtalmologique. Le docteur était un prisonnier, il m'a procuré ceci. » Zander toucha ses épaisses lunettes. « La porte était ouverte et il y avait un garde dehors, mais le docteur est parvenu à murmurer son nom et son adresse avant mon départ. Il a dit qu'il avait une femme, une mère, deux filles. Il m'a chargé, si jamais je sortais, de leur transmettre son amour.

— Cela s'est passé il y a combien de temps ? demanda l'épouse.

— J'ai une mauvaise jambe. Cela vous ennuie-t-il que je m'assoie ? »

La plus âgée des deux filles lui apporta une chaise. Zander se laissa tomber dessus avec reconnaissance. Les quatre femmes l'entouraient. Son regard passa de l'une à l'autre.

« Ça s'est passé il y a quatre mois. Je suis sorti de prison depuis deux mois. Je m'excuse de ne pas être venu plus tôt, mais j'ai été malade.

— Qu'a dit Père ? demanda la fille aînée comme si Zander n'avait pas déjà délivré le message.

— Il a dit de vous donner son amour. Seulement ça. Il n'avait pas le temps de m'en dire plus.

— C'est un traître, un saboteur. Nous ne voulons pas de son amour, dit l'autre fille d'une voix tendue.

— Nous avons des raisons de croire qu'il est mort, dit la femme d'Evpraksein.

— Comment le savez-vous ? demanda Zander.

— Nous lui avons envoyé des colis aussi souvent que le règlement le permettait. Il y a deux semaines, le dernier nous est revenu. Ils avaient tamponné "décédé" en grosses lettres sur le paquet.

— Il y a peut-être eu une erreur », dit Zander.

La mère d'Evpraksein secoua la tête.

« Je le sens dans mes os, il n'y a pas eu d'erreur. Notre Konstantin est certainement mort.

— Pour nous, siffla la cadette, il est mort depuis qu'ils l'ont emmené. Savez-vous ce que ça a fait à notre vie d'avoir un père traître à son pays ? »

La femme d'Evpraksein prit la main de Zander et la serra, hochant la tête en signe de remerciement.

« Nous allions allumer une bougie, lui dit-elle.

— Une bougie à sa mémoire, ajouta la mère.

— Juste une bougie, insista la plus jeune des filles. Sans signification particulière.

— Restez avec nous un moment, si vous voulez, dit l'épouse.

— Je suis… je suis honoré de regarder avec vous brûler une bougie à la mémoire du docteur Evpraksein », dit Zander.

La femme lui lâcha la main, prit une bougie ordinaire dans le tiroir d'un buffet, l'alluma avec une allumette et, la penchant, fit couler quelques gouttes de cire dans une soucoupe. Elle y planta la bougie et recula. La cadette laissa une bouffée d'air franchir ses lèvres et s'éloigna pour embuer la fenêtre de sa respiration. La femme, la mère, la fille aînée d'Evpraksein et Zander se rassemblèrent autour de la bougie pour contempler en silence le vacillement mystique de la flamme commémorative.

« C'est ma faute », dit le sergent Kirpitchnikov, secouant sa tête massive et frappant la table de cuisine du moignon de sa main gauche. « J'aurais dû le battre plus souvent que je ne l'ai fait.

— J'aurais dû faire acte d'autorité le jour où il est arrivé à la maison avec ce blouson de cuir et où il a dit qu'il travaillait pour les mêmes gens qu'Atticus Tuohy, dit Sérafima. À la base, c'était un bon garçon, Pasha. Il se souvenait toujours de mon anniversaire.

— Il se souvenait de ton anniversaire, grogna le sergent Kirpitchnikov, parce que je le lui rappelais.

— Il te laissait le lui rappeler, dit Sérafima avec impatience. Ça montre qu'il se souciait de moi. »

Le sergent Kirpitchnikov se leva, alla vers le poêle et remua la soupe avec une grande cuiller de bois. Il regarda Zander et s'éclaircit la gorge.

« Il y a quelque chose que je voulais te dire. »

Zander pensait savoir ce qui allait venir.

« Tu ne me dois aucune explication, dit-il à Pasha. Tout le monde sait que tu devais faire ce que tu as fait.

— Dis-le-lui quand même », ordonna Sérafima à Pasha.

Le sergent s'éclaircit de nouveau la gorge.

« Je ne suis pas très doué pour les discours, ou les excuses, mais j'estime nécessaire de te dire que je ne suis pas fier de ce que j'ai fait. Si tu décidais de ne plus jamais me parler, je te donnerais raison. C'est seulement que Mélor m'a fait venir et m'a montré toutes les preuves contre toi, m'a expliqué cette affaire du "bureau américain à cylindre" qui était ton code pour moi et a dit que nous pouvions nous sauver en avouant tout, que c'était le seul choix que nous ayons.

— Je comprends, dit Zander. Je ne t'en veux pas. »

Mais le sergent devait finir. « Alors, quand il a mis le papier devant moi, pour te dire la terrible vérité, je n'ai même pas lu ce bon Dieu de truc. Je lui ai demandé où signer, il m'a montré, et j'ai signé. » Pasha respira profondément par ses énormes narines. « Voilà comment ça s'est passé. Et j'ai honte de te le dire, mais je ne pouvais pas garder ça sur le cœur. »

Zander hocha la tête. Ils restèrent tous silencieux un moment. Pasha se rassit à la table de cuisine. « Mangez au moins quelque chose, dit Sérafima aux deux hommes.

— Je n'ai pas faim », répondit le sergent. Il repoussa son bol.

« Peut-être plus tard », dit Zander. Il se tourna vers Pasha. « Comment as-tu su pour Mélor ? »

Sérafima se mit à pleurer de nouveau. Le sergent remplit le verre de Zander, puis le sien, et ils burent un peu de vodka.

« Il venait toujours dîner le mercredi, commença le sergent.

— Toujours le mercredi, acquiesça Sérafima. Il apportait des colis qu'il avait pris à l'intendance. Du lard. Du bacon. Parfois du beurre. Parfois des douceurs. » Et elle éclata : « Je te dis qu'il se souciait plus de moi qu'il ne le laissait voir.

— Quand il ne s'est pas montré mercredi, elle s'est fait du souci, continua Pasha. J'ai pensé qu'il était peut-être avec une fille, mais Sérafima m'a fait aller chez lui quand même. Il avait un petit appartement, mais il l'occupait tout seul. J'ai su que quelque chose allait mal dès que j'ai tourné le coin de la rue. Il y avait deux voitures et un camion, et des hommes avec des costumes bleus et des cravates orange descendaient des cartons et les empilaient à l'arrière du camion. Ils ne prenaient pas de meubles. Et ils ne m'avaient pas l'air de déménageurs. »

Sérafima reprit l'histoire. « Quand il est venu à la maison et m'a raconté ça, j'ai cru que j'allais avoir une crise cardiaque. Nous avons attendu des nouvelles toute la journée de jeudi. Tu peux imaginer dans quel état j'étais. Le vendredi matin, il fallait ou que je découvre ce qui lui était arrivé ou que je me tue.

— Je ne voulais pas qu'elle y aille, dit le sergent.

— Une mère, éclata Sérafima, n'est pas comme une petite amie ou même une épouse, quoique je n'aie rien contre les épouses. Une mère est une mère, et si elle pense que son fils a des ennuis, elle marchera dans le feu, traversera les murs, tu vois ce que je veux dire ? »

Zander hocha la tête avec sympathie.

Sérafima se leva, fit le tour de la table et se rassit sur sa chaise. Zander essaya de l'imaginer chargeant vers la porte principale de la prison Boutyrskaïa et exigeant de voir son fils. « Vous devez passer par les filières appropriées », aurait dit le garde, mais Sérafima, qui avait pris du poids avec les années, qui en fait était devenue très grosse, serait entrée dans la cour en repoussant le pauvre homme d'un coup d'épaule. Zander la voyait examiner les dizaines et les dizaines de fenêtres et crier : « Mélor, c'est moi, c'est ta mère, Sérafima. Sors immédiatement ! »

« Je ne suis même pas arrivée à la porte principale », dit Sérafima dans un murmure ; elle avait l'impression que, si elle parlait plus fort, les assiettes tomberaient du vaisselier, que la lampe du plafond s'effondrerait. « L'endroit était bourré de mères, on devait être cinquante, toutes serrées sur le trottoir pour laisser passer la circulation, on se pressait contre la porte fermée, certaines pleurant, d'autres furieuses, toutes prêtes à marcher dans le feu pour des fils disparus. Je suppose, ajouta-t-elle après un moment, que s'il y a une vie après la mort, l'entrée de l'enfer ressemble à ça.

— C'est moi, continua le sergent Kirpitchnikov, qui ai vu son nom dans le journal. Je ne lis pas d'habitude ces choses, mais avec Mélor disparu et tout... tu as dû la voir – l'annonce, sur la page intérieure de la *Pravda*, de l'arrestation du chef de la police. La semaine dernière seulement ils ont passé une photo de lui debout à côté du camarade Staline, et la légende disait que c'était son bras droit. Et voilà que le bras droit était un espion allemand ! Et dans l'article ils donnaient une liste de vingt-six fonctionnaires subalternes qui avaient été jugés et condamnés et… et….tu vois où je veux en venir… et le nom de Mélor…

— Mon petit Marx-Engels-Lénine-Organisateurs-de-la-Révolution, un agent de l'impérialisme ! cria Sérafima. Peux-tu croire une chose pareille ? Avec ce nom-là ? Un agent de l'impérialisme ! Mon Mélor ! »

Le sergent Kirpitchnikov fouilla dans la poche de sa tunique et en sortit un article déchiré dans la *Pravda*. Le nom de Mélor était souligné au crayon.

« J'avais toujours rêvé de voir son nom imprimé, dit Sérafima, mais Dieu sait que je ne voulais pas le voir imprimé comme ça. »

Le sergent tendit l'article à Zander. Il le lut et le donna à Sérafima. Elle le serra sur sa poitrine. « Je lui ai donné naissance, je l'ai baigné, habillé et aimé pendant trente et un ans. Et c'est tout ce qui me reste – son nom dans un article de la *Pravda*. Comment, je te le demande, une telle chose a-t-elle pu arriver ? Comment ? Je te le demande.

— Contrôle-toi », supplia le sergent Kirpitchnikov. Il avait fermé la porte de la pièce, mais avait quand même peur que les gens avec qui ils partageaient l'appartement les entendent.

Sérafima hocha misérablement la tête. « Comment ? chuchota-t-elle. Comment ? Je veux savoir comment ? »

Arishka serrait sur son cœur les douze roses rouges enveloppées dans du papier journal. Ludmilla marchait à côté d'elle, le bras passé sous le sien. Zander, de l'autre côté, allait ralentir, mais décida que l'exercice lui ferait du bien. Ils traversaient le petit parc, pris en sandwich entre le large boulevard et le mur du Kremlin, vers la tombe du soldat inconnu.

« Il y a une terrible différence entre quelqu'un qui est mort et quelqu'un qui a disparu, disait Arishka. Quand quelqu'un est mort, les survivants savent au moins où ils en sont. Quand quelqu'un a disparu, on reste dans les limbes – on passe de l'espoir au désespoir, et il n'y a pas de terrain neutre, pas d'endroit où se fixer et commencer à reconstruire sa vie.

— Tu n'as pas besoin de t'expliquer, lui assura Ludmilla. Tu fais ce qu'il faut.

— Tu crois vraiment ?

— Tout à fait.

— Même l'hypnotiseur ?

— Même l'hypnotiseur. Quelqu'un dans ta situation doit tout essayer. »

Arishka eut un soupir de soulagement.

« Ça signifie beaucoup pour moi de t'entendre dire ça. Certains de mes amis ont pensé que c'était ridicule d'aller voir un hypnotiseur. Je ne vois pas pourquoi. Maintenant, les gens se servent de l'hypnose pour les aider à arrêter de fumer, ou à respecter un régime. Alors pourquoi ne pas s'en servir pour se convaincre de la mort de quelqu'un ?

— Est-ce que ça a changé quelque chose ? demanda Zander. En es-tu ressortie en te sentant différente vis-à-vis de ton ami ?

— Je dois admettre que ça m'a vraiment aidée. D'un jour à l'autre j'ai cessé d'espérer. Je me suis convaincue au plus profond de mon cœur qu'il n'y avait qu'une seule explication possible à sa disparition. Je continue à rêver de lui, mais il est toujours mort dans mes rêves. Même quand il me parle, il est mort. Il n'y a aucun doute, dans mon esprit, je ne le reverrai jamais.

— Au moins, tu sais où tu en es, dit Ludmilla en lui serrant le coude. C'est plus que la plupart des gens ne peuvent en dire.

— Ayez la bonté de baisser la voix, les avertit Zander. Il y aura des gens devant la tombe, et nous ne voulons pas que quiconque surprenne ce genre de conversation.

— Tu comprends, n'est-ce pas, qu'on ne peut pas vivre avec le doute ? demanda Arishka. On ne peut pas fonctionner. Un jour, l'hiver dernier, j'ai quitté le bureau sans mes caoutchoucs. Je ne m'en suis pas aperçue avant de me retrouver jusqu'aux genoux dans la neige en attendant le trolley, mais à ce moment-là c'était plus simple de rentrer à la maison que de retourner au bureau. » Arishka baissa la voix afin que seule Ludmilla puisse comprendre ce qu'elle disait. « Même mes règles ont été affectées. Toute ma vie, j'ai été aussi régulière que la lune. Après la disparition d'Arkady », Arishka se reprit rapidement, « après sa *mort*, il se passait cinq semaines, six, même sept une fois. Si j'avais couché avec un homme et que ça se soit produit, j'aurais fait la queue pour un autre avortement.

— Faites attention, maintenant », les prévint Zander.

Ils approchaient de la tombe. Elle était juste sous le mur du Kremlin, couverte de fleurs et de gerbes. Une flamme éternelle brûlait à son pied, et deux soldats en uniforme impeccable, fusil en position de parade, l'encadraient, immobiles. Plusieurs civils portant des costumes bleus et des cravates orange se tenaient d'un côté, regardant passer la foule.

« Qui a eu l'idée de te faire mettre des fleurs sur la tombe ? » chuchota Ludmilla.

Ils se joignirent à la file d'attente, d'environ vingt personnes, et avancèrent pas à pas vers la zone délimitée par des cordes.

« C'est l'hypnotiseur qui l'a suggéré. J'ai eu en tout trois séances avec lui, et il les faisait payer, crois-moi. La dernière fois, il m'a mise en transe et m'a suggéré qu'Arkady *était* le soldat inconnu, qu'il était enterré ici dans la tombe. Quand je me suis réveillée, il m'a dit ce qu'il avait fait et j'ai dit, pourquoi pas ? Il *pourrait* être enterré ici. C'était possible. Je veux dire, c'est un inconnu qui est enterré ici, alors pourquoi ne serait-ce pas Arkady ? »

Leurs devanciers dans la queue avancèrent, Arishka s'approcha de la corde et fixa solennellement la flamme et la tombe. Puis elle se pencha par-dessus la corde et ajouta délicatement son bouquet de roses aux fleurs et aux gerbes empilées à la base de la stèle.

Traversant le parc sur le chemin du retour, Arishka garda un silence morbide. Zander accrocha le regard de Ludmilla derrière le dos d'Arishka. Elle haussa les épaules. Arishka sortit un mouchoir de dentelle de son sac et se moucha. Elle se mit à renifler. Des larmes jaillirent de ses yeux et coulèrent sur ses joues. Son corps fut secoué de sanglots silencieux.

« Ça va ? demanda Ludmilla, soucieuse.

— Nous avons eu si peu de temps ensemble, gémit Arishka. Il m'a fallu des mois pour trouver le courage de dire à Atticus que je partais. C'était une torture – aimer Arkady et coucher avec Atticus. Et puis juste alors que nous commencions notre vie ensemble, je l'ai perdu.

— Au moins tu sais maintenant qu'il est mort », dit Ludmilla.

Arishka étouffa ses sanglots dans son mouchoir. « Et si ce n'est pas Arkady dans la tombe ? Si c'est quelqu'un d'autre, et que lui vit toujours ? »

Le sergent Kirpitchnikov était au lit avec la grippe, mais il insista pour que Sérafima y aille quand même. Aussi Zander finit-il par escorter ce que les dames appelaient pour le taquiner « son harem » au cinéma. La salle était bondée et ils durent prendre des sièges au premier rang afin de rester ensemble. Les lumières s'éteignirent. Des vues rapides de tanks de l'Armée rouge franchissant une rivière à gué, d'athlètes soviétiques disputant une course de haies et d'un sous-marin luisant qui faisait surface en brisant une couche de glace arctique annoncèrent les actualités. Le premier sujet concernait le récent procès des recenseurs. Une séquence les montrait au tribunal, leurs têtes rasées penchées en signe de culpabilité ; ils étaient évidemment incapables de regarder directement la caméra, ou s'y refusaient. « Le glorieux service de renseignements soviétique, expliqua une voix off passionnée, a écrasé un nid de vipères de traîtres à l'Institut des Statistiques soviétiques. »

Zander avait lu des articles là-dessus dans la *Pravda*. Le recenseur en chef, un nommé O. A. Kvitkin, avait été fusillé, ainsi que la plupart de ses statisticiens et démographes, pour avoir « saboté le recensement ». Ils avaient compté les têtes et il en manquait. D'après Staline, l'Union soviétique devait avoir 180,7 millions d'habitants. Les recenseurs n'avaient trouvé que 164 millions d âmes, ce qui laissait un trou de 16,7 millions. Le comptage, disait la *Pravda*, avait été fait par « des agents de l'étranger dont le sinistre objectif était de discréditer le Parti communiste et son Grand Timonier, J. Staline ».

« Comment peut-il manquer 16,7 millions de personnes ? avait demandé Ludmilla après que Zander lui eut lu l'article.

— Appolinaria a perdu Ronzha, avait répondu Zander. Arishka a perdu son ami Arkady Lifshits. Sérafima a perdu Mélor. Il s'en est fallu de peu que tu ne me perdes. Il y a eu des millions de morts quand on a forcé les paysans à intégrer les collectifs. D'autres millions ont disparu dans les purges. »

Ludmilla avait longtemps regardé par la fenêtre. « Mon Dieu ! » s'était-elle soudain exclamée. « Seize millions virgule sept ! Mon imagination ne peut envisager les morts que quand ils sont enveloppés en paquets séparés. »

Sur l'écran, les actualités scintillèrent et passèrent à ce que la voix off décrivit comme « le travail des constructeurs, opposé à celui des démolisseurs ». Une longue séquence suivait qui montrait l'inauguration d'une section du métro de Moscou. Un train dont l'avant de la première voiture était pavoisé entrait dans une station brillamment éclairée. Les portes s'ouvrirent. Staline en personne, souriant, faisant avec modestie des signes à la foule qui l'applaudissait, descendit sur le quai. Il regarda les piliers de marbre autour de lui et hocha la tête en signe d'approbation.

Les stations, expliqua la voix off pendant que la caméra suivait le regard de Staline sur les plafonds voûtés et les alcôves cloisonnées, étaient de véritables palais du peuple, avec des mosaïques, des fresques, des bas-reliefs émaillés et du verre coloré. Cela montrait, continua la voix, à quoi pouvaient arriver les travailleurs socialistes quand ils retroussaient leurs manches et se mettaient à l'ouvrage.

On vit un homme massif, présenté comme N. Khrouchtchev, s'approcher de Staline afin de recevoir l'ordre de Lénine pour avoir dirigé les « volontaires » qui avaient creusé les tunnels. Arishka, assise à côté de Zander, dit doucement : « Tu peux dire ce que tu veux, c'est une grande réussite. J'ai hâte de voyager dans un de ces jolis petits trains. »

« Chut », murmura un homme derrière elle.

La caméra passa à une autre cérémonie. Quinze hommes en costume-cravate étaient alignés sur le quai devant une mosaïque qui dépeignait des chevaliers russes en armure chargeant des envahisseurs suédois. Staline descendait la file, accrochant une médaille au revers de chacun des hommes et lui serrant la main.

Les sous-directeurs du projet de métro, expliqua la voix off, reçoivent les remerciements personnels du camarade Staline pour le dévouement qu'ils avaient mis au service de sa grande vision : créer le métro le plus moderne du monde, dépassant de loin ceux de villes telles que New York, Paris ou Londres.

Ludmilla, de l'autre côté de Zander, lui tira la manche. « N'est-ce pas Oncle Atticus ? »

Le septième homme dans la file avait au moins une tête de plus que tous ceux qui l'entouraient. Il lissait nerveusement de l'index sa large moustache de morse alors que Staline s'avançait pour lui épingler la médaille.

« C'est Atticus, oui », chuchota Zander.

Cela avait été une dangereuse tâche de creuser dans le sous-sol mouvant et spongieux de Moscou, poursuivit la voix. Malgré d'incroyables mesures de sécurité, des travailleurs avaient été blessés. Certains avaient même donné leur vie pour que le socialisme, sous la forme d'un métro, puisse avancer. Les tunnels, suggéra théâtralement la voix, étaient devenus leur tombe ; le métro était devenu leur monument.

Zander vit à peine le film qui suivit. La vue de Tuohy décoré par Staline avait été un choc violent. Il n'avait pas oublié la dénonciation qu'Atticus avait signée, les mensonges qu'il avait inventés, l'enthousiasme avec lequel il semblait les avoir conçus et étalés sur le papier. Il n'y avait pas trace d'hésitation, d'équivoque ; Tuohy avait vu en personne Zander parler à tel ou tel, l'avait en personne entendu dire telle ou telle chose. Cela exigeait une explication, des excuses. Mais, durant les cinq mois qui s'étaient écoulés depuis sa sortie de prison, il n'y avait pas eu de message d'Atticus. Zander avait considéré ce silence comme une expression de honte – jusqu'à ce qu'il vît son large visage et son air satisfait aux actualités. C'était le sourire de quelqu'un que le système avait dévoré.

Allongé sur son lit sans dormir cette nuit-là, Zander avait l'impression de revenir d'un enterrement. Il comprenait que les tunnels du métro sous les rues de Moscou étaient en réalité une fosse commune. D'autres choses que les corps d'ouvriers enfouis sous des glissements de terrain et des éboulements étaient enterrées là : la dernière trace de son amitié avec Atticus Tuohy, l'homme qui était venu d'Amérique avec lui, par exemple ; l'espoir persistant que la révolution qu'il avait aidé à faire pourrait encore transformer la Russie en terre promise. « Nous n'avions jamais imaginé qu'il y aurait autant de morts, avait dit Lili, mais maintenant que c'est le cas, il est encore plus important que la révolution réussisse. » Zander s'était raccroché à ses mots quand il la pleurait, s'était raccroché à eux après son arrestation, et lorsqu'il avait dû signer de faux aveux pour sauver Ludmilla.

Ce n'était pas un espoir auquel un homme raisonnable pût encore se raccrocher. Alors il le laissa échapper, le lâcha dans l'air et le regarda s'élever comme un ballon rempli d'hélium jusqu'à n'être plus qu'un grain de poussière dans le ciel, puis s'évanouir complètement. Et Zander, regardant les ombres que projetait sur le plafond un des lampadaires de la rue, prit le deuil. Pour la Russie ; pour lui-même ; pour ce gaspillage absolu.

LIVRE CINQ

Le despotisme russe non seulement compte les idées, les sentiments pour rien, mais il refait les faits, il lutte contre l'évidence, et triomphe dans la lutte ; car l'évidence n'a pas d'avocat chez nous[1].

Custine, *Lettres de Russie*, 1839.

My future is in my past.

Épigraphe, en anglais, qui précède la deuxième partie du *Poème sans héros* d'Akhmatova.

---

1 En français dans le texte.

POUR SE SITUER DANS LE TEMPS...

Les paysans avaient raison, décida-t-il, quand ils prétendaient que le temps avait des ailes.

Cela faisait vingt ans jour pour jour que sa femme était morte, empoisonnée par des crapules, des saboteurs et, il le savait maintenant, des sionistes qui essayaient de détruire ce qu'il avait péniblement construit. Il avait marqué l'anniversaire par une visite à sa tombe dans le cimetière Novodévitché ; il avait fixé un moment le buste de marbre d'une familiarité obsédante avec l'inscription : « À Nadejda Alliluyeva, d'un membre du Parti, Joseph Staline. » De retour à Blizhni, sa gouvernante, Valechka, lui apporta un verre de lait chaud avec deux morceaux de sucre dans la soucoupe. Il sucra le lait et s'installa, fatigué, dans son fauteuil favori sous l'immense photo de Nadejda. Valechka ajouta une bûche au feu et activa les flammes avec un soufflet, puis brancha la radio.

« Les médecins disent que la musique est bonne pour la santé, insista-t-elle quand il lui fit sans conviction signe de s'écarter.

— Ne mentionne pas le mot "médecin" devant moi, grogna Staline, irrité. C'est une bande de sionistes cosmopolites. » Mais il la laissa faire quand il entendit le speaker annoncer que Yudina allait jouer quelque chose.

Il écouta la musique, sirotant le lait chaud, regarda la photo de Nadejda et laissa ses pensées revenir à leurs premières années ensemble. Il avait été dur avec elle, c'est vrai, mais il avait été dur avec tout le monde. Qu'est-ce que cette salope allemande de tsarine avait écrit à Nicolas avant la révolution ? « La Russie adore sentir le fouet – c'est dans sa nature. »

L'œuvre se termina. Sur une impulsion, Staline décrocha le téléphone. « Donnez-moi le commissaire chargé du comité de la radio », ordonna-t-il à l'opératrice.

Quelques minutes plus tard, le commissaire était en ligne.

« Camarade, dit Staline, je viens d'entendre Yudina jouer quelque chose à la radio. Pouvez-vous me dire ce que c'était ? »

Le commissaire vérifia ses notes. « C'était le *Concerto pour piano n° 23* de Mozart, apprit-il à Staline.

— Ah, Mozart, bien sûr. Envoyez-moi un exemplaire du disque dans la matinée. »

Le commissaire sembla hésiter.

« Y a-t-il un problème ? demanda sèchement Staline.

— Pas du tout, s'empressa de répondre le commissaire. Je vous ferai remettre le disque dès demain matin. »

Dans son bureau de l'immeuble de la radio, le commissaire raccrocha.

« C'était Staline lui-même, dit-il sombrement à son assistante. Il a entendu Yudina jouer le vingt-troisième de Mozart à la radio et veut un exemplaire du disque.

— Oh mon Dieu ! » gémit l'assistante. Elle s'effondra sur une chaise. « C'était du direct. Il n'y a pas de disque ! »

Le commissaire convoqua une réunion des chefs de service pour affronter la crise. « Je suis ouvert à toute idée », leur dit-il.

Quelqu'un suggéra qu'ils se suicident tous, mais personne ne rit. Le camarade chargé des programmes pensait qu'ils devraient donner à Staline un disque de Yudina jouant autre chose, ou de quelqu'un d'autre jouant le vingt-troisième concerto de Mozart, et avouer que le concert avait été en direct. Le commissaire se pétrit les phalanges jusqu'à s'arracher la peau.

« Le camarade Staline téléphone en personne, demande un disque, et vous voulez que je lui dise qu'il n'y en a pas ? C'est hors du domaine du possible.

— Il finira par l'apprendre », gémit la femme qui s'occupait des informations de la journée.

Les yeux du commissaire se rétrécirent. « Il ne va pas l'apprendre. Nous allons faire un disque de Yudina jouant le *Concerto pour piano n° 23* de Mozart ! »

Cette nuit-là, le commissaire convoqua Yudina, rassembla l'orchestre dans le studio et prépara une matrice. La main du premier chef d'orchestre tremblait trop pour diriger. Un second fut tiré du lit et envoyé au studio, mais lui aussi était trop nerveux. Un troisième fut convoqué, mais on ne lui dit pas à qui était destiné l'enregistrement. Il parvint à conduire l'orchestre.

À six heures du matin, des techniciens pressèrent un disque unique à partir de la matrice. On le glissa dans une pochette unique qui avait été dessinée et imprimée dans la nuit.

À l'aube, le commissaire alla en voiture à Blizhni et donna le disque à un garde du corps, qui le remit à Valechka qui le déposa sur la table de la salle à manger à côté de l'assiette de Staline.

Quand Staline fit son apparition à midi pour le petit déjeuner, il fut surpris de trouver le disque. Il avait oublié l'avoir demandé.

CHAPITRE PREMIER

Moscou 1952

Une réception, c'était la dernière chose au monde que souhaitait Nachshon Ben Aminadav. « C'est une tradition », lui assura le ministre en rejetant stoïquement les épaules en arrière. « C'est un poste déprimant. Nous offrons un pot aux nouveaux arrivants pour qu'ils n'aient pas l'impression d'avoir atterri sur la lune. » Le ministre griffonna quelque chose sur un bloc et le poussa vers Nachshon. « Comme couverture, pour votre mission, avait-il écrit, il vaut mieux suivre les usages diplomatiques et laisser tout le monde, y compris nos propres gens, penser que vous êtes vraiment l'attaché commercial. »

Nachshon enleva la feuille du bloc, ainsi que celle en dessous, et les brûla toutes deux dans un cendrier. Affichant à contrecœur un sourire, il suivit le ministre jusqu'à la salle à manger du rez-de-chaussée. Les neuf diplomates israéliens et leurs femmes se pressaient autour d'une longue table recouverte de *zakouski*. Ils étaient inhabituellement gais ; ils buvaient depuis un moment. Quelqu'un glissa un verre de vodka dans la main de Nachshon. Le ministre s'éclaircit la gorge. « Je vous présente Nachshon Ben Aminadav, notre nouvel attaché commercial.

— Bienvenue à Moscou, dit l'attaché culturel.

— Bienvenue, bienvenue, reprirent les autres en écho.

— *L'chayim*[1], dit le ministre en levant son verre. Il évitait le regard de Nachshon.

— *L'chayim* », répéta celui-ci avec un sourire lugubre. Il hocha pensivement la tête et avala sa dose de vodka.

« Donnez-nous nos impressions de Moscou, dit quelqu'un.

— Il n'est arrivé que cet après-midi, dit le ministre pour le protéger.

---

1 « À la vie ». en hébreu.

— La première chose qu'on remarque, dit Nachshon, ce sont les queues. Partout où l'on regarde, des queues.

— La plupart du temps, dit un diplomate aux cheveux blancs, ils ne savent même pas pourquoi ils font la queue. Ils voient une file d'attente et ils s'y joignent, supposant qu'ils auront sûrement besoin de ce qu'on vend, quoi que ce soit.

— La Russie, s'exclama une des femmes d'une voix aiguë, est peut-être le paradis des travailleurs, mais pas encore le paradis des acheteurs. »

Cela fit rire tout le monde.

L'attaché culturel regarda Nachshon par-dessus ses lunettes à double foyer. « D'où avez-vous dit que vous veniez au juste ?

— Je ne l'ai pas dit. Mais je viens de Tel-Aviv. »

Quelqu'un pencha une bouteille de vodka sur son verre, mais Nachshon le recouvrit de la main.

« C'est votre premier poste outre-mer ? » demanda un attaché.

Nachshon hocha la tête d'une façon qui pouvait signifier oui ou non.

« Vous devez avoir des ennemis haut placés, dit un employé du chiffre. Pour avoir Moscou, je veux dire. »

De nouveau, tout le monde rit.

« Vous avez une spécialité ? demanda avec curiosité un sous-secrétaire.

— Je suis plus un généraliste qu'un spécialiste, répondit vaguement Nachshon.

— C'est assez de questions pour aujourd'hui, annonça le ministre. Notre nouveau collègue voyage depuis soixante-douze heures. Il a besoin de se rafraîchir, de dormir. »

Après la réception, le chef de station, qui était porté sur les listes comme sous-secrétaire, emmena Nachshon au saint des saints, une pièce dans une pièce dont les employés du chiffre se servaient pour coder et décoder. Il commença à manœuvrer la combinaison d'un des coffres. « Ça peut attendre demain si vous êtes fatigué, offrit-il.

— Hier, c'était déjà trop tard », lui dit Nachshon.

Le chef de station, qui s'appelait Mordechai Shapiro, ouvrit la porte du coffre et en sortit un dossier. Nachshon et lui s'assirent à la longue table de cuisine où travaillaient les employés du chiffre.

« Pouvons-nous parler ici ? » demanda Nachshon.

Shapiro hocha la tête. « C'est l'unique endroit de l'immeuble où nous puissions parler. » Il défit le ruban du dossier et l'ouvrit.

« Mon Dieu, il n'y a pas grand-chose là-dedans, dit Nachshon. Qu'est-ce que vous faites depuis deux ans ?

— Écoutez, répliqua Shapiro, gardez vos critiques jusqu'à ce que vous ayez passé une semaine ici et vu par vous-même comment est la situation.

« — La situation est désespérée, voilà comment elle est », riposta Nachshon.

Shapiro fit une grimace. « Nous sommes parvenus à identifier le commissaire chargé de la réimplantation des minorités… »

Nachshon eut un geste de dégoût. « Débarrassez-vous d'un commissaire, un autre prendra sa place. Qu'est-ce que vous avez sur l'homme lui-même ? »

Shapiro sortit une feuille du dossier. « C'est comme chercher de l'or à la bâtée, dit-il. On fait semblant d'être ivre, on rit trop et on ramasse une pépite ou deux dans une réception diplomatique. Nous avons une Juive qui fait des massages à la femme d'un des membres du Politburo. Nous apprenons un détail ici et là par son canal. Nous avons une fille juive qui couche avec un des gardes de la datcha. C'est notre meilleure source. »

Nachshon grogna. Il n'était pas impressionné.

Shapiro soupira. « La plupart du temps, il quitte le Kremlin par la porte Borovitsky. Ils se servent de quatre Zil 101 noires, identiques. Sans doute blindées. Elles changent de position, se dépassent les unes les autres. Même si vous saviez dans quelle voiture il se trouve quand il part du Kremlin vous ne pourriez pas le déterminer au moment où il arrive sur l'Arbat. Le convoi roule à vive allure. Tous les feux sur l'Arbat, et plus loin sur Bolshaïa Dorogomilova et la route Mozhaïsk, passent au vert pour eux. Il y a des miliciens et des voitures de police à chaque intersection. Personnellement, je ne crois pas possible d'approcher de lui pendant le trajet.

— Qu'est-ce qui se passe ensuite ?

— Ensuite, le convoi quitte la route Mozhaïsk en tournant à gauche après le dernier immeuble d'habitation. Sur une route gouvernementale interdite à la circulation civile. J'ai parlé à un Yougoslave qui l'a empruntée deux fois. La route est tortueuse, elle fait des virages serrés en montant à travers une forêt de bouleaux blancs et de pins noirs. Des miliciens sont postés à intervalles réguliers tout du long. Il y a deux barrières, et une haute porte en bois dans une clôture, puis une longue avenue qui mène à la datcha. Porte à porte, du Kremlin à la datcha, ça fait dix-huit kilomètres, environ huit minutes en voiture. »

Shapiro étala une carte sur la table et suivit l'itinéraire avec la gomme d'un crayon. « La datcha s'appelle Blizhni, l'endroit Volynskoye, près de Kuntsevo, au sud-ouest de Moscou. Ici. »

Nachshon ferma les yeux et se frotta les paupières du bout des doigts. Il les rouvrit et étudia longtemps la carte. Puis il secoua la tête. « Qu'avez-vous sur la datcha ? »

Shapiro eut un soupir ; ce qu'il avait sur la datcha ne faisait que montrer à quel point la sécurité y était rigoureuse. « Le périmètre extérieur est patrouillé par des équipes de deux hommes avec des chiens. À l'intérieur, c'est un camp militaire. Il y a un logement de gardes hexagonal près du bâtiment principal, avec des centaines d'hommes des troupes d'élite constamment en service. Il y a des projecteurs partout dans le parc. Des mines. Des alarmes. Des chiens.

— Il arrive que des gens viennent le voir », dit Nachshon d'un air sarcastique.

Shapiro ignora son ton. Il devait être tolérant envers un homme qu'on avait envoyé en Russie accomplir l'impossible.

« Même les membres du Politburo sont fouillés, expliqua-t-il patiemment. Ils doivent remettre leurs serviettes à l'officier responsable. Un Von Stauffenberg[1] ne franchirait jamais ce système de sécurité. »

Shapiro sortit de la poche de sa veste un paquet de cigarettes américaines et en offrit une à Nachshon.

« Vous voudriez bien vous abstenir de fumer ? dit celui-ci. La fumée m'irrite les yeux. À quoi ressemble l'intérieur ? Où dort-il ?

— Il y a une grande pièce où il tient sa cour. Nous savons qu'il y a une cheminée, le vieux adore le feu, une grande photo de sa femme décédée, et un tourne-disque ; nous n'en savons guère plus. Un couloir mène de la salle de cinéma aux chambres. Certains disent qu'il y en a quatre, d'autres disent six. Elles sont apparemment identiques – pas de fenêtres, portes blindées, un seul jeu de clefs qu'il garde dans sa poche. Quand il va se coucher, il prend le couloir et ferme la porte afin que personne ne puisse voir quelle chambre il a choisie pour la nuit. » Shapiro eut un rire empreint de frustration. « On dirait que ce salopard a peur que quelqu'un essaie de l'assassiner.

— On dirait », acquiesça Nachshon. Il resta silencieux un long moment ; Shapiro le crut assoupi. Enfin, Nachshon se gratta l'aile du nez, puis secoua sa tête presque chauve. « Il doit y avoir un moyen de faire entrer quelqu'un – une femme de chambre, un serveur, un plombier. Quelqu'un. »

Shapiro renifla. « Les gens qui mettent le pied là-bas sont triés sur le volet. Personne qui ait une goutte de sang juif dans les veines ou la bite circoncise ne passerait les barrières de la route gouvernementale. »

Nachshon avait du mal à garder les yeux ouverts. Il se leva, contourna la table et s'adossa au mur pour soulager la douleur de sa colonne vertébrale. Il avait encore l'air massif d'un avant de football américain à l'époque où l'on n'utilisait pas de rembourrage. Il était bâti près du sol ; feu sa femme avait l'habitude de dire en manière de plaisanterie que son

---

1 Officier allemand qui tenta d'assassiner Hitler en 1944, lors du « complot des généraux ».

centre de gravité était bas et son seuil de douleur élevé. Quand il plantait ses pieds en terre, il paraissait indéracinable. Quand il baissait la tête et s'avançait, il avait l'air indestructible. Maintenant, dos au mur, il se sentait soudain usé. Ce n'était pas la fatigue du voyage qui le rattrapait, mais l'importance du problème qu'il était venu résoudre. Ses pensées se portèrent sur Zander. Il aurait donné son bras droit pour savoir s'il était encore en vie. Il se rappelait comme si c'était hier la fois où ils avaient mangé des « farcis » et où il avait essayé de le convaincre de ne pas aller en Russie. « Pour moi, la Palestine n'est pas la Terre promise, mais la Russie pourrait l'être », lui avait dit Zander tant d'années auparavant.

Nachshon était resté en contact plus ou moins régulier avec lui jusqu'au milieu des années trente. Quand le premier des grands procès publics commença, Nachshon cessa d'écrire, pensant qu'il serait plus prudent pour Zander de ne pas correspondre avec l'étranger. Quand les lettres de Zander n'arrivèrent plus, Nachshon espéra que c'était pour la même raison. Mais, au fond de lui-même, il en doutait. Connaissant Zander, connaissant ses convictions morales, Nachshon considérait comme très peu vraisemblable qu'il eût survécu aux purges.

« Si vous voulez mon avis, disait Shapiro, vous rêvez si vous croyez qu'il y a un moyen de l'atteindre. » Il remit le dossier dans le coffre, en ferma la porte, brouilla la combinaison et vérifia que la poignée était verrouillée.

« Je rêve », admit Nachshon. Il eut un sourire fatigué, les yeux perdus dans le lointain. « Mais Herzl a dit une fois que toute activité humaine commence par les rêves. »

Zander voyait par la fenêtre Ludmilla se dépêcher dans la neige vers l'immeuble. Quelques minutes après, il l'entendit franchir la porte de l'appartement communautaire. Elle la claqua si fort que les photos encadrées de son mari et de ses enfants frémirent contre le mur. Elle longea pesamment le couloir dans ses caoutchoucs doublés de fourrure et ouvrit brutalement la porte du salon. « Oh mon Dieu, Alexander, je m'excuse humblement. Vraiment ! » cria-t-elle. Le froid, dehors, avait rendu son nez rouge vif. Des paillettes de glace s'accrochaient aux cheveux qui dépassaient de son bonnet tricoté. « Je ne te blâmerai pas si tu ne gardes plus les enfants pendant un mois. J'aurais été de retour à l'heure si je ne m'étais pas arrêtée pour faire la queue. Ils vendaient un trésor, Alexander – des gants en cuir de Tchécoslovaquie ! J'en ai acheté une paire pour chacun sauf pour Azalia parce qu'ils n'avaient pas de si petites tailles. Tu fais du sept, n'est-ce pas ? C'est ce que j'ai noté dans mon carnet : "main d'Alexander-taille sept". Tiens, essaie-les. Est-ce que les enfants t'ont ennuyé ? »

Zander défit le papier journal, sortit la paire marquée d'un sept et enfila le gant droit.

« Vanka a fini ses devoirs et est descendu jouer avec un ami. Aza a encore saigné du nez, elle est couchée sur ton lit avec les narines pleines de papier hygiénique.

— Personnellement, je crois que ça vient de l'altitude – au neuvième étage comme ici, l'air doit être plus raréfié. Leonid rit quand je parle d'altitude, mais qu'est-ce qu'il en sait – ce n'est qu'un médecin. Est-ce que les gants te vont ?

— Ils sont parfaits. Je n'ai pas vu de cuir pareil depuis des années. Combien est-ce que je te dois ? »

Ludmilla jeta son manteau sur le dossier d'une chaise et se mit à enlever ses caoutchoucs.

« C'est un cadeau d'anniversaire, maintint-elle. Heureux cinquante-neuf ans.

— J'en ai cinquante-huit jusqu'au vingt-deux du mois. Ne me presse pas, dit Zander d'un air morose.

— Es-tu arrivé à travailler pendant que je n'étais pas là ?

— J'ai traduit quatre ou cinq pages. Mais ce n'est pas pressé. C'est un texte académique ennuyeux. Ils paient à la page. Et mal. Enfin, ça me donne au moins quelque chose à faire. »

Ludmilla eut un de ses longs soupirs musicaux qui impressionnaient toujours Zander par leur caractère *philosophique*. Il lui vint à l'esprit que cette époque, en Russie, laissait beaucoup de choses non dites, et que le non-dit prenait souvent la forme d'un soupir.

« Je crois, dit Ludmilla, que c'est un crime contre l'humanité que quelqu'un comme toi ne puisse pas trouver un travail permanent.

— Si le mot "israélite" ne figurait pas sur mon passeport intérieur, j'aurais plus de chances. Personne de sain d'esprit n'engage de Juifs maintenant.

— Ha ! Ça me rappelle une histoire, dit Ludmilla. Tu as entendu celle à propos du Juif et de la *Pravda* ? C'est comme ça : le Juif lit un article dans la *Pravda* disant que l'Union soviétique ne va pas seulement rattraper l'Amérique, mais la dépasser. "Quand nous dépasserons l'Amérique, dit le Juif à sa femme, nous descendrons du véhicule et nous irons vivre là-bas !" »

Zander ne sourit pas. « Au nom du ciel, j'espère que tu ne racontes pas d'histoires pareilles devant les enfants. L'un d'eux pourrait la répéter et dans quelle position te trouverais-tu ? »

Ludmilla fit rouler ses yeux. « Je suis peut-être un peu folle, mais je ne suis pas malade ! »

Zander baissa la voix. « Les temps sont mauvais pour les Juifs. »

Ludmilla haussa les épaules avec colère. « Je ne suis pas juive, dit-elle sèchement, sans réfléchir.

— Ton beau-père est juif, répliqua durement Zander. Ton mari est juif. Tes enfants sont à moitié juifs. »

Ludmilla vit qu'elle l'avait blessé. « Je ne sais pas pourquoi j'ai dit ça », fit-elle vite. Elle enfila une paire de pantoufles et ouvrit le lit pliant où son fils, Vanka, dormait pendant la nuit. Sa bonne humeur avait disparu. Zander remarqua pour la première fois les fines lignes qui partaient du coin de ses yeux et les rides sur son front. Elle avait aussi pris du poids et commençait à faire son âge, quarante-deux ans. Elle était évidemment plus soucieuse qu'elle ne voulait l'admettre. « À la fin de la guerre, se lança-t-elle, j'ai cru que ce serait différent. Leonid est revenu vivant, un bienfait dont j'avais rêvé mais que je n'avais jamais espéré. Et nous avions prouvé au-delà de toute question que nous aimions notre pays, que nous y étions loyaux, que nous n'étions pas des saboteurs ou des agents de l'étranger. Et maintenant Staline recommence. Il remet la pendule à l'heure des années trente. Leonid a rempli un petit sac de voyage et le cache sous le lit. Il ignore que je suis au courant, mais je le sais. Leonid est un docteur, pas un homme politique. Pourquoi quiconque le suspecterait-il ? »

Zander se sentit avoir la chair de poule. Elle avait raison, bien sûr ; tout recommençait. L'arrestation de plusieurs écrivains juifs de premier plan la semaine précédente l'avait vraiment secoué. D'après la *Pravda*, c'étaient des « agents sionistes de l'impérialisme américain ». Un critique littéraire juif que Zander connaissait vaguement avait été chassé de son journal. Un de ses amis juifs, un écrivain qui avait publié sept romans, ne trouvait personne pour publier le huitième. Des rumeurs circulaient à propos des médecins juifs attachés au Kremlin ; on enquêtait sur eux en raison de liens supposés avec des organisations sionistes internationales. Plus inquiétante encore était la lettre, signée par plusieurs Juifs connus, y compris un champion d'échecs, un compositeur et un écrivain à succès, demandant au camarade Staline de permettre aux Juifs de racheter le grand mal qu'ils avaient fait à la Russie par des travaux forcés dans quelque coin perdu de la Mère Patrie. Il semblait à Zander que Staline se préparait à finir ce que Hitler avait commencé.

Il faisait sombre dehors et la température était tombée à moins vingt-sept quand Zander partit en direction de chez lui. Ludmilla voulait qu'il reste pour la nuit – Vanka pouvait dormir avec sa sœur et Zander utiliser le lit pliant du salon – mais il savait que Zsuzsa serait malade d'inquiétude s'il ne rentrait pas dîner. Elle avait perdu son père, deux oncles et son frère aîné durant les purges. Aussi il mit ses nouveaux gants, remonta son col, accepta la deuxième écharpe que lui proposait Ludmilla et, la saluant du bras une dernière fois depuis le trottoir, se dirigea vers l'arrêt du trolley.

Les rues étaient bondées de gens qui se dépêchaient de rentrer chez eux après le travail et Zander remarqua une fois de plus comment, sept ans après la fin de la Grande Guerre patriotique[1], presque chaque homme parvenait à porter une pièce d'uniforme – une écharpe kaki, un manteau de la même couleur, des bottes de l'armée, des moufles de tireur d'élite avec une ouverture spéciale pour l'index, un blouson fourré d'aviateur avec un col de laine. Ce n'était pas tellement, pensait-il, parce qu'on manquait de vêtements d'hiver, les gens étaient très fiers d'avoir fait partie de la machine militaire qui avait écrasé l'hitlérisme. Zander lui-même portait sous sa veste une des chemises de laine brune qu'on lui avait remises le jour où il avait été incorporé. À part une période consacrée à creuser des fosses antichars quand la Wehrmacht approchait des faubourgs de Moscou, il avait passé la guerre dans un bureau à traduire en russe des notices d'emploi américaines qui accompagnaient les équipements prêtés. Pourtant, il avait l'impression d'avoir lui aussi contribué au triomphe de l'Union soviétique et portait ses vieilles chemises de l'armée comme des médailles.

Arrivant à l'arrêt du trolley, Zander découvrit que la ligne haute tension aérienne était coupée. Une équipe de réparation avait barré la rue avec son camion et assemblait des échelles. Quand Zander demanda poliment au contremaître dans combien de temps le trolley fonctionnerait à nouveau, il grogna : « Nous travaillons aussi vite que nous le pouvons », ce qui fit comprendre à Zander que cela prendrait peut-être des heures. Il partit vers la station de métro la plus proche, qui était bien à quinze minutes de marche. Il avait parcouru la moitié de la rue quand il remarqua un taxi collectif venant vers lui. Sur un coup de tête – il prenait rarement le taxi à cause du prix – il descendit du trottoir et fit signe avec sa canne. Le chauffeur s'arrêta, se pencha sur le siège du passager, et Zander cria son adresse. L'homme ouvrit la porte. « Dépêchez-vous, dit-il, que nous ne perdions pas la chaleur. »

Zander se glissa sur le siège et ferma vite la portière. Alors que le taxi démarrait, il se retourna pour saluer poliment de la tête les deux personnes qui se trouvaient déjà à l'arrière.

« Zander ! » cria la femme. Voyant qu'il la regardait avec surprise, elle lui dit : « Tu ne me reconnais pas sous toutes ces fourrures ? C'est moi Masha. Et voici mon mari, Andreï. Chéri, tu te souviens que je t'ai

---

1 Nom donné par les Russes à la Seconde Guerre mondiale.

parlé de l'Américain qui est revenu avec Lénine faire la révolution en Russie ? Le voilà en chair et en os. Alexander Til. »

Zander avait vu Masha dans plusieurs films pendant la guerre, et d'autres ensuite, et se rappelait avoir lu quelque part qu'elle avait épousé un metteur en scène qui s'était fait un nom en tournant des films « tracteur », une façon de décrire les films qui glorifiaient les fermes collectives.

« Il faut absolument que tu viennes boire un verre, dit Masha. Je n'accepterai pas que tu dises non.

— Je considérerais comme une faveur que vous veniez », renchérit son mari. Il avait un visage ouvert, plaisant, mais les yeux gonflés, brouillés, d'un homme qui buvait trop. « J'aimerais parler de Ronzha avec vous », ajouta-t-il. Andreï pencha la tête et fixa Zander, l'observant de près pour voir comment il réagissait au nom du poète. On ne parlait pas ouvertement de lui. Ceux qui avaient la chance de posséder un volume de ses premières poésies le cachaient sous la jaquette d'un autre livre. « Vous voyez, dit Andreï en clignant de l'œil, Masha m'a parlé de vous. »

Zander était tenté, mais la référence d'Andreï à Ronzha le mettait mal à l'aise.

« Ma femme m'attend, expliqua-t-il. Elle va se faire du souci si je ne rentre pas bientôt.

— Alors, tu es marié, dit Masha. Qui est l'heureuse élue ?

— Elle s'appelle Zsuzsa. Elle est à demi yougoslave. Je l'ai rencontrée pendant la guerre. Nous nous sommes mariés juste après, dès que nous avons pu trouver un endroit où vivre. »

Masha demanda à Zander quel genre de travail il faisait en ce moment. Il répondit vaguement qu'il était entre deux emplois.

« Que faites-vous au juste ? voulut savoir Andreï.

— N'importe quoi. »

Andreï examina de nouveau le visage de Zander et hocha lentement la tête. Il mit la main dans sa poche de poitrine et en sortit une petite carte blanche qu'il donna à Zander. « Venez à mon bureau demain si vous voulez, dit-il. N'importe quand après neuf heures. J'ai peut-être quelque chose pour vous. »

Quand Zander rentra chez lui et raconta à Zsuzsa ce qui s'était passé dans le taxi, elle retourna la carte de visite entre ses doigts comme si la regarder sous un autre angle pourrait en révéler plus sur l'homme dont elle portait le nom. « Une carte fantaisie », dit-elle avec scepticisme, passant le doigt sur les lettres. « A. S. Bogdanov. Président. Collectif du cinéma. Qu'est-ce que tu en penses ? »

Zander haussa les épaules. « Je n'aime pas être au chômage. Je dois prendre le risque. »

Zsuzsa se remit à remuer les oignons dans la poêle. Sa mère, une vieille femme devenue veuve dans les années trente, et qui s'habillait toujours en noir, passa la tête à la porte de la cuisine communautaire.

« Ça sent bon, Zsuzsa, dit-elle. Je vois qu'Alexander est finalement revenu. Je ne voudrais pas vous presser, mais quand pensez-vous que je pourrai faire ma soupe aux choux ?

— Donne-moi encore un quart d'heure et la cuisine sera tout à toi », dit Zsuzsa à la vieille dame. Dès que sa mère fut partie, elle secoua la tête. « Ça me déplaît qu'il ait mentionné le nom de Ronzha devant un chauffeur de taxi. Tout le monde sait que ce sont tous des indicateurs. Ton président du Collectif du cinéma est soit un idiot, soit un agent provocateur, si tu veux mon avis.

— Le chauffeur n'avait pas une tête à savoir qui était Pouchkine, répondit Zander. De toute façon, Ronzha était un surnom. Il ne reste pas beaucoup de ceux d'entre nous qui l'appelaient ainsi. »

Zsuzsa n'était pas convaincue. Elle se mordit l'intérieur de la joue pendant un moment. « Je n'aime pas ça », dit-elle enfin. Elle leva les yeux de sur ses oignons. « N'oublie pas que Masha t'a dénoncé une fois. »

Zander, s'asseyant sur une chaise de cuisine, parut s'y recroqueviller.

« Et j'ai dénoncé Ronzha, dit-il doucement.

— Deux choses qui n'ont rien à voir, dit Zsuzsa, exaspérée. Ronzha était mort quand tu l'as dénoncé. Tu étais très vivant quand elle l'a fait.

— Elle n'avait pas le choix », insista Zander.

Le retour tardif de Zander avait mis Zsuzsa sur les nerfs. « Je ne dois pas du tout avoir compris pourquoi Ronzha a lu son poème sur Staline dans une pièce pleine de monde », lâcha-t-elle. Elle contrôlait fermement sa voix pour que sa mère et l'autre couple qui vivait au bout du couloir ne puissent pas entendre. « Tu m'avais donné l'impression qu'il l'avait fait pour démontrer que, même dans les pires époques, les gens avaient justement le choix. »

Zander lui passa un bras sur l'épaule. « Je serai prudent.

— Fais comme tu voudras. » Zsuzsa revint à sa poêle.

À neuf heures le lendemain matin, Zander examinait la liste des noms dans l'entrée d'un immeuble relativement récent en face de la poste centrale, dans la rue Gorki. Il trouva le Collectif du cinéma et prit l'ascenseur jusqu'au septième étage. Les ascenseurs lui rappelaient toujours Atticus Tuohy et les « tunnels vers le haut ». Il n'avait pas posé les yeux sur Tuohy depuis la guerre – il était tombé sur lui dans une station de métro qui servait d'abri pendant les raids aériens ; Atticus avait prétendu être enchanté de retrouver Zander, ils avaient parlé de se revoir et échangé leurs adresses. Mais quand Zander essaya de lui rendre visite peu après, il ne trouva qu'une pile de gravats là où s'était élevé l'immeuble, et il apprit de l'îlotier du coin que la bombe était tombée *avant* que Tuohy lui donne l'adresse.

Au Collectif du cinéma, Andreï Bogdanov le fit entrer dans son bureau. « Je suis ravi que vous soyez venu », dit-il immédiatement, et il avait l'air de le penser. Faisant signe à Zander de s'installer sur un divan dans le coin de la pièce, il s'assit sur un fauteuil de cuir en face de lui. Il tira une bouteille de slivovitz polonaise d'une étagère sous une petite table, remplit deux verres à ras bord et en donna un à Zander. Ils trinquèrent et burent.

« Masha m'a parlé du service que vous lui avez rendu… », commença Andreï.

Zander l'interrompit. « Je n'ai jamais rendu de service à Masha.

— Elle ne voit pas les choses comme ça, dit Andreï. Et moi non plus. Elle en était malade quand elle vous a dénoncé. Elle a encore des insomnies pour leur avoir donné la fille. Vous auriez pu la dénoncer elle aussi, mais vous ne l'avez pas fait. Franchement, je voudrais vous revaloir ça.

— Je n'ai aucune expérience du cinéma, dit Zander.

— Masha m'a dit que vous faisiez des sous-titres pour des films américains pendant vos vacances. »

Zander hocha prudemment la tête.

Andreï versa deux nouvelles mesures de slivovitz. « Le Collectif du cinéma que je préside est en fait une agence de distribution. Nous avons des centaines de films et nous discutons directement avec les salles. Nous avons aussi une fonction secondaire. Pendant la dernière grande offensive de la Wehrmacht contre les Alliés, ce que les Américains appellent la bataille de la Bosse, les Allemands ont pris quelques bases américaines et capturé un tas de films de Hollywood. Ils ont été ramenés à Berlin et mis à la disposition d'officiels haut placés qui avaient la nostalgie des sœurs Gish, de Garbo ou de Charlie Chaplin. À la fin de la guerre, nos hommes ont libéré les films en même temps que Berlin, mais nous ne les avons pas rendus aux Américains – nous les gardons dans des coffres au sous-sol de cet immeuble. »

Andreï prit son gobelet, en avala le contenu d'une gorgée et le reposa si violemment sur la table que Zander crut qu'il allait se briser.

« Vous voulez que je sous-titre ces films ? C'est ça ? demanda Zander.

— Pas exactement, dit Andreï. Il y en a cent quarante-sept en tout. Ce serait trop coûteux pour notre budget. Certains de nos principaux membres du Parti qui veulent voir à quel point l'Amérique est décadente nous demandent ces films. Vous parlez toujours couramment américain ? Je pourrais vous donner de temps en temps du travail, traduire verbalement un film pendant la projection. Je pourrais vous payer, disons, cent roubles pour une nuit de travail. »

Zander regarda Andreï se resservir un autre verre de slivovitz. À son corps défendant, il admirait quiconque pouvait boire de l'alcool si tôt dans la journée ; comme le soupir, c'était une façon d'exprimer l'inexprimable. « Il y a quelque chose que je devrais vous dire. » Andreï leva les yeux. Zander hésita. Puis : « Je ne veux pas que vous ayez des ennuis à cause de moi. »

Andreï agita la main. « Vous êtes juif. Masha me l'a déjà dit. Et alors ? Si vous êtes d'accord pour prendre ce travail, c'est plus ou moins en indépendant, ce qui signifie que je vous paie sur un fonds spécial et que je ne suis pas obligé de faire une déclaration d'embauche. »

Zander sirota sa slivovitz.

« Difficile de résister à cent roubles pour quelques heures de travail.

— Les films sont projetés dans des appartements privés, dit Andreï. Le projectionniste mange d'habitude à la cuisine après. Ce sera sans doute votre cas aussi. Et la nourriture tend à être de première qualité.

— Quand voulez-vous que je commence ?

— Ce soir si vous voulez. Nous envoyons un film qui s'appelle *King Kong* à un des membres du Politburo. Fay Wray y est fantastique. Je veux dire, fantastiquement décadente. » Avec un clin d'œil, Andreï leva de nouveau son verre. « Aussi, buvons. À la décadence, sous toutes ses formes.

— À la décadence », acquiesça Zander. Et lui aussi se brûla la gorge avec la slivovitz.

« C'est votre première fois, non ? » chuchota le projectionniste, qui s'était présenté comme Grinka. Il avait des cheveux en broussaille et portait une cravate multicolore tricotée main dont le nœud rebondissait comiquement contre sa pomme d'Adam quand il parlait. D'une main experte, il fit passer la pellicule dans le projecteur et la fixa sur la bobine vide, puis ferma le couvercle de l'appareil. L'équipement avait été installé au bout d'une longue salle à manger rectangulaire. L'épaisse table de chêne avait été repoussée contre un mur et des chaises pliantes s'alignaient sur deux rangs. Un écran portatif pendait à un crochet contre le mur du fond. « L'important, continua Grinka, c'est de ne pas être nerveux. Écoutez mon conseil – traitez un membre du Politburo comme si c'était un camarade d'usine ordinaire, et il vous aimera pour la vie. Ils apprécient un bon numéro d'égalité. »

À neuf heures et quart, Nikita Khrouchtchev, riant bruyamment, conduisit sa femme, Nina, et plusieurs autres couples dans la pièce. Certains des hommes tenaient des verres de cognac. Khrouchtchev portait la bouteille par le col. Il serra la main du projectionniste, lui demanda des nouvelles de sa famille, bavarda un moment sur le temps qu'il faisait. Remarquant Zander, il lui dit : « Alors, c'est vous qui traduisez pour nous ce soir ?

— Oui, camarade. »

La grosse tête chauve de Khrouchtchev oscilla de bas en haut en un salut emphatique et il tendit à Zander une main grasse.

« Khrouchtchev, dit-il, se présentant.

— Til.

— Vous parlez américain ?

— Couramment.

— Eh bien, je ne suis jamais parvenu à me débrouiller qu'en russe, dit Khrouchtchev avec un gloussement satisfait. Je ne saurai pas si vous traduisez ce que disent les acteurs ou si vous inventez au fur et à mesure. Du moment que ça sonne bien. » Avec des rires de bonne humeur, Khrouchtchev guida ses invités à leur place. « Les dames devant, dit-il. Les hommes derrière. Fumez si ça vous fait plaisir. Ne le faites pas sinon. Qu'on éteigne ces lumières. »

Dans l'obscurité, Grinka lança le projecteur. Le générique apparut. De la fumée de cigare filtra dans la lumière. Regardant du fond de la pièce, Zander se rappela comment Abner et lui avaient une fois lâché un bocal de mites dans un cinéma du Lower East Side ; les mites, attirées par les rayons de lumière du projecteur, avaient envoyé sur l'écran d'énormes ombres, effrayant la pianiste chargée de la musique de fond. Il se demanda ce qu'était devenu son autre frère. Que ne donnerait-il pas pour le revoir, pour savoir si la Palestine était devenue la Terre promise de Léon.

La première scène apparut sur l'écran. Fay Wray dit ses premières répliques. Zander traduisit.

« N'ayez pas peur de parler fort, camarade traducteur », ordonna Khrouchtchev.

Pendant que Grinka changeait la bobine, Zander observa Khrouchtchev et ses invités. Les hommes avaient l'air désinvolte et sûr de soi que prennent les gens habitués aux privilèges. Ils tiraient bruyamment sur de gros cigares et avalaient du cognac. Khrouchtchev remplissait tout verre à moitié vide et tenait sa cour avec une série de blagues vaguement scatologiques qui faisaient grassement rire les hommes. Les femmes, qui se tenaient en groupe sur le côté, étaient plus mesurées.

Aucune ne fumait ou ne buvait. Quand parfois elles parlaient, c'était à mi-voix, et elles hochaient la tête en acquiescement soutenu à chaque remarque de Nina Khrouchtchev. Quand l'une d'elles rit à haute voix, elle porta immédiatement la main à sa bouche pour étouffer le son.

« Il est vrai que nos arbres sont plus petits que les arbres américains, disait Khrouchtchev. Nos longs hivers ralentissent leur croissance. Allez développer des racines quand le sol est gelé ! Mais essayez de couper un arbre russe qui a poussé lentement. Le bois est dense. Il fera sauter les dents de votre scie. Quant aux arbres américains, on peut les abattre avec un couteau de cuisine émoussé. Pour moi, continua-t-il, tout le monde suspendu à ses mots, ça résume la différence entre le Russe moyen et l'Américain moyen. »

Grinka referma le couvercle du projecteur. Khrouchtchev fit signe d'éteindre à l'homme le plus proche de l'interrupteur. Le film reprit. Les sauvages africains avaient ligoté Fay Wray sur une plate-forme et regardaient du haut de leur barricade Kong émerger, rugissant, de la forêt épaisse pour recevoir le sacrifice. « C'est toujours pareil, plaisanta Khrouchtchev de son siège. Maintenant les *tchemozhopy* – le mot russe avait le même sens que "nègres" – portent de beaux habits, mais en dessous ce sont tous des cannibales. »

Cela tira des ricanements d'appréciation à plusieurs de ses hôtes.

Quand le film fut terminé, Grinka et Zander furent invités par une bonne à la suivre dans la cuisine, où ils trouvèrent deux assiettes remplies de foies de poulet et de pommes de terre, avec une demi-bouteille de vin rouge de Géorgie. Khrouchtchev vint chercher une autre bouteille de cognac et Zander remarqua l'étagère couverte de flacons d'alcool quand il ouvrit la porte du placard. « La façon dont vous avez traduit m'a plu, fit-il à Zander. Quel est votre nom, déjà ?

— Til. Alexander Til. »

Khrouchtchev enregistra l'information avec un bref hochement de tête.

Zsuzsa était debout, attendant Zander, quand il revint à l'appartement. « Comment ça s'est passé ? demanda-t-elle anxieusement.

— Khrouchtchev lui-même m'a complimenté pour ma traduction.

— Il n'a pas voulu savoir comment il se fait que tu parles américain ?

— Il a seulement dit qu'il s'était toujours bien débrouillé avec son russe.

— Se débrouiller, c'est une façon de voir les choses, grogna Zsuzsa. Il a envoyé beaucoup de monde à la tombe avec son russe. » Elle se mit sur la pointe des pieds, enfonça son visage dans le cou de Zander et dit : « Je tiens trop à toi, voilà le cœur du problème. Ces gens vivent dans un nid de vipères. Si tu en regardes un de travers, on viendra te chercher dans la nuit.

— Tu exagères, la rassura Zander. Ce n'est qu'un boulot.

— Je me fais du souci pour toi », lui murmura-t-elle dans le cou. Elle s'écarta, lui sourit, et Zander fut de nouveau frappé par l'étrangeté de son sourire – il lui donnait toujours l'air d'être désagréablement proche des larmes. Il considérait cette expression comme un indice supplémentaire de la condition humaine en Russie soviétique : combien proches étaient le rire et les larmes, comment parfois l'émotion était sur le fil du rasoir et pouvait basculer d'un côté ou de l'autre.

Il semblait à Zander que Zsuzsa se faisait du souci pour lui depuis le moment où il avait posé les yeux sur elle pour la première fois. Il avait glissé hors du coma pour voir l'expression peinée drapée sur son visage. C'était une vision qu'il n'oublierait jamais. « Vous pouvez entendre ma voix ? » avait-elle demandé, prononçant distinctement chaque mot, lui souriant comme prête à éclater en sanglots s'il ne répondait pas.

Il avait hoché la tête et dit « oui » uniquement, pensa-t-il alors, pour l'empêcher de pleurer. Au son de sa voix, le sourire s'était installé plus fermement, les coins de la bouche s'élargissant, les yeux s'adoucissant. Elle lui avait pris la main dans les deux siennes – comme son visage, le dos de ses mains était couvert de taches de rousseur – et, se penchant jusqu'à le surplomber directement, elle avait parlé d'une voix apaisante. « Vous aurez mille questions à poser. Quand vous serez plus fort, je répondrai à toutes. Pour le moment, vous devez me croire sur parole si je vous dis que vous n'êtes pas sérieusement blessé. Vous avez eu une commotion, causée par une bombe ou un obus d'artillerie. À part ça, vous n'avez pas une marque. Avec du repos, avec du temps, vous serez comme neuf. »

Elle essaya de libérer ses mains, mais Zander lui retint le poignet. « Les Allemands ont-ils pris Moscou ? » voulut-il savoir.

Zsuzsa eut de nouveau son sourire triste. « Ils sont arrivés assez près pour voir les coupoles. Mais les pièges à tanks que des gens comme vous ont creusés les ont arrêtés. »

Zander avait été convoqué, avec des milliers d'autres personnes employées à ce que le Parti considérait comme du travail de guerre « inessentiel », dans la rue Gorki. On leur avait distribué des pioches et des pelles sorties de camions de l'armée, et on les avait fait défiler dans les rues désertes de la ville jusqu'aux faubourgs pour y construire une dernière ligne de défense contre les divisions de panzers qui se rapprochaient de la capitale. Pendant la journée, ils entendaient les explosions sourdes des obus éclatant vers l'ouest ; la nuit, des éclairs illuminaient l'horizon. Le troisième jour, le ciel jusqu'alors couvert s'éclaircit et les Stukas allemands, plongeant d'un soleil de céramique, s'étaient jetés sur eux par vagues. Les explosions de bombes le long de la ligne de tranchées se rapprochaient de Zander, tapi dans un coin de la plus profonde fosse antitanks. Il crut entendre ce qui ne pouvait qu'être une bombe s'enfoncer dans le sol spongieux – il pleuvait depuis des jours – et se rappelait avoir écouté le silence absolu en attendant qu'elle explose.

Le silence fut la dernière chose qu'il entendit. « D'après le dossier qui vous a accompagné, lui dit Zsuzsa plusieurs jours plus tard, vous étiez le survivant le plus proche de l'explosion de la bombe. Votre commotion a été produite par les ondes de choc se propageant dans le sol. Vous étiez couvert de terre et il a fallu creuser pour vous sortir. Au début, on vous a cru mort, mais un camarade brillant a eu l'idée de prendre le pouls des corps qu'on allait ensevelir. Il vous en a trouvé un, et vous voilà. »

Zander avait été évacué de Moscou dans un village de paysans nommé Yundola sur le versant asiatique de l'Oural, pas loin, curieusement, d'Ekaterinbourg, qui s'appelait maintenant Sverdlovsk. Il n'y avait pas l'électricité au village, mais partout dans les rues des haut-parleurs crachotaient en permanence de la musique militaire ou des nouvelles de la guerre. Le hangar fermé qui servait de local aux réunions du Parti, aux conférences de propagande, aux mariages et aux funérailles, avait été équipé de paillasses et transformé en centre de réadaptation pour les soldats convalescents. Il y en avait vingt-sept, certains amputés, d'autres aveugles, deux souffrant d'amnésie totale, tous aux soins de Zsuzsa et d'un vieil homme qui prétendait avoir été infirmier durant la Première Guerre mondiale.

Au début, Zander avait pris Zsuzsa pour un médecin. Il fut surpris de découvrir, la première fois où ils firent une promenade ensemble, qu'elle était seulement une *feldsher*, une aide médicale non qualifiée. Elle venait de finir une année d'école de médecine quand la guerre avait éclaté. Lorsque la première vague de blessés encombra les hôpitaux d'Union soviétique, quiconque avait la moindre connaissance médicale fut mobilisé. Zsuzsa reçut un manuel militaire qui décrivait quelles blessures étaient soignables, et lesquelles étaient si graves que le blessé n'avait aucun espoir de survie. À force d'essais et d'erreurs, elle devint un chirurgien qualifié en six courts mois dans un hôpital de terrain. Elle ne savait rien des rhumatismes ou de l'asthme, pas grand-chose des hernies, des hémorroïdes ou de la grippe commune, mais elle était experte à amputer des membres et à retirer des éclats de shrapnel de n'importe quelle partie de l'anatomie. Un grand nombre de ses opérations avaient été accomplies, à cause du manque d'anesthésiques, avec des aides qui maintenaient le blessé sur la table. « J'entends encore leurs cris, confia-t-elle un jour à Zander. C'était le plus difficile pour moi – infliger une souffrance insupportable afin de sauver des vies. Mais je serrais les dents et je me forçais à le faire. Dieu, quel cauchemar ! Comme j'ai été soulagée quand on m'a affectée à Yundola. »

Une fois, pendant ce qui était devenu leurs promenades habituelles de l'après-midi, ils avaient grimpé la pente qui commençait derrière le dernier hangar à bois et s'étaient arrêtés dans une prairie quelques centaines de mètres au-dessus du village. De là, on pouvait voir la vallée qui séparait les collines de l'autre côté et les montagnes de l'Oural coiffées de neige, plus hautes que les nuages les plus bas. Cet après-midi-là, ils parlaient encore de la guerre.

Zsuzsa regardait l'herbe haute de la prairie onduler sous les courants d'air. Elle clignait rapidement des yeux. Un sourire triste s'étala sur son visage, puis céda devant la douleur et elle éclata en larmes. Zander lui passa maladroitement le bras sur l'épaule, l'attira sur sa poitrine et sentit son corps trembler contre le sien. Au bout d'un moment, elle se calma. « Je suis vraiment désolée, lui dit-elle, haletant un peu, essuyant ses larmes du dos de la main. Je ne me laisse pas aller, d'habitude.

— Il n'y a pas de mal, dit Zander. Les gens ont besoin de pleurer de temps en temps.

— Tout cet espace, toute cette tranquillité, rendent difficile de croire qu'une guerre fait rage derrière ces montagnes, dit-elle. C'est étrange d'imaginer que des *feldshers* retirent des balles du corps de jeunes hommes maintenus de force. » Elle se jeta sur le sol, ouvrit un autre bouton de sa chemise et écarta son col pour recevoir le soleil. « Quand la guerre sera finie, je retournerai à l'école de médecine et j'apprendrai tout ce que j'ai manqué – les nez qui coulent, les verrues, la rougeole et la varicelle. J'ai l'intention de me spécialiser dans les ongles incarnés. »

S'asseyant à côté d'elle sur le sol, Zander se surprit soudain à fixer ses seins qui montaient et descendaient sous sa chemise kaki, et le triangle de chair qu'elle offrait au soleil. Sa sensualité inconsciente le frappa – elle était sensuelle comme la neige, ou comme le cours onduleux d'un petit ruisseau. Le désir de sentir sa fraîcheur, de goûter son humidité l'envahit soudain. Sans l'avoir prémédité, il tendit le bras et défit le bouton suivant de sa chemise. Elle ouvrit les yeux. Ses doigts se posèrent si légèrement sur les siens qu'il ne sut pas si elle le retenait ou l'encourageait.

« Pourquoi hésites-tu ? demanda-t-elle d'une voix éraillée.

— Je n'étais pas sûr que tu apprécies mon… geste. »

Elle sourit de son sourire qui pouvait basculer d'un côté ou de l'autre et guida doucement ses doigts vers le prochain bouton. Sa chemise s'ouvrit comme le rideau du premier acte d'une nouvelle pièce. Il défit les autres boutons. Se penchant sur Zsuzsa, il enfouit son visage dans la courbe d'un sein couvert de taches de rousseur.

CHAPITRE II

Tuohy alla prendre une bouteille d'eau minérale sur le buffet. « Continuez à parler », ordonna-t-il au chef de département qui faisait son rapport sur la situation des transports. Il remplit son verre et revint à sa place, à la tête de la table de conférence.

« Nous avons calculé », dit l'aide, un bureaucrate aux épaules voûtées, avec le teint blême d'un homme ayant travaillé à l'intérieur pendant trente ans, « un minimum de trois cents wagons de chemin de fer par jour pendant dix jours pour régler la situation à Moscou. Se procurer cette quantité de matériel roulant ne pose pas de problèmes insurmontables – nous annulerons simplement tout trafic civil durant cette période. Avec trois cents wagons, nous parlons de quarante-cinq mille personnes par jour, ou quatre cent cinquante mille dans les dix jours que dure l'opération.

— Utiliseriez-vous plusieurs gares ou une seule ? demanda Tuohy.

— Du point de vue de l'efficacité, pour localiser les troubles potentiels, nous pensons qu'il serait préférable d'utiliser une seule gare. Nous proposons un train de quinze wagons chaque heure, vingt heures par jour, avec un intervalle de quatre heures pour nettoyer la gare et les toilettes. »

Tuohy, pensif, but une gorgée d'eau puis ramassa un crayon et se remit à griffonner sur son bloc. « Comment les amènerions-nous à la gare ? » demanda-t-il à l'homme assis en face de lui. C'était l'expert du MGB (comme s'appelait maintenant le NKVD) sur le « problème juif ».

« Il n'est pas question de faire une rafle, répondit l'expert. Avec deux millions et demi de Juifs dans le pays, et quatre à cinq cent mille d'entre eux rien qu'à Moscou, nous ne disposons pas d'assez d'hommes. Ce que nous avons, ce sont des listes. Nous pourrions les joindre par courrier. Les convoquer à telle ou telle gare à telle ou telle heure. En précisant quelle quantité de bagages ils ont le droit d'emporter. Surtout, en précisant les sanctions éventuelles pour ceux qui refuseraient d'obéir. À mon avis, nous en ferions venir d'eux-mêmes quatre-vingt-dix-huit pour cent. Ce serait alors un problème de logistique – il ne saurait être question de trains arrivant en retard et de déportés s'entassant les uns sur les autres.

— Si j'engage mon département à fournir trois cents wagons par jour, c'est exactement ce qu'il fera, dit avec raideur le bureaucrate au teint blême.

— Corrigez-moi si je me trompe, intervint un jeune assistant du MGB qui travaillait pour Tuohy, mais j'ai l'impression que le voyage jusqu'au Birobidjan près de la frontière chinoise prendra cinq jours. »

L'homme des chemins de fer hocha la tête. « Cinq jours entiers, acquiesça-t-il.

— Ce qui signifie qu'il nous faudra mettre en place des stocks de nourriture sur le chemin pour nourrir les Juifs, remarqua le jeune assistant.

— Pas nécessairement, dit Tuohy. Nous pourrions exiger qu'ils arrivent à la gare avec cinq jours de provisions dans leurs bagages. Ainsi nous ne serions responsables que de leur eau potable. C'est ce que nous avons fait quand nous avons déporté les Tatars de Crimée en Sibérie.

— Et les journalistes étrangers ? demanda un chef de service du MGB. Ils seront sûrement au courant de la déportation avant que ce ne soit un fait accompli. La publicité pourrait nous embarrasser. La presse capitaliste, qui nous dépeint toujours de la pire façon possible, dira sans doute que nous reprenons les choses là où Hitler s'est arrêté.

— Nous pourrions bloquer le quartier entier autour de la gare, suggéra le jeune assistant. Aucun étranger ne serait autorisé à franchir nos barrières. »

Un homme âgé qui avait suivi la conversation en silence leva l'index. Tuohy lui fit un signe de tête respectueux. « La presse étrangère ne posera aucun problème », dit d'une voix unie le vieil homme, qui dirigeait à Moscou le département s'occupant des étrangers non diplomates. « Nous détournerons leur attention – nous organiserons quelque chose en dehors de la capitale qu'ils ne voudront pas manquer. Une fête d'anniversaire pour le camarade Staline en Géorgie, par exemple. Ou une visite des installations navales de Leningrad.

— La presse américaine sera la plus dangereuse pour nous, dit l'homme des chemins de fer. Tout le monde sait qu'elle appartient à des Juifs ou à leurs prête-noms et qu'elle en est remplie.

— C'est pour cette raison, dit, fatigué, le vieux chef de département, que ses histoires seront discréditées.

« — La presse juive, ajouta Tuohy, n'a pas hurlé contre la solution finale de Hitler – des récits de l'extermination de huit cent mille Juifs polonais étaient imprimés en dernière page. Et, de toute façon, nous n'exterminons pas les Juifs – nous créons une république juive autonome et nous les invitons à s'y installer. Il y a une différence. »

Un des brillants jeunes gens de Tuohy, une étoile montante du commissariat pour la Réimplantation des minorités que dirigeait Tuohy, attira le regard de son patron. « Personne n'a parlé de la nécessité absolue de préparer un terrain psychologique solide pour la déportation, dit-il.

— La psychologie, dit avec mépris le vieil homme du MGB, est une discipline capitaliste qui fait porter la responsabilité des problèmes sur la sexualité infantile plutôt que sur les facteurs économiques considérés par Marx comme étant à la racine des maux de la société. »

Tuohy sentit que le moment était venu de s'affirmer. Son collègue plus âgé n'avait pas obtenu le poste de commissaire à la Réimplantation des minorités et paraissait lui en faire personnellement grief. « Avec tout le respect que je dois aux années d'expérience de mon collègue et à ses qualités évidentes, dit-il paresseusement, continuant à griffonner, les considérations psychologiques doivent être prises en compte. » Il leva les yeux de son bloc. « Il y a d'après moi deux problèmes principaux. D'abord, nous devons supprimer toute tendance des Juifs à résister à la réimplantation ; n'oublions pas que, quand ils se sont retrouvés au pied du mur, ils se sont soulevés contre les Allemands dans le ghetto de Varsovie et sont parvenus à tenir plus longtemps que la Pologne ne l'a fait au début de la guerre. Deuxièmement, nous devons supprimer toute tendance de la communauté non juive à les considérer comme des victimes et à sympathiser avec eux, minant ainsi l'autorité du Parti et de l'État. Je suis d'accord avec mon jeune camarade sur la nécessité de préparer soigneusement le terrain psychologique. Il y a déjà chez les Grands Russes une disposition à considérer les Juifs comme un élément étranger à notre société. Nous devons exploiter cette disposition. Il serait utile, par exemple, de découvrir un complot juif contre l'État communiste, ou contre Staline lui-même, de démontrer que les Juifs sont des agents de nos ennemis. Des aveux, cela va sans dire, seraient souhaitables. Les déportations, quand elles se produiront, seront alors perçues comme la punition normale de transgressions prouvées. Nous pourrions même souligner – je laisse aux camarades qui s'occupent de la propagande le soin de développer ce thème – que, contrairement à Hitler, nous nous sommes donné beaucoup de mal pour être cléments. Notre solution au problème juif sera vue comme humanitaire. »

La réunion s'éternisait. Les pensées de Tuohy se mirent à vagabonder. Il ne s'inquiétait pas de manquer quelque chose ; la discussion était prise en note par un sténographe et il lui faudrait de toute façon revoir ce texte plus tard. Il se considérait comme éminemment qualifié pour le poste important de commissaire à la Réimplantation des minorités. Il s'était fait les dents sur des problèmes de réinstallation pendant et juste après la guerre civile. Il avait joué un rôle dans la déportation en Sibérie des montagnards du Caucase, en majorité musulmans, et dont beaucoup s'étaient montrés ouvertement favorables aux envahisseurs allemands ; en quelques jours, des dizaines de milliers de Tchétchènes, d'Ingouchie, de Karatchaïs et de Balkars avaient été embarqués dans des fourgons à bétail et envoyés vers l'est. Les Kalmouks bouddhistes et les Allemands de la Volga avaient ensuite suivi leurs traces. On avait parlé, alors que les troupes soviétiques levaient le marteau et la faucille sur les ruines de Berlin, de déporter la population entière de l'Ukraine – nombreux étaient les Ukrainiens qui avaient accueilli les Allemands comme des libérateurs – mais le projet avait été abandonné parce qu'ils étaient trop nombreux.

Tuohy avait été superviseur de secteur durant les premières déportations. Comme les choses se passaient en souplesse dans son secteur, il fut promu au poste de superviseur de région, puis devint commandant en second de la déportation kalmouke. Il était donc bien naturel qu'on se soit tourné vers lui quand l'idée de déporter les Juifs à l'autre bout du pays fut évoquée. Pour le moment, le projet n'était qu'envisagé, mais Tuohy avait l'intuition que Staline le mettrait en œuvre si les plans étaient soigneusement établis et paraissaient sensés. Le Vieux, Tuohy le savait, détestait les Juifs depuis toujours ; beaucoup des rivaux qu'il avait éliminés au fil des années – y compris Trotski au Mexique en 1940, grâce à un agent bolchevik qui lui planta un pic à glace dans le crâne – étaient d'origine juive. N'avait-il pas dit en plus d'une occasion que les deux millions et demi de Juifs vivant en Russie étaient un réservoir d'espions, de dissidents et de fauteurs de troubles ? N'avait-il pas ordonné, l'année précédente, l'exécution des vingt-cinq écrivains et intellectuels yiddish qui étaient en prison depuis des années ? La manifestation spontanée qui accueillit l'arrivée à Moscou du ministre des Affaires étrangères israélien, Golda Meir, en 1948, n'avait fait que confirmer les soupçons de Staline quant à l'existence d'un vaste complot sioniste contre lui et l'État communiste. Non, Tuohy ne doutait pas un instant que le Vieux fût aussi sérieux à l'égard des Juifs qu'il l'avait été au début des années trente vis-à-vis des koulaks ; d'une certaine façon, les Juifs étaient les koulaks de l'époque, un ennemi collectif qu'il fallait déraciner sans merci.

Et on ne pouvait pas savoir jusqu'où grimperait celui qui accomplirait ce petit travail de jardinage pour le patron, Tuohy sourit comme une autre épitaphe lui venait à l'esprit : « Ci-gît Atticus Tuohy, qui est venu de la terre et est retourné à la terre – et entre-temps a fait du jardinage ! »

La gouvernante s'activait dans la pièce, tirant les rideaux pour arrêter la lumière des réverbères de la rue, faisant bouffer les coussins de l'unique chaise longue qu'elle avait tirée face à l'écran portable, arrangeant un repose-pieds, mettant en place la petite table avec le téléphone. Grinka referma le couvercle du projecteur. Il vérifia que le film était bien en place, puis fit un signe de tête à la gouvernante. « Nous sommes prêts quand il le sera », dit-il.

Viatcheslav Mikhaïlovitch Molotov, l'esprit apparemment à un monde de distance, entra dans la pièce d'une démarche raide et s'assit sur la chaise longue. La gouvernante éteignit les lumières et s'adossa au mur, les bras croisés sur son ample poitrine. Grinka fit démarrer le projecteur. Le générique apparut sur l'écran. Ce soir-là, le film était *Le Chanteur de jazz*, avec Al Jolson.

« Mise au point, s'il vous plaît », ordonna Molotov.

Grinka régla l'objectif. « Est-ce mieux, camarade ? »

Molotov, jouant avec le pince-nez qui pendait à une cordelette noire passée autour de son cou, ne se donna pas la peine de répondre.

Debout juste derrière Molotov, Zander commença à traduire le dialogue. De temps en temps, il regardait la nuque de l'homme ur la chaise longue. Il avait les cheveux gominés, avec une raie soignée. Il ressemblait davantage à un professeur vieillissant qu'au second homme le plus puissant d'Union soviétique. Selon un récent article de la *Pravda*, douze villes, bourgs et villages avaient reçu son nom. Un des plus hauts pics des montagnes du Pamir avait aussi été baptisé d'après lui, ainsi qu'un cap de l'océan Arctique, un quartier de Moscou, un vaisseau de guerre et un autre de la marine marchande, et enfin la plus grande usine automobile du pays. Pourtant, comme le savait presque tout le monde, sa femme croupissait dans un camp du Kazakhstan, et il ne pouvait de toute évidence rien y faire.

La rumeur voulait que l'arrestation de Polina Molotova ait fait partie de l'ordre du jour du Politburo et que, lorsqu'on passa au vote, Molotov se fût audacieusement abstenu. Sa femme, la marraine de l'industrie soviétique de parfumerie, avait commis le crime d'être juive, et Molotov n'avait pu réunir le courage – ou la témérité – de voter *non*.

Au deuxième tiers du film, le téléphone sonna dans la pénombre. Grinka éteignit à l'instant le projecteur. La gouvernante tendit le bras et les ampoules électriques du lustre ouvragé s'allumèrent. Molotov fit un quart de tour sur sa chaise longue et décrocha le combiné.

« C'est moi », dit-il. Il écouta un moment. « Bonsoir, Joseph Vissarionovitch, ajouta-t-il.

« Le dernier rapport montre que la situation est la même qu'hier. Le front est stable. Ni les Coréens ni les Américains ne donnent signe de lancer une offensive. Les pourparlers d'armistice sont à l'arrêt – à mon avis, cela continuera ainsi jusqu'à ce qu'Eisenhower remplace Truman à la Maison-Blanche. Alors, les choses bougeront peut-être. »

Molotov écouta longtemps. Ses sourcils se froncèrent. « C'est la première fois que j'entends dire ça. J'enverrai demain un câble à nos gens de Washington pour voir s'ils ont des informations indiquant qu'Eisenhower serait à moitié juif. »

« Non, non, vous n'avez rien interrompu d'important. Le Collectif du cinéma m'a envoyé un film pour la soirée.

« Américain.

« *The Jazz Singer*, avec quelqu'un du nom de Jolson. Je ne me souviens pas de son prénom.

« Pour vous dire la vérité, il ne m'était jamais venu à l'esprit qu'il soit juif. Personnellement, je n'aime même pas la façon dont il chante. Je comprends pourquoi maintenant. C'est bien connu que seuls les nègres peuvent correctement faire du jazz.

« J'attends ça avec impatience. »

Molotov reposa le combiné. Ses yeux s'étrécirent et il pinça les lèvres. La gouvernante tendit le bras vers l'interrupteur. Molotov se leva brusquement. « Ce n'est pas la peine de projeter la fin, annonça-t-il. Ce film est une perte de temps. »

Ses pensées semblant toujours à un monde de distance, il quitta la pièce.

Ludmilla avait eu l'idée de combiner la célébration du cinquante-neuvième anniversaire de Zander avec un voyage à Leningrad. Vanka, qui allait sur ses douze ans, et Aza, qui en avait huit et demi, n'y étaient pas allés depuis deux ans. Et cela leur donnerait un prétexte pour rendre visite à Arishka, Appolinaria, Sérafima et au sergent Kirpitchnikov. Ils partageaient tous les quatre un appartement de trois pièces dans un des immeubles modernes préfabriqués qui avaient poussé comme des champignons dans les faubourgs.

« Ce n'est pas aussi déplaisant qu'on le prétend, disait Arishka avec une lueur de drôlerie dans l'œil, de vivre dans une de ces monstruosités. Il est vrai que les ascenseurs ne marchent jamais – la voisine du dessus a passé toute la matinée d'hier coincée entre le quatrième et le cinquième étage, appelant à l'aide – mais c'est bon pour les hanches de monter les escaliers. Et au bout d'un moment on n'entend plus la chasse d'eau des toilettes, ou les voisins qui se disputent avec cette voix contrôlée que prennent les gens dans les appartements communautaires quand ils sont en colère.

— Si les murs sont aussi minces, dit Zander, nous devrions peut-être éviter ce genre de conversation.

— Je vois que tu n'as pas changé, répondit Arishka.

— Zander a raison, dit Zsuzsa. Par les temps qui courent, on ne peut pas être trop prudent.

— Grand-père Zander devient toujours nerveux quand quelqu'un dit quelque chose d'antisoviétique, expliqua gaiement Aza.

— Ce n'est pas parce qu'on critique quelque chose qu'on est antisoviétique », dit Arishka à l'enfant.

Vanka, allongé par terre en feuilletant de vieux numéros de *La Vie soviétique*, dit sans lever les yeux : « On raconte tout le temps des histoires antisoviétiques à l'école. Je ne vois pas pourquoi Zander est si nerveux.

— Zander, expliqua Zsuzsa avec impatience, a vu l'intérieur des prisons. Il a de bonnes raisons d'être nerveux. »

Les yeux du garçon s'agrandirent et il regarda Zander.

« Tu es allé en prison ? Comment ça se fait qu'on ne me l'ait jamais dit ? Pourquoi tu y es allé ?

— C'est une longue histoire, dit Zander. Je te la raconterai une autre fois.

— C'est une histoire courte, intervint Appolinaria. Je vais te la raconter maintenant si tu veux.

— As-tu entendu la blague, demanda Ludmilla à Sérafima, à propos de l'homme qui disait qu'il était né à Saint-Pétersbourg, avait grandi à Petrograd et s'était marié à Leningrad ? Quand on lui a demandé où il aimerait vivre, il a répondu Saint-Pétersbourg. »

Sérafima ne rit pas. « Je ne suis pas sûre de comprendre. »

Ludmilla soupira. « Peut-être que je ne la raconte pas bien. »

Le mari de Ludmilla, Leonid, poussa dans la pièce le sergent Kirpitchnikov dans son nouveau fauteuil roulant. Pasha portait une tunique kaki avec sa vieille médaille de Saint-Georges accrochée sur la poitrine. De la salive coulait du coin de sa bouche. Sérafima s'approcha de lui, lui passa un mouchoir sur les lèvres et arrangea la couverture sur ses genoux. Zander se mit en face du fauteuil roulant et dit d'une voix douce : « Bonjour, Pasha. Je suis content de te revoir. »

Le sergent fixa Zander sans dire un mot. Il avait un léger sourire de travers et le regard vide. Il tapait rythmiquement le moignon de son bras gauche sur l'accoudoir du fauteuil. Aza, entre les jambes de Zander, regarda le moignon, fit une grimace et retourna s'asseoir à côté de sa mère.

« La seule personne qu'il reconnaisse, murmura Sérafima à Zander, c'est moi, et seulement de temps en temps. Ce qu'on a de mieux à faire, c'est de continuer la fête.

— Alors, quelle impression cela fait-il d'avoir presque soixante ans, cher Zander ? demanda Arishka avec un enthousiasme simulé.

— Comme d'avoir *presque* cinquante ans, ou *presque* quarante. On s'inquiète à l'idée de franchir un seuil.

— De mon point de vue, dit Appolinaria, vieillir a son bon côté – ce sera fini d'autant plus tôt.

— Qu'est-ce qui sera fini d'autant plus tôt ? » voulut savoir Aza. Comme d'habitude, les adultes parlaient par énigmes.

« Nous avons fait faire tout ce chemin aux enfants, dit Ludmilla, la moindre des choses est d'avoir une conversation agréable, pour changer. » Roulant des yeux d'un air agacé, elle passa dans la cuisine.

« Voilà l'ennui avec ce pays, commenta Appolinaria. Hors de l'appartement, le Parti censure ce que nous disons. À l'intérieur, nous nous censurons nous-mêmes. Il n'y a plus de vraies conversations.

— Ludmilla craint seulement que les enfants entendent des choses qu'ils ne devraient pas entendre.

— *Pourquoi* es-tu allé en prison ? demanda Vanka à Zander.

— Il est allé en prison, annonça fermement Appolinaria, pour avoir refusé de dénoncer quelqu'un. »

Le sergent Kirpitchnikov s'anima. « Marx-Engels-Lénine-Organisateurs-de-la-Révolution m'a dit de signer sur la ligne pointillée, gronda-t-il d'une voix rauque, alors j'ai signé. Où était le mal ? »

Les enfants, qui n'avaient jamais entendu le sergent prononcer un mot, le fixaient, effrayés. « N'ayez pas peur, leur dit doucement Sérafima. Parfois, il se souvient d'un morceau du passé et ça ressort.

— Je n'ai pas peur du tout », répondit Aza d'une voix apeurée.

Ludmilla apparut à la porte de la cuisine, portant un gâteau fait maison couvert d'épaisses bougies allumées. Elle le posa devant Zander. Il compta les bougies.

« Pourquoi n'y en a-t-il que quatorze ? demanda-t-il.

— C'est symbolique, dit Leonid.

— En Russie, ajouta Appolinaria, tout est toujours symbolique.

— Nous n'avons pu en trouver que quatorze, expliqua Ludmilla, exaspérée.

— Souffle-les, souffle-les », psalmodiaient les deux enfants.

Zander emplit ses poumons et souffla. Il éteignit toutes les bougies sauf une avant de se trouver à court d'haleine.

« C'est symbolique aussi de ne pas souffler toutes les bougies d'un seul coup, remarqua sèchement Appolinaria.

— Ça veut dire qu'on devient vieux », dit Arishka.

Zander inspira de nouveau et souffla la dernière bougie. Tout le monde applaudit. Zsuzsa s'approcha de lui et l'embrassa légèrement sur la bouche.

« Il faut que tu fasses un discours », insista Leonid.

Zander s'appuya sur sa canne et se leva. « Le grand avantage des réunions de famille, dit-il en regardant autour de lui avec un sourire pensif, c'est qu'on a la possibilité de compter ses bénédictions. Je vous remercie tous, du fond du cœur, d'être.

— D'être *quoi* ? demanda Aza, dépitée. Une autre devinette ! »

Appolinaria tira le rideau qui séparait sa moitié de pièce de celle d'Arishka. Elle avait déjà récité mentalement sa ration matinale des poèmes de Ronzha – comme d'habitude, elle en ferait encore vingt-cinq le soir avant de se coucher. Ainsi elle récitait chaque poème au moins une fois par semaine. Elle tira la plus grosse des deux valises en carton de sous le lit et ouvrit le couvercle. Elle enfila les gants de caoutchouc qu'elle gardait cachés sous son matelas avant de toucher à quoi que ce soit. Elle ne savait pas grand-chose des empreintes digitales, mais ne voulait pas courir le risque d'en laisser. Elle choisit une feuille de papier à lettres ordinaire au milieu du paquet, et une enveloppe ordinaire elle aussi. Elle lissa le papier sur la petite table qu'elle utilisait pour écrire les lettres et prit son stylo. C'était un moment délicieux et elle le savourait. Bien sûr, ce n'était pas vrai qu'on ne puisse pas dire ce qu'on pensait en Russie. On pouvait dire n'importe quoi du moment qu'on ne laissait pas d'empreintes, et qu'on écrivait en majuscules pour que l'écriture ne puisse pas être identifiée.

JOSEPH, commença-t-elle, écrivant avec peine en capitales. Elle leva les yeux, fronçant les sourcils de concentration. Elle lui écrivait régulièrement chaque semaine depuis quatre ans. Elle savait d'instinct qu'il lisait lui-même ses lettres, elles étaient bien trop intimes pour qu'un subordonné se risque à les lui cacher. Parfois, elle percevait presque palpablement le lien entre eux, le tyran qui gouvernait un peuple dont il avait au fond de lui-même peur, et la femme qui avait le don de voir dans les profondeurs les plus secrètes de son cœur ignoble. Avec un sourire vicieux, elle se remit à écrire.

TU AURAS SOIXANTE-TREIZE ANS LA SEMAINE PROCHAINE, SELON MES CALCULS, CE QUI TE FAIT ENVIRON DIX ANS DE PLUS QUE MOI (JE DIS ENVIRON PARCE QUE JE NE

VEUX PAS QUE TU AILLES FAIRE ARRÊTER TOUS CEUX QUI SONT NÉS EN 1889 AFIN DE
M'ATTRAPER ; NOUS SAVONS TOUS DEUX QUE TU EN ES CAPABLE). JE PEUX IMAGINER
LA PEUR AVEC LAQUELLE TU VIS — ELLE DOIT PESER SUR TOUTES TES PENSÉES, ET SUR
TES CAUCHEMARS. CE N'EST PAS SEULEMENT LA PEUR DE LA DISPARITION DÉFINITIVE
DANS LA GUEULE BÉANTE DE LA MORT QUE TOUT LE MONDE PARTAGE, QUOIQUE EN
RUSSIE, CEUX D'ENTRE NOUS QUI ARRIVENT À LA VIEILLESSE, AIENT, GRÂCE À TOI,
L'AVANTAGE D'AVOIR VÉCU AVEC CETTE CRAINTE TOUTE LEUR VIE ET Y SOIENT DONC
PLUS OU MOINS HABITUÉS. NON, TOI, JOSEPH DJOUGACHVILI, TU ES OBSÉDÉ PAR LA
PEUR D'ÊTRE FRAPPÉ — MAIS DE NE PAS MOURIR ! TU TE SOUVIENS DE LÉNINE APRÈS
SON ATTAQUE, POUSSÉ DE PIÈCE EN PIÈCE DANS SON FAUTEUIL ROULANT, LUTTANT
POUR PARLER DISTINCTEMENT ET, AVEC UN EFFORT SURHUMAIN, PARVENANT À L'OC-
CASION À DIRE « *VOT, VOT* » ?

Appolinaria leva de nouveau les yeux. Un froid sourire d'anticipation déforma ses lèvres fines, ADMETS-LE, JOSEPH, calligraphia-t-elle avec
soin.

CETTE IDÉE TE TOURNE DANS LA TÊTE COMME UN VAUTOUR SURVOLANT UNE
HYÈNE MORTE. ESSAYONS D'IMAGINER ENSEMBLE COMMENT CE SERAIT.

IL FAUDRAIT IMPORTER LE FAUTEUIL, PUISQUE L'UNIQUE MODÈLE PRODUIT ICI
SELON TON DERNIER PLAN QUINQUENNAL EST EXTRÊMEMENT INCONFORTABLE. JE
NE SUIS PAS INFIRME MOI-MÊME, MAIS J'AI EU L'OCCASION D'EN VOIR UN DE PRÈS
ET JE SAIS DE QUOI JE PARLE. LE TIEN VIENDRA, DISONS, D'ITALIE, AURA DES PNEUS,
DES AMORTISSEURS, UN COUSSIN REMBOURRÉ SOUS TON DERRIÈRE ET L'ESSIEU NE
GRINCERA PAS. DANS MON ESPRIT, JE VOIS NIKITA POUSSER LE FAUTEUIL, TE DISANT
CE QU'ILS ONT DÉCIDÉ. ILS FORMERONT SANS DOUTE UN TRIUMVIRAT AU DÉBUT DE
LA SUCCESSION POUR PARTAGER LES RESPONSABILITÉS. ON ENVISAGERA DE DÉTRÔNER
LE GRAND TIMONIER ET DE DÉNONCER SES EXCÈS — LES PURGES, LA DÉPORTATION DE
POPULATIONS ENTIÈRES. TU ESSAIERAS DE FORMER DES PHRASES, MÊME DE SIMPLES
MEMBRES DE PHRASES, POUR DISCUTER AVEC EUX. CE SERA POUR TOI UN TRIOMPHE
DE RÉUSSIR À PRONONCER UN « *VOT* » RECONNAISSABLE. JUSTE AU MOMENT OÙ LA
CONVERSATION DEVIENDRA INTÉRESSANTE, LA VISITE DE TES HÉRITIERS DEVRA ÊTRE
ÉCOURTÉE — TU VOIS, JOSEPH, TU AURAS PERDU LE CONTRÔLE DE TON SPHINCTER ET
IL SERA INSTANTANÉMENT ÉVIDENT POUR TOUTES LES PERSONNES PRÉSENTES QU'IL
FAUT APPELER UN INFIRMIER POUR TE RENDRE PRÉSENTABLE.

SONGE À UN AUTRE ASPECT DES CHOSES. QUELQU'UN SUR QUI TU N'AS JAMAIS
POSÉ LES YEUX AUPARAVANT TE RASERA TOUS LES MATINS AVEC UN RASOIR SABRE. IL
TE METTRA DE LA MOUSSE SUR LE VISAGE ET LE COU, AIGUISERA LA LAME SUR UNE
COURROIE, TE RELÈVERA LE MENTON ET APPLIQUERA LE RASOIR SUR TA GORGE, ET
TU TE DEMANDERAS — CAR TU SERAS INCAPABLE DE LE DEMANDER À QUELQU'UN
D'AUTRE ! — S'IL A PERDU UN FRÈRE OU UNE FEMME DANS LES CAMPS, S'IL N'A PAS
UN COMPTE À RÉGLER.

434

TOUT POUVOIR TE GLISSERA ENTRE LES DOIGTS QUAND TU NE POURRAS PLUS PAR-
LER. CEUX QUI T'ENTOURENT RÉALISERONT QUE TU NE PEUX PLUS ORDONNER D'AR-
RESTATIONS. TU SUBIRAS DES MANQUES D'ÉGARDS, DE PETITES INDIGNITÉS. LES GENS
PARLERONT OUVERTEMENT DEVANT TOI DE TON ÉTAT, ET DE L'IMPOSSIBILITÉ D'UNE
AMÉLIORATION. TU COMPRENDRAS À LEUR TON QU'ILS N'ONT PAS DE REGRETS. TU
LES ENTENDRAS RIRE D'UN RIRE DE GORGE – D'UN RIRE SANS JOIE, PLEIN DE BILE.
TU SAIS BIEN SÛR QU'ILS TE HAÏSSENT, QUE PLUS ILS TE MONTRENT D'ADMIRATION
ET D'AMOUR, PLUS ILS CACHENT LEURS VRAIS SENTIMENTS. TU NE FAIS QUE LE DE-
VINER À PRÉSENT, MAIS QUAND TU LES ÉCOUTERAS DE TON FAUTEUIL ROULANT, TU
N'AURAS PLUS AUCUN DOUTE. TU TE DEMANDERAS POURQUOI TU LES AS ÉPARGNÉS.
TU PRIERAS INTENSÉMENT, TE SERVANT DES EXPRESSIONS ET DES FORMULES QUE TU
AS APPRISES JEUNE HOMME AU SÉMINAIRE, POUR UNE GUÉRISON PARTIELLE QUI TE
PERMETTE D'ORGANISER LA DISPARITION DE CEUX QUI SE PRESSENT AUTOUR DE TOI.
TU AURAS PEUR DE MANGER LA NOURRITURE QU'ON TE DONNERA, DE BOIRE LE THÉ
QU'ON PORTERA À TES LÈVRES. TU TE FANERAS SUR LA TIGE DE TON CORPS, JO-
SEPH. TU CRAINDRAS DE DISPARAÎTRE, ET TU LE SOUHAITERAS. TU LÈVERAS UN DOIGT
TREMBLANT VERS LE CIEL, POUR INDIQUER QUE TU PRÉFÉRERAIS MOURIR.

J'AI RAISON, N'EST-CE PAS ? JE TE CONNAIS COMME TU TE CONNAIS TOI-MÊME,
PEUT-ÊTRE MIEUX.

ALORS, BON ANNIVERSAIRE, CHER JOSEPH. PUISSES-TU VIVRE CENTENAIRE DANS
TON FAUTEUIL ROULANT. JE TE LE SOUHAITE DE TOUT MON CŒUR.

DORS BIEN SI TU LE PEUX, JOSEPH.

Appolinaria, épuisée par la rédaction de sa lettre, signa.

MÈRE RUSSIE.

Elle plia la feuille, la glissa dans l'enveloppe et se servit d'une éponge humide pour la fermer et coller le timbre. Elle ne savait pas s'ils pouvaient retrouver quelqu'un grâce à la salive. Elle adressa l'enveloppe à
« JOSEPH STALINE, LE KREMLIN, MOSCOU ».

Demain, portant ses moufles d'hiver pour ne pas laisser d'empreintes, elle la jetterait dans une quelconque boîte aux lettres peu fréquentée
et commencerait à réfléchir à ce qu'elle écrirait la prochaine fois.

CHAPITRE III

Simplement vêtu de sa pâle tunique de généralissime repassée de frais, le bouton de col négligemment ouvert, son pantalon militaire plus sombre d'un ton que la tunique et s'enfonçant dans des bottes souples, Staline présidait le dîner tardif de sa place habituelle, le premier siège à gauche du haut de la table. Comme toujours, il chipotait et laissait les autres s'empiffrer ; il avait découvert longtemps auparavant qu'on pouvait en apprendre beaucoup sur les gens en les regardant manger. Staline avait définitivement arrêté de fumer au début du mois de décembre, ce qui le rendait plus irritable que d'habitude. Pour empirer les choses, une autre de ces lettres diaboliques était arrivée ce matin ; il prit mentalement note d'en parler à Beria après le film. Il fallait faire quelque chose, même si ça signifiait arrêter tous les gens d'environ soixante-trois ans ! Il fit tomber dans un verre dix gouttes d'iode, ajouta de l'eau de Seltz et, grimaçant, avala le tout en une longue gorgée. Pour chasser le goût d'iode de sa bouche, il grignota un peu de *dzhondzholi*, une plante géorgienne aigre, et but un peu de vin de Géorgie. Dès que son verre était vide, Valechka apparaissait à son côté pour le remplir. Il lui fit signe de se pencher vers lui. « Vassili boit trop », dit-il, parlant de son fils à l'autre bout de la table.

Valechka hocha la tête. Un moment après, elle se pencha par-dessus l'épaule de Vassili, croyant qu'il ne la voyait pas, et enleva la bouteille de vodka posée devant lui. Vassili cessa de parler à Khrouchtchev et lui saisit le poignet. « Depuis quand surveilles-tu ce que je bois ? demanda-t-il.

— C'est moi qui te surveille, dit Staline. Tu es peut-être le chef de l'aviation du district militaire de Moscou, mais je suis toujours le commandant en chef. » S'il avait été moins irritable, Staline en serait peut-être resté là. Mais il ajouta : « On me dit que tes mains tremblent tellement que tu ne peux plus piloter. »

Vassili repoussa sa chaise et se leva en titubant. Il regarda son père avec agressivité, cillant de ses yeux injectés de sang, rassemblant ses idées. Les autres convives examinaient leurs assiettes avec embarras. Vassili pencha dangereusement en arrière, puis s'inclina en avant. « Je ne peux peut-être pas voler, mais je me souviens », rétorqua-t-il. Puis il rota.

Khrouchtchev essaya de le faire se rasseoir, mais le fils de Staline le repoussa. « Je me souviens, vois-tu, et je bois pour oublier.

— Et qu'est-ce que tu voudrais oublier ? le provoqua Staline. Tes datchas, tes chiens de course ou tes affaires louches avec les truands qui te tiennent compagnie ?

— Tu veux vraiment que je te le dise devant tout le monde ?

— Je n'ai pas de secrets pour mes associés. »

Vassili s'appuya au bord de la table pour garder son équilibre. « Je me souviens de mon frère Iakov, qui a été capturé par les Allemands, puis exécuté parce que tu as refusé de l'échanger contre un minable général nazi.

— Iakov, dit Staline, l'air sombre, n'aurait jamais dû se laisser prendre vivant.

— Je me souviens aussi de sa femme, Julia, qui a été arrêtée quand Iakov a été fait prisonnier et accusée de l'avoir trahi, quoique Dieu sache comment elle aurait pu y parvenir du fond de son appartement de Moscou. Bien sûr, le fait qu'elle soit juive n'avait rien à voir avec son arrestation.

— Tu en as assez dit ! éclata Staline. Tu es ivre. » Il fit signe à Valechka de faire sortir son fils.

Elle essaya de prendre le coude de Vassili, mais il se dégagea.

« Je m'en irai par mes propres moyens », annonça-t-il. Il se pencha sur la table, attrapa une bouteille de *pertsvodka* où flottaient des piments et, avec un rire d'ivrogne, se dirigea en zigzaguant vers la porte.

Staline se pencha vers Beria, le chef du MGB, assis à sa droite, et lui parla en dialecte géorgien. « Assurez-vous qu'il ne se retrouve pas derrière un volant dans cet état », ordonna-t-il.

Les yeux embrumés et globuleux de Beria reprirent vie derrière son pince-nez. Il bondit de sa chaise et partit au trot après Vassili.

Malenkov secoua sa tête grasse en signe de commisération. « Nos jeunes gens ont oublié ce que c'était de faire une révolution.

— Il n'aurait jamais dû dire ce qu'il a dit », ajouta Khrouchtchev, qui ne voulait pas se laisser surpasser par Malenkov.

Staline croisa les bras sur sa poitrine et, se reculant de sa chaise, examina ses chatons entre ses paupières mi-closes. C'était vrai, bien sûr, ce que l'auteur de la lettre avait écrit – le jour où il ne pourrait plus élever la voix, ils lui cracheraient dessus. Il devrait faire quelque chose à leur sujet, les remplacer par des hommes plus jeunes qui ne soient pas si pleins d'eux-mêmes. Khrouchtchev parlait toujours, ses « g » explosant avec un roulement ukrainien guttural ; il adorait le son de sa propre voix. « Vassili a mis son père dans une position gênante, disait-il aux autres. Et dans la datcha de Staline !

— Les paysans ont un dicton, intervint Staline. "Rien n'est gênant sauf se mettre son pantalon sur la tête." Pour ce qui est de la datcha de Staline, Staline n'a pas de datcha. L'État a une datcha qu'il met à la disposition du camarade Staline.

— C'est ce que je voulais dire, répondit Khrouchtchev, mal à l'aise.

— Je vois, lui dit Staline, que vous avez de nouvelles bottes ce soir. Il se trouve que je sais une chose ou deux sur les bottes. Montrez-les-moi de plus près. »

Khrouchtchev pâlit. « Elles n'ont rien de particulier, dit-il, sur la défensive.

— Passez-m'en une. »

Khrouchtchev enleva une botte à contrecœur et la donna à Malenkov, qui la passa à Voroshilov, qui la tendit à Jdanov, qui la remit à Staline. Celui-ci tourna la botte entre ses mains, frotta le cuir entre ses doigts, plongea le regard dedans pour lire la marque de fabrique. « Fabriqué en Italie », dit-il lentement. Il leva les yeux avec une surprise jouée. « Ce sont des bottes italiennes ! Qu'est-ce qui ne va pas avec les chaussures russes ? Elles ne sont pas assez bonnes pour vous ? »

Malenkov, le principal rival de Khrouchtchev au Politburo, retint à peine un sourire de satisfaction. Khrouchtchev, quant à lui, rougit. « C'était un cadeau de ma femme, dit-il d'une voix geignarde. Je ne pouvais pas refuser sans l'insulter. »

Staline fit reprendre à la botte son chemin vers Khrouchtchev. « Venez », dit-il, se levant de sa chaise. Il s'était fatigué de son petit jeu. Comme il avait envie de mettre le bout en carton d'une *papirossi* Karbek entre ses lèvres et de se remplir les poumons de fumée ! « C'est le moment de regarder un film ou deux. »

Staline ouvrant la marche, le groupe emprunta le long passage qui reliait les appartements privés au corps de la maison et entra dans la pièce qui avait été transformée en salle de cinéma. Khrouchtchev aperçut Zander debout à côté du projecteur. Soucieux de retrouver la faveur de son maître, il dit à Staline : « Je vois que vous avez suivi mon conseil à propos du traducteur.

« — C'est moi qui l'ai recommandé », dit Molotov à Khrouchtchev.

Les yeux de Staline se fermèrent doucement, avec ruse, comme ceux d'un oiseau ; il aimait voir ses chatons se disputer ses bonnes grâces. C'était un des rares plaisirs qui lui restaient dans sa vieillesse. Il fit un signe de tête distrait à Zander, puis s'arrêta pour le regarder de plus près. « Quel est votre nom, m'avez-vous dit ?

— Til. Alexander Til. Je travaillais comme garde du corps à l'hôtel Kshesinskaïa avant la révolution. »

Staline tapota de plaisir le côté du projecteur avec ses phalanges. « *Vot, vot*. Il est vrai que de temps en temps un détail m'échappe, mais je n'oublie jamais les gens. » Ses yeux jaunes observèrent Zander avec plus d'intensité. « Mais n'avez-vous pas été arrêté avant la guerre ? J'ai l'impression de me rappeler avoir vu votre nom sur une liste. »

Staline jeta un coup d'œil à Khrouchtchev et Molotov pour voir quel effet ça aurait sur eux. D'après leur expression, ils regrettaient tous deux amèrement d'avoir recommandé les services de Til à Staline.

« J'ai été arrêté, mais ensuite relâché », dit prudemment Zander.

Staline fit claquer bruyamment ses lèvres. « Si vous avez été relâché, vous étiez évidemment innocent. Nos services de sécurité sont infaillibles. Quel est le film de ce soir ?

— Il s'appelle *L'Ennemi public* avec James Cagney et Jean Harlow. »

Staline frappa une fois dans ses mains. « J'aime ce type, Cagney. Je l'ai vu dans un film nommé *Les Anges aux figures sales*. Ha ! Il me rappelle parfois Beria. Ils ont tous deux cette habitude d'homme petit d'affronter les événements comme si c'étaient des vagues – ils bombent la poitrine – vous avez remarqué – lèvent le menton et se concentrent sur la survie parce qu'ils pensent que la victoire va au dernier qui reste. » Staline eut un rire bref en direction de Beria. Celui-ci n'avait pas d'autre possibilité que de prendre la chose comme une plaisanterie et de rire aussi. Staline se tourna à nouveau vers Zander. « Qui peut affirmer qu'ils n'ont pas raison ? Le butin appartient aux survivants. » Il se dirigea vers son siège. « Eh bien, ajouta-t-il, faisant un geste vers le projectionniste, commençons. »

Avant que les lumières ne s'éteignent, Malenkov, assis à la droite de Staline, se pencha vers lui et dit quelque chose à mi-voix qui fit rire doucement le patron. Dans le noir, comme *L'Ennemi public* débutait sur l'écran, Zander entendait encore le rire asthmatique du vieil homme.

Invoquant un emploi du temps chargé le lendemain, la plupart des chatons quittèrent Blizhni après le premier film. Malenkov et Khrouchtchev virent encore *Le Dahlia bleu*, puis firent appeler leurs limousines.

Seul Beria resta pour *Ninotchka*. Il l'avait déjà vu plusieurs fois, mais Greta Garbo lui procurait des fantasmes récurrents, et ça ne l'ennuyait pas de revoir le film. Quand la dernière bobine eut été projetée, la lumière s'alluma et Valechka tendit à Staline son verre de lait chaud avec deux sucres sur la soucoupe. Beria et lui prirent le couloir qui menait à la section privée de la maison. « Vous savez que j'ai reçu une autre de ces fichues lettres, lui dit Staline en géorgien. J'ai reconnu les lettres majuscules – c'est encore elle. »

Beria eut l'air misérable. « Il n'y a pas un mot de vrai. Pas un. Si je vous survis, je déclarerai votre anniversaire fête nationale. Même fête internationale. »

Staline regarda Beria de ses yeux acérés. « Vous ne me survivrez pas », Beria devint gris, « parce que j'ai l'intention de vivre éternellement. » Il chuinta de plaisir en voyant le visage de Beria. « Ce que je veux savoir, c'est qui écrit ces lettres diaboliques. »

Beria essuya ses paumes humides avec un mouchoir. « D'après les indices contenus dans les lettres, nous sommes convaincus que l'auteur est une femme. Ensuite...

— Et les empreintes digitales ?

— Celle-ci était comme les autres. Quiconque les écrit met sans doute des gants. La lettre portait les empreintes de votre secrétaire, celles du travailleur de la poste centrale qui trie votre courrier, et deux ou trois autres jeux d'empreintes que nous n'avons pas pu identifier – mais je suis sûr qu'elles n'appartiennent pas à l'auteur puisque les empreintes non identifiables sur les enveloppes sont toujours différentes.

— Le papier ?

— Du papier à lettres ordinaire, le même que celui des précédentes – qu'on trouve dans quatre-vingt-deux boutiques rien qu'à Leningrad. De plus, il est possible qu'elle ne l'achète pas. Elle peut le voler dans un bureau. »

Staline fit la grimace. « Et les tests de salive ? »

Beria secoua la tête. « Mes techniciens ne pensent pas qu'elle lèche les enveloppes ou les timbres – ils pensent que c'est de l'eau du robinet appliquée avec une éponge ou un linge humide. »

Staline mit les deux morceaux de sucre dans son lait et le remua avec une longue cuiller. Il posa sur Beria un de ces regards avec les yeux mi-clos qui faisaient souvent croire aux gens qu'il connaissait la réponse à la question qu'il allait poser. « Combien y a-t-il de femmes entre soixante et soixante-cinq ans à Leningrad ? »

Beria n'était pas sûr d'avoir bien entendu. « Combien de femmes à Leningrad ? Entre soixante et soixante-cinq ans ? » Il hocha lentement la tête en comprenant où Staline voulait en venir. « Je suppose, dit-il, qu'il n'y en a pas tellement.

— Combien d'entre elles ont perdu quelqu'un dans les années trente – quelqu'un de très proche ? Il faut que ce soit un proche. »

Beria commençait à apprécier, une fois de plus, la ruse paysanne de son patron. « Une femme entre soixante et soixante-cinq ans qui vit à Leningrad et a perdu un mari, un père ou un enfant.

— Une chose encore », dit Staline. Il prit une longue gorgée de lait et s'essuya les lèvres sur sa manche. « Une personne qui vit dans le même appartement que l'auteur des lettres est confinée dans un fauteuil roulant, de fabrication russe récente, qui a été acheté durant les derniers mois. »

Beria se frappa le front. « Bien sûr, s'exclama-t-il avec une admiration non retenue. Le fauteuil roulant nous mènera à l'auteur des lettres ! »

La fête du réveillon du Nouvel An chez le ministre était bien lancée. Plusieurs des épouses apportaient régulièrement de la cuisine des assiettes de poulet à la Kiev et de pommes de terre bouillies. L'attaché culturel débouchait les bouteilles de vin. Le ministre lui-même remplissait les verres. Quelqu'un mit un disque israélien sur l'électrophone. Plusieurs des plus jeunes secrétaires et assistants roulèrent le tapis et, bras dessus bras dessous, se mirent à danser une hora en cercle. Les autres les entourèrent, battant des mains au rythme de la musique. Quand le disque se termina, l'homme qui dirigeait la section des visas – c'était une des plaisanteries permanentes de la légation de dire qu'il passait son temps à souffler sur ses timbres en caoutchouc pour s'assurer qu'ils ne séchaient pas faute d'être utilisés – sortit une montre de gousset et annonça qu'il était minuit moins cinq. Les Israéliens d'origine russe distribuèrent des morceaux de papier. « C'est une tradition, expliqua l'un d'eux. Vous écrivez un vœu, puis vous brûlez le papier et, sur le coup de minuit, vous avalez les cendres. Alors, le vœu se réalise.

— Trois minutes », dit l'homme des visas.

Nachshon Ben Aminadav griffonna quelques mots sur un morceau de papier, le laissa tomber sur une soucoupe et en enflamma le coin avec une allumette.

« Deux minutes. »

Quand le papier fut réduit en cendres, Nachshon les réunit au milieu de la soucoupe en une petite pile. La dernière fois qu'il avait brûlé un vœu et avalé les cendres, il partageait avec Zander et Abner une chambre de l'appartement sur *ulitza*, dans le Lower East Side de Manhattan.

« Une minute. »

C'était Zander, avec son amour pour tout ce qui était russe, qui avait fait revivre la tradition. Abner, qui se piquait de modernisme, en avait ri comme d'une superstition et avait refusé de participer. La mère de Nachshon et le père de Zander regardaient avec inquiétude ; les cendres, avait dit sa mère, ne pouvaient pas être bonnes pour l'estomac. Zander et lui étaient restés seuls à maintenir la tradition.

« Maintenant ! »

Nachshon amena la soucoupe à sa bouche et lécha les cendres d'un coup de langue. Puis il prit une rapide gorgée de vin et avala. Autour de la pièce, tout le monde applaudit.

« Heureuse année 1953 », grogna le chef de station Mordechai Shapiro, le lendemain matin. Il luttait contre une gueule de bois insidieuse. Ils s'étaient retrouvés dans la pièce secrète afin d'examiner les derniers rapports. « Qu'avez-vous souhaité hier soir ? »

Nachshon eut un sourire aimable. « La mort de Staline. »

Shapiro prit un dossier sur une étagère du coffre et le posa sur la table. « Ce qu'il y a de nouveau, dit-il à Nachshon, c'est ce qui vient de la fille qui couche avec un des gardes de Blizhni. Je ne vous le montre que parce que vous avez dit vouloir tout voir, même si ça semblait sans importance. »

Nachshon hocha la tête.

« Staline regarde des films presque chaque soir, vous le savez. Ce sont parfois des films russes, et ils n'ont besoin que d'un projectionniste qui arrive dans une voiture de police banalisée et apporte les bobines. Pour autant que je sache, il n'y a là rien pour nous. Il arrive que Staline regarde des films américains ou anglais – sans doute pris aux Allemands pendant la guerre. Dans ce cas, ils font venir quelqu'un parlant anglais qui peut traduire pendant la projection. Il y a eu une demi-douzaine de traducteurs d'anglais depuis deux ans. Apparemment, Staline n'est jamais satisfait. L'autre soir, ils ont amené quelqu'un de nouveau. Le petit ami de notre source l'a fouillé dans la salle de garde, c'est comme ça que nous sommes au courant.

— Signalement ?

— La soixantaine. Mince. Taille moyenne. Presque chauve. Entend mal d'une oreille. Boite, se sert d'une canne. »

Nachshon retint sa respiration. « Y a-t-il un nom avec le signalement ? »

Shapiro hocha la tête. « Un nom de famille. Til, avec un ou deux "l". Notre source ne pouvait pas demander l'orthographe.

— Til ! Vous êtes sûr du nom ? »

Shapiro regarda Nachshon par-dessus ses lunettes. « C'est ce que ma source se rappelle avoir entendu le garde dire. Est-ce que le nom signifie quelque chose pour vous ? »

Quand il arrivait à dormir, son sommeil était agité. Il se réveillait en sursaut à n'importe quelle heure, baigné de sueur froide, tendant sa bonne oreille pour saisir le sifflement asthmatique qui paraissait venir des entrailles de l'immeuble. Il broyait du noir devant sa nourriture et en laissait la plus grande partie intacte. Il passait des heures devant la fenêtre à double vitrage, fixant les nouveaux chasse-neige géants qui déblayaient la dernière chute. À part l'article de la première page de la *Pravda* qu'il avait découpé, lu et relu, et rangé, plié, dans sa poche de poitrine, il refusait de toucher les journaux et ignorait les questions.

« Grand-père, c'est vrai ce que dit la *Pravda* à propos de Detroit, en Amérique ? » demanda Vanka une fois où Zander leur avait rendu visite dans l'après-midi. Suivant les mots du doigt pour ne pas perdre le fil, il lut à haute voix. « De l'aube jusqu'à la nuit, des foules de gens au visage émacié rôdent dans les rues. Des chômeurs, encore des chômeurs, des chômeurs partout.

— Laisse grand-père tranquille », ordonna Ludmilla à son fils. Elle était très tendue à cette époque, irritable, préoccupée. Elle reconnaissait l'air distant dans les yeux de Zander ; elle le soupçonnait de penser à la même chose qu'elle.

« Que veut dire émacié ? demanda l'enfant.

— C'est ce à quoi on ressemble quand on n'a pas eu assez à manger, dit sèchement Ludmilla. Va-t'en. »

Au début, Zsuzsa prit l'éloignement de Zander comme un rejet personnel. « C'est quelque chose que j'ai fait ? chuchota-t-elle. Quelque chose que j'ai dit ? Explique-moi. Ne garde pas ça sur le cœur. » Comme il ne répondait pas, elle explosa. « Obtenir des explications de ta part, c'est plus difficile que de faire parler un arracheur de dents. »

Sérafima, qui habitait chez eux pendant qu'elle essayait de convaincre la bureaucratie compétente d'augmenter la pension d'invalidité du sergent Kirpitchnikov, posa une paume maternelle sur le front de Zander et annonça qu'il avait de la fièvre. Secrètement soulagée à l'idée que le problème était physique, Zsuzsa supplia Zander d'aller voir un médecin. Il y en avait un au rez-de-chaussée qui faisait des visites si on le payait en liquide, dit-elle.

Zander se contenta de secouer la tête et de se renfoncer plus profondément encore en lui-même. Des souvenirs venaient le heurter comme des vagues, puis refluaient, passant sous une nouvelle réminiscence qui ondulait vers lui. Comme le *Bobik* de Dostoïevski, il croyait pouvoir discerner les voix des morts qui s'entre-appelaient dans le cimetière.

« Si vous êtes un de ces youtres bolcheviks, déjà circoncis, je couperai tout », grondait une voix.

« Une fois que vous aurez fait la révolution, vous devrez tous les matins sans faute rester tranquille un moment et vous rappeler *pourquoi* vous l'avez faite. »

Zander reconnaissait une autre voix encore, celle d'un vieil homme : « Ce pourquoi je respire, ce pourquoi je pète, c'est afin de vivre assez longtemps pour voir la révolution socialiste balayer l'Europe comme Vladimir Illitch me l'a promis. »

Et, inéluctablement, il y avait la voix qui empêchait son cœur de battre quand il l'entendait. « Promets-moi, suppliait-elle, que tu ne blâmeras pas la révolution. »

Il revivait l'exécution de Lili, à laquelle il n'avait pas assisté, mais qu'il avait imaginée encore et encore jusqu'à ce qu'elle fût gravée dans son crâne. Zander était frappé de ce que, plus on vieillissait, plus il devenait aisé d'accepter sa propre souffrance et difficile de supporter celle des autres. Ce qui lui était arrivé paraissait, avec le recul, ordinaire ; ce qui était arrivé à autrui était tragique.

Avoir revu Staline après toutes ces années faisait tournoyer les souvenirs dans sa tête. « Vous pensez être tombé sur un asile d'aliénés », lui avait dit Staline le jour où il lui avait remis sa lettre d'introduction, quand il était arrivé à Saint-Pétersbourg. Staline, se rappelait Zander, avait craché la coque d'une graine de tournesol par terre. « Admettez-le, c'est ce que vous pensez. » Peut-être Staline avait-il eu raison ; peut-être la Russie était-elle un asile et la tentative d'y surimposer un ordre socialiste avait-elle été vouée à l'échec dès le début.

Sur les photos et les affiches, et aux actualités, qui étaient toujours prises sous le meilleur angle puis retouchées, Staline avait l'air d'un robuste paysan, les yeux plissés dans une expression de sagesse, un sourire modeste et paternel sur son visage aimable. Mais, en personne, c'était un homme âgé, amer, effrayé – et, de plus, malade. Ses cheveux avaient blanchi et s'étaient tellement éclaircis qu'on voyait nettement la peau en dessous. Son corps était racorni, dégingandé, avec une large panse.

Sa peau était couverte de taches noires. Sa respiration était courte ; il haletait quand il s'énervait, signe certain qu'il souffrait d'hypertension. Une fois, pendant que le projectionniste changeait de bobine, Zander avait entendu Khrouchtchev faire une plaisanterie à propos d'Ivan le Terrible. Staline, excité, s'était penché en avant, son bras déformé battant l'air pour souligner ses propos et, inspirant avidement l'air par petites bouffées, avait dit : « Dieu s'est mis sur le chemin d'Ivan. Je n'ai pas le même handicap. » Plus tard, après la dernière bobine du dernier film, portant son verre de lait chaud, il était retourné dans ses quartiers réservés, de la démarche incertaine d'un homme qui devait envisager la possibilité de s'emmêler les pieds. « Les paysans ont un dicton, disait-il à Beria en passant devant Zander : "Les gens se raccrochent aux pierres qui les broient." » Peut-être était-ce l'explication que Zander cherchait inconsciemment depuis tant d'années – pourquoi les grands révolutionnaires bolcheviks avaient l'un après l'autre admis en public être coupables de crimes qu'ils n'avaient pas commis, pourquoi des généraux et des amiraux, armés jusqu'aux dents et entourés de troupes loyales, s'étaient docilement avancés devant le peloton d'exécution, pourquoi des millions de gens ordinaires étaient allés à la mort en criant – à ce moment, Zander se souvint avec un coup au cœur de son voisin de cellule dans les années trente – « Vive Staline ! »

Debout à la fenêtre, regardant un crépuscule malpropre descendre sur les rues et les toits couverts de neige de Moscou à trois heures de l'après-midi, Zander sortit de sa poche l'article qu'il avait découpé dans la *Pravda*. Il était en date du 13 janvier 1953. Le titre était : « DE MISÉRABLES ESPIONS ET ASSASSINS DÉGUISÉS EN PROFESSEURS DE MÉDECINE. » En dessous, le communiqué de l'agence Tass disait : « Il y a quelque temps, les organismes de sécurité de l'État ont découvert un groupe terroriste de médecins dont le but était d'abréger la vie de personnages de premier plan d'Union soviétique au moyen de traitements nocifs. » D'après l'article, deux membres du Politburo avaient été tués par les médecins qui faisaient partie du service médical du Kremlin. Au milieu du texte Zander repéra les mots de mauvais augure : *i drugiyé* – « et d'autres ».

Ce n'était qu'une question de temps avant que d'autres noms soient ajoutés à la liste. Et le mari de Ludmilla, Leonid, était un cardiologue attaché au Kremlin.

« Je suis folle d'inquiétude, reconnut Ludmilla le jour de la parution de l'article. Quand je lui dis au revoir le matin, je ne suis pas sûre de jamais poser de nouveau les yeux sur lui. Oh, Zander, tu connais ces choses-là. Peut-être devrait-il prendre rendez-vous avec le service de sécurité et dire franchement qu'il n'est pas impliqué. Crois-tu que ça l'aiderait ? » Elle secoua la tête, dépitée. « C'est une folie, je sais. En fait, ils sont innocents. Leonid les connaît tous – ce sont des médecins, pas des espions ou des meurtriers. C'est dément de croire qu'ils travaillent pour une quelconque conspiration sioniste internationale. » Ludmilla alla à la porte et l'entrebâilla pour s'assurer que les enfants n'étaient pas à portée d'oreille, puis rejoignit Zander à la fenêtre. « Il souffre d'une maladie mentale, n'est-ce pas, Zander ? »

Il opina de la tête, très lentement, très soigneusement.

Il n'était parvenu à aucune conclusion, n'avait pas pris de décision. Mais quand vint son tour d'employer la salle de bains communautaire le lendemain matin, il examina son visage dans le miroir tavelé et décida de ne pas se raser. Il ne savait pas exactement pourquoi il voulait se laisser pousser la barbe, mais la perspective d'en avoir une lui donnait l'impression d'avoir fait un pas dans une direction inéluctable. Presque immédiatement, les souvenirs cessèrent d'affluer, les voix venues de la tombe s'affaiblirent et disparurent.

Zsuzsa remarqua instantanément la différence. « Bienvenue de retour au monde », dit-elle sans cacher son soulagement. Elle caressa les poils de son menton de la paume. « Je vois que tu te fais pousser un masque.

— Nous portons tous des masques, répondit-il d'une voix fatiguée. Je vais juste en porter un nouveau. »

Comme il se spécialisait dans les Affaires juives, le dossier arriva sur son bureau.

« Il s'appelle Kermit quelque chose, criait le secrétaire du Politburo à l'autre bout de la ligne, par-dessus la friture. C'est un membre du Congrès qui a un gros électorat d'Isaac et d'Abraham, vous voyez ce que je veux dire ? Ce qui, je suppose, explique pourquoi il demande à voir ce type, Feldstein.

— Inutile de crier, hurla Tuohy dans le téléphone.

— Parlez plus fort, beugla en réponse le secrétaire. La ligne est mauvaise. Je vous entends à peine. »

Les détails lui furent envoyés par courrier dans l'après-midi. Le député, qui dirigeait une délégation américaine de la Chambre des représentants en visite officielle, avait soumis deux requêtes à l'ambassade russe de Washington. Celle-ci signalait que le député en question était un membre influent de la Chambre, et suggérait que ses demandes soient acceptées si possible. Staline fut d'accord ; il voulait que les Américains repartent avec une bonne impression.

La première requête concernait le poète juif Yitzhak Feldstein ; le député voulait le voir afin de pouvoir une fois pour toutes en finir avec les rumeurs qui circulaient périodiquement dans les cercles juifs de New York selon lesquelles le poète croupirait en prison, ou même serait mort. La seconde était plus personnelle. Enfant, il avait connu un révolutionnaire nommé Alexander Til, qui était plus tard retourné en Russie pour prendre part à la révolution. Il voulait savoir si Til était encore vivant et, dans ce cas, si une rencontre pourrait être organisée.

Tuohy savait exactement où mettre la main sur Til. Le dossier de toute personne d'origine juive qui travaillait à un poste ou à un autre pour des organes directeurs ou des membres importants du Parti passait sur son bureau. Il avait été assez surpris de voir que son vieil ami avait fini par traduire des films pour des officiels importants et, finalement, pour Staline lui-même. Tuohy avait griffonné une approbation – « Til est un vieux bolchevik sans lien connu avec des groupes religieux juifs, Israël ou la conspiration sioniste internationale » – et renvoyé le dossier.

Feldstein, bien sûr, c'était autre chose. « Est-il toujours en vie ? » demanda Tuohy à l'employé du quatrième bureau qui s'occupait des prisons et des camps. « Si oui, est-il présentable ? »

L'employé rappela dans la demi-heure. Feldstein était et vivant et présentable. Il était gardé au secret à la Loubianka, bloc B, où on le préparait pour un procès exemplaire ; de plus Feldstein était considéré comme un « Zek » de la première catégorie dans la mesure où il avait ses deux parents, une femme et deux enfants dont le bien-être dépendait de sa coopération.

Tuohy décida de faire d'une pierre deux coups – il organiserait pour le visiteur américain un déjeuner où Til et Feldstein seraient tous deux présents. Il aurait Til pour l'occuper, et le bon vieux temps à évoquer ; il ferait moins attention au poète yiddish. En conséquence, Tuohy ordonna que Feldstein soit logé dans un petit hôtel des faubourgs tenu par les services de sécurité ; il fallait bien le nourrir et lui permettre de prendre le soleil dans le solarium clos, sur le toit de l'hôtel.

Quant à Til, Tuohy transmettrait l'invitation en personne.

CHAPITRE IV

JOSEPH, commençait la lettre aux caractères soigneusement dessinés.

TE VOILÀ REVENU À TES VIEUX DÉMONS N'EST-CE PAS ? LES NOMS QUI SE TERMINENT EN *ITZ* OU *SKI* OU *SHTAM* T'IRRITENT, ALORS TU COMMENCES A TE GRATTER. OH, JE NE VOIS PAS DE SIGNES SUR LES MURS (EN RUSSIE, LES GRAFFITIS SONT ILLÉGAUX). JE LIS SEULEMENT ENTRE LES LIGNES, CE À QUOI NOUS DEVENONS TOUS TRÈS NATURELLEMENT EXPERTS. J'AI REMARQUÉ, POUR TE DONNER UN EXEMPLE, UNE CRITIQUE D'UN FILM DANS LA *PRAVDA* QUI PARVENAIT À ÉVITER DE MENTIONNER LE NOM DE L'ACTEUR PRINCIPAL, QUI SE TROUVAIT ÊTRE JUIF. CE MÊME NUMÉRO DE LA *PRAVDA* SIGNALAIT AVEC FIERTÉ QUE C'EST UN RUSSE QUI A INVENTÉ LA TABLE PÉRIODIQUE, MAIS S'ABSTENAIT SUBTILEMENT DE DIRE QUE C'ÉTAIT UN JUIF NOMMÉ MENDELEÏEV. UN NOUVEAU LIVRE VIENT DE SORTIR SUR LA GRANDE GUERRE PATRIOTIQUE QUI RECENSE TOUTES LES ATROCITÉS ALLEMANDES SAUF CELLES COMMISES CONTRE DES JUIFS. ET ENCORE. ET ENCORE. TU VOIS, JOSEPH, C'EST VRAIMENT UN JEU D'ENFANT DE DEVINER À QUOI S'OCCUPE TON ESPRIT TORDU CES JOURS-CI.

CE DONT TU T'OCCUPES, C'EST, BIEN SÛR, DES JUIFS.

CROIS-MOI, J'Y AI BEAUCOUP RÉFLÉCHI. ET JE PENSE COMPRENDRE POURQUOI. TU ES UN DE CES RARES INDIVIDUS, JOSEPH, QUI SE DÉFINISSENT EUX-MÊMES PAR LEURS ENNEMIS. TA CARRIÈRE ENTIÈRE A TOURNÉ AUTOUR D'ENNEMIS : LES CAPITALISTES, LES PROPRIÉTAIRES TERRIENS, LE TSAR, TROTSKI, ZINOVIEV, KAMENEV, BOUKHARINE, LES KOULAKS, LES ALLEMANDS, EN SONT QUELQUES-UNS QUI SAUTENT À L'ESPRIT.

ET MAINTENANT, DANS TA SÉNILITÉ DÉMENTE, TU CHERCHES UN NOUVEL ENNEMI POUR T'OCCUPER, POUR TE RÉALISER, POUR TE DÉFINIR, ET TU AS CHOISI LES JUIFS.

CONTINUE, JOSEPH, ET TU TE TROUVERAS À COURT DE GENS À DÉSIGNER COMME ENNEMIS. CONTINUE ET TU SERAS SEUL DANS CE VASTE PAYS. TU GRIMPERAS AVEC EFFORT LES MARCHES QUI MÈNENT AU SOMMET DE LA TOMBE DE LÉNINE ET TU REGARDERAS LA PLACE ROUGE LE 1er MAI, MAIS ELLE SERA *VIDE*. TU FLÂNERAS DANS LA

RUE GORKI, TU ENTRERAS DANS LE HALL D'UNE DE CES MONSTRUOSITÉS GOTHIQUES QUE TU AS FAIT CONSTRUIRE, MAIS TU NE TROUVERAS QUE LE SILENCE DERRIÈRE LA PORTE À TAMBOUR. TOUT LE MONDE AURA ÉTÉ PURGÉ, Y COMPRIS LES PURGEURS. ALORS, ET SEULEMENT ALORS, AFFRONTERAS-TU LE DERNIER, LE PLUS SOURNOIS, LE PLUS SOLITAIRE DE TOUS TES ENNEMIS.

DANS UN MIROIR.

DORS BIEN SI TU LE PEUX, JOSEPH.

MÈRE RUSSIE.

Observant Staline du fond de la pièce pendant le changement de bobine – ils projetaient ce soir-là le déclin et la chute d'un dentiste de San Francisco dans *Les Rapaces* par Erich Von Stroheim – Zander se dit qu'il était particulièrement sur les nerfs. Ce n'était que le second film de la soirée, mais Staline avait l'air hagard, décomposé, furtif, d'un homme au-delà de la fatigue, au-delà même du sommeil. Avait-il peur de fermer les yeux ? Sa respiration sifflait plus que d'habitude, il coupait la parole à ses chatons avec un geste impatient de sa bonne main ou un grognement impérieux. « Je ne suis pas d'accord du tout », fit-il sèchement quand Molotov dit par plaisanterie que Churchill était la personne la plus avide qu'il ait jamais rencontrée. « Churchill vous volerait un kopeck dans la poche, mais seulement pour entretenir son talent de pickpocket. Roosevelt, par contre, s'attaquait toujours aux grosses pièces d'or. » Staline chuinta avec satisfaction.

« Churchill m'a une fois dit en face que c'était nous, les Russes, qui étions avides, continua-t-il. C'était à Potsdam, juste après la guerre. Il l'a dit en riant, mais j'ai vu qu'il le pensait. Il était mécontent parce que nous prenions le matériel ferroviaire et les usines d'Allemagne et les ramenions ici à titre de réparations. J'ai regardé ce vieux bouc droit dans les yeux, et je lui ai dit que la Russie avait combattu pour le butin. Il a tiré sur un de ses gros cigares – Dieu, je donnerais n'importe quoi pour une bouffée de cigarette ! – et a répondu que les Anglais s'étaient battus pour l'honneur et la gloire. Vous savez ce que j'ai répliqué ? Que tout le monde se bat pour ce qu'il n'a pas. C'est ça que j'ai dit à ce vieux con. »

Les chatons lâchèrent des éclats de rire, mais Staline ne parut pas prendre garde à leurs réactions. Il regarda par-dessus son épaule et vit que la bobine était prête et enclenchée. « Lumière. »

« Til, comment s'appelle l'actrice qui joue le rôle de la femme du dentiste ? demanda Beria.

— Zasu Pitts », répondit Zander d'une voix rauque. Il défit l'emballage d'un des bonbons pour la gorge que Zsuzsa lui glissait toujours dans la poche et le mit dans sa bouche.

« Eh bien, Pitts a une belle paire de tétins », dit Beria au bout d'un moment.

Alors que le film commençait, Staline marmonna quelque chose qui n'avait aucun sens pour Zander, quoique cela en eût évidemment pour Beria, à juger par la façon dont il hochait la tête dans la pénombre de la salle. « La dernière lettre est encore plus déterminante – elle doit être juive.

— Une Juive, bien sûr, acquiesça Beria avec enthousiasme. Elle se trahit. »

On but beaucoup après le deuxième film. Staline défia les chatons de deviner combien de degrés en dessous de zéro il faisait dehors. L'idée était que chacun devrait boire un verre de vodka plein à ras bord pour chaque degré de différence. Beria fit rouler ses yeux dans leurs orbites d'un air joueur et annonça qu'il faisait moins douze. Il eut un tel sourire de plaisir quand Staline lui dit qu'il faisait seulement moins sept, que le patron l'accusa de répondre délibérément à côté pour avoir plus à boire. « Devant Dieu… », commença Beria, ses yeux protubérants injectés de sang remplis d'innocence, levant les mains paumes en l'air comme un enfant, mais Staline fit commencer le troisième film, *Saboteur*, mis en scène par Alfred Hitchcock. Zander suça un bonbon pour se soulager la gorge et se mit à traduire le dialogue.

Il était six heures du matin quand une des Packard de la datcha ramena le projectionniste et Zander à Moscou par la route gouvernementale privée. L'ombre des pins et des bouleaux passait sur eux dans le matin glacé juste avant l'aube, l'automobile descendit la route tortueuse jusqu'aux faubourgs et tourna sèchement sur la route Mozhaïsk. Zander vit du coin de l'œil s'allumer les phares d'un taxi garé dans une rue latérale. Le taxi tourna derrière eux sur la route. Il se gratta la barbe, comme si c'était la nouveauté de ce que Zsuzsa appelait « son masque » qui le mettait soudain mal à l'aise. Il regarda par la vitre arrière. Le taxi était le seul autre véhicule en vue.

Le projectionniste, qui s'était assoupi la tête contre la fenêtre, remua. « Qu'est-ce qui vous ennuie, camarade ?

— Je crois que nous sommes suivis. »

Le projectionniste ricana. « C'est le film d'espionnage de ce soir qui vous a donné des idées. »

Quand la Packard tourna dans Arbat, le taxi continua tout droit et disparut ; Zander réalisa que son compagnon avait raison, et que son imagination lui jouait des tours. Le conducteur déposa le projectionniste devant son club d'échecs sur le boulevard circulaire intérieur et laissa Zander à la prochaine station de métro ; ça le gênait d'être transporté dans une des Packard de Staline et il ne voulait pas qu'un de ses voisins matinaux l'y vît.

En attendant son métro sur le quai, Zander sentit de nouveau une démangeaison à la nuque. Il se retourna brutalement et vit un homme d'âge moyen, plus bas sur le quai, détourner le regard. Quand Zander entra dans la rame, l'homme monta dans le wagon à côté du sien. Mais quand il descendit sept stations plus loin, l'inconnu resta dans le train.

« Tu as l'air préoccupé », remarqua Zsuzsa pendant qu'ils prenaient le petit déjeuner sur une petite table devant les fenêtres à double vitrage de leur chambre. « Tu as envie d'en parler ? »

Zander se souvint du curieux fragment de conversation entre Staline et Beria. « La dernière lettre est encore plus déterminante – elle doit être juive. » Il évoqua l'image du taxi qui restait derrière eux sur la route Mozhaïsk, puis celle de l'homme qui avait détourné les yeux sur le quai du métro.

« Ce n'est rien », dit-il de façon aussi convaincante qu'il le pouvait. Il se leva et écarta du bout des doigts le rideau épais pour lequel Zsuzsa avait dépensé tant d'argent qu'ils avaient eu une vraie dispute. En dessous, la rue recouverte de neige brillante était déserte. Mais Zander crut voir un léger mouvement de rideau à une fenêtre en face. Est-ce que quelqu'un d'autre s'imaginait être suivi ?

« Il y a quelque chose qui ne va pas », dit Zsuzsa d'une voix chargée d'angoisse. Elle aussi imaginait toujours, réalisa Zander. Ce qu'elle imaginait sans cesse, c'était sa mort à lui.

Tuohy reposa brutalement la liasse de papiers sur le bureau. « Vous les tenez depuis quatre semaines et c'est tout ce que vous avez à montrer ! Et vous prétendez être des interrogateurs ? »

Les sept hommes assis autour de la table de conférence gardèrent les yeux baissés. L'interrogateur entièrement chauve assis à la gauche de Tuohy voulut prendre un verre d'eau minérale, puis se ravisa. « Nous travaillons sous certaines contraintes, expliqua-t-il. Il est forcément plus long d'extraire des confessions crédibles dans ces conditions.

— De quelles contraintes parlez-vous ? » demanda sèchement Tuohy.

Les épaules de l'interrogateur chauve se voûtèrent un peu. Sa tête parut rentrer dans son corps comme celle d'une tortue. « Il a été spécifié qu'on préparait les médecins accusés pour un procès public, dit-il à Tuohy. Cela excluait les méthodes physiques d'interrogatoire, puisqu'il n'était pas question de laisser de marques visibles sur leurs corps.

— Je n'en crois pas mes oreilles, murmura Tuohy d'un air sarcastique. Vous ne pouviez pas les tabasser ou leur écraser vos cigarettes sur le visage, alors vous avez été incapables d'obtenir des aveux ? Vous vivez encore au Moyen Âge. Vous tous. » Il tapa sur la liasse de la paume. « Ces médecins ont des femmes, non ? Ils ont des fils et des filles, des frères et des sœurs qui vivent dans des appartements confortables, touchent des rations du centre d'approvisionnement du Kremlin et vont à l'université de Moscou, mais pourraient tout aussi bien être dans le prochain train pour la Sibérie. Qu'est-ce qui vous prend ? Servez-vous de votre imagination ! Si vous voulez que quelqu'un admette devant un tribunal être payé par le sionisme international, et utiliser sa position dans le service médical du Kremlin pour bousiller une opération et tuer un patient, vous devez le *convaincre* que des aveux servent ses intérêts. Si vous le manipulez soigneusement, il finira par vous supplier de lui donner l'occasion de soulager sa conscience. »

Le téléphone posé sur la table à côté de Tuohy sonna. Il décrocha brutalement. « Je croyais vous avoir dit… » Il écouta un moment. « Demandez-lui de rester en ligne. Je le prends dans une minute. » Il laissa retomber le combiné sur la fourche. « Écoutez, dit-il aux interrogateurs, ça ne devrait pas être très compliqué. Ces médecins sont des privilégiés. Quand ils allaient assister à des conférences médicales à l'étranger, ils avaient des réunions secrètes avec des agents de renseignement américains et des représentants du sionisme international. Quand ils ont diagnostiqué des maladies chez des personnalités, ils ont volontairement fait des erreurs. Quand ils ont effectué une opération et que le patient est mort, c'était un meurtre médical prémédité. Je serais surpris que vous ne puissiez pas trouver quelques infirmières qui les aient vus laisser en place des tumeurs malignes et recoudre le malade. » Tuohy congédia les interrogateurs d'un bref signe de tête. « Si vous ne pouvez pas me donner ce dont nous avons besoin, nous devrons envisager que vous soyez vous-même infectés par des sympathies sionistes. »

Alors que la porte se refermait sur le dernier interrogateur, Tuohy décrocha le téléphone. « Passez-le-moi », cracha-t-il. Puis il parla d'une voix complètement différente. « Zander, c'est Atticus. Atticus Tuohy. » Il fit une pause. « Ça fait longtemps, oui, acquiesça-t-il. Désolé de t'avoir fait attendre, mais il y avait des gens dans mon bureau. Alors, qu'est-ce que j'entends dire, tu traduis des films pour le patron lui-même ? »

Zander dut dire quelque chose de drôle parce que Tuohy gloussa pour montrer son appréciation. « Écoute, Zander, si je t'appelle c'est pour t'inviter à un déjeuner que j'organise dans huit jours. Un membre du Congrès américain qui s'appelle Kermit quelque chose sera en ville. Il nous a fait dire par l'ambassade qu'il t'avait connu dans son enfance et qu'il aimerait te revoir. »

Tuohy écouta encore. « Bien sûr ! Le fils de Maud, Kermit. C'est elle qui vivait à Brooklyn Heights, non ? Eh bien, ce vieux Kermit a fait du chemin. Alors qu'en dis-tu ?

« Bien entendu, c'est une invitation officielle, dit Tuohy après un silence. Je serai présent en personne, aussi il n'est pas question que quiconque interprète mal cette rencontre.

« Bien. Je te retrouverai avec plaisir. Demain en huit. À midi. Au Métropole. »

JOSEPH,

CROIS-MOI, JE VOIS TON PROBLÈME. MÊME S'IL ME DÉGOÛTE. TU VOULAIS QUE LES MEILLEURS ARTISTES DU PAYS METTENT LA TOUCHE FINALE À TON IMAGE. LES PROPAGANDISTES NE POUVAIENT PAS TE DONNER CELA — LA SANCTIFICATION PAR LE VRAI TALENT. ÉVIDEMMENT, LES TÂCHERONS T'ONT NOYÉ SOUS LES OPÉRAS ET LES ODES, MAIS LA MINUSCULE PARTIE DE TOI QUI EST PAYSAN-SAVANT (OPPOSÉE À LA PLUS GRANDE PARTIE, PAYSAN-BRUTE) A COMPRIS QUE, PARCE QUE C'ÉTAIT DU TRAVAIL SUR COMMANDE, ÇA NE VALAIT PAS LE PAPIER SUR QUOI C'ÉTAIT ÉCRIT. À UN MOMENT TU AS DÛ COMPRENDRE QUE CEUX QUI ACCEPTAIENT DE TORDRE LEUR ART À TON SERVICE ÉTAIENT DE TROISIÈME ORDRE ; ILS N'AVAIENT PAS BEAUCOUP D'ART À TORDRE. LES VRAIS ARTISTES, DONT LES ŒUVRES ÉTAIENT SUSCEPTIBLES DE FAIRE IMPRESSION ET DONC DE SURVIVRE À LEUR SUJET ET À LEUR CRÉATEUR, NE POUVAIENT PAS ÊTRE MENACÉS, ACHETÉS OU MANIPULÉS.

C'ÉTAIT LE PROBLÈME, N'EST-CE PAS, JOSEPH ?

TU VOULAIS ÊTRE IMMORTALISÉ TANT QUE TU ÉTAIS ENCORE MORTEL, MAIS TU NE TROUVAIS PERSONNE QUI VEUILLE LE FAIRE. EN UN SENS, TU NE FAISAIS QUE CONTINUER UNE LONGUE TRADITION D'ANTAGONISME ENTRE CEUX QUI MANIENT LE POUVOIR ET CEUX QUI MANIENT LA PLUME. POURQUOI ESSENINE A-T-IL ÉTÉ CONSIDÉRÉ COMME CONTRE-RÉVOLUTIONNAIRE ? EXPLIQUE SI TU LE PEUX POURQUOI MAÏAKOVSKI, MALGRÉ SON ACCEPTATION ENTHOUSIASTE DES POSSIBILITÉS DE LA RÉVOLUTION, ÉTAIT UN VOYOU POLITIQUE ? EXPLIQUE AUSSI DANS QUEL SENS LA POÉSIE IMMORTELLE D'AKHMATOVA ÉTAIT ANTISOVIÉTIQUE ? RENDS COMPTE DU FAIT QUE LA PREMIÈRE ÉDITION DE TSVETAÏEVA AIT ÉTÉ CONSIDÉRÉE COMME UNE ERREUR POLITIQUE GROSSIÈRE ? POURQUOI BOULGAKOV N'EST-IL PAS PUBLIÉ ICI ? QUAND MANDELSTAM, VOLOCHINE, RONZHA ET GOUMILEV NOUS SERONT-ILS RENDUS ? POURQUOI CHAGALL, STRAVINSKY ET NABOKOV VIVENT-ILS EN EXIL, POSSÉDÉS PAR D'AUTRES CULTURES ?

AH, JOSEPH, DANS TA VIEILLESSE, TU DOIS TE DOUTER QUE TU AS GAGNÉ UN GENRE D'IMMORTALITÉ. PEUT-ÊTRE N'EST-CE PAS EXACTEMENT CE QUE TU VOULAIS, MAIS C'EST NÉANMOINS L'IMMORTALITÉ. TU T'INSCRIRAS DANS L'HISTOIRE COMME LE MONTAGNARD DU KREMLIN, L'ASSASSIN ET LE TUEUR DE PAYSANS. LES DEMI-HOMMES QUI T'ENTOURENT S'ÉMEUVENT SUR TON OMBRE. ILS DISENT COMBIEN ELLE S'ÉTEND GRACIEUSEMENT SUR LE SOL, COMMENT ELLE MET TOUT EN PERSPECTIVE. MAIS ILS

ATTENDENT SEULEMENT QUE TON SOLEIL SE COUCHE POUR TE DONNER TA VRAIE IMMORTALITÉ. TES STATUES SERONT JETÉES À BAS DE LEUR PIÉDESTAL, TES PHOTOS DISPARAÎTRONT DES MURS. ON EFFACERA TON NOM DES LIVRES D'HISTOIRE. LES VILLES, LES VILLAGES ET LES HAMEAUX BAPTISÉS D'APRÈS TOI REPRENDRONT LEUR NOM D'ORIGINE. TON CADAVRE NE SERA PAS JUGÉ DIGNE DE REPOSER À CÔTÉ DE LÉNINE DANS LE MAUSOLÉE QUE TU AS FAIT CONSTRUIRE SUR LA PLACE ROUGE.

ON SE SOUVIENDRA DE TOI, JOSEPH. OH COMBIEN ! MAIS PAS COMME TU LE CROIS.

DORS BIEN SI TU LE PEUX, JOSEPH.

MÈRE RUSSIE.

Beria avait un problème : il avait tant bu de vodka à dîner qu'il ne pouvait pas accommoder avec les deux yeux ouverts. Sa solution était d'en garder un fermé. « Je vous le jure sur la tête de ma mère, geignait-il. Je vous le jure sur la tombe de mon père. » L'épaisseur de graisse sur son ventre tremblait comme de la gelée. Il sortit un immense mouchoir de sa poche revolver et essuya ses paumes en sueur. « Le pays sera couvert de statues de vous. Chaque bâtiment public devra en avoir une. D'autres villes et villages – une république entière, pourquoi pas ? – prendront votre nom. Le pays même : l'Union des Républiques Staliniennes Socialistes ! Et je m'occuperai personnellement de tout éditeur qui toucherait à votre nom dans un livre d'Histoire. »

Staline ne parut pas impressionné. « C'est une sorcière, cette femme. J'ai l'impression qu'elle voit dans le futur. Elle me dit des choses que nul dans mon entourage n'oserait dire. » Il s'en prit soudainement à Beria. « Où en êtes-vous de votre enquête ? »

Beria se sentait là en terrain plus sûr. « Je ne suis pas resté inactif. Deux mille deux cent quatre fauteuils roulants du dernier modèle produit par l'usine de Béquilles et Fauteuils roulants du Coucher de soleil rouge de Kiev ont été distribués à Leningrad durant les derniers six mois. J'ai fait fouiller les dossiers par des équipes d'agents. Six mille huit cent vingt-trois femmes âgées de soixante à soixante-cinq ans vivent dans des appartements communautaires ou des maisons de retraite où il y a un ou plusieurs de ces fauteuils. Si nous mettons de côté des femmes qui sont d'avis médical folles ou imbéciles, nous pensons effectuer environ six mille arrestations. Mes gens me disent qu'ils peuvent régler l'affaire en quarante-huit heures. »

Staline acquiesca de la tête. Beria, déconcerté, ajouta faiblement : « Avec un peu de chance, vous aurez reçu votre dernière lettre de Mère Russie. »

La tête de Staline continua son mouvement. Le regardant d'un œil, Beria eut l'impression de voir une bouée dans la houle. « Il me semble, dit lentement Staline, prononçant soigneusement chaque syllabe, que nous devrions encore réduire la liste.

— Encore réduire la liste ? » répéta Beria. Il se demanda si une seule de ses oreilles fonctionnait. « Pourquoi s'en donner la peine ? »

Mais Staline avait son idée. « Vous n'avez rien remarqué dans la dernière lettre – rien qui vous paraisse familier ? »

Beria eut soudain du mal à y voir clair d'un seul œil. Il ferma celui-là aussi.

Staline prit la lettre qui se trouvait sur le dessus d'une épaisse pile posée sur un bureau. Il mit ses lunettes et pencha la tête en arrière pour regarder à travers la moitié inférieure de ses verres à double foyer. Il commença à lire. « Tu t'inscriras dans l'histoire comme le montagnard du Kremlin, l'assassin et le tueur de paysans. Les demi-hommes qui t'entourent… » Sa tête s'inclina et il observa Beria à travers le haut des lunettes. « Montagnard du Kremlin, assassin et tueur de paysans, demi-hommes – ces expressions me sont d'une certaine façon familières. »

Beria ouvrit les yeux et examina les deux Staline devant lui. « Comment ça, familières ? »

— Il me semble qu'un poète séditieux des années trente employait ces expressions. Vous avez des spécialistes, vous avez des fichiers – voyez si vous pouvez trouver qui a écrit l'original. »

« À quelle heure, demanda anxieusement Zsuzsa qui se tenait à la porte, penses-tu être de retour ?

— Ludmilla dit que le concert se termine à dix heures et demie. Si les trolleys roulent malgré toute cette neige, ils seront chez eux vers onze heures. Je devrais revenir vers minuit.

— Pour l'amour du ciel, dit-elle, si tu vois que tu vas être en retard, téléphone-moi. » Elle resserra l'écharpe autour de son cou et lui tendit sa canne. « Promis ?

— Je te le promets.

— Maintenant que tu as promis, dit Zsuzsa, je m'inquiéterai deux fois plus si tu n'appelles pas. »

Zander marcha péniblement dans la neige jusqu'à l'arrêt de trolleys et regarda dans la rue pour voir s'il en arrivait un.

Une vieille femme avec un renard mité autour du cou arriva derrière lui. « Voyez-vous venir un miracle ? demanda-t-elle.

— Rien en vue, lui dit Zander. Il nous faudra peut-être attendre un bon moment. »

La vieille femme fit une petite danse dans la neige. « Remuez vos pieds, jeune homme. J'ai lu quelque part qu'on pouvait avoir les pieds gelés quand la température tombe en dessous de moins vingt. » Elle vit le sourire de Zander. « Prenez-le comme une blague si ça vous amuse. Ce sont vos pieds qui gèleront, pas les miens. »

Une Zil du gouvernement descendit lentement la rue, serrant le trottoir de près et s'arrêta devant la vieille femme et Zander. « Un autre de ces chauffeurs du gouvernement qui font clandestinement le taxi, dit la vieille avec mépris. De mon temps, on les aurait collés contre un mur. Nous pouvons aussi bien lui dire où nous allons. » Elle s'avança, colla son visage contre la vitre du passager et cria : « Je vais au 24, avenue de l'Enthousiaste, camarade chauffeur. »

Le conducteur, à peine visible dans la pénombre de la voiture, secoua négativement la tête. Zander chercha de nouveau un trolley des yeux, puis donna l'adresse de Ludmilla. Tout valait mieux que d'avoir les pieds gelés en attendant un trolley.

Le chauffeur se pencha et ouvrit la porte côté passager. « Certains ont toutes les chances », croassa la vieille femme. Zander se glissa à l'intérieur et ferma la porte. Les roues patinèrent dans la neige. La voiture se mit à rouler. Le conducteur, un jeune homme avec d'épaisses lunettes rondes et un nez proéminent, jeta un coup d'œil à la canne de Zander.

« Blessure de guerre ? »

Zander hocha la tête. « La guerre civile. Ne devrions-nous pas décider du prix avant de partir ? »

Le chauffeur haussa les épaules avec philosophie. « Je ne suis pas avide. Vous pouvez me payer ce que vous pensez que vaut la course.

— C'est une bonne technique, remarqua Zander. Je parie que la plupart des gens que vous emmenez vous donnent plus que ce que vous auriez demandé. »

Le jeune homme haussa de nouveau les épaules. « Certains paient plus, d'autres moins. Ça fait une moyenne. Et je n'ai pas à m'abaisser au marchandage. »

La Zil dépassa deux autres personnes qui attendaient à un arrêt de trolley – l'une d'elles descendit même sur la chaussée et agita un billet – mais le conducteur ne ralentit pas. « Vous avez quelque chose contre les roubles ? demanda Zander, amusé par son indépendance évidente.

— Ils n'allaient pas où je vais, dit le jeune homme au bout d'un moment.

— Comment pouvez-vous le savoir ? Vous ne leur avez même pas laissé l'occasion de dire où ils se rendaient. »

Le conducteur regarda de nouveau Zander et eut un sourire tordu. « Personne à Moscou ne va où je vais. »

La phrase était assez curieusement tournée pour que Zander prête attention au chemin qu'ils prenaient. Les avenues, les immeubles, ne lui étaient pas familiers. La voiture s'engagea dans un labyrinthe de petites rues étroites au nord du Kremlin. Zander s'inquiéta soudain. « Mais qu'est-ce que vous faites ?

— Je m'assure », répondit le conducteur d'une voix si parfaitement désinvolte que son professionnalisme fut immédiatement évident pour Zander, « que vous n'êtes pas suivi. »

Zander se souvint des phares sur la route Mozhaïsk. « Pourquoi quelqu'un voudrait-il me suivre ? » demanda-t-il.

Au lieu de répondre, l'homme lui envoya un autre de ses sourires tordus.

Zander essaya de rassembler ses idées. « Où m'amenez-vous ? » demanda-t-il après un moment.

— Dîner.

— Avec qui ?

— Les gens pour qui je travaille m'ont dit que si je vous donnais le menu, vous sauriez de qui il s'agit.

— Le menu ?

— Vous aurez des farcis à dîner. »

Zander se demanda un instant s'il avait bien entendu.

Le conducteur rit doucement. « On m'a dit que vous seriez agréablement surpris. »

La Zil s'arrêta à un coin de rue désert. « Il y a une allée à la moitié du pâté de maisons. Et au milieu de l'allée, à gauche, vous trouverez une porte non verrouillée. C'est un immeuble d'avant la Révolution, et cette porte était une entrée de service avant que tout le monde ne soit serviteur de l'État. Montez deux étages. Mon employeur dit que vous sentirez l'odeur de cuisine. Frappez à la porte d'où elle vient. » Il lui fit un signe de tête encourageant. « Bonne chance. »

Zander commença à descendre la rue. Il se retourna pour voir si l'auto attendait, mais elle avait disparu. Ils devaient être très sûrs qu'il se rendrait au rendez-vous, pensa-t-il. Si Zsuzsa était avec lui, elle tirerait sur sa manche, paniquée, et le traînerait en arrière. « Comment sais-tu que ce n'est pas un piège pour te tester ? » demanderait-elle, sa voix se cassant de terreur alors que les possibilités se transformeraient pour elle en probabilités.

Zander continua à marcher dans la neige. Il vit l'entrée de l'allée, si étroite qu'on aurait pu la prendre pour un couloir entre deux immeubles. Il y faisait aussi noir que dans un four.

Zander hésita.

Il n'y avait qu'une seule personne au monde qui puisse l'inviter à un dîner de « farcis ».

Il regarda autour de lui. Il n'y avait pas une âme en vue. Il examina les fenêtres de l'autre côté de la rue. Les volets étaient fermés, les rideaux tirés. Avec un soupir audible – dans quoi s'engageait-il ? – il plongea dans l'ouverture entre les bâtiments, dans la noirceur de l'allée. Il lui fallut suivre le mur du bout de sa canne comme un aveugle et trouver la porte à tâtons. Il essaya la poignée, elle n'était pas verrouillée, comme le conducteur l'avait dit. Contrairement à la plupart des portes de Moscou, celle-ci ne grinçait pas, quelqu'un s'était donné le mal de graisser les gonds. Récemment.

Zander commença à monter l'escalier, qui était éclairé tous les deux étages par une faible ampoule suspendue très haut pour que personne ne puisse la voler. Sur le palier du premier, il sentit une odeur de cuisine. Il monta lentement au second. L'odeur était plus prononcée. Il examina la porte d'où elle semblait provenir. Elle ne portait aucune marque. Il y donna deux coups du bout de sa canne. Il entendit quelqu'un se déplacer derrière la porte. Les pas d'un homme lourd. Puis la porte fut ouverte en grand, Léon franchit le seuil, et des larmes coulèrent sur ses joues lorsqu'il enlaça son demi-frère, son « jumeau », et puis ils se tapèrent mutuellement dans le dos en hochant la tête parce que le moment était trop intense pour des mots.

« Entre, entre », parvint finalement à murmurer Léon ; il tira Zander dans l'appartement, ferma la porte derrière lui et la verrouilla avec deux énormes loquets. Prenant Zander sous le coude, Léon le guida dans le couloir jusqu'à une petite salle à manger avec une petite table ronde portant une demi-douzaine de plats de « farcis ». Zander se laissa tomber avec soulagement sur une chaise. Léon s'assit en face de lui. « C'était hier que nous avons mangé des "farcis" ensemble dans ce restaurant roumain, dit-il d'une voix altérée par l'émotion.

— Pour moi, répondit Zander, c'était il y a mille ans. Que fais-tu à Moscou, Léon ? Tu es censé être en Palestine. »

Léon remplit deux verres de vodka. Il en poussa soigneusement un vers Zander. « Nous appelons maintenant la Palestine, dit-il d'un air taquin, Israël. » Il leva son verre : « L'chayim. C'est de l'hébreu. Ça signifie : "À la vie."

— À la vie et à toi, Léon. Dans mes rêves les plus fous, je n'aurais jamais pensé te revoir. »

Ils sirotaient leur vodka. Des questions semblaient les encercler de tous côtés. Les réponses appelaient d'autres questions. La mère de Léon était morte à New York. La femme de Léon, qui avait abandonné sa pharmacie du Bronx pour le suivre en Terre promise, était morte de la fièvre des marais pendant qu'ils défrichaient des terres pour un kibboutz près de la mer de Galilée. Un de leurs trois fils avait été tué dans la guerre d'indépendance de 1948. Il y avait des petits-enfants, mais Zander ne se souvenait pas combien. Un second mariage avait fini par un divorce parce que la femme ne supportait pas la vie au kibboutz. Léon évoqua de vagues missions qui l'avaient amené dans des pays d'Europe de l'Est et d'Amérique du Sud.

« Cette Ludmilla dont tu parles tout le temps, dit Léon à un moment, ça doit être ta fille, dont tu parlais dans tes lettres au début des années vingt.

— Elle est comme ma fille », répondit Zander, et il raconta à Léon, en phrases incomplètes, les choses qu'il n'avait jamais osé lui écrire : il lui parla de son amour pour Lili ; de comment elle avait sauvé Anastasia ; de sa mort.

« Ainsi, dit pensivement Léon, je me rappelle t'avoir dit que les révolutions ne changent pas les choses, elles les réarrangent seulement. La tienne semble les avoir réarrangées pour le pire. »

Ils mangèrent, se regardant par-dessus la table, souriant de bonheur, hochant la tête, mais ne se parlant pas. Finalement, Zander demanda : « Comment m'as-tu retrouvé ? »

Léon leva les sourcils. « Pardonne-moi de ne pas te répondre. Je ne te dirai pas ce que tu n'as pas besoin de savoir.

— Chez qui sommes-nous ? »

Léon secoua la tête ; c'était une autre des choses que Zander n'avait pas besoin de savoir.

« Ai-je besoin de savoir ce que tu fais à Moscou, Léon ?

— Je me demandais quand tu allais en arriver là. Officiellement, je suis l'attaché commercial de la légation israélienne.

— Et officieusement ? »

Léon grogna. « Officieusement, je suis ici pour sauver les Juifs d'un autre holocauste. »

Instinctivement, Zander regarda autour de lui. Léon comprit son geste. « On peut parler ici en sécurité, lui assura-t-il.

— Comment vas-tu sauver les Juifs ?

— Je vais arranger la mort de Malechamovitz. C'est le nom yiddish de l'Ange de la Mort.

— Et quel est le nom russe ? » Zander sentit une douleur sourde s'éveiller dans sa poitrine ; il connaissait la réponse.

« Joseph Vissarionovitch Djougachvili, mieux connu par son nom de guerre bolchevik, Staline.

— Tu es fou, fit Zander d'une voix à peine audible.

— Ce que je suis, c'est croyant, répliqua Léon.

— Je ne me souviens pas que dans le temps, sur *ulitza*, tu aies beaucoup parlé de Dieu. »

Léon repoussa son assiette et se pencha sur la table. « Je crois au dieu de l'Histoire », dit-il. Sa voix n'était guère plus forte qu'un murmure, mais l'intensité de ses mots et la force de conviction qu'il y avait en eux ne faisait aucun doute. « Je crois au peuple juif et à sa destinée. Je crois par-dessus tout à l'État d'Israël comme incarnation – et garantie – de cette destinée. Si Israël doit survivre au milieu d'une mer d'Arabes, il lui faut des immigrants. Les Juifs américains ne viendront jamais en grand nombre pour des raisons évidentes. Ça laisse les Juifs russes. Un jour ton communisme en trompe l'œil explosera et les Juifs pourront partir. Pour que cela se produise, il faut qu'ils soient encore vivants. Les garder en vie, voilà pourquoi je suis ici. » Léon se vida les poumons, renifla bruyamment, puis sourit d'un air gêné. « J'ai mis cartes sur table plus tôt que je ne pensais. »

Zander fixait son assiette. « Je crois aussi en l'Histoire, Léon. Qu'est-ce qu'un socialiste sinon quelqu'un d'enraciné dans l'Histoire ? Mais tu fais un bloc bien net de ton Histoire. C'est plus difficile pour moi. » Il leva les yeux avec incertitude.

Le regardant, Léon se rappela soudain l'actrice juive qui avait une fois décrit les yeux de Zander comme « meurtris ». Il se rendit compte que son jumeau avait été durement éprouvé. « Continue, l'encouragea Léon.

— Ce n'est pas facile pour moi. En Russie, nous n'avons plus de telles conversations, dit Zander.

— C'est peut-être un des problèmes. Essaie. »

Zander secoua la tête, dépité. « Je tourne et retourne ça dans ma tête et je n'arrive pas à trouver le début.

— Le début de quoi ?

— Quand ça a commencé à mal tourner. Nous avions de si grands espoirs, Léon. Nous allions libérer les travailleurs et créer une société où les gens pourraient vivre sans entraves. Tu ne sais pas comment c'était juste après la révolution. Des balayeurs et des secrétaires siégeaient en conseil des ministres. N'importe qui pouvait donner son opinion et critiquer celle d'autrui. Tout était possible. Il n'y avait pas de limite. »

Léon les resservit en vodka. « C'était une idée courageuse qui a mal tourné, dit-il. On débattra pendant des siècles pour savoir si l'idée était défectueuse, ou les gens qui l'ont appliquée. Mon point de vue, pour ce qu'il vaut, est qu'il y avait un peu des deux. Vous aviez beaucoup d'enthousiasme, beaucoup d'idéalisme, personne ne peut vous retirer ça. Mais, pour rester démocratique, un parti, un gouvernement doit périodiquement retourner aux masses pour obtenir leur mandat. Lénine a évité cela.

— Il le devait. Nous étions entourés d'ennemis. Nous étions attaqués de tous les côtés. »

Léon haussa les épaules . « Tu cherches à trouver le moment où ça a commencé à mal tourner. Afin de préserver la révolution de ses ennemis, Lénine a improvisé. Comme les improvisations marchaient, les bolcheviks les ont institutionnalisées ; ils ont abandonné le rêve pour les improvisations. Trotski a employé la Terreur rouge pour vaincre les Blancs. Vous voilà, trente-cinq ans plus tard, utilisant toujours la Terreur rouge.

— C'est vrai ce que tu dis – le Parti ne se soucie pas de ce à quoi il préside du moment qu'il préside. L'opposition à la ligne du Parti ne se distingue pas de la trahison vis-à-vis de la classe ouvrière et de l'État. Et les traîtres sont en général fusillés dans notre paradis des travailleurs. »

Zander resta silencieux un long moment. Puis il dit : « Te souviens-tu du verre de vodka que j'ai lancé contre le mur du restaurant ?

— Je me rappelle qu'il ne s'est pas brisé.

— Tu as raison après tout, Léon. Je suis allé faire la mauvaise révolution.

— Peut-être es-tu venu au bon endroit », dit très doucement Léon.

Zander le dévisagea.

« T'est-il jamais venu à l'idée, continua Léon, que tu avais été *placé* ici par mon dieu de l'Histoire ? Crois-tu réellement que c'est par accident que tu as survécu à la guerre civile, aux purges, à la Seconde Guerre mondiale ? Que tu as fini traducteur de films américains capturés, pour le Grand Timonier ? »

Zander était stupéfait. « Comment sais-tu ce que je fais ?

— Je sais ce que tu fais, où tu le fais et qui est là à ce moment. Zander, mon Dieu de l'Histoire nous a réunis pour une raison. J'ai besoin de ton aide.

— C'est hors de question. »

Zander recula sa chaise, mais Léon dit d'une voix acérée : « Écoute-moi au moins !

— Non ! » Zander se leva avec peine. « Ce que tu suggères est impossible. Même si je voulais prendre le risque, je dois penser à ma famille.

— Nous les ferons sortir. Tous. Nous t'évacuerons aussi. »

Zander tourna sa mauvaise oreille vers Léon pour couper la conversation. « Je ne suis pas un assassin. Et qui peut dire que ce qui viendra après Staline ne sera pas pire ? Tue-le et tu auras peut-être affaire à Beria. »

Léon se leva lui aussi. « Crois-moi, dit-il, rien ne peut être pire que Staline. Il se prépare maintenant à exterminer les Juifs et tu parles de qui pourrait lui succéder. C'est comme essayer de décider si Hitler était l'expression ultime de la rationalité ou de l'irrationalité allemande. Quelle importance ? Qui s'en soucie ? Ce qu'il faut faire, c'est l'arrêter. On fera des commentaires et des analyses après.

« — Désolé de te décevoir, Léon, mais je ne suis pas ton homme. »

Léon commençait à désespérer. « Je ne te demande pas de prendre une décision maintenant, seulement d'y réfléchir. »

Zander se dirigea vers le couloir. Léon le rattrapa à la porte de la salle à manger et lui empoigna le bras. « Au nom du vieux temps, fais-moi une faveur. Mémorise ce numéro de téléphone. Comme ça, si tu changes d'avis, tu pourras me joindre. Juste ça, Zander. Mets-toi ce numéro en tête. Tu ne t'engages pas à le composer. »

Zander réfléchit quelques instants, puis s'approcha du téléphone.

Le feuillet de plastique portait le numéro B-141-21. Il se le répéta plusieurs fois.

À la porte de service de l'appartement, Léon saisit la main de Zander. « De toute façon, ça a été une des grandes joies de ma vie de te revoir.

— Pour moi aussi, dit Zander avec émotion.

— Redis-moi le numéro.

— B-141-21.

— Si tu appelles, sers-toi d'une cabine publique. Une vieille femme répondra. Dis-lui seulement que ses "farcis" t'ont tant plu que tu voudrais un autre repas identique.

— Je n'appellerai pas, Léon.

— Alors, tu feras une erreur tragique.

— Nous ne sommes pas jumeaux – nous ne pensons pas pareil. »

Léon reconnut cet écho de leur conversation sur le pont de Brooklyn. « Je ne t'ai pas cru la dernière fois que tu as dit ça. Et je ne te crois pas aujourd'hui. »

Zsuzsa se jeta sur Zander dès qu'il franchit la porte. « Où étais-tu, pour l'amour du ciel ! » explosa-t-elle. Pour une fois, elle ne s'inquiétait pas d'être entendue par les gens avec qui ils partageaient l'appartement. « Tu sais quelle heure il est. Ludmilla est folle d'angoisse – comme tu ne te montrais pas, elle était sûre qu'il t'était arrivé quelque chose de terrible. Elle n'a pas arrêté de téléphoner… »

Zander posa la main sur son front. « J'ai complètement oublié d'aller garder les enfants !

— Oh, Zander, comment as-tu pu faire ça ? Ludmilla a envoyé Leonid me donner un sédatif, mais ça n'a servi à rien. Je t'imaginais inanimé dans la neige. Je t'imaginais avec une maîtresse. Je t'imaginais emmené en prison. » Elle pleurait maintenant. « J'ai imaginé tout ce que je pouvais imaginer. »

Zander l'entoura de ses bras et attira sa tête contre sa poitrine. « Calme-toi. Je suis ici maintenant. Je peux tout t'expliquer. »

Le téléphone posé sur la petite table de l'entrée se mit à sonner. « C'est encore Ludmilla, chuchota Zsuzsa. Où as-tu disparu ce soir ?

— Je suis tombé sur un vieil ami. On a commencé à parler et on a laissé passer l'heure. Voilà tout.

— Qui était ce vieil ami ? »

Le téléphone sonnait toujours. Zander secoua légèrement la tête. « C'était quelqu'un d'un autre monde. »

CHAPITRE V

Yitzhak Feldstein avait l'air d'un homme qui ne pense pas que le temps travaille pour lui. Un rire amer perçait dans ses yeux. Une cigarette éteinte au filtre détrempé pendait à ses lèvres exsangues. « Yitzhak Feldstein, Alexander Til », dit Tuohy en manière de présentation. Le poète yiddish supposa que la présence de Zander signifiait que c'était un collègue de Tuohy. Il leva la tête, la hocha avec indifférence et la rabaissa.

Tuohy avait attendu Zander dans le hall du Métropole. Zander ne l'avait pas revu depuis le jour où il était tombé sur lui dans un abri anti-aérien. Le revoyant après si longtemps, Zander fut frappé de voir combien il s'était laissé aller : son corps était devenu mou, enrobé même, quoiqu'il y eût toujours quelque chose de très dur dans ses traits. « Les années passent », disait Tuohy en guidant Zander jusqu'à un salon privé au premier étage, « et nous nous essoufflons à courir derrière. Je ne sais pas ce que tu en penses, mais ça me donne des brûlures d'estomac de penser que nous sommes déjà en 1953. » À la porte, il prit le bras de Zander. « Tu te souviens d'un poète yiddish nommé Feldstein ? Ton ami Kermit a demandé à le rencontrer lui aussi, alors je l'ai invité à déjeuner. J'espère que ça ne t'ennuie pas. »

Zander savait que Feldstein avait été passé sur le gril pour ses sympathies sionistes dans un article délirant de la *Pravda* l'été précédent, après quoi le poète avait disparu de la circulation. Tout le monde avait supposé le pire. Il était soulagé d'entendre maintenant que Feldstein n'avait pas été arrêté. Peut-être ne se passait-il rien. Peut-être Léon exagérait-il la menace qui pesait sur les Juifs, après tout.

« Je vous ai entendu lire un poème d'Emily Dickinson au Chien vagabond avant la Révolution », dit Zander à Feldstein en s'asseyant en face de lui.

Feldstein redressa la tête. « Si je peux empêcher un cœur de se briser, récita-t-il en yiddish, je n'aurai pas vécu en vain.

— C'est celui-là, dit Zander.

— Forcément – c'est le seul poème de Dickinson que j'aie jamais connu. Vous parlez yiddish ?

— J'ai parlé yiddish avant de parler russe. »

Les yeux du poète s'agitèrent nerveusement dans l'ombre de leurs orbites. « Je me souviens du Chien vagabond. C'était le soir où Ronzha s'est disputé avec quelqu'un à propos du rôle de l'artiste dans une période de transition violente.

— J'étais là aussi, remarqua Tuohy. C'est avec Ehrenbourg qu'il s'est pris de bec.

— Non. C'était Meyerhold, dit Zander.

— Il a raison. C'était Meyerhold. J'entends encore la voix de Ronzha : "Nous verrons qui compromet son intégrité quand les dirigeants de l'économie commenceront à diriger l'art", dit Feldstein.

— Les dirigeants de l'économie, dit Tuohy avec sévérité, estiment que les artistes doivent servir les masses en élevant leur conscience socialiste, et non pas seulement distraire.

— Je suis d'accord, bien sûr, dit Feldstein avec un sourire. C'était Meyerhold qui avait raison, pas Ronzha. »

Un serveur portant une veste de soirée blanche avec un œillet en plastique à la boutonnière poussa vers eux une table roulante chargée de *zakouski* et plaça des assiettes sur la table. Un autre serveur, celui-là avec une veste noire, déboucha deux bouteilles d'excellent vin bulgare. Il en versa un peu dans un verre et le tint à la lumière pour chercher la lie. Puis il se mit à remplir les verres. Feldstein fixait la nourriture et semblait essayer de la respirer doucement par les narines. Tuohy regarda sa montre. Un jeune homme apparut à la porte. « Il monte », chuchota-t-il. Un moment plus tard, il ouvrit la porte en grand et le congressiste américain entra. Il aperçut Zander. Il s'approcha directement de lui avec un large sourire et tendit la main gauche. Zander se leva et ils se serrèrent la main, Zander se servant de la droite. « Eh bien, tu n'as pas tellement changé, dit Kermit avec enthousiasme. Mais moi si.

— Tu n'as pas beaucoup changé non plus », mentit Zander, bien que la seule chose qu'il reconnût réellement fût le bras droit atrophié de Kermit.

Celui-ci se tourna pour regarder le poète yiddish. « Et vous devez être Yitzhak Feldstein. » Il lui offrit sa main gauche par-dessus la table. « Je considère que c'est un privilège de vous rencontrer. »

Se levant à demi de sa chaise, Feldstein lui serra brièvement la main. « C'est un plaisir pour moi, monsieur », dit-il dans un anglais bizarre, avec un lourd accent, et il se remit sur son siège.

Tuohy, debout, se présenta. « Je m'appelle Atticus Tuohy. Je suis un vieil ami de Zander – nous sommes venus ensemble de New York rejoindre la révolution.

— Tout ami de Zander… », dit le membre du Congrès avec un sourire sec.

Tuohy lui désigna le siège vide. Kermit s'assit. Feldstein y vit le signal qui l'autorisait à commencer le repas et se mit à prendre des *zakouski* sur les plats et à les engouffrer dans sa bouche.

« Comment va ta mère ? demanda Zander.

— Elle est morte il y a presque deux ans, dit Kermit.

— Je suis désolé de l'apprendre. Maud était une femme de caractère. Comment est-elle morte ?

— Elle est rentrée chez elle un soir et a été agressée à sa porte. Tu connaissais Mère. Elle a réagi selon son caractère, elle a résisté. Les agresseurs l'ont poussée dans l'escalier. Elle a eu une fracture du crâne. Elle est tombée dans le coma et n'en est jamais sortie.

— L'Amérique, dit Tuohy, est un pays violent. »

Zander lui jeta un coup d'œil pour voir si c'était de l'ironie, mais son visage ne révélait rien.

Kermit se tourna vers Feldstein. « Je dois vous dire que j'ai demandé à vous rencontrer afin de mettre fin aux rumeurs qui circulent dans la communauté juive de mon district selon lesquelles vous auriez été arrêté. »

Le poète yiddish eut un sourire amer. « Vous pouvez voir par vous-même que je suis libre comme l'air… » Il se servit une généreuse portion de hareng de la Baltique couvert de crème épaisse, puis prit quelques poivrons verts marinés.

« Y a-t-il du vrai dans la rumeur selon laquelle le gouvernement soviétique réprime les écrivains juifs ? Vous pouvez parler en toute liberté, j'en suis sûr, devant Zander et son ami. »

Feldstein parla la bouche pleine. « Pas la moindre vérité, monsieur. Je n'ai jamais vu personnellement aucun cas de persécution. Nous sommes aussi libres que nous l'avons toujours été d'écrire ce que nous voulons.

— Mes collègues juifs de New York me disent que vous n'avez rien publié depuis des années. Comment cela se fait-il si vous êtes libre d'écrire ce que vous voulez ? »

Tuohy suivait attentivement la conversation, son regard passant de Feldstein à l'Américain.

Feldstein haussa les épaules. Ses yeux se posèrent sur un plat d'oignons au vinaigre posé devant Zander. « Si je ne publie pas », dit-il à Kermit en se penchant sur la table pour prendre les oignons, « c'est parce que la qualité de mes récents travaux laisse à désirer. »

Feldstein leva soudain les yeux et vit l'horreur dans ceux de Zander qui avait aperçu le poignet nu du poète sortant de sa manche. Il était marqué de l'anneau irrité, qu'on ne pouvait confondre avec rien d'autre, que laissent des menottes longtemps portées. Feldstein dit sèchement à Zander en yiddish : « *Ich hob ein michpocheh, die kinderlach – sayer leiben hangt in vos ich mach.* »

Feldstein mit des oignons dans son assiette en continuant calmement sa conversation avec Kermit. « Alors, vous voyez, monsieur le Congressiste américain, contrairement à ce qui se passe en Amérique, ici les décisions sont prises sur la base du mérite artistique et non pas de la race de l'artiste ou de ses idées politiques. Dites à mes amis juifs de New York de cesser de se soucier de moi et de commencer à s'occuper des nègres qu'on lynche jusque dans leur propre jardin. »

Après le repas, Zander accompagna Kermit à la porte de la salle à manger. « Qu'est-ce qu'il t'a dit en yiddish tout à l'heure ? » demanda à mi-voix Kermit.

Zander, toujours sous le choc, essaya de conserver un ton égal. « Je n'en ai compris qu'une partie – je crois qu'il me disait qu'il n'avait pas mangé d'oignons au vinaigre depuis le jour de son mariage.

— Il a l'air… pâle, tu ne trouves pas ?

— C'est l'hiver, Kermit. Personne ne se met beaucoup au soleil.

— Eh bien, franchement, je suis soulagé de savoir que les rumeurs qui courent à New York ne sont que de la propagande antisoviétique. »

Ils se serrèrent la main. « C'était un plaisir de te revoir après toutes ces années, dit Kermit. Ma mère se demandait souvent ce qu'était devenu le jeune révolutionnaire idéaliste qui était allé en Russie mener le bon combat. Comme j'aimerais qu'elle soit en vie pour que je puisse le lui raconter. »

Derrière eux, à table, Tuohy toussa deux fois dans sa main. Feldstein se leva à contrecœur.

« Merci pour le déjeuner, dit-il à Tuohy. Si vous voulez que je rencontre un autre congressiste américain, je pourrai toujours aménager mon emploi du temps.

— Je m'en souviendrai », dit Tuohy avec froideur.

Feldstein s'avança vers la porte. « Alors, je vais partir », dit-il d'une voix tendue. Il donnait l'impression d'attendre qu'on le contredise.

Zander saisit sa canne, pendue au dossier de sa chaise. « Je vais vous accompagner », dit-il à Feldstein.

Tuohy remua sur sa chaise. « J'aurais pris des dispositions pour vous ramener chez vous, dit-il paresseusement à Feldstein, mais je crois que vous devez voir un ami. »

Feldstein glissa une cigarette entre ses lèvres mais ne l'alluma pas. « Je dois voir un ami, dit-il à Zander. Il m'attend sans doute dans le hall maintenant.

— Je le connais peut-être », dit Zander dans son désespoir. Il ne voulait pas que la conversation finisse. Il savait qu'alors Yitzhak Feldstein ne serait plus libre comme l'air.

Celui-ci regarda Zander. Leurs yeux se rencontrèrent. « Vous ne connaissez pas mon ami. Vous ne l'aimeriez pas. C'est un poète yiddish désagréable qui porte le nom de Malechamovitz.

— J'ai entendu parler de lui », murmura Zander.

Feldstein pencha la tête de façon cocasse. De nouveau, un rire amer emplit ses yeux. « Je pensais que c'était peut-être le cas. » Il pivota sur ses talons et partit pour son rendez-vous avec l'Ange de la Mort.

Tuohy fit signe du doigt et un assistant augmenta le volume du magnétophone. On entendait Feldstein parler en anglais. « Si je ne publie pas, disait-il, c'est parce que la qualité de mes récents travaux laisse à désirer. »

« Voilà le passage en yiddish », chuchota Tuohy. Le traducteur de yiddish et lui se penchèrent sur le haut-parleur. « *Ich hob ein michpocheh, die kinderlach – sayer leiben hangt in vos ich mach.* »

Le traducteur regarda Tuohy. « Il dit : J'ai une famille, des enfants – leur vie dépend de ce que je fais. »

Tuohy avait déjà écouté le segment de bande où Zander expliquait au député américain : « Il me disait qu'il n'avait pas mangé d'oignons au vinaigre depuis le jour de son mariage. » Zander est l'un d'entre nous, pensa Tuohy. On peut compter sur lui. Mais le poète yiddish, c'est autre chose. Il a essayé d'alerter Zander en yiddish pour qu'il prévienne le député et, à travers lui, les Juifs de New York. « Le fumier, dit Tuohy à haute voix. Personne ne me trahit impunément. »

Quand Zander arriva pour garder les enfants pendant la soirée, deux jours après son déjeuner au Métropole, Leonid fut inhabituellement taciturne. Il le salua de la tête, lui serra la main sans un mot et quitta la pièce. Ludmilla attira Zander dans un coin. « Il faut l'excuser, dit-elle. Il est très tendu. La police est venue à son cabinet ce matin et a confisqué toutes ses archives médicales. Oh, Zander, qu'est-ce qui va nous arriver ? » Elle montra un article déchiré dans la dernière page de la *Pravda*. « Le nœud coulant se resserre, dit-elle les larmes aux yeux. As-tu vu ceci ?

— Je ne lis plus le journal », répondit Zander. Il prit l'article et le tint à la lumière.

Sous le titre : « MORT D'UN TRAÎTRE », l'article décrivait l'arrestation et le suicide d'un poète yiddish, Yitzhak Feldstein. On l'accusait d'être un agent sioniste. Confronté à la preuve irréfutable de sa trahison, il avait fait une corde de son pantalon de pyjama et s'était pendu dans sa cellule.

Détournant les yeux de l'article, regardant au-delà de Ludmilla par la fenêtre, Zander trouva le monde incroyablement calme, comme s'il était dans l'œil d'un cyclone. « Si je peux empêcher un cœur de se briser, récita-t-il, je n'aurai pas vécu en vain. »

Ludmilla était étonnée. « Qu'est-ce que ça a à voir avec Yitzhak Feldstein ?

— C'est le legs qu'il m'a laissé », dit Zander.

Zander glissa une pièce dans la fente du téléphone public et composa le numéro. La vieille femme laissa retentir éternellement la sonnerie avant de décrocher. « B 141-21 », dit-elle, élevant légèrement la voix à la fin pour indiquer qu'elle posait une question.

Zander prit une profonde inspiration. Puis une seconde. Il n'était pas sûr d'être décidé à parler avant d'entendre sa voix. « J'ai fait un dîner de *farcis* dans votre appartement il y a environ une semaine. C'était exceptionnellement bon. Je me demandais si nous pourrions organiser un autre repas identique. »

La vieille femme gloussa. « Alors vous avez aimé ma cuisine. Ça ne me surprend pas. Quand pensez-vous venir ?

— Ce soir.

— C'est trop tôt, répliqua-t-elle. Il me faut du temps pour faire les courses. Pour réfléchir. Nous sommes mercredi. Je ne peux rien arranger avant samedi. Êtes-vous libre samedi ?

— Je crois.

— Disons samedi, alors. La voiture qui vous a amené la dernière fois vous prendra au même endroit à 8 h 30 précises.

— 8 h 30, répéta Zander.

— Puis-je vous donner un conseil ? Ça ne vous ennuie pas ? Voilà : Ne mangez rien entre maintenant et samedi. Comme ça, vous aurez de l'appétit. »

Elle gloussa de nouveau.

Ce fut une révélation pour Zander qu'il y eût réellement des espions en Union soviétique. Depuis les années trente, des centaines de milliers de personnes avaient été accusées d'espionnage, avaient avoué et été exécutées, mais Zander avait supposé que les accusations étaient forgées de toutes pièces. Maintenant, lentement, il prenait contact avec un groupe de gens qui faisaient exactement ce dont la propagande soviétique accusait ses ennemis : ils complotaient de tuer Staline. Il y avait le jeune homme philosophe au nez proéminent qui conduisait la Zil et qui annonça, la deuxième fois où il eut Zander comme passager, que son ambition dans la vie, à supposer qu'il vive assez longtemps, était de cultiver des iris. Il y avait Mme Nilovna, qui vivait dans l'appartement où les rencontres entre Zander et Léon avaient lieu ; elle semblait toujours glousser pour une raison ou une autre. Il y avait Shapiro, un membre d'âge moyen de la légation israélienne, myope, qui notait chaque mot que prononçait Zander, puis méditait sur le compte rendu de la conversation comme si c'était un poème à expliquer. Il y avait un homme aux cheveux argentés qui assista à deux séances sans dire un mot, et qui ne fut pas présenté. Il y avait les voix d'autres que Zander ne vit jamais. Elles venaient de la cuisine. L'une était masculine et parlait hébreu. L'autre sonnait comme celle d'une jeune femme. « Seuls les Juifs se préoccupent de la mort des Juifs », l'entendit dire une fois Zander au moment où la vieille femme franchissait la porte avec un pot d'infusion de thym. « Pour les autres, c'est un exercice intellectuel. »

Et le centre de ce réseau d'espions était Léon. « Décris le moment où ils te fouillent », ordonna-t-il à Zander un soir. Léon fit un signe de la tête à Shapiro qui le lui rendit pour montrer qu'il était prêt.

« Nous avons déjà vu ça », dit Zander avec fatigue ; jusqu'à présent, être un espion était ennuyeux.

« Nous voulons y revenir, dit patiemment Léon. S'il te plaît.

— On me prend devant le bureau du Collectif du cinéma, commença Zander, avec le projectionniste et les bobines qu'il montrera dans la soirée. On nous conduit à Blizhni par une route gouvernementale fermée au trafic civil. Il y a deux postes de contrôle, mais les gardes se contentent de regarder nos visages et nous font signe de passer. La limousine franchit une grande porte en bois et s'arrête devant le poste de garde.

— Celui qui a la forme d'un hexagone ? » demanda Léon.

Zander hocha la tête. « On nous amène à l'intérieur. Un garde passe sur nous un détecteur de métaux portable.

— Il vérifie tout, dit Shapiro, lisant les notes d'une séance précédente. L'anus, les aisselles, les poils pubiens.

— Puis un des gardes me palpe. Il vérifie l'intérieur de mon revers de pantalon et continue vers le haut. Il me tâte les couilles. Il enlève tout ce qu'il trouve dans mes poches. Il finit en passant ses doigts dans mes cheveux bien qu'il n'en reste pas beaucoup. »

Shapiro regarda Léon. « Il n'a jamais dit ce qu'ils faisaient du contenu de ses poches.

— Tu as sauté ça la dernière fois, acquiesça Léon. Nous voulons savoir ce qu'ils font des choses qu'ils trouvent dans tes poches.

— Ils les étalent sur une table. Un officier ramasse tout ce qui lui attire l'œil et le tourne entre ses doigts. Puis on me dit de les remettre dans mes poches.

— Quel genre de choses as-tu ? voulut savoir Léon.

— Un mouchoir. De la monnaie en vrac. Un étui à clefs en cuir avec des clefs dedans. Mon portefeuille avec mon passeport intérieur, quelques billets et ma carte de vétéran.

— Quoi d'autre ? le poussa Léon.

— Un stylo-bille. Un petit disque de métal qui permet de savoir quel jour de la semaine tombe n'importe quelle date de ce siècle.

— Tu n'oublies rien ? Réfléchis bien, Zander.

— D'habitude, j'ai quelques bonbons enveloppés de cellophane. Zsuzsa les glisse dans la poche de ma veste. Ma voix devient rauque quand je traduis longtemps. Je suce les bonbons pour me lubrifier la gorge.

— Très bien », dit Léon, quoique Zander ne pût sur sa vie imaginer pourquoi il paraissait si content.

À onze heures, ils firent une pause. Mme Nilovna apporta une théière fumante remplie d'infusion d'orties, qu'elle décrivit en gloussant comme excellente pour les intestins dérangés et les gencives saignantes. Zander fit remarquer par plaisanterie qu'il ne souffrait d'aucun des deux.

« Pas encore, dit Mme Nilovna.

— Ce n'est pas ce qu'on appelle une optimiste », commenta Léon.

Après la pause-infusion d'orties, Zander décrivit son déjeuner au Métropole avec Feldstein et Tuohy deux semaines plus tôt.

« Atticus Tuohy ? » demanda Léon.

Zander hocha soigneusement la tête. « Atticus Tuohy », confirma-t-il.

Léon et Shapiro échangèrent un regard aigu. « Savez-vous comment votre vieil ami Atticus Tuohy gagne sa vie ces temps-ci ? C'est le commissaire chargé de la Réimplantation des minorités. C'est lui qui organise les détails de l'holocauste de Staline », dit Shapiro.

Zander fut durement secoué. « Atticus s'occupe des affaires juives ? » Léon hocha la tête et Zander ferma les yeux un long moment. « Cela signifie que c'est lui qui a décidé du sort de Yitzhak Feldstein.

— Et de centaines – sinon de milliers – d'autres, dit Shapiro.

— Je suggère, remarqua Léon, que nous nous remettions au travail. »

« Ce que nous aimerions savoir, dit plus tard Léon, c'est tout ce que tu peux nous dire sur Staline lui-même. Aucun détail n'est trop infime. Commence au moment où tu poses les yeux sur lui. D'où vient-il ? Qui l'accompagne d'habitude ? À quelle distance de lui t'approches-tu ? Ce genre de choses. »

Shapiro aiguisa son crayon avec un taille-crayon en forme de tracteur miniature et se pencha sur son bloc.

« Le dîner se termine tard, commença Zander. N'importe quand entre onze heures et une heure, ou même deux heures du matin. Beria est toujours là. Khrouchtchev, Molotov, Malenkov, Kaganovitch, Boulganine sont parfois présents. Une fois, son fils Vassili était là – mais il est parti avant le début du film. Valechka, la gouvernante de Staline, a dit au projectionniste qu'il avait été chassé pour avoir trop bu. Staline et ses hôtes arrivent dans la salle de projection par un long couloir, comme un tunnel, qui relie les appartements privés de Staline à l'autre partie de la datcha. Staline nous fait toujours un signe de tête en entrant. Il passe à environ deux longueurs de bras de moi dans l'allée centrale et prend place au premier rang. Pendant l'entracte, il se lève pour se dégourdir les jambes. De temps en temps, il sort par une porte latérale – je suppose qu'il va aux toilettes parce que les autres disparaissent et réapparaissent à l'occasion par cette même porte. »

Shapiro leva les yeux. « Et si vous devez aller aux toilettes ?

— Le projectionniste et moi retournons à l'entrée du poste de garde. Juste à côté, il y a des toilettes dont se servent les gardes.

— Continue, l'encouragea Léon. Tu te débrouilles bien.

— Il n'y a pas grand-chose d'autre à dire. Valechka paraît savoir combien de temps durent les films. Elle apparaît toujours à la fin de la dernière bobine et allume le plafonnier. Elle a un verre de lait chaud sur une soucoupe qu'elle donne à Staline quand il reprend le couloir vers ses appartements privés. Parfois il repart seul, parfois Beria l'accompagne. Le projectionniste remballe ses bobines, et je l'aide à les porter jusqu'à la voiture qui attend pour nous ramener en ville. »

Shapiro souligna deux fois les mots « lait chaud » sur son bloc et le tint de façon que Léon puisse le voir. Celui-ci hocha la tête : « Zander, dis-nous : en plus du lait chaud, qu'apporte Valechka ?

— Il y a toujours une cuiller dans le verre.

— Ma mère avait l'habitude de mettre une cuiller dans un verre avant d'y verser quelque chose de chaud. C'est pour empêcher que le verre se brise, dit Shapiro.

— C'est pour remuer le sucre, le corrigea Zander.

— Quel sucre ? demanda Léon.

— Il y a quelques morceaux de sucre dans la soucoupe. De toute évidence, Staline aime sucrer son lait.

— Combien de morceaux ? Avec ou sans papier ? Quel genre de sucre ?

« — Deux morceaux, je crois. Oui. Deux. Des cubes ordinaires de sucre brun. Sans papier. Du genre qu'on achète par boîtes dans les épiceries. Quand il y a du sucre. »

Quelque précision que Zander lui donne, Léon en voulait toujours plus. Quelle porte empruntait Valechka quand elle rentrait dans la pièce ? La porte latérale qui menait à la cuisine, dit Zander. Où se tenait-elle en attendant la fin du film ? Contre le mur, à côté de la table où les bobines étaient empilées, juste derrière le projectionniste. Tenait-elle le verre de lait à la main ou le posait-elle sur la table ? Elle le posait, se souvint Zander, pour marcher jusqu'à l'interrupteur, qui se trouvait sur le mur du fond de l'autre côté de la pièce. Quand la dernière bobine était finie, elle allumait la lumière, elle retournait prendre le lait et le tendait à Staline au moment où il passait pour retourner dans ses appartements.

La séance suivante prit place cinq jours plus tard parce que Zander avait été convoqué les autres soirs pour traduire des films, deux fois à la datcha de Staline, une fois dans l'appartement moscovite de Malenkov, une fois dans une salle de projection privée au Kremlin, lors d'une fête que présidait Beria.

Léon surprit Zander en suggérant que le moment était venu de les sortir, sa famille et lui, de Russie. « Ce que nous devons savoir, dit-il, c'est qui va partir avec toi.

— Comment partirons-nous ?

— Je te dirai le comment quand tu m'auras dit le qui. »

Zander évoqua ce délicat sujet avec Zsuzsa le lendemain matin. Obéissant aux instructions que Léon lui avait données, il l'emmena dans la salle de bains, verrouilla la porte et ouvrit la douche.

« Tu crois qu'il y a des micros ? demanda Zsuzsa, alarmée.

— Ce n'est qu'une précaution, dit Zander. Je veux te parler de quelque chose d'important. » Et il commença à expliquer en termes généraux que le vieil ami sur qui il était tombé le soir où il ne s'était pas montré chez Ludmilla pour garder les enfants était son demi-frère Léon de New York, qui était maintenant un diplomate israélien. Léon avait des contacts, dit Zander. Il proposait de les faire sortir tous du pays.

« Quitter la Russie ! Où irions-nous ?

— En Israël. Nous y commencerions une nouvelle vie. »

Zsuzsa s'assit lourdement sur le bord de la baignoire. Pendant un long moment, elle ne prononça pas un mot. Son regard se portait de côté et d'autre comme si elle chassait des pensées fugitives. Finalement elle leva les yeux sur Zander. « À quel point est-ce dangereux ?

— Il dit qu'ils ont sorti plusieurs dizaines de personnes du pays dans les dernières années sans que qui que ce soit se fasse prendre.

— Es-tu prêt à partir ?

— Avec toi. Oui.

— Je ne pourrais pas quitter ma mère.

— Nous l'emmènerons avec nous.

— Et Ludmilla ? Et Leonid et les enfants ?

— Tout le monde partira.

— Et Sérafima, Arishka et Appolinaria ?

— Je ne pense pas que Sérafima quittera Pasha. Et je ne crois pas qu'Arishka quittera Sérafima. Mais j'espère qu'Appolinaria viendra, ne serait-ce que pour sortir les poèmes de Ronzha du pays.

— Mon Dieu ! Alors on en est arrivé là », gémit Zsuzsa. Un sourire lugubre lui étira les lèvres. « Si tu es prêt à prendre le risque, je le prendrai avec toi. »

« Il n'est pas question que tu partes sans nous », dit Ludmilla quand Zander aborda le sujet – dans la salle de bains, la douche coulant à pleine force. Elle se tourna vers son mari. « N'est-ce pas Leonid ?

— Et si nous sommes pris ? demanda-t-il, soucieux. Que deviendront les enfants ?

— Que deviendront-ils si nous restons ? » répliqua Ludmilla. Et elle répondit à sa propre question : « Ils deviendront, comme tout le monde dans cet étouffoir intellectuel – des communistes radis. »

Zander ne comprit pas. « Que sont des communistes radis ? » Ludmilla lui lança un de ses sourires malicieux. « Les communistes radis sont rouges dehors et blancs dedans. »

Leonid secoua la tête. « Comment peux-tu plaisanter à un moment pareil ?

— Je ne plaisante pas, dit Ludmilla, soudain sérieuse. Je ne veux pas que mes enfants soient forcés d'être des hypocrites pour rester en vie. Je ne veux pas que tu gardes un sac tout prêt sous ton lit. » L'intensité de ses sentiments faisait trembler sa voix. « Je veux pouvoir te parler de choses importantes sans aller dans la salle de bains ouvrir la douche. Je t'aime tendrement, Leonid. J'aime mes enfants. Je veux que nous soyons tous libres. »

Leonid se tourna vers Zander. « Alors, c'est réglé. Si tu peux arranger les choses, nous émigrerons tous. »

Après avoir vérifié que son nom ne figurait pas sur la liste pour un film dans la soirée du samedi, Zander attrapa un express pour Leningrad le lendemain matin.

« Pourquoi, au nom du ciel, n'as-tu pas téléphoné pour dire que tu venais ? demanda Arishka. Nous aurions organisé un repas de fête.

— Des blinis et de la crème, ajouta Sérafima, avec de la vodka polonaise. » Elle examinait la barbe de Zander en parlant. « Je crois qu'elle me plaît.

— Je veux vous parler », expliqua Zander. Il avait l'air si sérieux que les deux femmes s'attendirent au pire et furent soulagées d'entendre – dans la salle de bains, la douche coulant – que personne n'avait été arrêté. « Avec cette affaire de médecins du Kremlin, presque tous juifs, nous étions malades d'inquiétude pour Leonid, admit Arishka.

— Pourquoi es-tu venu ? demanda Sérafima.

— Nous avons tous décidé de partir – moi, Zsuzsa, sa mère, Ludmilla, Leonid et les enfants.

— Partir ? répéta Sérafima comme si elle ne comprenait pas le mot.

— Quitter la Russie, dit Zander.

— Légalement ou illégalement ? » demanda Arishka. Ses paupières se fermèrent comme si elle essayait de voir Zander de loin.

« Illégalement. Je connais des gens qui peuvent nous faire sortir. Ils l'ont fait auparavant, avec succès. Je suis venu à Leningrad vous demander si vous vouliez venir avec nous. »

Sérafima secoua tristement la tête. « Je n'ai jamais encore dit ceci à haute voix, mais notre révolution a été trahie. Va-t'en si tu peux, cher, cher Zander. Quant à moi, je ne pourrais jamais quitter mon sergent.

— Va-t'en, va-t'en, par n'importe quel moyen, chuchota Arishka avec énergie, mais je ne pourrais pas abandonner Sérafima. Peut-être Appolinaria voudra-t-elle t'accompagner. Il faut penser aux poèmes de Ronzha. »

Sérafima éclata en larmes. Arishka lui passa le bras sur les épaules et la serra contre elle. « Je pleure, dit Sérafima entre deux sanglots, parce que nous ne nous reverrons jamais s'il part.

— Peut-être Staline mourra-t-il, dit Arishka avec espoir. Peut-être les choses changeront-elles. Peut-être que la frontière s'ouvrira et que nous nous retrouverons une fois par an à Helsinki.

— Peut-être que non », fit sombrement Sérafima. Et elle se remit à sangloter.

Ensuite, Sérafima fit des œufs brouillés avec des oignons et ils s'assirent tous trois dans la cuisine pour attendre Appolinaria qui était sortie poster une lettre. « Qu'est-ce qui lui prend si longtemps ? demanda Zander. Il y a une boîte aux lettres au coin de la rue. »

Arishka regarda Sérafima. « Je suppose que nous pouvons le lui dire maintenant qu'il part. » Elle alla ouvrir en grand le robinet de l'évier. « J'apprends vite, dit-elle avec un sourire timide.

Ce qu'écrit Appolinaria, ce sont des lettres anonymes à Staline lui-même au Kremlin. Elle prend le trolley pour les poster dans différents quartiers de la ville.

— Et vous la laissez faire ça ? gémit Zander.

— Il n'y a aucun risque qu'elle se fasse prendre, dit calmement Sérafima. Elle porte des gants pour les écrire afin de ne pas laisser d'empreintes digitales. C'est comme ça que nous le savons – Arishka l'a vue écrire une lettre avec des gants un soir, et tout est sorti.

— Si ça la fait se sentir mieux, intervint Arishka, je ne vois pas où est le mal. »

Appolinaria revint comme ils finissaient de déjeuner, les joues roses de froid, l'air satisfait. « Zander, que fais-tu à Leningrad ? demanda-t-elle en se penchant pour lui poser un baiser sur la joue.

— Qu'est-ce que c'est que cette histoire de lettres au Kremlin ? » chuchota Zander.

Sérafima fit signe à Arishka d'ouvrir à nouveau le robinet. « Nous lui avons dit ce que tu faisais, murmura-t-elle. J'espère que ça ne t'ennuie pas. »

Appolinaria fit quelque chose qu'elle n'avait pas fait en vingt ans – elle rougit. « Je lui écris une fois par semaine, dit-elle à voix basse, et je lui dis combien il est haï. Avec un peu de chance, il lit lui-même les lettres et s'énerve. Peut-être même qu'il aura une crise cardiaque.

— Avec un peu de chance, ils trouveront qui écrit, chuchota Zander. Il faut que tu arrêtes de faire ça.

— Tu exagères, insista Appolinaria. Je prends des précautions – il n'y a aucun moyen de relier ces lettres à moi. Maintenant arrêtons d'en parler et dis-moi pourquoi tu es venu à Leningrad ?

— Il émigre, lui dit Arishka. Il te propose de partir avec lui.

— Et toi et Sérafima ?

— Il n'est pas question que je quitte Pasha, dit Sérafima.

— Il n'est pas question que je quitte Sérafima, dit Arishka.

— Eh bien, il n'est pas question que je quitte aucune de vous deux », dit Appolinaria. Elle regarda autour d'elle d'un air bizarre. « Je ne pourrais jamais vivre ailleurs. C'est en Russie que Ronzha avait ses racines. Et, quelque part, son corps se mêle au sol russe.

— Nous pensions que tu pourrais vouloir partir pour sortir les poèmes du pays, dit Arishka.

— C'est une idée merveilleuse de faire sortir les poèmes. Mais ils peuvent voyager sans moi. » Appolinaria se tourna vers Zander. « Qu'en penses-tu ? Emporteras-tu les poèmes de Ronzha et les feras-tu publier à l'Ouest ?

— Bien sûr que oui, dit à l'instant Zander.

« — Dans ce cas, notre travail nous attend », dit Appolinaria.

Il était deux heures de l'après-midi quand ils commencèrent. Zander s'assit devant une table avec une pile de papier et plusieurs stylos-billes, et commença à écrire de sa minuscule écriture pendant qu'Appolinaria, allant et venant derrière lui, dictait. « Je vais commencer avec un poème dont tu te souviens peut-être, dit-elle. vagabond Ronzha l'a récité à ses premiers auditeurs un soir avant la révolution, au Chien. » Et, penchant la tête et fermant à demi les yeux, elle tira de sa mémoire le poème qui se terminait par :

> *Des fragments de vin rouge*
> *Et un temps de mai ensoleillé —*
> *Et, brisant un fin biscuit,*
> *La blancheur des doigts les plus minces.*

Sérafima apportait pot après pot de thé chaud pour aider Zander à rester éveillé. Appolinaria semblait s'être élevée au-dessus des besoins corporels. Pendant les quatorze heures suivantes, elle flotta ici et là dans la pièce, convoquant les poèmes comme si c'étaient de vieux amis. Elle se sentait un peu triste, admit-elle à un moment, de se séparer d'eux, mais soulagée de les partager à la fin avec le monde. Il était presque quatre heures du matin quand elle cessa d'arpenter la pièce et se tint juste derrière Zander pour lire par-dessus son épaule. « Encore un et nous avons fini », dit-elle d'une voix presque inaudible tant elle était rauque.

« Écoute », murmura-t-elle, utilisant l'expression que Ronzha employait toujours avant de lire son travail. Et, ses lèvres touchant presque la bonne oreille de Zander pour qu'il fût seul à l'entendre, elle récita le poème : *On n'entend que le montagnard du Kremlin, l'assassin, le tueur de paysans*, qui avait coûté la vie à son mari.

« Voilà tout, dit-elle d'une voix enrouée. Je suis vidée. » Elle se détourna et se couvrit les yeux de l'avant-bras.

JOSEPH (commençait la lettre),

NOUS AVONS PLUS EN COMMUN QUE TU NE LE CROIS, TOI AU SOMMET DE TON EVEREST DE CADAVRES, MOI CACHÉE COMME UNE ARAIGNÉE DANS MON TROU DE MUR. NOUS AVONS TOUS DEUX DÎNÉ DE CHAIR HUMAINE ! DANS MON CAS C'ÉTAIT POUR GARDER MON CORPS EN VIE, PARCE QUE SANS MON CORPS MA MÉMOIRE AURAIT CESSÉ D'EXISTER, ET J'AURAIS PERDU LES POÈMES QUI NAGENT DANS MA TÊTE COMME DES VAIRONS DANS UNE MARE.

VOILÀ, AU CAS OÙ ÇA T'INTÉRESSE, COMMENT J'AI MANGÉ DE LA CHAIR HUMAINE : C'EST ARRIVÉ À LENINGRAD DURANT LA GRANDE GUERRE PATRIOTIQUE (TU

TE SOUVIENS DE LA GRANDE GUERRE PATRIOTIQUE, N'EST-CE PAS, JOSEPH ? C'ÉTAIT QUAND DE SIMPLES PAYSANS COPIAIENT LE 99e PSAUME, LE COUSAIENT DANS LA DOUBLURE DE LEURS VÊTEMENTS ET COURAIENT MOURIR POUR STALINE. C'ÉTAIT QUAND CHACUN DANS LE PAYS A POUSSÉ UN SOUPIR DE SOULAGEMENT — ENFIN L'ENNEMI POUVAIT ÊTRE IDENTIFIÉ ET ON POUVAIT SE BATTRE OUVERTEMENT). PENDANT MILLE JOURS, LES ALLEMANDS ONT ASSIÉGÉ NOTRE VILLE. RIEN N'ENTRAIT OU NE SORTAIT, PAS UN TRAIN, PAS UN CAMION, PAS UNE CHARRETTE DE PAYSAN. PENDANT L'HIVER NOUS SOUFFRIONS DU TYPHUS, PENDANT L'ÉTÉ DE LA DYSENTERIE. IL N'Y AVAIT PAS UNE JOURNÉE, PAS UNE HEURE OÙ N'EXPLOSAIENT LES BOMBES OU LES OBUS ALLEMANDS, OÙ LES MINES RETARD NE SAUTAIENT PAS. DES FILES INTERMINABLES DE GARÇONS IMBERBES AVEC DES CASQUETTES GRISES, DES MANTEAUX D'HIVER ROULÉS ET ACCROCHÉS DANS LE DOS SE FRAYAIENT UN CHEMIN DANS LES DÉCOMBRES VERS LES TRANCHÉES DES FAUBOURGS. LES PILLARDS ÉTAIENT FUSILLÉS AU COIN DES RUES. LE PEU DE PAIN QU'ON DISTRIBUAIT CONTENAIT DEUX TIERS DE SCIURE DE BOIS. OH, JOSEPH, NOUS SAVIONS AU FOND DE NOTRE CŒUR QUE LES ALLEMANDS N'ALLAIENT PAS GAGNER, PARCE QUE LEUR BUT ULTIME N'ÉTAIT PAS DE VAINCRE MAIS D'ANÉANTIR : S'ILS AVAIENT VOULU GAGNER LA GUERRE, ILS N'AURAIENT PAS SYSTÉMATIQUEMENT DÉTRUIT LES RESSOURCES HUMAINES ET INTELLECTUELLES QU'ILS AURAIENT PU MOBILISER, D'UN CLAQUEMENT DE DOIGTS, POUR LIBÉRER LA MÈRE RUSSIE DE TOI, JOSEPH. DE TOI. MAIS C'EST UNE AUTRE HISTOIRE. (OU BIEN NON ?)

DE TOUTE FAÇON, LA SITUATION À LENINGRAD ÉTAIT DÉSESPÉRÉE. LE MOMENT LE PLUS DUR FUT PENDANT L'HIVER 41-42. ON DIT MAINTENANT QUE 300 000 PERSONNES SONT MORTES DE FAIM PENDANT CES MOIS DE CAUCHEMAR. JE VIVAIS MOI-MÊME DANS LE SOUS-SOL D'UN IMMEUBLE QUI AVAIT REÇU UN OBUS DE PLEIN FOUET. IL Y AVAIT UNE ENTRÉE EN FORME DE TUNNEL PARMI LES GRAVATS, AVEC UNE COUVERTURE TENDUE EN TRAVERS POUR ARRÊTER LE FROID EN HIVER ET LES MOUCHES EN ÉTÉ. IL Y AVAIT DEUX FEMMES AVEC MOI, S. ET A. ÉTANT GROSSE, S. SOUFFRAIT DAVANTAGE DE LA FAIM, MAIS AVAIT PLUS DE PROTÉINES NOURRISSANTES STOCKÉES DANS SON CORPS, DONC PLUS D'ÉNERGIE. C'ÉTAIT ELLE QUI CHERCHAIT QUELQUE CHOSE À MANGER QUAND NOUS ÉTIONS TROP FAIBLES POUR BOUGER. PENDANT NEUF JOURS ELLE ÉTAIT REVENUE BREDOUILLE ET NOUS PENSIONS QUE LA FIN ÉTAIT TOUTE PROCHE. LE 10e JOUR, S. S'EST TRAÎNÉE DANS LE TUNNEL ET EST SORTIE DANS LA RUE ESSAYER UNE DERNIÈRE FOIS. UN PIGEON MORT, LA CARCASSE POURRIE D'UN CHAT, UN RAT INFESTÉ D'ASTICOTS AURAIENT ÉTÉ CONSIDÉRÉS COMME UN FESTIN.

S. REVINT À LA FIN DE LA JOURNÉE PORTANT QUELQUE CHOSE DE LONG ENVELOPPÉ DANS UN VIEUX JOURNAL. ELLE LE POSA DOUCEMENT SUR UNE TABLE, NOUS NOUS SOMMES APPROCHÉES, A. ET MOI, ET L'AVONS REGARDÉE ENLEVER LE PAPIER, PUIS DES PANSEMENTS SALES, POUR RÉVÉLER (ALORS QUE J'ÉCRIS CECI LA NAUSÉE ME MONTE À LA GORGE) UNE JAMBE HUMAINE. ELLE L'AVAIT RÉCUPÉRÉE DANS UNE POUBELLE DERRIÈRE UN HÔPITAL. ELLE AVAIT ÉTÉ AMPUTÉE ENTRE LE GENOU ET LA HANCHE ET AVAIT GELÉ DANS LE FROID. NOUS N'AVIONS QU'À LA DÉGELER MORCEAU PAR MORCEAU, DIT S., ET LA MANGER. SI NOUS ÉTIONS ÉCONOMES, CELA NOUS GAR-

DERAIT EN VIE PENDANT L'HIVER. AVEC LE PRINTEMPS IL Y AURAIT UN PONT AÉRIEN ET DU PAIN.

S. TRANCHA UN MORCEAU DE LA CUISSE AVEC UNE HACHE QUE NOUS AVIONS ET LA SERRA ENTRE SES PROPRES CUISSES POUR LA DÉGELER. NOUS AVONS AIGUISÉ UN DE NOS COUTEAUX DE CUISINE SUR UN CUIR DE BARBIER ET A. FIT QUELQUES INCISIONS SUR LA PEAU, ENLEVANT DE PETITS CARRÉS, ET PUIS NOUS NOUS SOMMES ASSISES TOUTES LES TROIS, FAISANT TRAVAILLER NOS MOLAIRES SUR LA CHAIR D'UN DES VINGT MILLIONS DE NOS FRÈRES ET SŒURS QUI (EN SUPPOSANT QUE L'AMPUTATION AIT ÉTÉ FATALE) PÉRIRENT DANS LA GUERRE QUE NOUS AVONS MENÉE POUR TOI, JOSEPH.

ALORS, COMMENT ME SENTAIS-JE, EN TRAIN DE MANGER DE LA CHAIR HUMAINE ? JE ME SENTAIS (POUR DIRE L'AFFREUSE VÉRITÉ) ENGAGÉE DANS UN RITE RELIGIEUX, PAS SANS RESSEMBLANCE AVEC L'EUCHARISTIE. JE ME RAPPELLE AVOIR BRISÉ UN FIN BISCUIT DE CHAIR ENTRE MES DENTS EN PENSANT À TOI, JOSEPH. TOI QUI AS PASSÉ DES ANNÉES AU SÉMINAIRE, TU AS DÛ CONSACRER LA SAINTE COMMUNION AVEC DES FRAGMENTS DE VIN ROUGE ET UN FIN BISCUIT DES CENTAINES DE FOIS. TU ÉTAIS AVEC NOUS, JOSEPH, COMME UN FANTÔME IMPIE, PENDANT LE RITUEL.

ET TOI, JOSEPH — COMMENT TE SENS-*TU*, AU SOMMET DE TON EVEREST DE CADAVRES, GRIGNOTANT LA CHAIR DE TES SERVITEURS ? PARLONS-NOUS DE PROTÉINES QUAND TU APPORTES LE MINCE BISCUIT DE CHAIR À TES MOLAIRES ? QUE NOURRIS-TU AU JUSTE EN DÉVORANT SANS CESSE TON PEUPLE ? TES ANNÉES AU SÉMINAIRE T'ONTELLES DONNÉ LE GOÛT DU VIN ET DES BISCUITS ? DE LA CÉLÉBRATION RITUELLE DE LA MORT ? DE LA SAINTE COMMUNION DU COMMUNISME ?

ES-TU, CHER JOSEPH, COMPLÈTEMENT DÉMENT ?

C'EST LA SEULE EXPLICATION QUI ME FRAPPE COMME N'ÉTANT PAS TOTALEMENT INSENSÉE.

DORS BIEN SI TU LE PEUX, JOSEPH.

La lettre, comme les autres auparavant, était signée : MÈRE RUSSIE.

« Êtes-vous là, Joseph Vissarionovitch ? M'entendez-vous ? »

Beria était à l'évidence dans tous ses états. Ses mots débordaient. « Le montagnard du Kremlin » et « assassin, tueur de paysans » viennent d'un poème de feu Ronzha, qui est mort pendant un interrogatoire dans les années trente. Sa veuve, nommée Appolinaria, lui a survécu et partage un appartement à Leningrad avec une femme dont le prénom commence par A et une autre dont le prénom commence par S. Celle-ci est grosse et a un concubin confiné dans un fauteuil roulant du Coucher de Soleil rouge acheté il y a cinq mois. »

Staline eut un grognement de satisfaction qui venait du fond de la gorge, mais cela ne sembla qu'aiguillonner Beria. « Je vous le dis, les pièces s'ajustent. Le puzzle est résolu. La partie est terminée. Les trois femmes, la veuve de Ronzha, S. et A. étaient ensemble à Leningrad pendant la Grande Guerre patriotique. L'expression "fragments de vin rouge" dans la dernière lettre vient d'un autre poème de feu Ronzha. La femme Appolinaria a dû mémoriser tout ce qu'il a écrit. C'est ce qu'elle entend quand elle dit qu'elle aurait perdu les poèmes qui nagent dans sa tête comme des vairons si elle avait perdu sa mémoire. »

Beria inspira de l'air comme s'il venait de faire surface après une longue plongée.

Staline resta silencieux un moment, puis dit : « Je savais qu'il y en avait un quelque part dehors.

— Un quoi ?

— Un traître. Un saboteur. Un qui veut ma mort.

— Elle ne restera pas dehors longtemps, jura Beria. Nous allons envoyer des gens cette nuit pour la supprimer. Ses amies aussi. Ce sera comme si elles n'avaient jamais existé. »

Staline s'anima ; une de ses paupières tressauta. « Je ne veux pas qu'on lui fasse de mal. C'est une voyante. Elle voit dans le futur aussi bien que dans le passé. Et elle n'a pas peur de dire exactement ce qu'elle pense. Amenez-la-moi, je lui parlerai. Je l'installerai dans un appartement au Kremlin et je la consulterai régulièrement. »

Beria repoussa la femme qui tripotait les boutons de sa braguette et mit sa main en coupe autour de l'écouteur. « Vous voulez que je l'amène au Kremlin ? Vivante ?

— Bien sûr, vivante, chuinta de nouveau Staline. Comment pourrais-je lui parler autrement ? »

Beria raccrocha. La deuxième femme de son bureau se glissa derrière lui et se mit à lui fourrer le bout de la langue dans l'oreille. Il le remarqua à peine. « Il la veut vivante, murmura-t-il. Le monde devient fou. »

CHAPITRE VI

Léon était nerveux. Plus tôt dans la semaine, des extrémistes juifs avaient lancé une bombe sur la légation soviétique à Tel-Aviv. Trois jours après, Moscou se servit de l'attentat comme prétexte pour rompre les relations diplomatiques avec Israël et ordonner aux diplomates israéliens de quitter le pays. Shapiro et lui partiraient avec l'ambassadeur dans la nuit.

« Nos amis Juifs russes prendront la suite. » Léon rassura Zander, que la perspective de son départ soudain perturbait beaucoup. « Je te promets qu'ils feront tout ce qui est au monde pour te faire sortir, toi et ta famille. »

Zander eut un rire sarcastique. « Ça t'est facile de dire ça. Tu pars avec un passeport diplomatique. » Il leva les mains. « Je suis désolé, je ne voulais pas dire ça. Je dois être nerveux. »

Léon hocha la tête. « Rien n'est facile à dire pour moi. Simplement je me contrôle mieux que la plupart des gens. » Il grogna dans la direction de Shapiro, qui rassembla discrètement ses notes et se glissa hors de la pièce. « Écoute, Zander, j'ai horreur de partir, mais je n'aurais pas pu faire grand-chose de plus pour toi, même si je restais ici. Un dernier conseil – quand viendra le moment d'agir, ne tombe pas dans le piège qui consiste à trop réfléchir. » Il posa un regard dur sur Zander qui hocha la tête. « Allons-y, dit Léon. Quand Ludmilla, Leonid et les enfants partent-ils vers le sud ?

— Ils prennent le train pour Sotchi demain.

— Ils ont mémorisé les informations que tu leur as données ? »

Zander fit signe que oui. « Ils s'installeront dans la maison de vacances et se conduiront normalement jusqu'à ce qu'ils aient des nouvelles de leur tante Nilovna – elle dira quelque chose à propos du temps insupportable qu'il fait à Moscou. Puis ils appelleront le numéro que tu m'as donné. Ne portant que les vêtements qu'ils auront sur le dos, ils iront au rendez-vous avec ton homme. Il les fera passer sur un cargo italien déchargeant dans la baie. » D'une voix angoissée, Zander demanda : « Tu es sûr que ça va marcher ? Je me tuerai si j'apprends en arrivant au Pirée qu'ils ont été faits prisonniers.

— Rien n'est sûr à cent pour cent, dit Léon. Mais la route de Sotchi est ce qui s'en rapproche le plus. Le cargo a une pièce spéciale, insonorisée, bâtie dans une des cales. Les autorités du port pourraient soupçonner qu'une famille émigre illégalement et, à moins de mettre le navire en cale sèche et le désosser, ne rien trouver. »

Zander parut rassuré. « Zsuzsa et sa mère prennent le train de Leningrad demain. Elles iront directement à l'adresse que tu as fournie.

— Une fois de plus, dit Léon, le chemin de fuite est aussi proche que possible de la perfection. Elles seront étendues sur des matelas dans un double fond au-dessus des roues arrière d'un camion suédois. Il arrive rempli de produits suédois et retourne chargé au maximum de produits russes. Les douaniers devraient décharger le camion entier pour atteindre le compartiment secret. Une fois que ta femme et ta belle-mère seront en Finlande, elles rejoindront le chauffeur dans la cabine. Nous avons de faux passeports pour elles, elles n'auront qu'à franchir la frontière suédoise, se reposer un jour ou plus suivant l'état de la vieille dame, et prendre le train pour le sud de l'Italie, puis le bateau pour Israël. Nos gens les accompagneront tout du long.

— Il reste moi », remarqua Zander.

Léon eut un faible sourire. « Tu seras ramené à Moscou par la limousine qui t'a pris à la datcha. Si tu es parvenu à faire l'échange, et seulement dans ce cas, tu téléphoneras à Mᵐᵉ Nilovna.

— Je place dans la conversation la phrase de Tocqueville : "Dans une révolution, comme dans un roman, la partie la plus difficile à inventer est la fin."

— Notre voiture te ramassera à l'endroit habituel vingt minutes après que tu auras fait ton appel. Tu partiras dans la malle d'un diplomate grec qui ramène ses biens chez lui après avoir quitté son poste. Le camion sera grec, le chauffeur un Juif grec voyageant avec un passeport diplomatique. Les caisses et les malles dans le camion porteront des sceaux diplomatiques que les douaniers n'ont pas le droit de briser. Ce sera un long voyage pour toi, Zander – au moins quarante heures, peut-être quarante-huit. On ne te sortira pas de la malle avant que tu aies atteint notre entrepôt du Pirée.

— Et si les douaniers ont des chiens dressés à détecter les humains ?

— Nous avons pensé à ça. La malle est doublée d'une fine feuille de plomb. Quand vous arriverez aux points de contrôle, le chauffeur

482

te le signalera en tapant sur la caisse avec une perche. Tu fermeras les orifices d'aération. Il y a assez d'air dans la malle pour que tu puisses respirer plusieurs heures.

— Il fera chaud là-dedans, non ?

— Très chaud. Tu ne porteras que ton caleçon. Tu auras des bouteilles d'eau et aussi des sacs pour vomir ou pisser. »

Plus tard, à la porte, Léon tendit à Zander la boîte de bonbons enveloppée de papier cadeau. « Je ne te donne ceci que parce que tu as insisté.

— Si quelque chose tourne mal, je veux pouvoir m'en sortir. Je refuse de finir dans une salle d'interrogatoire. Y a-t-il un silencieux ?

— Je ne vois pas ce que ça changera, mais il y a un silencieux. Deux chargeurs de sept balles. Tu le rendras à nos gens qui te sortiront de la malle au Pirée. À partir de là, tu voyageras comme touriste américain. Je ne veux pas que les Grecs t'arrêtent pour port d'arme. »

Léon passa le bras autour des épaules de Zander et l'accompagna jusqu'à la porte de service de l'appartement. « La prochaine fois que nous nous rencontrerons, dit-il à mi-voix, ce sera, si Dieu le veut, en Israël. Et le monde sera plus sûr pour les Juifs. » Léon fit passer son poids d'une jambe sur l'autre. « Tu ne m'en veux pas de t'avoir utilisé ? »

Zander regarda ses chaussures, puis releva les yeux. Il se rappelait une fois de plus cette dernière entrevue sur le pont de Brooklyn. « Je considère ça comme une marque d'affection. »

Léon reconnut l'expression et rit doucement. « Je te l'ai dit alors, je te le redis maintenant : Dieu te bénisse, Zander. Je t'aime du fond du cœur.

— Je t'aime aussi, Léon. À bientôt en Terre sainte. »

Appolinaria avait immédiatement remarqué la différence. Elle n'avait pas plus tôt vidé sa tête des poèmes quelle se mit à les perdre. Au début, seul un mot ici ou là lui échappait. Maintenant, c'étaient des passages entiers dont elle ne pouvait se souvenir, si fort qu'elle essayât.

En un sens, ce n'était que naturel. Elle était le dépôt vivant des poèmes depuis le jour où Zander et elle avaient brûlé les originaux seize ans auparavant. Maintenant qu'ils existaient de nouveau sur papier, l'hémisphère de son cerveau qui avait la charge de préserver les quelque trois cents poèmes de Ronzha se détendait. Peut-être, juste peut-être, les choses étaient-elles prévues ainsi, pensa-t-elle. Elle avait porté le fardeau et l'avait transmis, il était temps pour elle de se reposer, même si le repos était désagréablement proche de la mort.

Le son d'une portière d'automobile claquée quelque part au-dehors traversa les fenêtres à double vitrage. Qui pouvait rentrer chez soi à cette heure fin février ? Et en auto ? Appolinaria se glissa hors de son édredon, enfila ses pieds encore en chaussettes dans les mules de feutre posées près du lit, et s'approcha de la fenêtre. Elle écarta les lamelles du store entre deux doigts. En dessous, il n'y avait pas qu'une seule auto mais une douzaine, avec deux paniers à salade aux vitres grillagées. Un grand nombre d'hommes en manteau d'hiver et feutre prenaient position de part et d'autre de la rue. Appolinaria pencha la tête pour voir le carrefour. Un car de police s'était arrêté en diagonale pour bloquer la rue, et des miliciens en uniforme, fusil à la hanche, formaient un cordon.

Les autorités avaient évidemment découvert le lieu où se trouvait un important criminel d'État et l'encerclaient. Un groupe d'hommes se détacha de la masse de policiers en civil groupés sous sa fenêtre et se dirigea directement vers l'entrée de l'immeuble. Plusieurs d'entre eux semblaient avoir un pistolet à la main. Appolinaria pensa réveiller Arishka, endormie de l'autre côté de la couverture qui coupait la pièce en deux, mais décida de ne pas le faire. La pauvre chérie travaillait dur et avait besoin de chaque minute de sommeil qu'elle pouvait prendre. Appolinaria se glissa plutôt jusqu'à la porte et l'entrouvrit. Elle entendit dans les entrailles de l'immeuble des gens monter lourdement l'escalier. Les pas devinrent plus forts.

Elle saisit soudain l'identité du criminel d'État.

Les poèmes en sûreté hors de sa tête, sur papier, elle n'avait plus aucune raison de temporiser. Elle verrouilla la porte de sa chambre, sortit la clef de la serrure et la mit dans la poche de son peignoir. Elle revint à son lit et chercha à tâtons sur l'étagère au-dessus de la bassine où elle trempait parfois les pieds quand ils étaient gonflés. Elle la trouva dans le noir et la posa sur ses genoux. La lame de rasoir y serait. Elle l'y avait mise le jour où elle avait écrit à Staline sa première lettre d'amour. Elle roula ses manches, découvrant ses poignets. Elle distinguait la blancheur de sa peau dans les ténèbres. Elle chercha une veine avec deux doigts, la trouva, et la trancha d'un geste vif. Elle sentit une brûlure, puis une tiédeur qui se répandait. Elle ouvrit la veine de son autre poignet et tint ses deux mains au-dessus de la bassine toujours dans son giron, pour éviter de faire des saletés qu'Arishka et Sérafima devraient nettoyer.

Un poing assena des coups sur la porte d'entrée. Elle entendit Sérafima crier : « Du calme, j'arrive. »

Une armée entra à pas lourds dans le salon. Quelqu'un frappa violemment à la porte de la chambre. Arishka cria d'effroi. Un instant plus tard, elle était à la porte. « Je ne trouve pas la clef, cria-t-elle. Attendez que j'allume. »

Elle alluma l'ampoule qui pendait au plafond, contourna la couverture qui coupait la pièce, vit Appolinaria tendant ses deux poignets sanglants au-dessus de la cuvette et hoqueta.

« Ce sont les lettres que j'ai écrites, murmura faiblement Appolinaria. Pour l'amour de Dieu, aide-moi à mourir. »

« Avez-vous la clef ? demanda une voix.

— Je la cherche », dit tout doucement Arishka. Puis elle hurla : « Je la cherche ! » Elle se pencha sur Appolinaria et lui embrassa le front.

« Elle essaie de gagner du temps, dit une voix.

— Reculez », cria quelqu'un d'autre.

Des haches firent éclater le panneau. Dans son lit, Appolinaria oscillait, prise de vertiges. Arishka lui mit un bras autour des épaules pour la soutenir. Appolinaria reposa ses poignets dans le contenu gluant de la cuvette, s'appuya aux oreillers et tenta de se rappeler quelques vers d'un des poèmes de Ronzha qui lui échappaient un peu plus tôt. *La pièce entière est envahie...* C'était ça. La pièce entière est envahie.

Quelque part, aussi loin que dans une autre vie, une porte sortit de ses gonds. Les lèvres d'Appolinaria articulèrent en silence les vers qui venaient à l'hémisphère mourant de son cerveau.

Des fragments de vin rouge
Et un temps de mai ensoleillé —
Et, brisant un fin biscuit,
La blancheur...

Deux nuits de suite, Zander n'était pas arrivé à faire l'échange. Le jeudi soir, il avait traduit une partie de *Le Grand Ziegfeld* et avait faiblement entendu Staline chantonner *A Pretty Girl Is Like a Melody*. Le film avait été arrêté et un autre, appelé *Brother Orchid*, projeté à sa place après que Khrouchtchev eut suggéré, pendant un changement de bobine, que Ziegfeld était un nom qui sonnait juif. Le vendredi, Zander avait traduit *Ninotchka* avec Greta Garbo et Melvyn Douglas et un second film, *Dead Reckoning*, avec Humphrey Bogart et Lizabeth Scott. Il aurait pu faire l'échange les deux soirs. Selon les instructions de Léon, il avait apporté un cube ou deux de sucre enveloppés dans du papier, avec ses bonbons pour la gorge, pendant une semaine. « C'est pour me donner de l'énergie pour le troisième film », avait-il plaisanté quand l'officier de la garde avait remarqué le sucre sur la table. Le jeudi, Zander avait commencé à transporter le morceau de sucre que Léon lui avait donné lors de leur dernière rencontre. Alors que le film finissait, Valechka avait placé le lait chaud sur la table derrière le projectionniste, et était allée se poster de l'autre côté de la pièce pour être prête à allumer la lumière. Zander avait reculé d'un pas. Le projectionniste, une ombre de l'autre côté de sa machine, était plongé dans le film. La musique s'était enflée. Zander avait jeté un coup d'œil sur le lait chaud – sa blancheur brillait dans le noir – et sur la soucoupe avec les deux morceaux de sucre. Il avait touché celui qui se trouvait dans sa poche, écartant le papier. Ça aurait été un jeu d'enfant de remplacer un des sucres par celui de Léon.

Ludmilla était à Sotchi avec sa famille, attendant le coup de téléphone de Tante Nilovna. Zsuzsa et sa mère étaient avec l'homme de Léon à Leningrad. Tout était en place, y compris Zander, à portée de bras du verre de lait que Staline boirait avant de disparaître pour la nuit dans une de ses six chambres et d'en verrouiller la porte blindée à double tour.

Et pourtant il n'avait pas agi. Ce que Léon lui avait dit à propos de trop de réflexion était vrai, bien sûr. Ce à quoi il réfléchissait, c'était l'incroyable responsabilité qu'on prenait quand on visait à changer le cours de l'Histoire. C'était une chose de se joindre à des dizaines de milliers d'autres personnes pour faire une révolution. Mais agir de son côté – commettre un meurtre – c'était différent. Et si Staline ne mourait pas et se servait de la *vraie* tentative contre sa vie pour s'en prendre encore plus durement aux Juifs ? Et si le régime qui venait après lui était pire ? Ses héritiers se bousculeraient peut-être pour prouver combien ils étaient staliniens. Dans son esprit, Zander voyait des hommes, des femmes et des enfants innocents arrachés de leurs appartements partout en Union soviétique par des staliniens fidèles qui révéraient le sol où avait marché le Grand Timonier.

Le samedi, le dernier jour de février, Zander hantait les pièces vides de son appartement, des pensées contradictoires tourbillonnant dans son cerveau. Il appela ses voix – celle de Lili, de l'homme qui lui avait fait un faux passeport à New York, ou de son frère Abner – mais les messages du passé étaient confus. Il prit la boîte de bonbons sous le lit, défit le papier cadeau et envisagea d'employer l'arme contre lui-même, mais ce n'était pas non plus une solution ; le fait qu'il ait pu mettre la main sur un pistolet éveillerait les soupçons. Sa famille, ses amis, seraient interrogés. Le complot contre Staline pourrait être découvert. Les sionistes seraient accusés. Les Juifs souffriraient une fois de plus. Le pogrom que Zander avait essayé d'éviter serait lancé avec encore plus d'enthousiasme.

Au milieu de la matinée, Zander fut appelé au téléphone dans le couloir par un de ses voisins. C'était le Collectif du cinéma. Il devait travailler ce soir. La voiture viendrait le chercher à l'heure habituelle. La projection commencerait un peu après minuit.

Zander raccrocha. La sonnerie retentit à nouveau, comme si l'arrêt de la communication l'avait activée. Il attendit la deuxième sonnerie et décrocha.

« Je voudrais parler, s'il vous plaît, à quelqu'un du nom de Til, dit une voix de femme.

— Til à l'appareil.

— Alexander Til ?

— Je suis Alexander Til. »

La femme s'éclaircit nerveusement la gorge. Sa voix paraissait étouffée ; il vint à l'esprit de Zander qu'elle devait tenir un mouchoir sur le micro. « J'appelle de Leningrad. Vous ne me connaissez pas, mais j'étais l'amie d'une amie. »

Zander commença à mentionner un nom, mais la femme le coupa. « Il vaudrait peut-être mieux ne pas être trop précis. La femme qui était une de vos amies passait beaucoup de temps à pousser quelqu'un dans un fauteuil roulant, si vous voyez qui je veux dire.

— Je comprends, dit Zander. Elle est malade ? »

Il entendit des pièces tomber dans la fente. « Je pense qu'on pourrait dire ça. Une fois, elle m'a laissé votre nom et votre numéro de téléphone et a dit que si quelque chose lui arrivait, ou aux gens avec qui elle vivait, il fallait que je lui rende le service de vous le raconter. Je l'aimais beaucoup, vous voyez, alors je rends le service. Ils ont tous été arrêtés la nuit dernière. J'ai tout vu de ma fenêtre. Des dizaines et des dizaines de miliciens sont entrés dans l'immeuble. Il y en avait tellement qu'on aurait cru qu'ils allaient arrêter Adolf Hitler. L'homme dans le fauteuil roulant a été poussé dehors le premier. Il divaguait à propos de quelque chose, mais ils l'ont chargé dans un camion, ont claqué la porte, et on n'a plus entendu sa voix. La grosse femme qui était mon amie est sortie ensuite. Elle était menottée à une autre femme. Elles pleuraient hystériquement toutes les deux. » D'autres pièces furent poussées dans la fente, à l'autre bout de la ligne. « Vous êtes toujours là ? Quelqu'un a été emmené sur une civière. La tête était cachée par une couverture, alors qui que ce fût devait être mort. Mon chef de bloc m'a dit ce matin que la morte s'était ouvert les veines – on l'avait prise à écrire des lettres de menace à quelqu'un de la superstructure. C'est tout ce que je sais. Il faut que je parte maintenant. Pensez-vous que vous pouvez faire quelque chose pour les aider ? »

Zander avait du mal à respirer ; du mal à parler. « Je pense que oui, parvint-il à dire.

— Alors, pour l'amour du ciel, faites-le », lâcha la femme.

Zander entendit le déclic qui coupait la ligne. Il continua à tenir le combiné, espérant qu'il reviendrait à la vie. Finalement, il le reposa sur la fourche. Ses jambes étaient molles et il dut faire un effort pour ne pas tomber. Des vers lui vinrent d'un brouillard de douleur.

Nous vivons, sourds à la terre que nous foulons,
Nul ne perçoit nos discours à dix pas...

Ce soir-là, le dîner entre hommes de Staline dura plus longtemps que d'habitude et le film ne commença pas avant une heure moins le quart du matin. Le premier était le film épique d'avant-guerre, *Aerograd*, d'Alexander Dovjenko, sur la construction d'une base aérienne militaire dans les espaces sauvages de la Sibérie. Zander, n'ayant pas à traduire, resta disponible dans le poste de garde à côté de l'entrée principale. Il y avait des magazines empilés sur une table basse et du café sur un réchaud électrique, mais il n'y toucha pas ; il resta seul dans la pièce, assis sur une chaise de bois à haut dossier, réfléchissant furieusement, à Appolinaria, Arishka, Sérafima et Pasha, à Zsuzsa et à sa mère, à Ludmilla, Leonid et aux enfants, à Feldstein et Tuohy, à Léon, à Lili. Le moment était finalement venu de réparer ses torts.

Un garde avec un large visage paysan passa la tête dans la pièce et lui dit que Staline avait décidé de visionner un second film. Malenkov et Boulganine voulaient un film russe, Khrouchtchev et Beria un américain. Staline avait regardé le programme ronéotypé qui accompagnait les bobines et s'était décidé pour le film américain.

« Til est ici, dit Khrouchtchev dès qu'il entra dans la salle de projection. Que quelqu'un éteigne ces lumières.

— J'ai envie de pisser », dit Staline. Il se dirigea vers la porte latérale et disparut. Le regardant partir, d'autres vers passèrent dans l'esprit de Zander :

On n'entend que le montagnard du Kremlin,
L'assassin, le tueur de paysans...

Khrouchtchev bavardait à mi-voix avec Beria. Malenkov tira des papiers de sa poche de poitrine et se mit à les lire. Boulganine ferma les yeux et sommeilla. Quand Staline revint, dix minutes plus tard, Malenkov tapota un de ses papiers.

« Eisenhower tâte le terrain pour que vous veniez à Washington participer à une conférence au sommet.

— Pensez aux films américains que nous pourrions voir là-bas », dit Beria.

Staline, qui portait une tunique bien repassée de généralissime et un pantalon militaire gansé enfoncé dans ses bottes cirées à la salive, s'installa sur son siège. « Le grand prince Vladimir a une fois reçu la visite d'un cardinal qui arrivait de Rome dans un palanquin doré porté par des serviteurs. Vous connaissez l'histoire ? Le cardinal a invité Vladimir à visiter Rome. Vladimir lui a répondu : "Apportez Rome ici." Si Eisenhower veut me voir, apportez Washington ici ! »

Ses doigts sont gras comme des larves
Et les mots, lourds comme du plomb, tombent de ses lèvres…

Il y eut un éclat de rire des compères de Staline. Chuintant de plaisir, Staline adressa un geste mou à Valechka, qui se précipita sur l'interrupteur.

Dans la pénombre, le générique de *Monte là-dessus* de Harold Lloyd passa sur l'écran. Zander commença à traduire l'histoire de l'employé de bureau qui, pour impressionner sa petite amie, propose d'escalader un gratte-ciel. On entendait Boulganine ronfler dans son fauteuil. Ici et là, Staline chuintait d'amusement.

Ses moustaches de cafard rient
Et la tige de ses bottes brille…

Vers la fin, alors que Lloyd était suspendu dans une position précaire à l'aiguille des minutes d'une gigantesque horloge vingt étages au-dessus de la rue, même Boulganine regardait. Valechka, qui avait quitté la pièce au début du film, se glissa par la porte. Zander vit qu'elle portait la soucoupe et le verre de lait. Il toucha le sucre dans sa poche, enleva le papier qui l'enveloppait. « The End » apparut sur l'écran. Valechka posa le lait sur la table et alla allumer. Zander tendit le bras, échangea les morceaux de sucre et laissa tomber dans sa poche celui qu'il avait pris sur la soucoupe juste au moment où le plafonnier illumina la pièce.

Staline était déjà sur ses pieds. Zander l'entendit dire à Malenkov : « De toute façon, pourquoi voudrais-je parler avec Eisenhower ? » Il eut un rire madré. « Les paysans ont un dicton. Quand un loup attaque, on n'essaie pas de l'apprivoiser. On le tue. » Il remonta l'allée. Avec un vague signe de tête pour Zander et le projectionniste, il prit son verre de lait et disparut par la porte qui menait à ses quartiers privés.

Pour Zander, c'était un travail à finir. Il était revenu chez lui à cinq heures trente du matin et s'était immédiatement servi du téléphone du hall pour appeler Mme Nilovna. « Je suis rentré à la maison, lui dit-il. J'appelle pour que vous ne vous inquiétiez pas. Je lisais Tocqueville dans le train et je suis tombé sur une phrase qui devrait vous plaire : "Dans une révolution, comme dans un roman, la partie la plus difficile à inventer est la fin." »

Mme Nilovna laissa l'air sortir de ses poumons en un long « Ahhhh ». Il lui fallut un moment ou deux pour reprendre son calme. « C'est gentil de votre part de me la transmettre. Je la copierai dans mon carnet de notes dès que j'aurai raccroché. Je la répéterai à tous mes amis avant la fin de la matinée. »

Avec des gestes qui lui paraissaient presque préétablis, Zander rasa sa barbe. Pour la deuxième fois de sa vie, il eut la sensation curieuse de fixer son propre visage dans un miroir et de le reconnaître à peine ; une fois encore, la barbe avait fait son œuvre. Il prit la chemise en carton qui contenait tous les poèmes qu'Appolinaria lui avait dictés, la boîte de bonbons dans son papier cadeau et les deux petits portraits de Lili faits pendant son séjour à Paris – l'un, pensait-il maintenant, était de Picasso, l'autre de Modigliani – et sortit de l'appartement aussi silencieusement qu'il le put.

La Zil du gouvernement conduite par le jeune homme qui rêvait de cultiver des iris l'attendait au coin de la rue. « Où allons-nous ? demanda Zander en se glissant sur le siège arrière.

— On m'a ordonné de vous emmener jusqu'à un entrepôt dans les faubourgs nord de la ville », répondit le chauffeur par-dessus son épaule. Il jeta un coup d'œil à Zander dans le rétroviseur. « C'est vrai, alors ? murmura-t-il avec beaucoup d'émotion.

— Qu'est-ce qui est vrai ? »

Mais le conducteur fit juste un sourire tordu.

Comme la voiture tournait sur le boulevard circulaire intérieur, Zander se pencha en avant. « Il faut que je m'arrête un instant, dit-il, et il donna une adresse au chauffeur.

— Les gens pour qui je travaille n'ont rien dit d'un détour.

— Je n'en aurai que pour deux ou trois minutes. Je veux déposer une boîte de bonbons.

— Je ne sais pas.

— Croyez-moi, dit Zander, c'est essentiel ou je ne vous le demanderai pas. »

Le chauffeur s'arrêta dans une rue à côté de l'adresse que Zander lui avait donnée. « Seulement une minute ou deux, lui rappela-t-il anxieusement. Des gens attendent. Le camion doit être en route au lever du soleil. »

L'immeuble d'habitation faisait partie d'une série construite après la guerre pour les cadres de second rang du Parti et du gouvernement. L'appartement de Tuohy était au cinquième étage. Zander prit l'escalier plutôt que l'ascenseur, trouva la porte avec la plaque de cuivre où était gravé « A. TUOHY » et sonna. Il appuya sur la sonnette une deuxième fois, puis une troisième fois.

Étouffant un bâillement, Tuohy demanda à travers la porte : « Qui diable est-ce à cette heure impie ?

— C'est moi. »

Tuohy dut reconnaître la voix de Zander, car il ouvrit la porte sans un autre mot. Il portait un long peignoir éponge avec ses initiales sur la poche de poitrine, une écharpe d'hiver enroulée autour de son cou et de grosses chaussettes de laine. Il pencha la tête de côté d'un air interrogateur. « À quoi dois-je l'honneur ?

— J'ai des ennuis, lui dit Zander.

— Si tu as de vrais ennuis, répondit Tuohy, je devrais peut-être t'arrêter moi-même. » Il haussa les épaules. « Je suppose que tu peux aussi bien entrer. » Il ferma la porte d'un coup de pied derrière Zander, lui fit traverser un immense salon bourré de mobilier danois moderne et le guida dans un cabinet de travail aux murs couverts de boiseries. Tuohy éteignit le lustre moderne surchargé, alluma de petites lampes plus douces et se pencha pour mettre un disque sur le Magnavox installé dans les étagères qui couvraient un mur entier de la pièce. « J'ai oublié ce que tu aimes, dit Tuohy. Classique ou moderne ?

— Tu n'as jamais su ce que j'aimais », lui dit Zander.

Du jazz américain remplit la pièce.

« Désolé, fit Tuohy. Qu'as-tu dit à l'instant ?

— Rien d'important. »

Tuohy se laissa tomber dans un fauteuil pivotant rembourré, en cuir, et le fit tourner pour être face à Zander qui examinait le contenu de la pièce comme s'il en faisait l'inventaire. Il vit le bureau d'acajou avec un dessus en verre, le meuble à alcools ouvert, rempli de bouteilles, et l'étagère au-dessus portant des verres en cristal de toutes les tailles et formes. Il vit le cuir du divan, fin et brun pâle. Il vit le tapis persan sous ses pieds. Il vit l'humidificateur en bois veiné et, à côté, l'énorme cendrier de verre en forme de cygne qui servait de presse-papiers sur une pile de dossiers.

« Je me suis bien débrouillé, dit Tuohy.

— La propriété, c'est le vol », répondit Zander.

Tuohy secoua la tête, agacé. « Tu n'as pas beaucoup changé en trente-cinq ans. »

Zander posa la boîte de bonbons sur une table et se mit à enlever le papier qui l'emballait. « J'ai traduit un film américain pour Staline à Blizhni il y a quelques heures. Dans le noir, j'ai glissé un morceau de sucre sur la soucoupe à côté du verre de lait chaud qu'il emporte dans sa chambre. Le sucre était empoisonné. »

Tuohy ne changea pas d'expression, mais les muscles de son visage se figèrent. Son demi-sourire ambigu aurait pu être coulé dans le bronze. Il tourna la tête avec prudence, estimant la distance qui le séparait du tiroir où il gardait son pistolet chargé. Il décida qu'il en était plus proche que Zander et allait bondir quand il remarqua l'objet que celui-ci avait retiré de la boîte de bonbons.

« La masse bulbeuse au bout du canon est un silencieux, remarqua Zander.

— Je ne suis pas stupide, répondit Tuohy. Si Staline a vraiment été empoisonné, l'enfer va se déclencher.

— Nous avons employé un poison qui donne à la victime l'apparence d'avoir eu une attaque.

— Si ça a l'air d'une attaque, pourquoi as-tu des ennuis ?

— J'ai des ennuis parce que je me suis engagé dans une révolution qui s'est révélée totalement corrompue – la révolution était corrompue, le système qu'elle a créé était corrompu, les gens qui le dirigeaient étaient corrompus. La Russie n'avait pas la moindre chance.

— T'es un pauvre con, éclata Tuohy. L'État soviétique a de réelles réussites à son crédit – nous avons éliminé l'analphabétisme, éliminé la famine, nous avons construit une base industrielle à partir du néant. Nous avons fait beaucoup de chemin…

— Nous avions rêvé un plus grand rêve, Atticus », murmura Zander avec amertume.

Tuohy pivota avec impatience sur sa gauche, puis en sens inverse. « Les révolutions ne sont pas faites par les rêveurs. Elles sont faites par des gens qui fracassent des crânes. Je suppose qu'on ne pouvait pas éviter d'avoir un rêveur ou deux dans nos rangs. Nous les recueillions de la façon dont on recueille de la poussière dans ses revers de pantalon. De temps en temps, on retournait nos revers, on les brossait et on se remettait au travail. » Il pencha la tête en arrière, ses yeux s'étrécirent et il fixa son regard sur Zander. « Bien entendu, je ne crois pas un mot de ce que tu as dit à propos du morceau de sucre. Staline est la personne la mieux gardée de la terre. C'est impossible.

— Que tu me croies ou non n'a aucune importance. Staline est mort ou mourant en ce moment. »

Tuohy remua dans son fauteuil. Saisissant le pistolet à deux mains, Zander le pointa droit sur lui.

« Qu'est-ce que tu crois que tu vas faire avec ça ? demanda Tuohy d'une voix traînante, chargée de sarcasme.

— Je vais abattre l'homme qui a tué Yitzhak Feldstein. »

Un rire amer sortit du tréfonds du corps de Tuohy. « Ci-gît Atticus Tuohy, psalmodia-t-il. La mort est une dette qu'on a envers la Nature. J'ai payé !

— Tu as passé ta vie à fracasser des crânes », dit Zander. Il s'avança d'un pas. « Des dizaines de millions de crânes ont été fracassés par toi et des gens qui te ressemblent. Et qu'est-ce que la Russie peut montrer en échange ? Nous avons oublié *pourquoi* nous avons fait la révolution, Atticus. Nous avons abandonné trop de nous-même en la faisant, puis en la protégeant. Ronzha avait raison. On ne peut rien abandonner de soi parce que, quand on commence, il n'y a pas de raison logique de s'arrêter. Et un jour on se réveille et il ne reste plus rien. De soi. De la révolution. Du rêve. »

Tuohy ricana. « Tu n'as pas pu tuer Ortona à New York. Qu'est-ce qui te fait croire que tu auras les tripes d'appuyer sur la détente maintenant ? »

Zander fit un autre pas vers lui. « Voilà ce que la révolution m'a fait, dit-il doucement. Elle m'a rendu capable de regarder un homme dans les yeux et de lui prendre la vie.

— Tu en es sûr ? »

Zander réfléchit à la question. « Non, dit-il finalement. Je n'en suis pas sûr. Je le crois seulement. »

Et il tira une balle dans le cœur de Tuohy.

Zander montait dans la Zil quand il entendit un bruit qui lui donna la chair de poule. Il baissa une vitre et laissa l'air froid baigner son visage humide. Un vieux cheval tourna le coin de la rue. Il portait des œillères et ses côtes saillaient. Il marchait lourdement, penché entre ses brancards, luttant contre le poids d'une charrette chargée d'un grand tas de choux venant d'une ferme collective. Le cheval trébucha dans un nid-de-poule. Jurant, le paysan sur la charrette frappa du fouet les flancs de l'animal. Remuant la tête, essayant de cracher son mors, le vieux cheval continua à descendre la rue. Le son des sabots s'évanouit.

Dans l'auto, Zander en fut certain ; cette fois, il savait qu'il se souvenait.

Une traduction russe du *Prince* était posée sur la table de nuit à côté du lit. Le disque du *Concerto pour piano n° 23* de Mozart par Yudina jouait doucement ; chaque fois que le disque s'arrêtait, quelqu'un le remettait au début. Une demi-douzaine de médecins se penchaient sur le patient, prêts à saisir quelque mot qu'il pût prononcer. Khrouchtchev, Molotov, Boulganine, Malenkov, Beria entraient et sortaient de la pièce pour voir comment allaient les choses.

Elles allaient mal.

Il n'y avait eu aucun signe de vie dans les appartements privés de Staline pendant toute la journée de dimanche. Le soir, les gardes étaient hystériques. Les membres du Politburo furent convoqués. Ils tinrent une rapide conférence et donnèrent aux gens de la sécurité l'autorisation de forcer la porte des chambres. Ce fut un travail pénible. Les gardes travaillèrent toute la nuit du dimanche et durant les premières heures du lundi matin avec des chalumeaux à acétylène, découpant lentement les portes blindées. La première des six chambres dans laquelle ils entrèrent était vide. La deuxième aussi. Et la troisième. Dans la quatrième, ils trouvèrent Staline tout habillé, allongé sur le ventre sur un tapis. Ils le tournèrent sur le dos avec délicatesse. Il respirait encore, mais à peine. Ses yeux étaient révulsés. Ses lèvres étaient noires, couvertes d'écume.

On fit précipitamment venir des médecins de Moscou. Après un rapide examen, ils annoncèrent que Staline avait eu une attaque. Il avait perdu la parole. Son côté droit était entièrement paralysé. Il entrait dans le coma et en ressortait régulièrement. Il respirait difficilement, aspirant l'air par petites bouffées. On apporta de l'oxygène. On prit des cardiogrammes. On administra du camphre, de la caféine, du strophantion, de la pénicilline. La seule fois où Staline montra un signe de vie fut quand un vieil infirmier appliqua des sangsues sur sa nuque. « *Vot ! Vot !* » dit-il faiblement. « C'est ça ! C'est ça ! »

Le jeudi, son état s'était détérioré. Il semblait haleter plus et inhaler moins. Son visage crispé noircissait. Les visiteurs qui venaient pour la première fois ne le reconnaissaient pas. C'était comme si on l'étranglait lentement. Sa fille, Svetlana, était assise au bord du lit, caressant et embrassant sa bonne main. Juste avant dix heures du soir, Staline ouvrit les yeux. Il arracha sa main de l'étreinte de Svetlana et leva un doigt tremblant, désignant quelque chose au-dessus de sa tête. Tout le monde leva les yeux.

Quand ils les baissèrent, Staline était mort.

Valechka tomba à genoux à côté du lit et se mit à hurler de douleur comme une paysanne. Khrouchtchev, des larmes coulant sur ses joues, guida Svetlana hors de la pièce. Beria se précipita vers la porte principale de la datcha. « Ma voiture ! cria-t-il à pleins poumons. Amenez ma voiture ! »

Zander fut soumis à un long – et, à cause de l'absence de Léon, relativement déplaisant – debriefing dans une maison sûre en Grèce. Les Israéliens étaient très discrets. Ils firent remarquer en passant qu'il manquait une balle de l'un des chargeurs que Zander avait rendus avec le pistolet, et qu'ils avaient appris la mort du commissaire pour la Réimplantation des minorités, trouvé abattu dans son appartement de Moscou.

« Vous avez un commentaire à faire là-dessus ? » demanda poliment l'un d'eux.

Zander secoua la tête.

« Revenons-en au moment où vous avez fait l'échange. Êtes-vous absolument certain que le morceau de sucre que nous vous avons donné ait abouti dans la soucoupe ?

— Je suis formel.

— Tout s'est passé très vite – il aurait pu tomber par terre.

— Non. Il était dans la soucoupe. »

Le temps s'étirait. Zander devint maussade, puis déprimé. Pendant des heures, ses compagnons eurent du mal à lui arracher un mot. L'incertitude – Staline avait-il pris le poison ? Les dirigeants russes réalisaient-ils que le Grand Timonier avait été assassiné ? Zander était-il traqué ? – portait sur les nerfs de tout le monde. « Vous m'avez déjà demandé ça, dit sèchement Zander à un moment. Je refuse catégoriquement d'être interrogé comme un écolier. »

Ce ne fut pas avant le mercredi matin, le 4 mars, que les programmes de radio soviétiques furent interrompus pour informer les Russes que Staline avait subi une attaque. Dans la maison du Pirée, les Israéliens qui entouraient Zander eurent un soupir de soulagement. « Ainsi, le sucre était dans la soucoupe, après tout », dit l'un d'eux.

Un médecin israélien qui faisait partie de l'équipe analysait les bulletins médicaux qui venaient de Moscou – les autorités parlaient d'hémorragie cérébrale, de paralysie du côté droit, de perte de la parole, de complications cardiaques et respiratoires sérieuses. « Il est mourant, conclut le médecin. C'est une question d'heures. » Le vendredi, le 6 mars, le Kremlin annonça la mort de Staline. « Le cœur de Joseph Vissarionovitch Staline, le compagnon d'armes de Lénine, le sage dirigeant et éducateur du Parti communiste et du peuple soviétique, a cessé de battre. » Dans la maison du Pirée, la demi-douzaine d'Israéliens réunis autour de la radio à ondes courtes ouvrirent une bouteille de slivovitz.

Ils se mirent tous debout et levèrent leurs verres à Zander. Plusieurs de ceux qui avaient l'air le plus dur avaient les larmes aux yeux. « Alors le salaud a rejoint son créateur, marmonna un des plus jeunes. Que Yahveh le damne, envoie son âme dans le plus bas et le plus chaud des cercles de l'enfer de Dante… »

Une semaine après la mort de Staline, il était évident que l'Union soviétique entrait dans l'ère post-stalinienne. Il y avait des signes auxquels on ne pouvait se tromper. La *Pravda* se référa pour la première fois, de mémoire d'homme, à la « constitution soviétique » et non pas à la « constitution stalinienne ». Quelqu'un, citant un des livres de Staline, ne le décrivit pas comme « inspiré ». La nouvelle édition du *Dictionnaire de la langue russe* d'Ojegov fut envoyée chez l'imprimeur sans définition pour le mot « stalinien » ; l'édition précédente y avait consacré quatre lignes. Ce qui les concernait plus directement, les articles attaquant les Juifs et les sionistes disparurent de la presse. Puis les médecins du Kremlin furent relâchés et il fut annoncé que les accusations portées contre eux étaient sans fondement. « Je crois, dit le responsable israélien de la maison sûre à Zander, que vous pouvez maintenant rentrer chez vous. »

Chez lui, bien sûr, c'était Israël. Un matin, avant l'aube, Zander fut conduit à un petit aéroport hors d'Athènes, où un avion privé attendait pour l'emmener en Terre promise. Arrivé à l'aéroport de Lod, on le fit prestement passer dans un bureau à l'intérieur d'un hangar. Léon sortit d'un groupe d'Israéliens et embrassa Zander, à la russe, sur les lèvres. Un petit homme aux cheveux blancs, portant un pantalon noir et une chemise de sport blanche au col ouvert, s'avança. « Ceci sera bref, annonça-t-il d'une voix grave. Il ne peut pas y avoir de médaille, de reconnaissance publique de ce que vous avez fait. Nous ne sommes qu'une poignée à le savoir, et nous avons juré devant le Dieu de nos pères de garder le secret. Mais je veux être sûr que vous sachiez – je vous en parle du fond du cœur – que vous avez fait une grande chose. Dieu vous a mis au bon endroit au bon moment, mais c'est *vous* qui avez agi. Et comme seul pouvait le faire un homme profondément moral. Je vous transmets la gratitude éternelle d'un peuple revenu du bord de l'annihilation. »

L'homme aux cheveux blancs ne proposa pas de lui serrer la main. Ayant fini son petit discours, il recula d'un pas et s'inclina à partir de la taille, comme un paysan russe pourrait s'incliner devant une icône du Saint-Père. Derrière lui, les autres Israéliens l'imitèrent. Puis ils se détournèrent et sortirent de la pièce en silence.

« Eh bien, ce n'est pas tout le monde qui est accueilli à la porte d'Israël par le Premier ministre », remarqua Léon. Quand il vit la surprise sur le visage de Zander, il dit : « Je croyais que tu l'avais reconnu – c'était David Ben Gourion. Et voici le reste du comité de réception. »

Une autre porte s'ouvrit et la famille entière de Zander, Vanka et Aza en tête, se précipita dans la pièce. Aza bondit dans les bras de Zander et lui planta un baiser mouillé sur les lèvres. « Maintenant que Zander est ici, dit-elle gaiement, nous devons aller à Jérusalem.

— Je n'aime pas cet endroit, chuchota Vanka à l'oreille de Zander. Ils ne parlent pas russe.

— Qu'est-ce qui t'a pris tant de temps, mon amour ? » demanda Zsuzsa, enlaçant Zander à son tour. Elle eut un sourire triste, à un cheveu des larmes. « Ton frère Léon nous assurait que tu étais en sécurité hors du pays, mais nous nous inquiétions quand même.

Il nous donnait un coup de main en Grèce, dit doucement Léon.

— Imaginez, s'exclama la vieille mère de Zsuzsa, quelqu'un qui émigre à mon âge ! Pour dire vrai, toute cette aventure me fait me sentir jeune à nouveau.

— Tu as entendu les nouvelles, dit Ludmilla en l'embrassant. Le vieux bouc a cassé sa pipe. Bon débarras, si tu veux mon avis. J'ai une bonne plaisanterie israélienne pour toi. C'est comme ça… »

Après le déjeuner, pour prendre l'air, Léon conduisit Zander sur l'étroite plate-forme qui ceinturait la tour de contrôle. « La Méditerranée est derrière cette hauteur », dit-il en la montrant du doigt. Léon pencha sa grosse tête et observa Zander. « Tu n'es pas très bavard, depuis ton arrivée. Tu sais que tout Israël se réjouit de la mort de Staline.

— D'après ce que j'ai entendu en Grèce, toute la Russie est en larmes, dit Zander. Crois-tu vraiment que sa mort changera quelque chose ?

— Il y a des larmes en Russie, acquiesça Léon, mais ce sont celles que les Romains appelaient *lacrimae rerum* – les larmes des choses. Ça changera. D'abord la génération de Staline, ceux qui ont été complices de ses crimes, doit vieillir et mourir. La génération suivante sera à moitié stalinienne, ses enfants au quart staliniens. » Et Léon répéta fermement : « Les choses changeront. Les Russes sont un grand peuple et méritent mieux. »

Zander se tourna et regarda dans la direction de la mer. « Ça a été un long voyage, dit-il, plus pour lui-même que pour Léon. Mes pieds sont lourds. Mon cœur aussi. »

De l'autre côté d'une éminence au nord de l'aéroport vint le bruit étouffé d'un carillon. Léon remarqua que Zander tendait sa bonne oreille vers le son. « Te souviens-tu des cloches que nous avons entendues sur le pont de Brooklyn ? » demanda Léon.

Zander eut un petit rire. « Étais-je naïf… Je croyais qu'elles sonnaient pour moi. Je croyais que la Russie m'appelait.

— C'était le cas », affirma Léon avec passion.

Zander passa de l'autre côté de la plate-forme et regarda la Terre promise. Il sentit un courant d'air chaud sur sa joue.

Léon le rejoignit. « Les Arabes l'appellent le *khamsin*, dit-il doucement. C'est un vent qui souffle parfois du désert. Un vieux bédouin m'a dit une fois qu'il provient de la fournaise de la terre – qu'il souffle pour nous rappeler ce qui aurait pu être. »

Un léger sourire apparut sur les lèvres de Zander. « *Khamsin* », répéta-t-il. Il tendit à nouveau l'oreille pour entendre le carillon musical, mais il n'entendit que le vent du désert.

NOTE DE L'AUTEUR

La Russie m'attire comme une flamme un papillon de nuit depuis mon premier séjour là-bas en 1964. J'y arrivai en voiture par la Finlande et repartis par Brest-Litovsk. Au fil des ans, il y eut d'autres voyages en Union soviétique et en Europe de l'Est, chacun étant, pour employer le titre du livre délicieux sur la Russie de Lesley Blanch, *Voyage au cœur de l'esprit* (Denoël, 2003). Quand j'abandonnai le journalisme et commençai à écrire des romans, en 1970, ce fut la chose la plus naturelle du monde que de situer mes histoires en Russie – je tournais autour des idées, de l'intrigue et des personnages de *Requiem pour une révolution*. En 1981, encouragé par mon ami et agent littéraire Ed Victor, je définis en gros le plan de ce livre et commençai les recherches. Mes lectures sur le sujet me prirent environ deux ans et la rédaction trois. Pour ceux que cela intéresse, j'aimerais donner la liste des livres que j'ai trouvés particulièrement utiles :

Léon Trotski, *Histoire de la révolution russe* (Le Seuil, coll. « Points Essai », 1995).

Alan Moorehead, *Naissance de la révolution russe* (Plon, 1958).

Roy Medvedev, *La Révolution d'octobre* (François Maspero, 1978).

John Reed, *Dix jours qui ébranlèrent le monde* (Le Seuil, 1996).

Edmund Wilson, *To the Finland Station* (Farrar, Straus & Giroux, 1972).

Louis Fischer, *Lénine* (Christian Bourgois, 1966).

Adam B. Ulam, *Staline, l'Homme et son temps* (Gallimard, 1977).

Bertram D. Wolfe, *Lénine, Trotsky, Staline* (Calmann-Lévy, 1951).

E. H. Carr, *Studies in Revolution* (The Macmillan Company, 1950).

Isaac Deutscher, *Russia in Transition* (Hamish Hamilton, 1957).

Isaac Deutscher, *Ironies of History* (Oxford University Press, 1966).

Anthony Summers and Tom Mangold, *The File on the Tsar* (Harper & Row, 1976).

Ann and Samuel Charters, *I Love* (Farrar, Straus & Giroux, 1979).

Robert Conquest, *La Grande Terreur : les purges staliniennes des années 30* (Robert Laffont, 1975).

Benson Bobrick, *Labyrinths of Iron* (Newsweek Books, 1981).

Alexander Werth, *La Russie en guerre* (Tallandier, coll. « Texto », 2011).

Milovan Djilas, *Conversations avec Staline* (Gallimard, coll. « L'Air du Temps », 1962).

Anton Antonov-Ovseyenko, *The Time of Stalin* (Harper & Row, 1981).

Georges Bortoli, *Mort de Staline* (Robert Laffont, 1973).

Svetlana Alliluyeva, *Vingt lettres à un ami* (Seuil, 1967).

Enfin, parmi les livres les plus émouvants venus de Russie au cours de ce siècle, écrits par l'une des Russes les plus étonnantes de tous les siècles :

Nadejda Mandelstam, *Contre tout espoir, Souvenirs*, I, II et III (Gallimard, coll. « Témoins »,2012).

Mon souci principal dans *Requiem pour une révolution* a été de montrer comment quelqu'un d'aussi sincère que Zander a pu être attiré par les bolcheviks au début puis révolté par ceux-là mêmes ; de suggérer comment la plus grande expérience politique du xxe siècle a pu mal tourner. Suivant la formule de Robespierre selon laquelle l'histoire est de la fiction, j'ai pris des libertés de romancier avec le sujet et, au lecteur qui m'a accompagné si loin, je crois devoir en signaler les principales. Des rumeurs selon lesquelles Lénine souffrait de syphilis ont circulé pendant des décennies mais n'ont jamais été prouvées à ma connaissance. J'ai moi-même essayé (en vain) de retrouver à Paris un médecin français qui, au dire d'un vieux général russe blanc, a une fois soigné Lénine pour cette maladie. Si j'ai affligé mon Lénine de cette syphilis, qui, dans sa phase tertiaire, affecte l'esprit et les actes de la victime, c'est parce que cela me semblait clarifier plusieurs points qu'il était difficile d'expliquer autrement : l'instabilité de son humeur (refusant de bouger en juillet 1917, puis poussant tout le monde à la révolution trois mois plus tard, alors que les bolcheviks auraient tout obtenu lors de l'Assemblée constituante), ses projets grandioses (la révolution mondiale, l'électrification de la Russie, etc.), et la relative facilité avec laquelle Staline parvint à minimiser le dernier testament de Lénine qui le critiquait explicitement. Une autre liberté (il y a aussi eu des rumeurs, mais aucune preuve) : Staline ne serait pas mort de mort naturelle. En fait, ses derniers jours sont enfouis dans l'ombre du Kremlin et personne n'a encore pu dire avec certitude comment il est mort. Étant donné le nombre de personnes de son entourage qui craignaient pour leur vie et avaient beaucoup à gagner à son décès, l'hypothèse du meurtre ne peut être éliminée. La plus grande liberté, que j'ai prise avec émotion, a été d'attribuer le poème d'Ossip Mandelstam à mon poète, Ronzha. Mandelstam a inspiré le personnage de Ronzha par certains côtés, mais pas tous. Son œuvre et sa vie ont nourri tous ceux qui s'intéressent à la Russie. À travers mon personnage Ronzha, j'ai essayé de montrer ce que je croyais être les intentions de Mandelstam quand il a composé son poème sur Staline et l'a lu dans une pièce pleine de monde. J'espère avoir rendu justice à la poésie et au poète.

R.L.
Paris

Cet ouvrage a été achevé d'imprimer en février 2014
dans les ateliers de Normandie Roto Impression s.a.s.
61250 Lonrai

N° d'impression : 1400741
Dépôt légal : mars 2014

Imprimé en France